# J'irai tuer pour vous

# DU MÊME AUTEUR

## Aux Éditions Flammarion et J'ai lu

*Le Testament des siècles*, 2003
*Le Syndrome Copernic*, 2007
*Le Rasoir d'Ockham*, 2008
*Les Cathédrales du vide*, 2009
*L'Apothicaire*, 2011
*Le Mystère Fulcanelli*, 2013
*Nous rêvions juste de liberté*, 2017

## Aux Éditions J'ai lu

### Gallica
1 – *Le louvetier*
2 – *La voix des brumes*
3 – *Les enfants de la veuve*

### La Moïra
1 – *La louve et l'enfant*
2 – *La guerre des loups*
3 – *La nuit de la louve*

### Sérum – Saison 1
avec Fabrice Mazza
Épisode 1
Épisode 2
Épisode 3
Épisode 4
Épisode 5
Épisode 6

## Aux Éditions Bragelonne

*La Moïra*, édition intégrale
*Gallica*, édition intégrale

Site officiel de l'auteur
www.henriloevenbruck.com

Henri Lœvenbruck est membre
de la Ligue de l'imaginaire
www.la-ldi.com

# HENRI
# LŒVENBRUCK

## J'irai tuer pour vous

*Aux enfants d'Hadès et à Richard Rammant.*

# Avant-propos

Ce roman est inspiré d'une histoire vraie, celle d'un agent clandestin français. Il est le fruit de longs mois d'entretiens avec celui-ci, et avec certains de ses anciens « collègues ». Dans un souci de confidentialité, le contexte historique de son incroyable parcours a été transposé de quelques années, lors d'un autre épisode singulier de notre histoire, et la vie privée des personnages a été en partie romancée. Certains noms et lieux ont été modifiés.

À travers le récit de cet homme de l'ombre, c'est à tous les soutiers de la gloire – ceux que l'histoire ne retient jamais et qui donnent pourtant à notre liberté le prix de leur propre vie – que ce livre a voulu rendre hommage, ainsi qu'à toutes les victimes d'attentats terroristes, de quelque pays qu'elles soient.

# LIVRE PREMIER

# El Furibundo

« Cette errance sans but m'a transformé plus que je ne l'imaginais. »

Ernesto CHE GUEVARA, *Voyage à motocyclette*.

# 1

## 7 juin 1985, Monte Caseros, Argentine

Quand Marc Masson sortit de la Land Rover noire, à quelques pas à peine de l'entrée du camp militaire, il sentit aussitôt la tension explosive qui régnait sur toute la zone. De nombreux civils entouraient le camp, certains brandissant des pancartes avec des slogans accusateurs, d'autres visiblement prêts à en découdre avec l'armée. Il fallait s'attendre, à tout moment, à ce qu'une fusillade éclate. Marc grimaça. La plus petite étincelle mettrait le feu aux poudres, et ils n'étaient que deux pour protéger leur client britannique. Une opération calée dans l'urgence, à la dernière minute. Il avait horreur de ça.

Dans la longue avenue cabossée qui menait au camp de Monte Caseros, les véhicules blindés se croisaient sous un soleil de plomb au milieu de la foule. Au sud, les vertes plaines parsemées de palmiers, d'arbres fruitiers, semblaient tenir la ville à distance. À l'est, le bras formidable du fleuve marquait la frontière avec le Brésil et l'Uruguay, et au nord, enfin, s'étendait la pampa, immense et douce, sans maisons, sans arbres, à peine quelques saules pleureurs qui liaient l'horizon au ciel d'un bleu éclatant.

Le crépitement des radios ponctuait les ordres qui fusaient ici et là en espagnol au milieu de la cohue.

Marc fit signe à Peter, son collègue américain, de sortir du 4×4.

— Coupe le contact et laisse ton arme dans son holster, ce n'est pas le moment d'avoir l'air hostile.

Les militaires argentins alentour regardaient la luxueuse Land Rover noire d'un air circonspect, la prenant sans doute pour un véhicule de la CIA. Et ici, on ne touchait pas à la CIA.

Peter s'exécuta et vint se placer à côté de Marc. Entourant tous deux la portière arrière gauche du 4×4 dans leurs costumes sombres, ils invitèrent l'attaché de l'ambassade de Grande-Bretagne à sortir à son tour.

Richard Straw, la quarantaine à peine, passa la main sur sa chemise comme pour vérifier une dernière fois que son gilet pare-balles était bien en place, puis s'extirpa de la voiture, le visage tendu.

— Tout va bien, monsieur, affirma Marc en lui passant une main sur l'épaule.

— C'est une véritable poudrière !

— Ça va bien se passer.

Les deux mercenaires escortèrent le diplomate britannique jusqu'à la grille, au milieu d'un groupe de militaires qui tenaient nerveusement leurs fusils d'assaut.

Dans un climat encore tendu depuis la guerre des Malouines, l'ambassade britannique – dont le personnel de sécurité était souvent débordé – faisait parfois appel à UKSL, la société privée pour laquelle Marc Masson travaillait depuis seulement trois mois, après avoir fui la France.

Le diplomate anglais salua timidement l'officier argentin qui se tenait devant la grande grille du camp et lui tendit la lettre signée par le chef de cabinet du *Ministerio de Relaciones Exteriores*. Alors que la foule alentour continuait de s'agiter, de plus en plus menaçante, le militaire inspecta le document d'un air agacé. Il secoua la tête, leur fit signe d'attendre et partit vers un véhicule blindé à quelques pas de là.

— Ça commence...

— Tout va bien, monsieur.

Marc, les mains croisées devant la taille, mais tous les sens en éveil, se mit légèrement en retrait, à l'exact opposé de son binôme, prêt à intervenir. Il avait déjà analysé machinalement toute la scène, le nombre approximatif de protagonistes, la configuration des lieux, les endroits où s'abriter, les itinéraires d'évacuation possibles... Plusieurs civils parmi les manifestants avaient des armes glissées à la ceinture. Son métier nécessitait une posture assurée et courtoise à la fois. Il reconnaissait autour de lui le climat familier d'une Amérique latine en temps de crise, un mélange de désordre et d'exubérance, l'incarnation d'une fragilité du pouvoir, la position complexe de l'armée, la suspicion permanente dans un pays aux dictatures successives... Un contexte qui invitait à la plus grande prudence, mais qui n'était pas pour lui déplaire. Les souvenirs de sa belle Bolivie rejaillissaient en cascade dans son esprit.

À vingt-six ans, les dernières traces de l'adolescence avaient quitté depuis longtemps le corps et le visage de Marc. Il était petit, trapu mais vif comme un boxeur, large d'épaules et de nuque. Sa figure carrée était coupée par des lèvres étroites et pincées, et ses pupilles noires, brillantes, apparaissaient à peine derrière de larges paupières toujours gonflées. À la première rencontre, on voyait aussitôt dans les yeux de Marc Masson que c'était un homme qui avait connu la mort, et qui l'avait donnée. Il avait dans le regard cette lueur triste et grave, cette sapience silencieuse, cette assurance sombre, celles des gens qui connaissent sur la vie et sur la mort ces choses crues que la plupart des hommes n'ont pas envie de connaître. La douleur, la violence et la finitude.

L'officier argentin finit par revenir du véhicule blindé, rendit le document officiel à l'attaché d'ambassade, demanda qu'on entrouvre la grille et ordonna à ses hommes d'escorter les trois étrangers.

Marc passa devant le diplomate et Peter ferma la marche. Quittant la cohue des habitants révoltés, ils suivirent les militaires à travers le camp jusqu'à la porte d'une petite baraque blanche, située à l'écart, près de l'enceinte nord.

— C'est ici ! expliqua un militaire en désignant la porte.

Richard Straw hocha la tête avec un sourire poli.

— Merci. Allons-y.

Marc ouvrit et passa le premier.

À l'intérieur, un autre soldat, confortablement installé sur une chaise, les pieds posés sur son bureau, les accueillit avec une mine désinvolte.

Le diplomate anglais lui tendit la lettre officielle.

— C'est bon, c'est bon, fit le militaire en agitant la main d'un air dédaigneux.

Il posa sur son bureau la radio qu'il avait dans les mains, sortit une grosse clef métallique du tiroir et se leva en soupirant.

Dans la pièce adjacente, Marc entendit les sanglots d'un enfant. Une petite fille, lui sembla-t-il. Il échangea un regard intrigué avec son collègue américain.

Quand le gardien ouvrit la porte, ils découvrirent la silhouette des trois personnes enfermées dans cette cellule vétuste aux murs couverts de graffiti. L'endroit sentait la vieille urine et le renfermé.

Au milieu de la pièce se tenait un jeune homme maigrelet dont la chevelure blonde, le teint clair, l'accoutrement et la carte de presse agrafée à sa veste ne laissaient aucun doute : c'était bien le

16

journaliste anglais qu'ils étaient venus chercher. Une jeune recrue du *Guardian* qui s'était pris pour un reporter de guerre, sans en avoir visiblement le mental. Il tremblait.

Derrière lui, une femme à la peau mate, cheveux bruns, habillée en guenilles, blottie dans un coin de la pièce, tenait une fillette serrée contre elle. La petite, qui devait avoir sept ou huit ans, pleurait de ses grands yeux verts. Le cœur de Marc se serra. Ce regard. Ce grand front. Elle ressemblait aux gamines de son enfance, à Santa Cruz de la Sierra. Comment l'armée pouvait-elle laisser une enfant dans un endroit pareil ?

— Eh ! L'Anglais ! Tu peux sortir ! lança le militaire argentin en faisant un signe de la main vers le journaliste.

— Venez monsieur Nicholls.

Le reporter britannique s'avança lentement vers le diplomate qui lui tendait la main.

— Richard Straw, attaché de l'ambassade. Nous sommes venus vous exfiltrer. Votre calvaire est fini, jeune homme.

Le journaliste hocha la tête en lui serrant la main, se retourna, adressa un regard embarrassé et triste à la femme et sa petite fille, puis sortit de la pièce d'un air terrifié. Les cernes sous ses yeux laissaient penser qu'il n'avait pas beaucoup dormi depuis plusieurs jours.

Marc l'arrêta par le bras quand il passa devant lui.

— C'est qui, elles ?

Le journaliste serra la mâchoire. Ses yeux firent des allers et retours entre le militaire argentin près de lui et les deux captives à l'intérieur de la petite cellule.

— La femme et la fille d'un agriculteur qui a porté plainte contre un officier…

Depuis quelques mois, de plus en plus d'Argentins se mettaient à porter plainte contre les soldats de leur propre pays qui avaient commis des exactions pendant la Guerre sale des années 1970. Ils se retrouvaient souvent victimes de menaces et de représailles, parfois très violentes…

Marc regarda la mère et sa fille, recroquevillées de l'autre côté de la cellule. Le militaire argentin passa devant lui et commença à refermer la porte. Masson avança aussitôt le pied pour la bloquer.

Il dévisagea le soldat, puis fit un signe de tête vers les deux prisonnières.

— Elles sortent elles aussi, dit-il dans un espagnol impeccable.

Derrière lui, Peter se racla la gorge.

— Qu'est-ce que tu fous, Masson ?

Le militaire argentin, d'abord perplexe, vint se placer à quelques centimètres du Français et le regarda droit dans les yeux avec un air de défi :

— Elles ne sont pas sur le document. Elles restent.

— C'est pas une prison, ici. Elles n'ont rien à faire là. Elles sortent aussi, répéta Marc d'un ton plus ferme.

— Dégage ! fit le soldat en tirant violemment sur la porte.

En un fragment de seconde à peine, Masson avait sorti son pistolet et l'avait collé contre la tempe de l'Argentin.

La pièce tout entière sembla se draper d'un seul coup d'un grand manteau de plomb. En retrait, le journaliste et le diplomate échangèrent des regards pétrifiés.

— Masson ! lança son binôme avec son fort accent texan. Arrête tes conneries, on n'est pas là pour ça, bordel !

— Ta gueule, Peter. Je laisse pas la gamine ici.

Marc appuya le canon de son arme sur le front du militaire argentin.

— Recule !

Le soldat fit quelques pas en arrière, les bras écartés, mais ses yeux suintaient la colère et la menace.

— Retourne-toi, mains sur la tête !

L'Argentin s'exécuta.

— Monsieur ! intervint l'attaché d'ambassade, entre fureur et panique. Je ne vous ai pas engagé pour ça ! Vous allez nous attirer de gros ennuis !

Marc prit le pistolet à la ceinture du militaire puis le fit avancer jusque dans la cellule.

— Va t'agenouiller, face au mur !

Quand le soldat fut enfin à genoux, Masson lui attacha les mains à un radiateur avec un collier en nylon, le bâillonna, puis fit signe à la femme et à la petite fille de sortir. La gamine ne pleurait plus et le regardait, les yeux écarquillés. Marc leur tendit la main en souriant.

— Allez, venez ! C'est terminé.

Elles hésitèrent un instant puis sortirent de la cellule avec lui, le regard brillant. Marc referma la porte à clef derrière elles. Quand il se retourna, Peter était planté devant lui, le visage tendu, et chuchota d'une voix autoritaire :

— Masson, tu fais une immense connerie. On fait quoi, maintenant, petit malin ? Ils vont jamais nous laisser sortir, avec tout ce monde !

— Toi, tu sors avec l'attaché d'ambassade et le journaliste. Moi, je me débrouille avec elles.

L'Américain l'attrapa par le col.

— C'est pas pro, mec, c'est pas pro du tout ! Tu vas griller ta carrière pour une connerie !

Marc repoussa la main de son collègue.

— C'est mon problème.

— C'est aussi le mien, si tu fais foirer la mission.

— Je te demande pas de m'aider, mec. Fais ce que t'as à faire. Moi, je laisse pas une gamine dans un endroit pareil. Continue sans moi.

— Et tu vas faire quoi, exactement ?

— Je me démerde. Allez-y !

— T'es complètement fou, mon pote.

Peter secoua la tête d'un air résigné, puis fit signe au diplomate et au journaliste de le suivre. Les deux hommes ne se firent pas prier. Ils sortirent rapidement de la baraque blanche derrière le mercenaire américain.

Marc se plaça devant la petite fenêtre et les regarda s'éloigner vers la grille. Il vit bientôt les trois hommes se faufiler parmi les soldats argentins, sortir du camp militaire au milieu de la confusion qui régnait encore à l'extérieur et monter dans le Land Rover. Quand le $4 \times 4$ s'éloigna à vive allure sur la route de terre, Marc hocha lentement la tête. Pour eux, la mission était accomplie. C'était déjà ça.

Il se retourna, adressa un nouveau sourire rassurant à la femme et à la fillette qui attendaient, pétrifiées, au milieu de la pièce, leur fit signe de ne pas faire de bruit, puis partit de l'autre côté, où se trouvait une deuxième porte de sortie qui donnait vers le nord.

Fermée à clef.

Dans la cellule à côté, le militaire argentin commençait à se débattre en marmonnant derrière son bâillon.

Par la fenêtre, Marc vit une sortie annexe du camp, fermée par une simple barrière et entourée de deux guérites. Deux soldats la surveillaient depuis une Jeep. C'était peut-être sa seule chance de sortie.

Il chercha en vain une autre clef dans le bureau.

— Il y a des soldats qui arrivent ! cria la femme au milieu de la pièce alors que sa fille se blottissait de nouveau contre elle.

Masson revint auprès d'elles. Il se pencha vers la petite fille.

— Comment tu t'appelles ?

— Luciana, répondit la fillette timidement.

— Tu es très courageuse Luciana. Tu me fais confiance ?

— Oui monsieur.

Il se redressa et regarda la mère dans les yeux.

— OK. On va sortir par-derrière sans faire de bruit. Restez près de moi tout le temps, d'accord ? Il va falloir courir. Vous pouvez courir, n'est-ce pas ?

La femme hocha vivement la tête d'un air anxieux.

Marc retourna devant la fenêtre et donna un grand coup de coude dans la vitre pour la briser. Les bouts de verre s'écroulèrent avec bruit. Il n'y avait plus de temps à perdre. Il aida la femme à escalader, puis fit passer la fillette de l'autre côté, avant de les rejoindre à son tour.

— Baissez-vous. On y va !

Le dos courbé, Marc prit la petite fille dans ses bras puis ils filèrent vers l'enceinte du camp, zigzaguant au milieu des orangers.

Ils étaient à mi-parcours quand des premiers cris s'élevèrent dans leur dos. Marc obliqua vers le nord-est pour s'enfoncer davantage sous l'abri de la végétation.

Près de la sortie annexe, à une trentaine de mètres à peine, les deux soldats, alertés par les cris, sortirent de leur Jeep, l'arme au poing.

Marc s'arrêta aussitôt dans sa course et fit signe à la femme de se cacher derrière un arbre. Il posa la petite fille devant elle, lui caressa la joue et chuchota :

— Tu vas m'attendre ici avec ta maman, Luciana.

— Non ! s'écria la petite fille.

— Shhh… Je reviens ! C'est promis !

Masson fit quelques pas vers le nord, puis se coucha au sol et commença à ramper, la mâchoire serrée. Il était bien conscient qu'il était effectivement en train de commettre la plus grosse erreur de sa courte carrière, sans doute la dernière, mais une petite voix au fond de son esprit lui disait qu'il faisait ce qu'il avait à faire. *Ce qui est juste.*

Quand il arriva en vue des deux soldats, il resta plaqué au sol sans bouger et attendit qu'ils passent devant lui.

Au moment opportun, il se leva sans bruit et prit les deux hommes à revers. Tout se passa en un éclair. Le premier, il l'assomma d'un coup de crosse. Le second eut à peine le temps de se retourner. Masson l'asphyxia d'une clef de bras et le laissa glisser lentement par terre, évanoui. Des gestes assurés, mille fois répétés. Il prit le temps de désarmer les deux soldats, puis retourna en courant vers les prisonnières.

— On y va ! Vite !

Marc reprit la petite dans ses bras et ils se mirent à courir vers la Jeep.

Ils n'étaient plus qu'à une dizaine de mètres quand un coup de feu retentit, suivi d'une rafale. Les balles firent des étincelles sur la tôle du véhicule devant eux et soulevèrent au sol des nuages de poussière.

— Montez ! Montez dans la voiture !

Marc se retourna. D'une main, il tenait la petite fille serrée contre sa poitrine. De l'autre, il ajusta son tir et fit feu en direction de la baraque, depuis laquelle trois militaires arrivaient en courant. Des tirs de sommation, pour les couper dans leur élan. Les trois soldats se mirent à l'abri. Marc fit aussitôt volte-face et courut vers la Jeep. Il déposa la fillette à l'arrière et lui fit signe de se coucher sur le plancher. La mère s'allongea près d'elle, la recouvrant de son corps tout entier.

Masson sauta derrière le volant, démarra la voiture et partit en trombe vers le nord. De nouveaux coups de feu retentirent, et l'un des rétroviseurs vola en éclats. L'impact des balles faisait résonner la carrosserie au milieu des sifflements. Marc s'enfonça dans son fauteuil, le pied collé au plancher.

— Restez couchées !

La Jeep passa comme une fusée par l'ouverture au cœur du grillage, fit sauter la barrière dans un craquement sec et fila vers la pampa, secouée en tous sens par le terrain cahoteux.

Dans son rétroviseur central, Marc aperçut bientôt un véhicule blindé léger qui les prenait en chasse. Il grimaça. La frontière uruguayenne était à cinq kilomètres à peine, mais de l'autre côté de l'immense fleuve ! Le seul point de passage était à Pasos de Los Libres, à une centaine de bornes, et la frontière serait évidemment très surveillée à cet endroit-là. Leur seule chance était de réussir à disparaître dans la pampa.

Aussi, plutôt que de rejoindre le chemin de terre qui se profilait à l'horizon, Masson tourna vers l'ouest et fonça au milieu de la plaine. Les rafales de mitrailleuse ne tardèrent pas à retentir, soulevant des éclats de tôle et de verre autour de lui.

— Putain, les enfoirés !

Marc se concentra sur sa conduite. Ne pas ralentir, changer régulièrement de cap. Leurs poursuivants étaient trop loin pour ajuster correctement leur tir, mais ils étaient encore à leur portée. Il serra les mains sur le volant. La Jeep était plus rapide. S'il tenait bon, il finirait par les semer.

S'il tenait bon.

Ici et là, des gros cailloux ou des buttes de terre faisaient décoller la voiture et, chaque fois qu'elle retombait, Masson priait pour que les claquements qu'il entendait ne soient pas le signe d'une casse imminente. Les suspensions étaient soumises à rude épreuve sur le sol bosselé de la pampa, mais les tirs, bien que plus distants, continuaient, et ce n'était pas le moment de lâcher.

Cela faisait près de dix minutes qu'ils filaient ainsi vers le nord quand Marc comprit qu'il avait enfin semé le véhicule blindé. Les tirs avaient cessé depuis longtemps. Il ne ralentit pas pour autant. De nombreuses troupes allaient sûrement venir à leur recherche. Leur seule chance était de rejoindre le fleuve à la tombée du jour, de cacher la Jeep et de trouver un moyen de traverser pendant la nuit pour rejoindre le Brésil ou l'Uruguay.

Obliquant vers l'est, il se retourna pour regarder la femme et sa fille, tapies à l'arrière.

— Tout va bien ?

Aucune réponse.

Marc passa la main par-dessus le siège passager et attrapa l'épaule de la mère. Ses doigts glissèrent alors sur un liquide poisseux. Il sentit sa poitrine se serrer.

Du sang. Des balles de la mitrailleuse avaient traversé la tôle et atteint la jeune femme en pleine tête. Elle ne bougeait plus.

— Luciana ! Luciana ! Tu m'entends ?

La petite, blottie sous le corps sans vie de sa mère, répondit en sanglotant.

— Reste cachée, Luciana ! Ne bouge pas, d'accord ? On est bientôt arrivés !

Une heure plus tard, ils avaient trouvé refuge dans un tout petit village, au bord du Río Curuzú Cuatiá. Un couple de fermiers coucha Luciana dans leur grenier pendant que Marc, le visage fermé, enterrait la mère de la fillette au cœur de la nuit.

# 2

## 7 décembre 1985, Paris, 17 h 38

Ce samedi-là, quand l'homme vêtu d'un complet noir fripé déposa discrètement l'attaché-case à soufflets entre deux étagères garnies de décorations de Noël, aucun des clients ou des employés des Galeries Lafayette ne sembla le remarquer. À quelques jours des fêtes de fin d'année, le département « arts de la table », situé au sous-sol, était l'un des mieux achalandés parmi les 47 000 mètres carrés de surface de vente que comptaient alors les cinq étages du grand immeuble haussmannien. Aussi, moins de trente minutes avant la fermeture, les centaines de Parisiens entassés là, se bousculant dans les rayons bigarrés, étaient bien trop occupés par la cohue pour prêter attention à ce genre de détail qui, pourtant, allait marquer leur vie à tout jamais.

Des hommes et des femmes pressés, des enfants, des familles, des étrangers, des employés, suivant chacun le chemin de leur journée singulière, des *gens comme tout le monde*, comme il en passait plusieurs dizaines de milliers chaque jour entre ces murs, et que rien ne prédestinait à vivre ce qu'ils étaient sur le point de vivre, sinon les lois aveugles du hasard.

En s'engageant dans l'escalator pour descendre dans les entrailles fourmillantes du grand magasin, Pierre Klein jeta un dernier coup d'œil vers l'immense coupole Art nouveau qui dominait l'édifice de son majestueux dôme de verre et d'acier. La signature architecturale des balustres ornées de feuillages lui fit irrémédiablement songer à Nancy, donc à son père, qu'il se réjouissait de revoir bientôt pour le réveillon. Il espérait seulement que, pour une fois, ils parviendraient l'un et l'autre à passer le long repas familial sans se quereller. La solution était pourtant simple : il suffisait de veiller à ne jamais, au grand jamais, aborder quelque sujet politique ou religieux que ce fût. Mais, au soir d'une fête chrétienne et à l'approche d'une campagne législative qui s'annonçait serrée, la prouesse serait rude, et son père était depuis longtemps passé grand maître dans l'art de la provocation. Quant à Pierre, qui avait de qui tenir, il brillait rarement par sa diplomatie. Alors que l'escalier mécanique glissait vers le sous-sol des Galeries, le jeune médecin secoua la tête en souriant. Comment deux êtres qui s'aimaient tant pouvaient-ils se chamailler à ce point, et depuis si longtemps, sans avoir jamais trouvé les conditions d'une simple trêve ? Sans doute parce que *avoir raison*, dans cette famille, était plus important que tout, même au soir de Noël. Au moins cela lui avait-il appris, dès le plus jeune âge, les rouages secrets de la dialectique...

Les haut-parleurs du grand magasin diffusaient en musique de fond l'un des tubes du moment, *There Must Be An Angel* de Eurythmics, et Pierre, appuyé sur la rampe coulissante, se surprit à siffloter le solo d'harmonica de Stevie Wonder. C'était sans doute le signe de la bonne humeur que suscitait chez lui la perspective de vacances méritées.

Dans le ballet lancinant des escaliers mécaniques, il croisa alors le regard d'un homme au teint mat et à la barbe taillée de près qui, descendant en sens inverse, lui sembla étrangement agité, comme pressé de quitter les lieux. *Celui-là, il a quelque chose à se reprocher*, pensa-t-il en secouant la tête. Un petit chapardage, sans doute. Les grands magasins étaient le paradis du vol à l'étalage...

— Bonjour madame, je cherche le rayon des bougies.

La jeune femme qui lui répondit en souriant ne faisait pas mentir la réputation des vendeuses des Galeries Lafayette. Elle était belle comme un oiseau de paradis, portait une toilette pimpante, et son maquillage, sans doute, devait lui demander chaque matin de longues minutes de virtuosité. Pierre se rappela ces vendredis soir où, au sortir de la faculté de médecine, il venait avec d'autres carabins séduire les vendeuses des grands magasins à l'heure de la fermeture, pour les emmener ensuite danser au Bus Palladium...

— C'est tout au bout à gauche, monsieur, après les décorations de Noël. Mais dépêchez-vous, on ferme dans quelques minutes.

Pierre regarda le doux visage s'évaporer comme un fantôme malicieux vers l'oubli. Une *passante*. Puis le médecin se faufila à son tour, tant bien que mal, au milieu de la foule des clients, dans l'atmosphère oppressante du tumulte consumériste. Malgré son humeur légère, il soupira. Les horaires de son cabinet et l'épidémie de grippe qui terrassait alors Paris ne lui laissaient guère le loisir de faire ses courses à des moments un peu plus calmes et, pour un homme qui détestait la foule, la période des fêtes de fin d'année était toujours une épreuve dont il était pressé de sortir. *Tout ça pour une foutue bougie parfumée*, s'amusa-t-il. *Et en plus, j'ai horreur des bougies parfumées.*

Il fit deux fois le tour d'un rayon surchargé de babioles disparates sans trouver ce qu'il cherchait, jusqu'à ce que la jolie vendeuse réapparaisse au bout de l'allée et lui adresse un sourire moqueur en le voyant si désemparé. Elle se hissa sur la pointe des pieds et lui fit un signe de l'index pour lui montrer l'étalage juste derrière lui. Pierre la remercia

d'un clin d'œil et se dirigea enfin vers les aligne-
ments de bougies.

*Diable, qu'elle est mignonne, cette vendeuse !*

Quelques pas encore, et il se sentit assailli par
un pot-pourri de senteurs fruitées. Une parodie de
nature enfouie sous des tonnes de béton.

Ce fut sa dernière impression quand, à 17 h 42,
une effroyable déflagration sembla faire trembler
l'étage tout entier. Un fracas sourd et terrifiant.

# 3

## Carnet de Marc Masson, extrait n° 1

*Je ne pensais pas me mettre un jour à écrire mes
mémoires. Les circonstances, sans doute, m'y ont
soudain invité. Je ne suis pas sûr d'ailleurs que je
puisse appeler ça des « mémoires » : je ne m'attends
pas à ce qu'elles soient lues. Il vaudrait sans doute
mieux qu'elles ne le soient jamais, et elles seront probablement détruites.*

*Peut-être, à présent que je suis réduit au silence,
avais-je seulement besoin d'un exutoire…*

*Je m'appelle Marc Masson et je suis un assassin.*

*Pas un meurtrier. Non. Moi, vous l'ignorez
peut-être, ou sans doute faites-vous semblant de ne
pas le savoir, mais je suis de ceux qui assassinent en
votre nom.*

*Je me souviens très bien du jour où, pour moi, tout
a commencé. Dans les moindres détails. On est en
décembre 1971 et j'ai douze ans.*

*— Hé, Marco ! Tu veux aller voir le Río Grande,
hein ?*

*— ¡Claro que si, Papi!*

— *Tu parles espagnol, maintenant ?*

*Comme chaque année, nos parents nous ont emmenés, ma sœur aînée et moi, en Bolivie, pour passer Noël en famille chez notre grand-père maternel.*

*Papi José est un immigré espagnol. Ici, à Santa Cruz de la Sierra, c'est devenu une figure locale. Il a beau marcher avec une canne à cause d'une blessure à la jambe gauche, il a l'allure fière des Catalans. Son front large et son regard perçant évoquent l'impétuosité d'un bandolero. Car Papi José, c'est un anarchiste, un vrai. De ceux qui ont fait la guérilla, rejoint le maquis. J'aime bien l'écouter, dans les ombres rouges du soir, quand il me raconte la révolution, quand il me parle du Che et des guérilleros.*

*Le voyage annuel en Bolivie, ce sont les seules vacances que mes parents, ma sœur et moi connaissons. Toutes les économies du foyer y passent. À la maison, l'argent manque souvent mais, chez les Masson, on n'a pas l'habitude de se plaindre. Pour moi, c'est simplement le meilleur moment de l'année, celui que j'attends avec impatience : aller voir mon grand-père à l'autre bout de la terre, dans ma Bolivie. Sa chaleur humide, son espace de majesté et le parfum de liberté qui court dans les grandes artères poussiéreuses de Santa Cruz… C'est mon refuge, mon paradis secret. Ma véritable patrie. À mes camarades de classe, en France, je n'en parle même pas. Ils ne pourraient pas comprendre, ils ne me croiraient pas.*

*Là-bas, nous ne sommes plus les mêmes. Ma mère, il n'y a qu'à Santa Cruz que je la vois sourire, parce qu'elle y rejoint sa « vraie » famille. Quant à mon père, il y trouve son compte : il redevient pendant quelques jours le baroudeur qu'il était dans ses plus jeunes années. Il revit.*

*Mon padre, d'ordinaire, il ne parle pas beaucoup. C'est un dur, un taiseux. La seule chose qui s'ouvre, chez lui, ce sont ses larges mains calleuses, quand il menace de nous en coller une. Chez nous, à*

Lorient, il est plutôt fermé, taciturne. Un roc. Il travaille comme un forçat à l'atelier des sous-marins, sur la rade, du matin jusqu'au soir et, quand il rentre, c'est comme si nous n'étions pas là. Il ne nous regarde pas. Ses yeux restent figés sur la table de la salle à manger devant lui, et nos discussions ont toujours l'air de l'agacer. Lui, dans son silence, je devine qu'il rêve d'un ailleurs. De voyages et d'océans et de forêts. Alors on parle à voix basse. Et pourtant, le padre, moi, je l'admire. Je sais que sa famille lui pèse, que c'est à cause de nous qu'il a renoncé à ses rêves, pour nous faire manger, nous élever, dans la dignité. Si je pouvais, je disparaîtrais. Oui. Pour lui, je disparaîtrais.

Mais dès qu'on arrive en Bolivie, le padre, on dirait qu'il se transforme, qu'il ressuscite. Comme moi. Oh, il ne parle pas beaucoup plus, mais il m'emmène avec lui pour de longues promenades en forêt, à l'ouest de Santa Cruz, au pied des montagnes infinies qui s'étendent jusqu'au Pérou. Fusil sous le bras, dans la nature immense, c'est comme s'il était enfin chez lui, c'est comme s'il était enfin lui. Tous les deux, sans rien dire, nous marchons pendant des heures à travers la forêt vierge, majestueuse, le toit des arbres nous protège des rayons du soleil tout comme des bruits du monde. On est bien.

Mon père connaît le nom des arbres. Parfois, il les nomme, comme ça, devant moi, et je me contente de hocher la tête. Pin du Paraná, flamboyant rouge, palo borracho... Je ne dis rien, de peur de sortir une bêtise et que le padre, irrité, ne mette un terme à notre expédition. Ces moments de bonheur me paraissent si fragiles ! Je retiens mon souffle et je le regarde religieusement poser des pièges, construire des arcs, tailler des flèches, ramasser les baies comestibles, allumer un feu... Ici, mon père, ce n'est plus un modeste ouvrier, ce n'est plus une bête de somme. Ici, c'est un savant, un aventurier. Un guerrier.

*Parfois, nous partons deux jours entiers pour une longue balade et nous dormons dans la forêt, avec notre sac sur le dos. Ma mère n'aime pas ça, elle dit que c'est dangereux, mais nous, on s'en fiche. Le danger, c'est de la liberté promise. La nuit, allongés côte à côte dans la douce fraîcheur, nous écoutons les oiseaux nocturnes, le grand-duc américain avec son chant triste qui fait niacouroutoutou et qui se répète à l'infini dans l'écho des cimes. Parfois, nous entendons au loin des rugissements de jaguars, terribles, mais ça ne me fait pas vraiment peur. Au contraire. Plus c'est sauvage, plus ça me plaît. Un jour, je rêve d'en voir un de près. Face à face. Il paraît que ça porte bonheur.*

*Ces nuits-là, j'ai le cœur qui bat plus fort que jamais. Je m'endors très tard et je sais que mon père voit bien que j'ai les yeux grands ouverts. Pourtant, il ne dit rien : en Bolivie, je ne suis plus un petit garçon. En Bolivie, je suis un homme. Comme lui.*

*Mais ce lundi de décembre 1971, ce n'est pas avec mon père que je vais me promener. C'est avec Papi José.*

*— Allez, suis-moi, Marco !*

*Je hoche la tête et je grimpe sur le cheval à côté du sien. Mon grand-père prend toujours le même, le sien : Nieve, un pur-sang blanc, puissant et résistant comme celui d'un conquistador. Souvent, il lui parle en espagnol, comme à un vieil ami, un frère. Il dit qu'avec lui il a fait tant de kilomètres que cela fait longtemps qu'ils ont fait le tour du monde, aller-retour.*

*Il est un peu plus de 16 heures. Le soleil cogne la terre comme un torrent de poussière d'or. Nous traversons Santa Cruz au pas, l'un à côté de l'autre et, du haut de mes douze ans, je suis le roi du monde, droit sur ma selle, le front levé, sérieux comme un requin. J'oublie que je suis un enfant, j'oublie même que je suis français. Je suis Pancho Villa, le plus grand des* brigands, que tout le monde craint, que tout le monde respecte. Je suis un guérillero.

En décembre, en Bolivie, c'est le plein été. Dans les plaines orientales, le thermomètre descend très rarement en dessous de vingt-cinq degrés et peut flirter avec les quarante. Mais les gouttes de sueur qui perlent à mon front et dessinent des filets de crasse noire sur mes joues renforcent l'image que je veux me donner. Je ne les essuie pas. Un vrai bandit ne souffre pas de la chaleur.

Autour de nous, la fête célébrant la naissance de l'Enfant Jésus est partout dans les rues. L'air chaud, vacillant, dépose sur le monde un voile jaune et doux. Les longues colonnades des maisons coloniales sont illuminées des guirlandes bariolées de Noël, l'air est empli des saveurs de picana et l'on entend sur les petites places les gamins des campagnes venus faire la quête en jouant des airs traditionnels sur leurs flûtes des Andes. Ici et là, de vieilles femmes assises à même le sol vendent des cigares ou du manioc aux passants, des panetons. Derrière elles, les jeunes filles de la ville, les Cruceñas, promènent leurs jolis fronts bombés, leurs yeux ardents et leurs petits nez mutins le long des arcades. Elles nous regardent fixement, leurs épaules drapées d'un long châle rose, leur chevelure piquée d'une fleur rouge et j'en vois même une accourir à sa porte pour regarder passer le petit Blanc. Elle crie : « Je l'ai vu la première ! » Mon grand-père s'en amuse, il me sourit, mais je reste impassible. Sur mon cheval, rien ne peut m'atteindre, rien ne peut me divertir de ma mission.

Je vais voir le Río Grande.

Quand, enfin, nous sortons de la ville, nous arrivons dans les plaines sablonneuses et arides, sur la grande piste de terre qui file vers l'est, et Papi José, d'un cri, se met au galop. Malgré son âge et sa blessure à la jambe, c'est encore un excellent cavalier. Un coup de talon et mon cheval s'envole à son tour.

Et puis mon cœur avec. Le vent fouette mon visage, emportant avec lui les senteurs douces des acacias et des eucalyptus qui bordent notre route. Alors que nos chevaux s'enfoncent dans la steppe, ni mon grand-père ni moi ne pouvons imaginer que la mort, déjà, nous attend au bout du chemin.

Au nord se profilent les petits villages d'où émergent les clochers des vieilles églises jésuites. Au-delà, les monts rocheux prennent des couleurs bleutées. Sur la piste de terre, nous croisons deux chasseurs, fusil à l'épaule. Ils sourient à notre passage. Plus loin, un vieux camion rouillé, chargé de bêtes. Et puis la région se fait de plus en plus sauvage, de plus en plus déserte, et c'est comme si nous étions tout seuls, en tête à tête avec la Terre.

Je ne sais combien de temps nous chevauchons ainsi, alternant pas et galop pour laisser les bêtes se reposer. Deux heures peut-être. Bientôt, le Río Grande – ou Río Guapay comme on l'appelle aussi – dessine un immense serpent vert au milieu des terres sèches.

— Je connais un endroit où les chevaux pourront traverser, m'explique Papi José. Suis-moi. Mais fais attention, hein, y a des pièges dans la pampa.

Je lui fais un clin d'œil, comme pour le rassurer. Il sourit et s'enfonce dans la steppe, au trot. Le soleil couchant colore le ciel de volutes rosées, et moi je soupire d'allégresse. Je me dis que la vie, c'est ça. Que ma vie est ici. À cet instant, Lorient est tellement loin.

Autour de nous, les buissons verts défilent comme une haie d'honneur qui nous conduit vers le fleuve. C'est la nature qui nous guide. Le bruit des sabots sur la terre dure, le tintement des étriers, la chaleur humide qui envahit nos poumons, l'odeur du cuir et des bêtes… Je vis un rêve éveillé.

Nous ne sommes plus qu'à quelques mètres du Río Grande quand, soudain, le cheval de mon grand-père se cabre devant moi en poussant un hennissement terrible. Son cabrement est même si violent que Papi

*José lâche prise et tombe à la renverse dans un nuage de poussière.*

*Pris de panique, je m'arrête aussitôt en tirant de toutes mes forces sur les rênes. À quelques pas à peine, Nieve se couche lentement sur le flanc en gémissant.*

*Je descends de cheval et cours vers mon grand-père.*

*— Attention ! me hurle-t-il. Doit y avoir un serpent !*

*Je regarde par terre, autour de moi. Rien.*

*Le crotale a dû filer.*

*Je m'approche.*

*— Ça va ?*

*Il hoche la tête, mais je vois bien aux plis sur son front qu'il est inquiet. Il se relève d'un air grave et marche vers Nieve en boitant. Le puissant cheval blanc, étendu sur le côté, est secoué de soubresauts. C'est un géant à terre. Il tremble. Il hoquette. Une mousse blanche se forme à ses naseaux. Sur sa patte avant gauche, je vois la morsure du serpent qui a déchiré la chair, et la plaie, déjà, qui commence à enfler.*

*Papi José est à genoux. Comme lui, je vois la détresse dans les grands yeux globuleux de Nieve, ses mouvements de tête saccadés, comme si le cheval voulait se redresser mais n'y parvenait pas. Mon cœur se serre. Même le ciel semble s'assombrir.*

*Mon grand-père se retourne lentement vers moi. Je lis sur son visage quelque chose comme de la crainte. Une tristesse immédiate et lourde. Je sais combien il aime son cheval. Son Nieve. Et je sais déjà ce qu'il va me dire. Je sais ce que l'on fait d'un cheval blessé qui ne pourra plus se lever. On abrège ses souffrances.*

*La main de Papi José se porte à sa ceinture et se pose sur la crosse de son pistolet.*

*— Retourne-toi, Marco. Regarde pas.*

*Mais je ne me retourne pas. Je reste immobile, comme une statue de pierre.*

*Mon cœur bat lentement. Paisiblement, même. Je sais ce que l'on fait d'un cheval blessé qui ne pourra plus se lever.*

*Je regarde mon grand-père. Il soupire et pose une paume fébrile sur le museau de Nieve, puis il penche lentement la tête en avant et je devine que des larmes coulent sur ses joues. La main tremblante, il approche le canon de la tête de son cheval.*

*Et moi, comme la bête au sol, sûrement, j'attends la détonation.*

*Mais rien. Le coup de feu ne vient pas.*

*Le temps s'est arrêté.*

*Je vois les épaules de Papi José qui s'affaissent, comme si la force le quittait soudain. Je comprends. Mon grand-père a vécu auprès des révolutionnaires en Espagne comme en Bolivie des épreuves que peu d'hommes auraient pu affronter. Mais abattre ce cheval qu'il aime tant…*

*Je m'approche. Papi se tourne vers moi. Son regard est empli de honte et de peur, impuissant.*

*Je prends le pistolet dans sa main. Il ne résiste pas. Il me regarde simplement de ses grands yeux perplexes. J'essaie de lui sourire. Je voudrais tellement le rassurer.*

*Puis je pose le canon sur la tempe de Nieve.*

*— Qu'est-ce que tu fais, Marco ?*

*— N'aie pas peur, Papi. Ça va.*

*Un souffle à peine. Le cheval semble comprendre et secoue nerveusement la tête.*

*— Non !*

*D'un geste sûr, j'appuie sur la détente.*

*La détonation déchire l'air et se répète dans le lointain avant de s'éteindre.*

*Le crâne du cheval éclate à mes pieds dans une bouillie de chair, de cervelle et de sang. Au loin, des oiseaux posés dans la steppe, apeurés, prennent leur envol.*

*Mon bras retombe le long de mon corps.*

*Papi José, le souffle coupé, m'observe soudain comme si j'étais devenu un étranger.*

*Dans ma poitrine, je ressens un immense soulagement.*

# 4

## 7 décembre 1985, Paris, 17 h 42

Pierre Klein n'aurait su dire si c'était la peur ou le souffle de l'explosion qui le projeta ainsi contre une gondole, au milieu de laquelle il s'écroula. Les hurlements, bien vite, vinrent se mêler au bruit assourdissant du verre brisé. Les éclats de la vaisselle qui tombait continuèrent longtemps après la détonation, comme une rafale de pistolet-mitrailleur arrosant une immense vitrine de cristal.

Et là, l'irruption soudaine de l'horreur. L'espace tout entier sembla se figer en une seule et unique seconde, comme tétanisé lui-même, puis les images se chevauchèrent dans une série de clichés éphémères. Le feu, la fumée, le sang, les visages horrifiés, et cette douche étincelante surgie soudain du système de sécurité incendie…

Le médecin, sonné, resta un instant étendu au milieu des débris, alors que les clients horrifiés se précipitaient vers les escalators en hurlant. On se marchait dessus, on se tirait par la main, on trébuchait, et la première chose à laquelle Pierre songea fut de se demander pourquoi tous ces gens s'entêtaient à garder ainsi leurs sacs encombrants, emplis de courses. L'ineptie de la panique.

Dans les premières secondes, comme s'il avait eu besoin d'une explication immédiate, il crut à un accident. Une fuite de gaz, peut-être ? Mais les flammes et leur point de départ lui firent bientôt penser davantage à une bombe. Une bombe incendiaire.

À la stupeur primitive succéda une accumulation de sensations. L'odeur âcre de la fumée, les fragrances de ces maudites bougies parfumées, le sifflement dans ses oreilles, la froideur subite des gouttes d'eau qui tombaient depuis le plafond sur son visage figé. Les mains tremblantes, Pierre se releva, regarda la débâcle insensée autour de lui, et lors, comme une évidence, ou comme une programmation de son subconscient, peut-être, une phrase du serment du Conseil de l'Ordre des médecins se mit à résonner dans sa tête. *Je ferai tout pour soulager les souffrances.*

Il tourna la tête vers le nuage de fumée qui continuait de grandir au milieu du rayon, malgré la douche des extincteurs. Le spectacle qui l'attendait lui glaça le sang. À quelques pas de lui, deux corps ensanglantés étaient étendus, immobiles. Devant eux, une jeune femme marchait à quatre pattes au milieu des décombres, appelant au secours, ses vêtements et ses cheveux en flammes. C'était sa belle vendeuse. Et les gouttes d'eau qui continuaient de tomber, comme une douche incongrue, donnaient au sang qui maculait son visage une couleur orangée. Le bruit de cette pluie fine incessante resterait longtemps gravé dans sa mémoire, comme une amère madeleine de Proust.

Le médecin, électrocuté par cette vision, attrapa aussitôt un linge de maison sur une étagère et se précipita pour secourir la jeune femme. Ce n'était pas un geste de raison, mais d'instinct. Un réflexe.

Quand il eut éteint le feu, il obligea la jeune femme à s'allonger et tenta de la calmer. Si la jolie vendeuse avait pu voir à cet instant son propre visage, elle n'y serait probablement pas parvenue.

Les brûlures, à n'en pas douter, allaient lui laisser à jamais de bien vilaines marques.

— Restez là, bougez pas, faut attendre les secours.

— Mais, qu'est-ce que j'ai ? Qu'est-ce que j'ai ? s'écria-t-elle en portant les mains à son visage.

Le médecin s'efforça de lui offrir un sourire rassurant et lui attrapa délicatement les poignets.

— Ne touchez pas. C'est seulement des brûlures, vous allez vous en sortir, je vous promets.

Il attrapa un autre linge à côté de lui et en enveloppa le petit corps tremblant. La vendeuse pleurait comme une enfant.

— Restez là un moment, essayez de vous calmer. Tout va bien se passer. Je reviens vite.

Ce ne fut que la première des quatre vies que cet homme sauva ce jour-là, avant l'arrivée des secours.

*Des gens comme tout le monde.*

Quatre minutes plus tard, à quelques centaines de mètres à peine, une seconde bombe explosa au rez-de-chaussée du magasin Printemps.

# 5

## 8 décembre 1985, Montevideo, Uruguay

Sept mois avaient passé depuis son aventure à Monte Caseros. Recherché par la police argentine, tout autant que par l'ambassade britannique et la société de sécurité privée qui l'avait embauché, Marc Masson, laissant la petite Luciana aux soins du couple de fermiers, s'était enfui en Bolivie et avait fait une croix définitive sur sa courte carrière. Il fallait se rendre à l'évidence : le mercenariat n'était pas fait pour un homme comme lui. Le temps des vrais « affreux », la détermination missionnaire et humanitaire des anciens « chiens de guerre », le Yémen, le Congo, le Biafra... tout ça était bel et bien révolu. Le mercenariat d'aujourd'hui avait changé d'odeur : il puait les pétrodollars. Ainsi, après avoir d'abord déserté l'armée française, la seconde vie qu'il avait cru pouvoir s'offrir dans les sociétés de sécurité privées était mort-née, elle aussi.

Les premières semaines, il était resté chez Papi José, à vivre comme un *camba*, à profiter de la paisible sérénité de Santa Cruz de la Sierra, à parler de la révolution avec les compagnons de la Junte, à donner des coups de main ici et là contre quelques billets. Petit à petit, les gens l'avaient adopté. Ils ne l'avaient plus regardé comme ce petit Français qui, jadis, venait passer un mois de vacances chez son grand-père : Marc avait commencé à faire partie du paysage. Et puis, rapidement, se refusant à vivre indéfiniment aux crochets de Papi José, il avait de nouveau éprouvé le besoin de « gagner » sa vie. Toutes les semaines, il envoyait un peu d'argent au couple d'Uruguayens qui avaient recueilli Luciana et qui, visiblement, s'occupaient d'elle comme de leur propre fille. Longtemps, Marc porterait en lui ce sentiment confus d'avoir à la fois sauvé cet enfant, mais aussi entraîné la mort de sa mère... Continuer d'envoyer de l'argent chaque semaine pour participer à son éducation était sans doute la seule rédemption à sa portée. Mais pour cela, il fallait en gagner.

Diego, le patron d'un abattoir bolivien, lui avait alors proposé d'ouvrir une succursale de sa petite affaire en Uruguay. L'idée était d'installer à Montevideo un deuxième bureau d'exportation pour le bétail, car la ville bénéficiait de l'un des plus gigantesques ports internationaux d'Amérique latine. Il y avait beaucoup à faire, le potentiel était immense, mais les moyens dont Marc disposait restaient limités. Le job, au moins, serait simple : Diego lui ferait parvenir une viande en norme C depuis la Bolivie, et le travail de Marc consisterait à la maquiller en norme B, pour qu'elle puisse être exportée vers l'Europe. Le sulfite, la falsification des valeurs de matières grasses, la modification de l'étiquetage, tout un tas de petites astuces permettaient de faire des miracles pour passer frauduleusement les contrôles. Ici, la pratique était courante. Tout le monde trichait. Pour survivre.

Aussi, un matin, le cœur lourd, le jeune Français avait fait ses adieux à Papi José et était parti pour l'Uruguay, un sac sur les épaules.

Rapidement, il avait dû trouver des entrepôts frigorifiques à louer dans la capitale uruguayenne. Les seuls qui entraient dans le budget ridicule que Diego lui avait alloué se trouvaient dans la zone industrielle de La Teja, un quartier à l'américaine, impersonnel et pollué, quadrillé de longues artères rectilignes, envahies jour et nuit par le ballet ininterrompu des semi-remorques. Les frigos appartenaient au propriétaire mafieux d'une fabrique de glace située au sud de La Teja. M. Sosa, si c'était possible, était encore plus caricatural que le propre patron de Marc. Figure de la pègre locale, petit, gros, les cheveux gras plaqués sur le crâne, il portait un fouet à la ceinture et essuyait constamment la sueur grasse qui coulait sur son front à l'aide d'un mouchoir blanc. Régulièrement, Marc voyait défiler des individus louches qui venaient voir M. Sosa dans sa fabrique de glace, et il se doutait bien que ce n'était pas pour lui livrer des cornets... Mais ce n'était pas ses affaires et, d'ordinaire, tout ce petit monde se côtoyait sans se chercher des poux. La réputation du jeune Français, sans doute, l'avait précédé. On le laissait tranquille. Ici aussi, les gens, même les marchands de passage, avaient appris à le connaître. Comme il se bagarrait souvent, on lui avait même trouvé un surnom : *El furibundo*. Cela n'était pas pour lui déplaire. En général, on ne venait jamais chercher de noises à un type affublé d'un tel sobriquet.

Pourtant, quand il arriva ce jour-là, comme chaque matin vers 5 heures, sur le site des entrepôts, Marc Masson comprit aussitôt que les problèmes allaient vraiment commencer.

Pendant tout le trajet, son petit poste de radio collé contre l'oreille, il avait écouté en marchant les nouvelles venues de France. Sur les grandes ondes, le journaliste avait raconté dans ses moindres détails l'attentat qui s'était déroulé la veille à Paris, de l'autre côté de la planète. Deux bombes dans les grands magasins, en pleine période de Noël. Quarante-trois personnes blessées, dont douze grièvement. Les autorités parlaient de l'œuvre d'un simple déséquilibré et Marc avait bien du mal à y croire. À plus de dix mille kilomètres de son pays natal, et bien que déserteur, il ne put s'empêcher d'éprouver un sentiment de colère et de compassion. Pour sa patrie, un peu, et pour l'innocence sacrifiée, surtout. Tout cela était si loin, maintenant... La France, il n'était même pas sûr de la revoir un jour.

Le soleil se levait lentement sur Montevideo. La ville, immense, ne ressemblait à rien que le jeune homme ait connu auparavant. Les plages infinies, le port industriel, les quartiers anciens aux venelles étroites parsemées de monuments et de villas coloniales, de maisons ornementées dans les tons bleus ou roses... Cette cité aux mille visages – qui semblait figée dans un décor des années 1920 – grouillait à toute heure de ses habitants comme de ses touristes. Dans les rues, les chauffards s'entrecroisaient dans une incompréhensible danse où se mêlaient voitures modernes et charrettes anachroniques, tirées par des chevaux décharnés. Carrefour entre les peuples, aux bras de l'océan, c'était une ville de fête et d'échanges où tout allait très vite. Marc aimait s'y perdre, s'y draper d'un délicieux anonymat et s'offrir aux rencontres avec des voyageurs venus des quatre coins de la planète. À Montevideo, il avait le sentiment d'embrasser d'un seul regard, serein, le monde tout entier.

Mais, ce jour-là, le portail qui menait à ses entrepôts frigorifiques était donc cadenassé, et Marc savait pertinemment pourquoi.

Il poussa un profond soupir. C'était la deuxième fois que Diego ne lui avait pas envoyé l'argent nécessaire pour payer le loyer, et le jeune homme était de nouveau, malgré lui, en retard sur la mensualité. La première fois, le propriétaire dégoulinant, le pouce de sa main droite coincé sous le manche de son fouet, avait accepté quelques jours de sursis, mais avait prévenu que cela ne devait pas se reproduire… Il n'avait pas eu besoin de préciser sa menace. Marc savait parfaitement à quel genre de personnage il avait affaire.

Aussi, ce matin-là, devant la grille close, le jeune Français en vint à se demander s'il n'aurait pas mieux fait de tout envoyer promener, de faire demi-tour et de rentrer en Bolivie chez Papi José. Après tout, ce n'était pas à lui d'assumer l'inconséquence de son patron. Il savait que, malgré ses belles promesses, Diego ne ferait jamais de lui son associé. Alors, à quoi bon encaisser les coups à sa place ? Diego s'en moquait, lui : il était à trois mille kilomètres de là.

Mais Marc n'aimait pas faire les choses à moitié. Il était un homme d'honneur et voulait que cette histoire se termine proprement. Il allait parler au propriétaire, d'homme à homme, et lui expliquer la situation : si Sosa voulait récupérer son argent, il fallait qu'il s'adresse directement à Diego. Marc, lui, jetait l'éponge.

À peine arrivé devant le bureau de Sosa, à l'entrée de la fabrique de glace, le Français comprit que les choses n'allaient pas être si simples. Un par un, les ouvriers s'assemblèrent autour de lui sans rien dire, jusqu'à former un cercle. Le jeune homme eut la conviction qu'ils l'attendaient déjà depuis un moment. Il se frotta le visage, prêt au pire, quand la porte du bureau s'ouvrit brusquement.

M. Sosa s'avança lentement en sortant de sa poche arrière un petit revolver calibre.38 à canon court.

Marc sentit son corps tout entier se tendre.

Tout en le fixant des yeux, le mafieux s'arrêta juste devant lui et posa le canon de son arme contre sa tempe.

— Je t'avais prévenu, le Français. J'ai horreur des mauvais payeurs.

Masson ne vacilla pas.

— Monsieur Sosa...

Avant que Marc ait pu terminer sa phrase, de l'autre main, le propriétaire lui envoya une grande gifle. Pas un coup de poing, mais une gifle colossale.

Avec une arme braquée sur la tempe, Marc n'osa même pas parer le coup. Il le prit de plein fouet et tomba à la renverse. Aussitôt, les ouvriers lui sautèrent dessus et commencèrent à le rouer de coups.

Depuis le sol, Marc se défendit comme il put, mais ils étaient nombreux et, il avait beau être aguerri au corps à corps, leurs chaussures lui labouraient le ventre, le dos, le visage. Il encaissa en contractant les muscles puis, dans un ultime effort, il parvint, en roulant sur le côté, à se dégager de leur assaut et à se relever. Cerné, il ne pouvait fuir, mais seulement se battre. Le visage déjà ensanglanté, il se mit en garde et fonça vers un premier adversaire. Il l'étendit au premier uppercut. Puis un second. Le jeune homme frappait avec la précision et la puissance que lui avaient données des années de boxe anglaise. Il touchait à la tempe ou au menton à chaque fois. Des coups durs et vifs, puissants comme ceux d'une masse. Mais alors qu'il venait de faire chuter un cinquième ouvrier, il entendit le claquement sec du coup de fouet qui lui entailla la hanche droite. Puis, venu de nulle part, un coup de matraque sur le crâne.

Alors qu'il s'effondrait, encore conscient, Marc songea que c'était la fin. Ces ordures allaient le tuer et le jeter dans le fleuve Aroyo Pantanoso, qui coulait derrière les entrepôts. S'il voulait vivre, il devait s'enfuir. Il devait se relever encore une fois. Sa vue se brouilla. Il ne pouvait pas se laisser faire. C'eût été une mort idiote, la plus idiote et la plus injuste qui pût être. S'il devait mourir, que ce fût debout.

Au même instant, avant même qu'il n'ait pu tenter de se redresser, un coup de pied le saisit en pleine face. La dernière image que Marc crut voir, ce fut le visage de son père, qui le regardait d'en haut, d'un air d'écœurement.

Puis il perdit connaissance.

# 6

## 8 décembre 1985, Paris

— Excusez-moi, il y a une réunion en cours, je ne peux pas vous laisser entrer.

Le grand brun aux yeux d'un bleu d'argent qui venait d'entrer dans le hall de l'Hôtel Beauvau, les mains enfoncées dans les poches de son jean, fronça les sourcils et regarda d'un air amusé le policier en uniforme qui s'était levé derrière le comptoir.

— C'est mes bottes ?

— Pardon ?

— C'est à cause de mes bottes, c'est ça ? répéta l'homme en relevant la pointe de ses santiags.

— Pas du tout, c'est juste que le ministre est en pleine réunion et j'ai pour ordre de...

— Ben oui, je sais, je suis attendu à cette réunion, figurez-vous ! Mais, du coup, je me demande pourquoi vous vous êtes directement dit que je pouvais pas être invité à cette réunion. Je me dis que ça doit être à cause de mes bottes...

Le jeune agent de police peina à masquer son embarras, comprenant qu'il venait peut-être de commettre une légère bourde. Le gaillard en santiags n'avait pas l'accoutrement habituel des intervenants de la place Beauvau.

— Non, elles sont très bien vos bottes. Je croyais juste que tout le monde était arrivé, vu que la réunion a déjà commencé...

— C'est des Tony Lama, mon garçon, faites à la main, à El Paso, dans le Texas. Attendez, le président Truman lui-même portait des Tony Lama ! Vous savez combien ça coûte une paire de bottes pareilles ?

— Euh non, mais elles sont très jolies, en effet... Et donc, vous êtes ?

Le grand brun adressa un clin d'œil au policier, comme pour le rassurer, puis lui montra ses papiers.

— Olivier Dartan, avec un D, comme DGSE[1].

Les joues du jeune agent s'empourprèrent.

— Ah, oui, je suis vraiment désolé... Vous étiez effectivement attendu. Suivez-moi.

---

1. Direction générale de la sécurité extérieure.

Les talons de l'officier goguenard claquèrent sur le vieux parquet ciré de l'Hôtel Beauvau, comme il suivait son collègue vers l'un des somptueux salons du ministère de l'Intérieur.

Olivier Dartan, qui approchait tout juste la quarantaine, avait suivi une carrière fulgurante dans les services secrets, malgré une indépendance d'esprit qui, au sein de la Boîte, n'était pas toujours vue du meilleur œil – pas plus que son accoutrement de cow-boy moderne, d'ailleurs. Ancien élève de Saint-Cyr, ayant fait un passage au sein des fusiliers commandos avant de rejoindre la DGSE, ce n'était pas seulement un brillant analyste, cultivé et sagace, mais aussi un homme d'action, qui aimait toujours travailler sur le terrain, même si cela ne faisait plus partie des prérogatives d'un chef de poste adjoint au Liban. Si beaucoup de ses confrères l'admiraient, on en comptait aussi quelques-uns qui éprouvaient pour lui une irrépressible jalousie. Mais Dartan n'était pas du genre à se soucier du regard d'autrui.

Tout juste rentré de Beyrouth, on lui avait demandé de venir participer à cette réunion extraordinaire du Cilat[1] – qui avait normalement lieu le jeudi – afin d'y remplacer le général Émin, directeur du Renseignement à la DGSE, dont le planning était visiblement surchargé. Dartan, qui passait pour être l'un des plus grands spécialistes des Proche et Moyen-Orient au sein de la Boîte, avait certes toute sa place dans cette réunion de crise, mais il y venait bien malgré lui. Les grands conciles de chefs n'avaient jamais été sa tasse de thé, et il doutait sérieusement de leur efficacité réelle. Pour lui, le véritable travail du renseignement se faisait sur le terrain, et nulle part ailleurs.

---

1. Comité interministériel de lutte antiterroriste.

Quand il entra dans le luxueux salon, il vit en effet que tous les autres intervenants étaient déjà là. Avaient-ils été délibérément convoqués avant lui, ou étaient-ils si pressés qu'ils étaient tous arrivés en avance ? Directeurs de cabinet de Matignon, de la Justice, de la Défense et du Quai d'Orsay, représentants des directions générales de la Police et de la Gendarmerie nationales, DST[1], unité antiterroriste, tout le monde avait déjà pris place... La table était recouverte de photos et de documents épars, les gobelets de café étaient vides, et chacun avait pris ses aises.

Au bout de la table, Dartan fut heureux d'apercevoir le visage affable et joufflu d'une vieille connaissance. Le commissaire Arnaud Batiza, un Antillais bien en chair, officier au sein de la division spécialisée dans la lutte antiterroriste à la DST, lui fit signe de venir s'asseoir à côté de lui.

— On a commencé sans toi, Olivier, lui murmurat-il avec un clin d'œil.

Les deux hommes se connaissaient de longue date. S'ils avaient ensuite pris des routes différentes, ils s'étaient rencontrés vingt ans plus tôt sur les bancs de la fac de droit, à Assas, avant que Dartan ne bifurque vers Saint-Cyr, et ils s'estimaient profondément l'un et l'autre. Ils partageaient notamment un amour pour les bons whiskies...

Dartan s'assit à côté du grand Noir en lui tapotant amicalement sur le bras.

— Ça me dérange pas plus que ça, va...

— Monsieur Dartan, je suppose ? le salua le ministre de l'Intérieur, installé au centre de la longue table.

Pierre Joxe, un énarque à la brillante carrière politique, faisait partie depuis longtemps de la garde rapprochée du président Mitterrand. Soupçonné

---

1. Direction de la surveillance du territoire.

d'avoir participé aux fuites dans la presse sur l'affaire du *Rainbow Warrior*[1], donc d'avoir permis l'arrestation des deux agents clandestins de la DGSE, il ne bénéficiait guère, en revanche, d'une image très favorable au sein des Services, avec lesquels il entretenait des liens pour le moins tendus.

— Pour vous servir, répondit Olivier en mimant le salut militaire.

— Les habitudes vestimentaires ont drôlement changé, à la DGSE, dites-moi...

Quand il était à Paris et qu'il n'avait pas besoin d'assumer sa couverture diplomatique à l'ambassade de Beyrouth, Dartan en profitait en effet pour se mettre à son aise. Santiags, jeans, blouson aviateur, on était bien éloigné du costume diplomatique.

— J'ai remplacé le général au pied levé, alors j'espère que vous ne m'en voudrez pas. Officiellement, je suis en congé...

— Vous savez, les congés, dans une période pareille... Du moment que votre esprit est tout entier dévoué au boulot, à vrai dire, je m'en fiche que vous vous déguisiez en John Wayne.

— Mon esprit est tout entier dévoué, affirma Dartan d'un air amusé. Alors, qu'est-ce que j'ai raté ?

— Nous avons fait un tour de table au sujet des attentats. Et vous arrivez à point nommé. Bien qu'ils aient eu lieu sur le territoire national, nous nous sommes dit que la DGSE avait peut-être des informations complémentaires à porter au dossier...

---

1. Nom d'un bateau de l'association GreenPeace, coulé par la DGSE en juillet 1985. L'opération ayant entraîné la mort de l'un des membres de l'équipage, et les agents s'étant fait prendre par la police néozélandaise, l'affaire se transforma en un immense scandale politico-médiatique.

— Au sujet de la version officielle ? ironisa Dartan. J'ai entendu sur Antenne 2 que c'était l'œuvre d'un simple déséquilibré... Alors tout va bien, non ?

— Un déséquilibré qui fait sauter deux bombes incendiaires à cinq minutes d'intervalle, dans deux magasins différents, intervint Batiza à côté de lui, de sa grosse voix caverneuse, l'hypothèse est discutable, si je puis me permettre. Mais nous ne sommes pas ici pour travailler sur le discours officiel, n'est-ce pas, monsieur le ministre ?

Le commissaire de la DST n'avait pas sa langue dans sa poche, lui non plus, une raison de plus pour que Dartan garde pour lui une affection particulière.

— Nous devions d'abord rassurer le public, se défendit Joxe. Et, après tout, les deux bombes étaient artisanales... Des bidons d'essence avec un peu de matière explosive et un détonateur actionné par un réveil, ce n'est pas forcément l'œuvre d'une grande organisation.

— Pas *forcément*, osa Batiza.

Le ministre écarta les bras d'un air impuissant.

— Bon. Si vous avez demandé à la DGSE de venir à la table, même tardivement, c'est que la version officieuse ne doit pas être bien remplie non plus, reprit Dartan.

— En effet, répondit Joxe. Et c'est pour ça que j'ai demandé cette réunion d'urgence. Sur cette affaire, nous avons besoin que DST et DGSE travaillent main dans la main, messieurs. Ça vous changera.

Batiza se pencha vers son ami pour chuchoter de nouveau.

— Toi qui dis toujours que nos Services ne travaillent pas assez ensemble, tu dois être content...

Dartan acquiesça d'un air entendu. La malice de son ami l'avait toujours amusé. Cela faisait partie du jeu. Depuis la nuit des temps, DST et DGSE – en plus d'être, par nature, très cloisonnées – se livraient une guerre des Services plus ou moins courtoise, à coups de planches savonneuses, de rétentions d'information et de transferts de responsabilités. Il n'était pas dupe : si la DST lui tendait la main, c'est qu'ils n'avaient rien, rien du tout, et que le ministre devait leur mettre une pression extraordinaire. D'abord les otages au Liban, et maintenant ça. Deux bombes en plein Paris. Un climat de terreur pendant les fêtes de Noël, à quatre mois des élections, ce n'était pas bon pour le petit commerce... Et la présidence Mitterrand, qui avait déjà enduré le scandale du *Rainbow Warrior*, se serait sans doute volontiers passée d'un nouvel épisode dramatique.

— Vous n'avez pas la moindre piste ? demanda Dartan en s'adressant à toute la table.

Les directeurs de cabinet et représentants des forces de l'ordre échangèrent des regards embarrassés.

— Aucune revendication, aucun témoignage concret sur un éventuel poseur de bombes, répondit Batiza, comme tout le monde restait muet. Les Services amis, américains, allemands, anglais ou italiens, n'ont rien non plus. Aucune alerte. Alors, forcément, on s'interroge... Nous avons évoqué le groupe Action Directe[1] ou le FLNC[2], mais c'est pas leur mode opératoire, et ils auraient certainement déjà revendiqué. Pour l'instant, la piste la plus sérieuse, c'est Abou Nidal. Mais, en l'absence de revendication...

— Abou Nidal ? À ma connaissance, notre poste à Damas n'a eu aucune alerte particulière, affirma Dartan tout en regardant les photos disposées sur la

---

1. Groupe terroriste anarcho-communiste ayant revendiqué plus de 80 attentats ou assassinats sur le territoire français entre 1979 et 1987.
2. Front de libération nationale corse.

table, où l'on voyait les terribles dégâts causés par les bombes dans les deux grands magasins.

— Des fragments d'un journal arabe, *Al Quabas*, ont été retrouvés dans les décombres aux Galeries Lafayette, et on peut penser que ce journal enveloppait la machine incendiaire, précisa le représentant de la Police nationale.

Dartan haussa un sourcil. *Al Quabas*, un journal koweïtien… C'était maigre, comme piste. Il hésita un instant à faire part de son intuition personnelle, qu'il avait déjà évoquée la veille avec le colonel Gautier, son chef de poste à Beyrouth. Puis il se dit que l'heure n'était plus, pour lui en tout cas, aux cachotteries.

— Le peu d'informations que vous avez bien voulu nous transmettre sur l'explosif, à savoir du C4, nous rappelle fortement celui utilisé contre l'ambassade de France au Koweït, en décembre 1983.

— Tu penses au Hezbollah ? demanda Batiza, d'un air intéressé.

Dartan haussa les épaules.

— Ça pourrait se tenir. Les motifs pourraient être les mêmes que pour les otages français au Liban…

Le 22 mars, Marcel Fontaine, vice-consul de France, et Marcel Carton, chef du protocole à l'ambassade, avaient été tous deux enlevés en pleine rue à Beyrouth. Deux mois plus tard, cela avait été le tour de Jean-Paul Kauffmann, journaliste à *L'Événement du jeudi*, et de Michel Seurat, sociologue au CNRS. On restait depuis lors sans nouvelles des quatre Français. Les enlèvements avaient été revendiqués par un groupe obscur, le Djihad islamique, qui réclamait notamment la fin de l'aide militaire française à l'Irak, dans la guerre qui l'opposait à l'Iran.

L'affaire des otages français occupait à présent la grande majorité du travail de Dartan. Grand spécialiste du Proche-Orient, il avait été affecté au

Liban alors que le pays, depuis près de dix ans, était plongé dans une terrible guerre civile où politique, religion et grand banditisme s'imbriquaient d'une manière aussi complexe qu'incestueuse. Le Grand Liban, voulu par la France au lendemain de la Première Guerre mondiale, était devenu le terrain de conflits internationaux qui, chaque jour, déchiraient un peu plus la chair de ce beau et grand pays. Divisé entre pro-Israéliens et pro-Palestiniens, le Liban était aussi tiraillé entre l'influence de la Syrie et celle de l'Iran, le tout donnant lieu à des conflits qui avaient fini, à l'évidence, par déclencher l'ingérence des pays occidentaux, et en particulier des États-Unis et de la France.

— Je sais que c'est votre obsession, à la DGSE, intervint le ministre, mais l'implication du Hezbollah dans l'enlèvement des otages n'a toujours pas été prouvée...

Dartan se contenta de sourire. L'implication du Hezbollah était un secret de polichinelle. Sous le nom de Djihad islamique, les Libanais agissaient pour le compte des Iraniens, qui les finançaient allègrement en retour. Dans le cadre de sa fonction de chef de poste adjoint à Beyrouth, l'officier avait eu tout le loisir de documenter la chose de manière assez circonstanciée. Il avait montré comment l'organisation clandestine du Djihad islamique servait de paravent à toute riposte militaire, en revendiquant des actions qui étaient en réalité commanditées par l'Iran. Visiblement, sa thèse n'avait pas les faveurs du ministère. Ce n'était pas la première fois que le gouvernement ignorait les mises en garde des Services. Cela se terminait rarement bien.

— Admettons que cela puisse être eux, intervint Batiza. Qu'espérerait le Hezbollah en faisant sauter deux bombes à Paris ?

— La même chose qu'avec les otages. Dans ce genre de cas, les motivations des commanditaires et celles des exécutants ne sont pas toujours les mêmes, mais ils peuvent faire d'une pierre deux coups...

— C'est-à-dire ? demanda Joxe, attentif.

— Scénario possible : l'attentat est commandité par l'Iran et exécuté par le Hezbollah. Motivations de l'Iran : premièrement, la France lui doit beaucoup d'argent, n'ayant toujours pas remboursé la dette de 1 milliard de dollars qu'elle lui doit pour le financement d'Eurodif, le consortium d'enrichissement de l'uranium. Deuxièmement, Paris continue de soutenir l'Irak, pire ennemi de Téhéran, en lui fournissant des armes, et d'héberger des opposants iraniens dont l'ayatollah Khomeini veut la peau. Motivations du Hezbollah libanais ? Une continuité dans l'escalade de la violence entre eux et l'Occident. Ça a commencé par les deux attentats de 1983, revendiqués par le Djihad islamique, qui ont tué 58 Français dans l'immeuble Drakkar[1] et 241 Américains à l'aéroport de Beyrouth. S'enchaînent les représailles, bombardement par la France d'une caserne dans le fief du Hezbollah le mois suivant, puis la bombe posée par la CIA...

— Rien ne prouve que c'était la CIA ! intervint le directeur de cabinet des Affaires étrangères.

— ... la bombe posée par la CIA en mars dernier près du domicile du Cheikh Fadlallah, guide spirituel du Hezbollah, qui en réchappe miraculeusement, alors que 80 civils libanais, principalement des femmes et des jeunes filles, sont tués sur le coup.

— Dans ce cas, le Hezbollah aurait plutôt frappé les États-Unis, non ? suggéra le ministre.

— La France est une cible plus facile et tout aussi coupable à leurs yeux. L'Iran a peut-être décidé de

---

1. Immeuble occupé par des militaires français à Beyrouth.

durcir le ton, et le Hezbollah est sans doute ravi de lui rendre ce service...

— J'entends beaucoup de « peut-être », monsieur Dartan, rétorqua finalement Joxe. C'est loin de constituer une preuve. Nous avons six blessés entre la vie et la mort au service des grands brûlés de l'hôpital Percy, on ne peut pas se contenter de suppositions.

— J'entends bien. Et pour l'instant, moi, je vous parle de pistes, pas de preuves...

— Malheureusement, ce dont j'ai besoin, c'est de preuves tangibles ! Nous n'allons pas faire trembler la France entière sur de simples conjectures ! Tant que nous ne lui aurons pas prouvé le contraire, le gouvernement préfère rester sur la thèse d'un déséquilibré.

— Un déséquilibré très doué. J'ai bien compris, ironisa l'officier de la DGSE.

Le ministre se leva, visiblement agacé, et fit un geste qui laissait entendre que la réunion était terminée.

— Messieurs, il ne vous reste plus qu'à vous mettre sérieusement au boulot.

Quand la pièce se fut vidée, Olivier Dartan se retrouva enfin seul avec le corpulent commissaire de la DST. L'Antillais, brillant policier, avait tous les signes extérieurs du bon vivant : flegme, embonpoint, regard espiègle et, dans sa voix, la signature d'une longue et consciencieuse consommation d'alcool et de tabac.

— Le Hezbollah, hein ? glissa Batiza en tapotant sur la table.

— Pour le compte de l'Iran, oui. Quand tu veux faire la liste de tes ennemis, commence par ceux auxquels tu dois le plus de pognon... Les guerres de religion n'existent pas, Arnaud, tu sais bien. C'est toujours des histoires de fric, bien déguisées. Un milliard de dollars, ça fait une jolie somme, quand même. Tu sais qu'en allemand, le mot dette, *die Schuld*, est synonyme de culpabilité ?

— Oh, tu sais, moi, l'allemand...

— J'ai bien peur qu'on ne soit qu'au tout début d'un sacré merdier.

— Le Hezbollah, répéta Batiza en hochant lentement la tête d'un air songeur. T'as remarqué une agitation particulière, du côté de Beyrouth ?

— Avec l'affaire des otages, il se passe tous les jours quelque chose à Beyrouth, tu sais...

— Eh bien, ouvre l'œil de ce côté-là, Olivier. Nous avons toi et moi l'occasion d'entrer dans l'histoire, si nous parvenons à faire travailler nos deux services main dans la main.

— Je ne sais pas pour la DST, mais le propre d'un service secret n'est pas de vouloir entrer dans l'histoire, mon vieux...

Le commissaire lui tapa sur l'épaule.

— Alors, disons, dans la légende !


# 7

## Carnet de Marc Masson, extrait n° 2


*Mai 1972. Lorient. J'ai treize ans.*

*Comme tous les soirs de la semaine, j'attends Aline, ma sœur aînée, à l'angle de la rue Voltaire et de la rue de l'Amiral-Courbet, à mi-chemin entre son lycée et mon collège, pour que nous rentrions ensemble. Et, comme tous les soirs de la semaine, Aline est en retard.*

*Le soleil de mai illumine les façades blanches des immeubles de Lorient. Ici, depuis la reconstruction, tout est blanc, tout est neuf, tout est lisse. Un peu* trop. L'après-guerre a transformé la ville en une cité calme et immaculée, un immense hôpital. À quelques pas de là, la rade souffle jusque dans les rues l'odeur iodée de l'océan, c'est comme si elle alimentait Lorient tout entier. Les mouettes tournoient au-dessus de ma tête, je jurerais qu'elles se moquent. Je plisse les yeux pour ne pas être ébloui. Appuyé contre la barrière de fer où j'attends ma sœur tous les soirs, je suis plongé dans mon livre. Lorenzaccio de Musset. Le mois dernier, la professeure de français nous a demandé de l'étudier. Dans la classe, tout le monde a soupiré. Tout le monde, sauf moi. C'est la troisième fois que je le lis. L'histoire me touche au plus profond de mon être. Mes camarades de classe sont des imbéciles. Ils ne peuvent pas comprendre. Ils ne savent pas. Mais Lorenzo, c'est moi. Chaque ligne de la pièce me hante, comme si elle avait été écrite pour moi. C'est sûrement un peu ridicule. Mais je suis comme les mouettes qui tournoient dans le ciel de Lorient : je m'en moque.

Soudain, des rires stridents me tirent de ma lecture. Je relève la tête. Aline apparaît au bout de la rue, qui prend son temps, traîne des pieds, entourée d'un essaim bruyant de jeunes crétines. Elles se ressemblent toutes. Les mêmes tics, la même gestuelle exagérée, les mêmes vêtements, les mêmes chaussures blanches, les mêmes rires ultrasoniques. Quand ma sœur arrive enfin près de moi, son visage s'obscurcit et elle me jette à peine un coup d'œil. Devoir rentrer avec son petit frère, c'est le sommet de la honte, une corvée. Pour elle, je suis un étranger. Après ce qui s'est passé en Bolivie, ma mère et ma sœur ne m'ont plus jamais regardé comme avant. À leurs yeux, je crois que je suis devenu un animal, un monstre. Moi, je voulais juste être un homme.

— À demain, les filles.

Ses amies ne me regardent pas non plus. Je fais partie du décor. Aline se met en route, sans même vérifier que je la suis, et maintenant elle marche vite, *très vite, comme pour abréger sa souffrance. Je lui emboîte le pas, et je ne dis rien. Je ne dis jamais rien : je ne voudrais pas qu'elle croie que son indifférence me touche. D'un pas mécanique, je la suis, et je me replonge dans mon* Lorenzaccio.

*— Allez, grouille ! T'es chiant avec ton livre !*

*Ses braillements glissent sur moi comme le vent de l'océan. Je suis ailleurs. Alexandre de Médicis vient de mourir. Autour de moi, je ne vois plus les rues blanches de Lorient, mais ruelles florentines, églises et palais, et mes pas me guident tout seuls jusqu'à ce que nous entrions dans notre immeuble et montions dans les étages. Les mêmes marches chaque matin, chaque soir. Pourtant, ce jour ne va pas être comme les autres. Il fait partie de ceux qui resteront à jamais gravés dans ma mémoire.*

*— C'est quoi ce délire ?*

*Arrêté en haut de l'escalier, derrière ma sœur, je referme mon livre usé. La porte de l'appartement est fermée à clef. Notre mère n'est pas là. C'est inhabituel.*

*— T'as pas les clefs ? je demande, bêtement.*

*Pour toute réponse, je n'obtiens qu'un haussement d'épaules. Je m'assieds dos au mur, et je me remets à lire. Notre mère finira bien par arriver.*

*Aline tourne en rond sur le palier en râlant. La patience n'a jamais été son fort. Soudain, la porte de l'appartement d'en face s'ouvre et Mme Lazare apparaît. Elle traverse le couloir et vient tout droit vers nous. Elle nous regarde d'un air épouvanté, les paumes plaquées sur ses grosses joues rouges.*

*— Oh, mes petits, mes pauvres petits ! Votre maman m'a demandé de vous garder ce soir. Il est arrivé un malheur.*

*Aline blanchit.*

*— Votre papa a eu un grave accident à son travail.*

*Je la regarde en fronçant les sourcils. Je déteste le mot « papa ». C'est mon père, pas mon papa. Et il ne peut rien lui arriver.*

# 8

## 8 décembre 1985, Paris

Les deux hommes se retrouvèrent en fin d'après-midi dans les sous-sols d'un petit restaurant de spécialités orientales, rue de Chartres, dans le quartier de la Goutte d'Or, à quelques pas de Barbès-Rochechouart.

Celui qui se faisait appeler « Ali » utilisait régulièrement cette ancienne réserve, prêtée par Aïssa, le patron du restaurant, quand il avait besoin de recevoir quelqu'un à Paris, loin des regards et des oreilles indiscrètes. Grand, plutôt beau garçon, il portait une barbe taillée de près et avait le regard profond, sombre et mélancolique.

— *Assalamu alaykoum.*

— *Wa alaykoum assalam.*

Le second homme, qui se faisait appeler « Abdel » et qui avait une place de choix au sommet de l'organisation, s'assit à la petite table en formica où Ali, honoré par la visite d'un chef si important, avait préparé quelques pâtisseries et deux tasses de thé à la menthe.

— Nous sommes fiers de toi, le Tunisien, fit Abdel avec un hochement de tête admiratif. *Jazak Allahu kheir*[1]. Tu es un vrai moudjahid, et tu marches dans la voie de la Sunna, dans l'Islam véritable.

— Je ne suis qu'un serviteur pour accomplir la volonté de Dieu, mon frère. Les Français sont des porcs qui ne pensent qu'à l'argent. Ils ne croient pas en Dieu et ils se moquent des musulmans. Ils n'entendent pas les cris des morts qui tombent au Liban

---

1. Qu'Allah te récompense.

et en Iran. Et, pendant ce temps-là, leurs politiciens s'engraissent en vendant à Saddam les armes qui tuent nos frères.

— Les *kouffar*[1] vont payer pour le sang de nos enfants.

— *Inch'Allah*.

Abdel désigna alors d'un air complice la lourde valise qu'il avait apportée.

— Je t'ai ramené du matériel d'Allemagne, Ali. Tu dois garder ça pour Hussein. Nous allons frapper encore.

— J'ai pensé à des endroits. Des lieux symboliques, qui les toucheront dans leur chair. La tour Eiffel, l'Hôtel de Ville, les Champs-Élysées, des commissariats de police…

— Bien. Nous devons frapper là où il y a beaucoup de monde. Aux heures d'affluence. Que les Français découvrent à leur tour ce que c'est que de voir des civils en sang sur leurs trottoirs.

— Je vais avoir besoin de plus de monde. C'est beaucoup de travail.

— Hussein viendra pour t'aider. C'est lui qui se chargera des explosifs. Mais tu peux monter une équipe ici, pour la logistique. Je t'ai apporté de l'argent. Il te faut des hommes que la Police ne connaît pas. Des Maghrébins, comme toi, pour brouiller les pistes. Il te faut des jeunes. Des croyants.

— Je peux les recruter à la mosquée.

— Fais-le. Pour la prochaine attaque, nous nous chargerons de la revendication. Toi, tu dois rester dans l'ombre Ali, ton nom sera sur toutes les lèvres.

— Ce n'est pas pour la gloire que je fais ça.

Ce n'était pas tout à fait exact, et son interlocuteur le savait bien mais, pour la forme, il lui adressa un signe de tête admiratif.

---

1. Mécréants.

# 9

## 8 décembre 1985, Montevideo

Le halo éblouissant d'un soleil blafard. La douleur, familière, vieille compagne. Marc Masson se réveilla, brisé, au creux d'un caniveau. Il n'avait pas la moindre idée du temps qui avait passé. Plusieurs heures sans doute. Les ouvriers de Sosa avaient dû le transporter dans le coffre d'une voiture et le lâcher là, dans cette ruelle déserte, comme un vieux sac à ordures.

Le sang séché tirait la peau de son visage. Sa paupière gauche était si gonflée qu'il ne pouvait plus ouvrir l'œil. Quant au lancinement dans ses poumons, il ne laissait que peu de doute : Marc devait avoir une côte cassée, plusieurs peut-être. Ce n'étaient pas les premières. La boxe et l'armée, depuis longtemps, lui avaient appris à apprivoiser la douleur. Avoir mal, c'était être vivant, et être vivant, c'était déjà beaucoup.

Un goût ferreux de sang dans la bouche, il se releva péniblement en crachant. Une migraine terrible lui comprimait le cerveau. Ces salauds l'avaient dépouillé. Il n'avait plus rien, ni argent, ni papiers. Et il ne savait pas où il était. Le quartier ressemblait à un bidonville.

Titubant comme s'il était ivre, Marc remonta la petite ruelle en s'appuyant sur un vieux mur de béton couvert de graffiti. Il faisait peine à voir et, s'il n'avait eu cette douleur à la poitrine, la chose l'aurait presque fait rire, tant elle était pathétique.

Il avait fui la France, sa sinistrose, déserté une armée devenue trop ennuyeuse pour venir renaître ici, dans son Amérique latine, et voilà qu'il venait d'y frôler la mort une nouvelle fois. La farce n'était donc pas terminée. Toute sa vie, la faucheuse, sans doute, danserait avec lui, jusqu'au dernier tango.

Et maintenant ? Il regarda le ciel, comme par défi. Mourir, pourquoi pas ? Mais pas pour ça. Pas pour Diego. La cause n'était pas assez noble pour un Lorenzaccio.

Quand il arriva au premier croisement, le décor commença à lui donner une petite idée du quartier où il se trouvait. Ces bicoques de plain-pied à peine entretenues, ces rues désertes aux murs bariolés, ces trottoirs défoncés et ces trous dans la route… C'était Villa del Cerro, l'un des *barrios* les plus pauvres de la ville.

*Merde, je suis à ma place, ici : un beau clochard.*

Il avait beau chercher, nulle part il ne voyait âme qui vive. Ici, la journée, les gens travaillaient ou se terraient chez eux. Au loin, il aperçut les contours d'une église. La mâchoire serrée pour contenir les râles que la douleur faisait remonter jusqu'à sa gorge, il traversa la longue rue jusqu'à Nuestra Señora de Fátima.

C'était une église récente dont la façade impeccable tranchait avec le reste du quartier. Elle semblait déserte. Marc passa le muret couvert d'inscriptions grossières peintes à coups de pinceau et, claudiquant, essaya d'ouvrir la grande porte rouge qui fermait l'édifice religieux. Verrouillée.

Épuisé, il resta un instant appuyé contre le mur blanc de l'église, harassé par le soleil de midi, puis il s'apprêta à se remettre en route quand une voix l'arrêta dans son élan.

— Eh ! Qu'est-ce que tu fais là ?

Un vieux prêtre, vêtu de son aube blanche, venait d'apparaître dans l'entrebâillement de la porte, une cigarette coincée au bord des lèvres. Les épaules larges, le visage buriné, anguleux, il n'avait pas l'air commode, et ses épais sourcils blancs surplombaient un regard sombre.

— Je... Je me suis fait attaquer, mon père.

L'homme le dévisagea de la tête aux pieds, d'un air méfiant.

— Touriste ?

La réponse du jeune homme resta volontairement vague :

— Français.

Le visage du prêtre se détendit.


# 10

## 15 décembre 1985, Beyrouth


— *Kifak ?* Ça va, mon ami ?

— On fait aller, mon bon Nassim, on fait aller, répondit Olivier Dartan en serrant le bras de son informateur. Et vous, comment ça va ?

Nassim Kara, un Druze[1] d'une quarantaine d'années, était l'une des rares « sources conscientes » du chef de poste adjoint, à savoir un informateur qui savait pertinemment qu'il fournissait des informations aux Services français, et qui était discrètement rémunéré pour le faire. D'ordinaire, pour préserver sa couverture, Dartan préférait travailler avec des sources « inconscientes », mais, avec le temps, il avait noué avec ce bon Nassim de solides rapports de confiance.

Le rejoindre pour s'entretenir avec lui était toujours une opération laborieuse. Il fallait à Dartan des montagnes de précautions pour ne pas prendre le risque de compromettre sa couverture

---

1. Population du Proche-Orient professant un islam hétérodoxe dérivé du chiisme.

diplomatique, tout comme la collaboration de son informateur. Rupture de filature, changement de véhicules en sous-sol, parcours de diversion... S'assurer que le contre-espionnage ne pouvait l'avoir suivi demandait une organisation infaillible.

Le Druze haussa les épaules.

— *Inch'Allah...* Quand j'ai commencé à travailler pour l'hôtel, dans les années 1960, nos invités venaient boire des coupes de champagne juste ici, sur ce toit, vous imaginez ? *Ya allah*, on recevait des hôtes prestigieux, à l'époque ! Je me souviens, j'ai servi le roi Hussein de Jordanie et le Shah d'Iran, à l'endroit exact où vous voyez ce vieux pot de fleurs fanées.

— Et maintenant vous ne servez plus que des satanés journalistes, hein ?

— Oh, je me plains pas, mon ami, je me plains pas. C'est juste qu'on dirait que tout le pays est en congé maladie, n'est-ce pas ? Et maintenant, plus personne n'ose monter sur le toit. À part vous et moi.

Pour être sûr que personne ne puisse les espionner depuis un point plus élevé, Dartan savait que la meilleure solution était de monter sur le plus haut toit du quartier. Cela faisait plusieurs mois qu'il avait l'habitude de retrouver son contact au sommet de l'hôtel Bristol, où travaillait Nassim. Adossé au mur de la machinerie des ascenseurs, l'officier semblait regarder la ville avec mélancolie, comme un général contemple le champ de bataille aux dernières minutes de la déroute.

La zone ouest de la capitale libanaise – fief du camp musulman – portait, partout où l'on posait son regard, les stigmates terribles du siège israélien et de la guerre civile. La mort, aléatoire, se promenait ici encore comme dans son propre salon. Elle pouvait surgir à chaque coin de rue, au bout du fusil des milices armées, Amal[1], Hezbollah, chrétiens, palestiniens, comme au sortir du canon d'un enfant soldat. À Beyrouth, tout le monde faisait la guerre à tout le monde. Quand on se quittait, on ne se disait jamais « à bientôt », de peur que cela ne porte malheur. Ici et là, on portait la Kalachnikov ou le Tokarev avec désinvolture, comme à Paris une vulgaire baguette de pain.

Les immeubles insalubres s'élevaient entre les ruines et les cahutes en tôle, fenêtres barricadées, soutenant avec peine leurs balcons déchiquetés. Devant les portes des maisons et des magasins, les sacs de sable s'entassaient pour prévenir du feu et des balles perdues. Les façades de béton jauni, souvent éventrées par les tirs de roquettes ou de blindés, caressées par le tissu rayé des longues tentures qui s'agitaient sous le vent, exhibaient peintures et affiches froissées où les portraits des martyrs et des ayatollahs semblaient veiller sur les passants, ou les menacer peut-être. Chaque passage d'une voiture ou d'un scooter soulevait des nuages de poussière grise et aucun feu rouge ne venait interrompre le flux anarchique des automobiles qui se croisaient, d'un barrage routier à l'autre, dans un incessant concert de klaxons. Même en plein jour, et malgré le soleil, le ciel semblait toujours obscur, obstrué par l'enchevêtrement complexe des câbles et des fils électriques tendus au-dessus des rues dans un désordre inextricable. Sur les trottoirs, on marchait vite, craignant à chaque pas le tir d'un sniper depuis les toits. On racontait que certains étaient payés par les milices au nombre de personnes qu'ils avaient abattues dans la journée.

---

1. Milice libanaise chiite qui a progressivement perdu de l'influence à partir de la création du Hezbollah en 1982.

Et pourtant, Olivier Dartan se sentait ici mieux que partout ailleurs. De tous les terrains d'opération où ses postes successifs à la DGSE l'avaient conduit, Beyrouth était celui où il se sentait le plus chez lui. Il connaissait chaque recoin de la ville, chaque abri, comprenait l'esprit de ses habitants, leur rythme, leurs coutumes, le sens caché de leurs regards. Marié à une Française d'origine marocaine, il avait en outre une compréhension particulière de la culture musulmane, qui lui permettait de saisir certaines subtilités qui échappaient à beaucoup de ses collègues.

— L'un de vos otages français est très malade.

— Lequel ?

L'informateur druze fit une moue incertaine.

— Je suis pas sûr. C'est soit le journaliste, Kauffmann, soit le chercheur…

— Michel Seurat ?

— Oui. Je crois que c'est lui. Tout c'que je sais, c'est qu'ils sont détenus ensemble, ces deux-là, et qu'il y a eu besoin d'une transfusion sanguine.

— Où ça ?

— Malheureusement, je sais pas. Ils les changent souvent d'endroit.

Dartan soupira. Chaque fois qu'il traversait Beyrouth, il ne pouvait s'empêcher de se dire qu'il passait peut-être à quelques mètres à peine des otages français, et il frémissait à l'idée qu'on puisse les torturer juste à côté de lui, sans qu'il ne puisse rien voir, rien faire.

— Ils sont pas mal traités, vous savez. Enfin… Pas trop mal. Mais le frère de mon cousin connaît quelqu'un qui lui a dit que l'un de ces deux-là était très malade.

Dartan acquiesça lentement. Il n'aurait su dire si c'était une bonne ou une mauvaise nouvelle. Un otage malade ne pouvait finir que de deux manières : soit on le libérait car il devenait trop encombrant, soit on le laissait mourir, pour les mêmes raisons.

— Vous avez entendu parler des attentats à Paris, Nassim ?

— Bien sûr, quel malheur ! Je prie pour toutes ces pauvres familles.

L'officier esquissa un sourire triste. Comparé à ce que les Libanais vivaient ici chaque jour, les deux bombes parisiennes auraient pu paraître bien dérisoires à son informateur. Mais le Druze aimait sincèrement la France, et sa peine n'était pas feinte. C'était même comme s'il éprouvait quelque honte à ce que les maux de sa propre ville puissent maintenant s'abattre sur le pays des Lumières.

— Vous pensez que ça peut être le Hezbollah ?

— Je sais pas, mon ami, je sais pas. Mais je suis certain que si la France arrêtait de soutenir l'Irak, les choses seraient beaucoup plus simples, n'est-ce pas ?

C'était une façon de dire que, sans en être sûr, il pensait en effet que le Hezbollah et l'Iran pouvaient très bien être impliqués, d'une façon ou d'une autre.

— C'est bientôt l'anniversaire de votre fils, Nassim, il me semble ?

— Oh, vous vous souvenez de ça ? Dans deux jours, oui ! Il va avoir treize ans. Comme le temps passe vite !

— Tenez. Je vous ai apporté un cadeau pour lui.

L'officier de la DGSE lui tendit une petite boîte en plastique qui renfermait une maquette d'automobile en modèle réduit.

— Je vous ai mis un pot de colle à l'intérieur, pour qu'il puisse la construire dès qu'il l'ouvrira.

— Une 2CV Citroën ! Il va être si content ! C'est une très belle voiture française, ça !

— Et verte, en plus ! Chez nous, on dit que les 2CV vertes portent bonheur, vous savez ?

Le Druze ouvrit un large sourire et pinça avec malice le bras de l'officier.

— Oui ! *2CV verte sans retouche !* C'est ça, hein ?

— C'est ça.

— Alors c'est un cadeau plus beau encore. Merci !

— Essayez d'ouvrir l'œil pour moi, Nassim. Si vous apprenez quelque chose sur les attentats de Paris, je compte sur vous, n'est-ce pas ?

— Toujours, mon ami, toujours. *Ila el likaa.* Que Dieu vous protège !

Les deux hommes échangèrent une accolade chaleureuse et partirent chacun de leur côté.

En descendant dans l'ascenseur de l'hôtel jusqu'au parking, Olivier Dartan ferma les yeux, envahi par quelque irrépressible sentiment de culpabilité. En lui donnant ainsi des informations, Nassim Kara, père de quatre enfants, risquait sa vie chaque jour. Et l'officier, lui, ne lui avait jamais confié ne fût-ce que son véritable nom de famille. Le Druze n'avait d'autre choix que de l'appeler « mon ami », et Dartan n'était pas sûr d'en être digne.

Quand, de retour à l'ambassade – après un fastidieux parcours de sécurité – il fit son compte rendu d'entretien à son chef, afin que le chiffreur puisse envoyer la note de synthèse du jour à la Centrale, à Paris, il ne manqua pas de spécifier que sa source avait fourni, une nouvelle fois, des renseignements de qualité, ce qui justifiait une rémunération située dans la tranche haute.

— Faites attention à ne pas trop vous lier d'amitié avec vos sources, Olivier. Vous savez que c'est un terrain glissant.

Le colonel Christophe Gautier, chef de poste de la DGSE à Beyrouth, bénéficiait lui aussi d'une couverture diplomatique à l'ambassade du Liban, comme attaché de défense. Sa double fonction lui infligeait un planning chargé. Côté officiel, il était le représentant du ministère de la Défense au sein de l'ambassade et auprès des autorités militaires du Liban. À ce titre, il avait pour charge de faire connaître la politique de défense de la France, de conseiller l'ambassadeur sur les questions militaires et de l'assister dans la gestion des crises, mais aussi de piloter les actions de coopération avec les forces militaires étrangères. Cela nécessitait beaucoup de réunions, de rendez-vous diplomatiques, et une charge administrative considérable. Côté officieux, il coordonnait l'équipe des officiers traitants de la DGSE au Liban, et son plus gros chantier des dernières années concernait évidemment l'attentat contre l'immeuble Drakkar. La Boîte, qui avait la mémoire longue, entendait bien mettre le temps qu'il faudrait pour trouver les auteurs de cette attaque et les « neutraliser », d'une façon ou d'une autre.

Pour la question des otages, ne pouvant être sur tous les fronts, le colonel Gautier s'appuyait beaucoup sur Dartan, qui était son bras droit autant dans le cadre de son poste officiel que de son poste officieux. Militaire d'une grande droiture, ancien de Saint-Cyr lui aussi, s'il avait développé une certaine estime pour son efficace subalterne, Gautier ne manquait jamais de le rappeler poliment au protocole et aux usages de la Maison. Dartan, qui avait parfois tendance à « sortir des clous », estimait lui que son travail nécessitait surtout de s'adapter... À ses yeux, la noblesse de la cause justifiait ici et là tous les sacrifices, y compris celui de la plus stricte légalité.

— Il ne s'agit pas d'amitié mais de respect, mon colonel. On en demande beaucoup à nos sources. Sans elles, on ne pourrait pas accomplir un dixième du boulot. Parfois, je me dis que nos informateurs sont bien plus décisifs qu'on ne l'est nous-mêmes...

— Allons... Une source est qualitative quand elle est bien traitée. Et vous êtes un excellent officier traitant, je vous l'ai déjà dit. Sinon vous ne seriez pas ici. Mais il n'empêche que vous devez rester vigilant. L'affect et le renseignement n'ont jamais fait bon ménage. Et vous n'êtes pas sans savoir que vous êtes surveillé de près par la direction, Olivier…

— C'est pas une raison pour céder à l'ingratitude administrative. L'État, en matière de reconnaissance, a trop souvent la mémoire courte, hein ?

— L'État, peut-être, mais la DGSE, non.


# 11

## 16 décembre 1985, Beyrouth


Cela faisait déjà huit longs mois qu'il était en détention à Beyrouth, transporté de cellule en cellule à chaque nouvelle alerte, quand le journaliste Jean-Paul Kauffmann comprit que sa dernière heure était peut-être venue.

L'un des geôliers venait d'entrer dans la pièce étroite et sombre, Kalachnikov au poing, et ordonna aux otages de se mettre ventre à terre.

*La teigne.* Le journaliste avait reconnu ses pas dans le couloir. Il les aurait reconnus entre mille. Avec le temps, l'ouïe et l'odorat aiguisés par la pénombre, il avait appris à distinguer la signature de leurs différents ravisseurs avant même que de reconnaître leur silhouette. Celui-ci était le plus violent d'entre tous, le plus inhumain. Celui qui ne souriait jamais et qui semblait entretenir pour les Français une haine incommensurable. D'autres, parfois, étaient capables de faire preuve de quelque compassion, d'une paradoxale sympathie, même, dans des instants saugrenus. Mais celui-ci était toujours une mauvaise nouvelle. La férocité et la malveillance se lisaient dans ses yeux, qui brillaient de rage et d'animosité. Les otages, qui avaient donné un surnom à chacun de leurs geôliers, l'appelaient « la teigne ». Pas plus que celui des autres, ils n'avaient jamais vu son visage, dissimulé par cette cagoule qui ne laissait entrevoir que les yeux et les lèvres, mais ils connaissaient sa voix, son rythme, ses gestes, et l'homme souffrait d'un léger handicap qui ne leur avait pas échappé : il lui manquait deux doigts à la main gauche, l'annulaire et l'auriculaire. La teigne.

Le diplomate Marcel Carton fut le premier à obéir, mais avec des gestes calmes, résignés, sans laisser paraître la moindre panique. Dans un soupir, il s'allongea lentement, faisant tinter ses chaînes à la surface du béton.

Kauffmann, terriblement amaigri, l'imita bientôt, se pliant bien malgré lui à cette nouvelle humiliation. Il songea qu'ils n'étaient plus des hommes, mais des chiens. Puis, couché sur le sol insalubre de leur sinistre cachot, il tourna la tête vers le lit où Michel Seurat était allongé, luttant contre la maladie. Le sociologue, éprouvé, était maintenant presque incapable de se lever. Il ne bougea point.

Le tortionnaire vint alors glisser des sacs en papier marron sur la tête des otages, les privant de la vue.

— Faites vos prières ! Après, on vous libère, ou on vous tue.

Il accompagna sa menace d'une pression du canon de sa Kalachnikov sur l'arrière du crâne du journaliste, puis il resta là un instant, au-dessus d'eux.

— Priez !

Kauffmann, le corps tout entier tendu par la peur, avala sa salive.

— Je vous salue, Marie, pleine de grâce, le Seigneur est avec vous, vous êtes bénie entre toutes les femmes et Jésus, le fruit de vos entrailles, est béni. Sainte Marie, Mère de Dieu, priez pour nous, pauvres pécheurs, maintenant et à l'heure de notre mort. Amen. Je vous salue, Marie, pleine de grâce…

D'une voix étouffée, suffoquant presque dans le sac de papier, il répéta en boucle cette même prière, s'attendant à tout instant à entendre la détonation sèche du fusil d'assaut. Allongé près de lui, il pouvait deviner le souffle court de Marcel Carton, qui, avec sa manière si caractéristique de rouler les « r », récitait en même temps que lui cette supplique à Marie de Nazareth, *Théotokos*, mère de Dieu, et à travers Lui, mère de tous les hommes. Plus loin, on distinguait aussi la voix de Seurat, misérable, exténuée. Kauffmann essaya de se persuader, dans un espoir idiot, que tant qu'ils continueraient à parler, ils vivraient. Alors, retenant les sanglots qui s'enroulaient dans sa gorge, il continua sa litanie, encore et encore.

Un bruit de froissement. Le contact froid du métal sur sa nuque. Le canon sembla s'enfoncer dans sa chair. Kauffmann, la mâchoire comprimée, continua de prier à travers ses dents serrées, prêt à livrer son dernier souffle. Et puis, soudain, l'arme se souleva, libérant la pression, et il entendit le bruit des pas de leur geôlier qui s'éloignaient. La porte s'ouvrit et se referma.

— Sainte Marie, Mère de Dieu, priez pour nous pauvres pécheurs, maintenant et à l'heure de notre mort. Je vous salue, Marie…

Les deux hommes à terre, tétanisés, continuèrent longtemps de prier, comme si le bourreau avait encore été là, certains, en tout cas, qu'il allait bientôt revenir.

L'instant d'après, ils distinguèrent ce bruit sourd et métallique auquel ils avaient fini par s'habituer :

celui d'un char d'assaut qui remontait la rue, quelques mètres à peine au-dessus de la cave où ils étaient enfermés.

Il était ainsi immobilisé depuis peut-être seulement dix minutes, qui lui semblèrent une heure, quand le journaliste commença à se demander si, par miracle, on allait réellement les libérer. C'était peut-être le jour, enfin. Mille fois il avait embrassé cet espoir, et mille fois la déception l'avait plongé dans un accablement plus profond encore. Alors il s'efforça de repousser ses émotions. Un exercice que sa longue captivité lui avait appris à maîtriser un peu mieux chaque jour.

La voix de Marcel Carton s'était éteinte depuis quelques minutes déjà quand Kauffmann s'arrêta de prier à son tour.

Et alors le silence les écrasa, comme une insupportable suspension du temps.

Ses jambes étaient totalement engourdies quand, enfin, la porte s'ouvrit de nouveau.

Le journaliste, à bout de nerfs, se refusa à reprendre sa prière. Si on voulait l'abattre, qu'on en finisse enfin.

Une main ôta le sac en papier de son visage.

— Vous pouvez retourner vous asseoir.

Kauffmann poussa un soupir de soulagement, éprouvant soudain la lourde fatigue du relâchement nerveux. C'était la voix d'un autre ravisseur. Bien plus aimable, celui-là. Le plus aimable, même. En riant, ils l'avaient surnommé « Nutella », parce que l'homme, insistant toujours pour que les otages se forcent à manger, leur avait apporté un jour un pot de cette célèbre pâte à tartiner. Du Nutella pour des otages, ils n'en étaient plus à une aberration près.

Kauffmann se releva, fébrile, et tout en repliant la longue chaîne qui le liait à un vieux radiateur, il retourna s'asseoir au bord du lit de Michel Seurat en boitant, alors que Carton reprenait place sur le fauteuil à côté.

— Nous allons être libérés ? demanda le diplomate, sans y croire.

— Non. Pas aujourd'hui. *Boukra.*

*Boukra*... Ce mot terrible qui revenait sans cesse et qui signifiait « demain », mais qui, dans la bouche des ravisseurs, voulait plutôt dire « un jour, peut-être ». Ou jamais.

— *Boukra*, répéta Carton d'une voix désabusée.

Des trois otages que l'on avait réunis ici, le sexagénaire était celui qui était détenu depuis le plus longtemps. Dix mois interminables déjà. Son ancien compagnon de chambrée, Marcel Fontaine, avait été emmené ailleurs. Il était peut-être mort, à cette heure, ou libéré. Ils n'avaient de lui, comme du monde, aucune nouvelle.

— Vous avez soif ? demanda le geôlier, d'un ton compatissant.

— Je boirais bien un petit bordeaux, ironisa Kauffmann en secouant la tête.

— Un bordeaux ? Qu'est-ce que c'est, le bordeaux ?

— C'est du vin.

— Du vin ? Mais c'est interdit, le vin !

— Interdit par qui ? murmura fébrilement Seurat depuis son lit.

— Eh bien, par le Coran !

— Vous savez bien que nous ne sommes pas musulmans, répliqua Kauffmann.

— Et pourquoi vous n'êtes pas musulmans ?

Le journaliste écarta les mains d'un air impuissant. La question était inepte, mais elle n'était qu'un nouvel exemple du fossé incroyable qui séparait ces deux mondes rassemblés dans la pénombre d'une cave. Et elle en disait long sur la probable impossibilité que les différentes parties impliquées dans ce gigantesque chaos puissent un jour se comprendre.

— Mon frère m'a dit que vous avez prié Maryam tout à l'heure. Alors vous êtes musulmans !

— Nous avons prié Marie, la mère de Jésus.

— Non, non, la mère d'Īsā, enfanté par le souffle d'Allah. Elle est une prophétesse de l'Islam.

— Si vous voulez...

— C'est bien, de prier. Il faut boire de l'eau, maintenant, affirma « Nutella » en leur tendant une bouteille de Sohat[1], puis il donna une tape amicale sur l'épaule de Kauffmann avant de sortir de la pièce.

Le lourd et familier silence revint s'installer dans le cachot, chargé des sombres pensées de ses occupants. Des pensées qu'ils avaient si souvent partagées qu'ils n'éprouvaient plus, à présent, le besoin de les verbaliser.

Au loin, on entendit l'appel à la prière dans une mosquée voisine, seul repère qui indiquait aux otages qu'on était à la mi-journée.

— Jean-Paul, tu veux bien me lire un peu du roman ?

Kauffmann se retourna vers Seurat. Le sociologue semblait plus faible que jamais. Chaque matin, il s'attendait à le retrouver mort au milieu de son lit.

Le « roman », comme disait Seurat, c'était le tome II de *Guerre et Paix*, de Tolstoï, le seul livre que Kauffmann avait pu garder lors de leur dernier transfert. Il prit le vieux livre de poche jauni, tourna les pages cornées et reprit sa lecture à voix haute, là où il l'avait laissée le matin même.

« — Couchez-vous ! cria l'aide de camp en se jetant à terre.

Le prince André, debout, hésitait. La grenade fumante tournait comme une toupie entre lui et l'aide de camp, à la limite de la prairie et du champ, près d'une touffe d'armoise.

---

1. Eau minérale libanaise.

— Est-ce vraiment la mort ? se dit le prince André en considérant d'un regard neuf, envieux, l'herbe, l'armoise et le filet de fumée qui s'élevait de la balle noire tourbillonnante. Je ne veux pas, je ne veux pas mourir, j'aime la vie, j'aime cette herbe... ».

Kauffmann s'interrompit, les lèvres tremblantes, et essuya d'un revers de manche la larme qui avait coulé sur sa joue.

— C'est complètement idiot, dit-il dans un sourire forcé. Ce passage me fait pleurer à chaque fois. Demain, j'irai acheter le premier tome.

— L'acheter ? Demain ? intervint Marcel Carton depuis son fauteuil.

— Eh bien oui, demain, quand nous serons libérés.

— Nous ne serons pas libérés demain, Jean-Paul !

— C'est ainsi que je vois les choses, mon ami. Nous avons été enlevés hier, et nous serons libérés demain. Entre les deux, nous ne vivons qu'une longue nuit de cauchemar. Ce n'est pas *ça*, la vie.

# 12

## 3 janvier 1986, Montevideo

En entendant le prêtre arriver, Marc Masson replia l'échelle qu'il venait d'utiliser pour changer l'ampoule cassée au-dessus du crucifix de la sacristie. Cela faisait près d'un mois qu'il était hébergé par le père Rivero et, chaque jour, il essayait de donner un coup de main au vieux prêtre pour l'entretien de son église et du presbytère comme pour la préparation des offices. Une bien naturelle façon de le remercier. Sans le père Rivero, le Français – qui était arrivé sans argent ni papiers – eût probablement été en train de croupir dans une cellule de prison. Le vieil homme, d'une infinie bonté, l'avait soigné, logé et nourri le temps qu'il se remette.

Pendant un mois, ces deux êtres que tout aurait dû séparer avaient appris à s'apprécier et se respecter profondément. Marc, assumant pourtant encore quelque anticléricalisme idéologique, avait trouvé dans cet exil improbable une sérénité qu'il n'avait pas connue depuis longtemps.

Le père Rivero, qui avait incontestablement connu une autre vie avant d'entrer au séminaire – comme en témoignaient les cicatrices sur son visage et la lueur sombre de ses regards entendus – était un philosophe d'une troublante clairvoyance, ouvert mais franc, bienveillant mais impartial.

— Tu es sûr de vouloir partir ? Tu vas me manquer. Et où vas-tu aller, mon fils ? demanda le prêtre en allumant une cigarette.

— Je sais pas…

— Tu ne vas pas te venger de ces hommes, n'est-ce pas ? Ni de Sosa, ni de Diego ?

— Je pourrais les tuer tous les deux, mon père.

— Oh, je sais ! Je le vois dans tes yeux. Je connais ce regard, Marco, j'avais le même quand j'avais ton âge. Mais le pardon est la plus noble des vengeances. Épargne-toi les tourments de la haine.

— J'ai toujours eu une forte allergie à l'injustice.

— Dans l'Évangile de Matthieu, Jésus nous demande de ne pas céder à la loi du Talion. « Si quelqu'un te gifle sur la joue droite, tends-lui aussi l'autre. À qui te demande, donne, à qui veut t'emprunter, ne tourne pas le dos. » T'ai-je tourné le dos, Marco, quand tu es venu frapper à ma porte ?

— Non, bien sûr, mon père, mais je ne venais pas pour vous faire du mal !

— Mais si tu te venges aujourd'hui de ces hommes, aussi injustes qu'ils se soient montrés envers toi, tu me feras du mal à moi, mon fils. Car la main que je t'ai tendue n'aura servi à rien.

Masson soupira. Le vieil homme devisait toujours avec philosophie, il avait la sagesse de ceux que la vie a maintes fois brûlés, et sa bonté n'était pas feinte.

— Je vous promets de ne pas me venger, mon père.

— Alors tu es un homme.

— Je vous le promets uniquement parce que vous me le demandez. Mais, au fond de moi, je ne vais pas vous mentir : la colère est là, et mon envie de justice aussi…

— Si tu es capable une fois de vaincre ta colère, c'est déjà un bon début. J'étais comme toi, quand j'avais ton âge, Marco. Peut-être pire encore. Tu as vu comment les choses se passent dans ce quartier… La violence est partout. Mais un jour j'ai compris que la colère entraînait la colère. J'ai fini par en guérir.

Le prêtre, fatigué par le temps, s'assit péniblement sur une chaise de la sacristie et tira longuement sur sa cigarette.

— Tu ne m'as jamais expliqué pourquoi tu avais quitté l'armée française…

— Parce que je m'ennuyais. J'avais l'impression de ne servir à rien.

Le vieil homme secoua lentement la tête, d'un air déçu, comme s'il avait espéré une autre réponse.

— Quelle terrible idée ! Comment peut-on penser qu'on ne sert à rien ?

— Servir à quelque chose, c'est un devoir, pour moi. Je ne crois pas à la prédestination, à la fatalité, mais je crois quand même aux… prédispositions naturelles. La nature offre à chaque homme, le jour où il naît, un champ de possibles. Celui qui naît petit a peu de chances de devenir champion de basket, celui qui naît aveugle pilote de chasse.

— Et la... « nature », comme tu l'appelles, a fait de toi un guerrier, c'est ça ?

— Il y a des corps qui sont faits pour la danse, d'autres pour la course. Le mien était fait pour se battre, mon père. Pour tuer. Mes mains, mes bras étaient faits pour ça. Et je l'ai toujours su, au fond de moi. Rien ne m'y obligeait et je n'étais pas forcé de suivre cette route. Pourtant, j'ai décidé, un jour, de l'accepter. En espérant servir des causes justes.

— Voilà une bien étrange interprétation de la parabole des talents ! ironisa le prêtre. Tu dis ne pas croire en Dieu, mais tu dis que la nature a « fait » de toi qui tu es... N'est-ce pas une façon de déifier la nature ?

— Non. Il n'y a rien de divin là-dedans, c'est juste une histoire d'équilibre naturel. Je crois que les hommes comme moi, que la nature a ainsi faits, doivent protéger ceux qui n'en ont pas les moyens. Eux-mêmes, qu'ils soient scientifiques, enseignants, prêtres ou médecins, ils nous protègent à leur façon. Alors j'ai choisi de mettre mes prédispositions au service des plus faibles. J'en ai fait le sens de mon existence. Quel qu'en soit le prix. C'est pour ça que je me suis engagé dans l'armée.

— Mais ça ne t'a pas suffi ?

— J'ai très vite constaté que ce n'était pas ce que j'espérais... Et le mercenariat, c'était encore pire ! Au fond, nous sommes un peu pareils, vous et moi. Nous voulons protéger les plus faibles, n'est-ce pas ?

— Et maintenant, alors, que vas-tu faire ?

— Je ne sais pas. Je suis venu en Amérique latine pour échapper un peu à tout ça. Mais voilà, autour de moi, les choses deviennent toujours compliquées.

— Tu disais à l'instant que tu ne croyais pas à la fatalité !

— C'est vrai, admit Marc en souriant.

— Tu n'as personne à aller voir ? Tu m'as souvent parlé de ton grand-père, Papi José, en Bolivie…

— Je n'ai pas envie de lui compliquer la vie. Je pense que je vais voyager jusqu'en Guyane. Je pourrai peut-être me faire faire de nouveaux papiers là-bas.

— Vers le nord, alors ? Tu trouveras peut-être d'autres réponses sur la route. La route donne souvent des réponses que l'on n'attend pas.

Le père Rivero écrasa sa cigarette, se leva et partit vers son bureau.

— Viens par ici, mon garçon.

Il ouvrit un tiroir et en sortit une enveloppe pleine de billets qu'il lui tendit.

— Oh, non. Je ne peux pas accepter, mon père.

— Tsss, tsss… Tu n'as pas le choix. Tu n'as plus rien. Si je te laisse partir sans argent… tes démons te rattraperont. Allons, ne fais pas l'idiot. Tu m'as bien aidé, ici, c'est un maigre salaire pour tout ce que tu as fait. Ne refuse pas, tu me blesserais.

Masson acquiesça et prit l'enveloppe d'un air gêné.

— Je saurais jamais comment vous remercier.

— Sois heureux, et je serai remercié.


# 13

## Carnet de Marc Masson, extrait n° 3


*Juin 1972, j'ai treize ans. Le silence de l'appartement. Le cliquetis de l'horloge. Mon père vient enfin de rentrer à la maison après plus d'un mois d'hôpital. Il est sur une chaise roulante. Lui qui détestait rester*

sur un fauteuil sans rien faire, il n'en sortira jamais
plus.

— Pourquoi tu me regardes comme ça ?

Un filet de bave coule sur son menton mal rasé. Je
le reconnais à peine, sa tête enfoncée dans les épaules,
ses yeux plus noirs encore qu'ils ne l'étaient déjà, ses
paupières lourdes, gonflées de tristesse et de sang. La
nuque collée à l'appui-tête, il peut à peine bouger,
et même s'il n'en parlera jamais, même s'il gardera
toujours les dents bien serrées dessus, je sais que la
douleur le torpille. Ses mains sont figées dans une
éternelle crispation au bout des accoudoirs, comme
s'il voulait s'en extraire.

L'accident s'est produit sur le slipway de la base de
sous-marins de Keroman, dans la rade de Lorient, où
mon père a toujours travaillé. Le complexe de bun-
kers à l'extrémité de la presqu'île est vétuste, un héritage de la Seconde Guerre mondiale. Les ouvriers se
plaignent souvent de la dangerosité du site, mais on
ne leur répond pas. C'est comme ça. C'est déjà bien
d'avoir du boulot, paraît-il.

Ce jour-là, mon père était en train de changer
une poutre du plancher sur l'équipement qui sert à
mettre les navires à l'eau. On ne nous a pas vraiment
expliqué comment, mais il est tombé à plus de cinq
mètres en contrebas, sur une dalle de béton. Lésion
de la moelle épinière, tétraplégie. Pour lui, je le sais,
c'est une mort avant la mort. Je crois que s'il pouvait
bouger les mains, il se taillerait les veines.

En échange d'une compensation financière, ma
mère a accepté de ne pas porter plainte. De toute
façon, mon père aurait refusé. Un Masson ne se
plaint jamais.

Il répète :

— Pourquoi tu me regardes comme ça ? T'as rien
de mieux à faire ?

Je baisse la tête. Je voudrais lui dire que je l'aime,
mais je sais bien que les mots seront encore plus

*ridicules dans ma bouche qu'ils ne le sont déjà dans*
*ma tête. Je pense à notre Bolivie, et je sais que mon*
*père ne remettra plus jamais les pieds là-bas.*
    *Je voudrais juste lui dire que je l'aime.*
    *On ne m'a pas appris.*

# 14

## 5 janvier 1986, Paris

Mohamed Sadek Husseini, l'émissaire iranien
venu à Paris pour négocier la libération des otages
français au Liban, rentra dans le luxueux salon et
retourna lentement s'asseoir sur sa chaise, devant
la grande cheminée de marbre blanc. C'était un
homme de petite taille, ses yeux fins cachés derrière
des lunettes de vue aux verres fumés, et à l'apparence modeste.

— Nous pouvons continuer la discussion, fit-il
d'un air ingénu, en posant ses deux mains à plat sur
la longue table.

Roland Dumas, le ministre des Affaires étrangères, hocha la tête en essayant de masquer son agacement. Ancien avocat de François Mitterrand – à
l'époque où celui-ci avait été ministre de l'Intérieur
sous le gouvernement de Pierre Mendès France –
il avait tissé avec lui des liens d'amitié aujourd'hui
récompensés. Le Président, qui savait pouvoir
confier à cet ancien homme de loi des affaires complexes, avait un jour eu un bon mot célèbre, qui en
disait long sur la capacité du ministre des Affaires
étrangères à gérer les situations les plus délicates :
« J'ai deux avocats : pour le droit, c'est Badinter,
pour le tordu, c'est Dumas. »

Aussi, ce jour-là, l'instinct aiguisé de cet habile tacticien ne lui laissa présager rien de bon : cette énième tentative de négociation prenait déjà une fâcheuse tournure.

L'ambiance tendue qui régnait sur la réunion était encore accrue par le silence feutré de ce salon que l'on appelait *Chambre du roi* et où brillaient, ostentatoires, les fastes de la République. Entre ces murs somptueusement décorés étaient passés depuis près d'un siècle de nombreux souverains, au milieu des tableaux, des sculptures, du mobilier finement ciselé et des ornements qui ressemblaient presque à une mise en garde pour les invités.

— Il se fout clairement de notre gueule, chuchota Dartan en se penchant à l'oreille de Batiza.

— Ça fait partie du spectacle, répondit l'Antillais, visiblement moins inquiet, les deux mains posées sur son ventre rond.

Le gouvernement, pour une fois, avait tenu sa promesse : en proposant à Olivier Dartan – sous couverture de sa fonction diplomatique à Beyrouth – et à Arnaud Batiza de participer à la réunion particulièrement sensible et confidentielle à laquelle ils assistaient ensemble dans ce salon du Quai d'Orsay, on avait prouvé que cette volonté de voir collaborer DST et DGSE n'était pas qu'une parole en l'air.

Après tout, Dartan avait joué un rôle décisif dans les préparatifs de cette rencontre, et sa place ici était parfaitement légitime. Même s'il n'avait pu encore prouver qu'il y avait un lien avec les attentats des Grands Magasins, il était parvenu à faire admettre au gouvernement que la dette de la France envers l'Iran et son soutien à l'armée irakienne étaient la clé de voûte de tous les enlèvements qui avaient eu lieu à Beyrouth au cours des derniers mois. L'Iran, bien sûr, niait avoir quelque implication que ce fût avec ces prises d'otages, mais laissait entendre, avec un odieux cynisme, qu'elle pouvait faire pression sur les ravisseurs – en l'occurrence, le Djihad islamique, officieuse branche armée du Hezbollah – en échange des « bons gestes » que la France voudrait bien faire à son endroit.

— À présent, nous devons parler de M. Naccache, reprit Husseini avec un large sourire.

Anis Naccache, militant libanais, était emprisonné à la centrale de Clairvaux depuis 1982, condamné à la réclusion criminelle à perpétuité pour son implication dans la tentative d'assassinat de l'ancien Premier ministre du Chah d'Iran, réfugié près de Paris après la révolution islamique de Khomeini. Malgré les nombreuses pressions du nouveau gouvernement iranien, la France avait toujours refusé de libérer Naccache.

— De quoi voulez-vous parler ? demanda Roland Dumas d'un air faussement surpris, en lissant vers l'arrière son épaisse chevelure poivre et sel.

— Nous estimons que M. Naccache n'est pas un criminel et qu'il n'a rien à faire dans vos prisons.

— Quelqu'un qui essaie d'assassiner un ministre et qui cause la mort de deux personnes lors de cette tentative d'assassinat, dont un policier, chez nous, on appelle cela un criminel.

— Il ne faisait qu'accomplir la volonté de Dieu.

Dartan, malgré son devoir de réserve, ne put s'empêcher de sourire de son côté de la table. L'audace de l'Iranien avait quelque chose de savoureux.

— Les 100 millions de dollars que la France est disposée à rembourser à l'Iran en premier versement pour le prêt Eurodif ne vous suffisent pas ?

— Ce n'est qu'une toute petite partie de l'argent que vous nous *devez*, monsieur le ministre. Disons que la libération de M. Naccache nous aiderait beaucoup à faire pression pour la libération de vos compatriotes.

— Faire pression ? Allons, monsieur Husseini, vous savez très bien que l'Iran n'a pas besoin de « faire pression », mais seulement de donner l'ordre.

Dartan se demanda si le ministre avait raison de provoquer ainsi son interlocuteur. Après tout, Mitterrand avait fait savoir qu'il n'était pas opposé à une grâce présidentielle de Naccache, si cela pouvait garantir la libération des otages français au Liban. À deux mois des élections législatives, une bonne nouvelle se serait sans doute montrée décisive pour contrer l'incroyable montée de l'opposition dans les sondages.

— Vous vous méprenez, monsieur le ministre. Je vous rappelle que l'Iran n'est pas responsable de ces enlèvements. Nous nous proposons seulement, si vous faites preuve de bonne volonté, de jouer les intermédiaires.

— Bien sûr.

Un silence pesant s'installa dans le salon doré du Quai d'Orsay. Puis, quand ce silence devint réellement insupportable, Roland Dumas poussa un long soupir.

— Si vous pouvez me garantir qu'avec un premier versement de 100 millions de dollars, puis un échelonnement du reste de la dette, votre pays parviendra à faire libérer les otages au Liban, alors je pense que je pourrai obtenir une grâce présidentielle pour M. Naccache.

— Vous pensez, ou vous en êtes sûr ?

— J'en suis sûr, affirma le ministre en regardant son interlocuteur droit dans les yeux. À l'heure où je vous parle, Anis Naccache a été extrait de sa cellule de Clairvaux. Dès que nous aurons le feu vert, un hélicoptère décollera pour le mener vers sa libération. Mais celle-ci n'interviendra qu'après la libération de *nos* compatriotes.

— Vous pourrez nous le garantir par écrit.

— Absolument.

L'émissaire iranien hocha la tête, puis se leva.

— Messieurs, je reviens dans un instant.

Husseini sortit une nouvelle fois de la pièce, sous le regard médusé des Français.

— Il y a quelque chose qui ne tourne pas rond, murmura Dartan. C'est la troisième fois qu'il s'absente depuis le début de la réunion.

— Il se concerte sûrement avec sa délégation qui attend dans la pièce à côté, répondit Batiza.

— En plein milieu des négociations ? Tu rigoles ? S'il a vraiment besoin de leur avis, pourquoi il leur demande pas de se joindre à nous, ça serait beaucoup plus simple, non ?

De l'autre côté de la grande table de merisier, Roland Dumas, qui n'avait pu échapper à leur petit échange, posa les coudes sur la table et croisa les mains devant lui.

— Nous lui avons donné tout ce qu'il voulait, et peut-être même plus. Il doit être en train d'annoncer la bonne nouvelle à Téhéran.

Dartan secoua la tête.

— J'aimerais être aussi optimiste que vous, monsieur le ministre.

— De toute façon, quel autre choix avons-nous que d'attendre ? La balle est dans leur camp.

— J'aurais peut-être dû mettre des micros dans le salon d'à côté, plaisanta Batiza.

— Vous en seriez bien capable...

— Allons, monsieur le ministre, je ne suis pas un Foccart[1] !

---

1. Jacques Foccart, sulfureux homme d'affaires et homme de l'ombre du gaullisme, avait été accusé par *Le Canard enchaîné* d'avoir mis l'Élysée sur écoute, pendant près de dix ans. Quand Foccart avait porté plainte contre le journal pour diffamation, l'avocat du *Canard* n'avait été autre que Roland Dumas en personne ! On notera au passage que Foccart fut aussi l'homme qui transmit de

— Ça donne l'impression d'une double négociation, reprit Dartan. Comme si Husseini faisait un
rapport circonstancié de nos échanges à chaque
étape des discussions. Mais à qui ?

— Vous êtes paranoïaque Dartan.

— Chez nous, c'est une qualité.

— Il est certainement tenu de rendre compte de
chaque point des négociations aux Iraniens, au fur
et à mesure, supposa le ministre.

— Non. On les entend discuter entre eux…

— C'est peut-être une technique pour semer le
doute parmi nous et faire monter les enchères.

— Les enchères sont terminées, monsieur le
ministre. Ça sent pas bon, répéta Dartan au moment
même où la porte s'ouvrait de nouveau pour laisser
apparaître l'émissaire iranien.

Cette fois, l'homme ne retourna pas vers sa
chaise. Son manteau élégamment posé sur son
avant-bras, il fit un geste désolé de la main.

— Messieurs, je vous remercie infiniment de
votre hospitalité mais, dans l'état actuel des choses,
l'Iran ne peut pas accepter votre proposition.

— Pardon ?

— Je suis désolé, fit Husseini simplement, puis il
fit volte-face et sortit de la pièce.

Roland Dumas resta un long moment immobile
sur sa chaise, médusé.

— Qu'est-ce qu'il vient de se passer, bordel ?
s'exclama-t-il enfin en se levant, le regard furieux.

Les deux officiers en face de lui se levèrent à leur
tour, visiblement gênés.

— Eh bien, finit par lâcher Dartan, et pour
rester dans le même registre que vous, monsieur le
ministre, j'ai bien peur que nous venions de nous
faire méchamment enculer.

---

nombreux ordres de missions « homo » au service action
du SDCE, pendant la guerre d'Algérie…

# 15

## Carnet de Marc Masson, extrait n° 4

*Quand j'ai quitté la petite église du père Rivero, les poches presque vides, plus rien ne pesait sur mes épaules que mon envie de m'ouvrir au monde, à l'aventure, à la liberté.*

*Un sac sur le dos, mais toujours sans visa, comme un voyageur clandestin évitant soigneusement les contrôles de police, pendant près d'un mois, j'ai suivi à pied toute la côte brésilienne, vers le nord. Ainsi, riche de mon dénuement, offert à l'inconnu, j'ai fait dans cette misère obscure le plus beau et le plus fou des voyages, dans mon Amérique latine, mon Amérique majuscule. Les yeux vers l'horizon, j'ai gardé l'océan sur ma droite pour ne pas perdre ma route, traversé les plus petits villages et les plus grandes cités, où tous les hommes, au fond, sont identiques : ils font ce qu'ils peuvent.*

*Porto Alegre, São Paulo, Rio de Janeiro, Salvador de Bahia, Recife, j'ai franchi des montagnes, des forêts et des fleuves, j'ai sauté dans des trains de marchandises pour tromper le temps, j'ai vu la pauvreté et la richesse, le regard généreux du chagrin et l'indifférence du luxe, j'ai vu des choses que je n'aurais jamais cru voir, des plus gracieuses aux plus sordides ; j'ai vu naître un bébé sur une plage, j'ai vu des gamins perdus aux dents rongées par l'héroïne, de riches plaisanciers vider des magnums de champagne sur des yachts fastueux, des familles entières chercher à quatre pattes leur repas du soir au milieu de montagnes d'immondices, des flics abattre de pauvres hères comme des rats au milieu de trottoirs scintillant de lumière, j'ai étreint autant de femmes que j'ai pu rosser d'hommes, chaque semaine j'ai vu ma peau*

*s'endurcir au contact du soleil, du vent et des coups,
j'ai appris à lire dans les yeux et les mains des vaga-
bonds qui croisaient ma route, j'ai appris à aimer la
simplicité de l'essentiel, j'ai connu la lassitude et le
réconfort, l'épuisement et l'espérance, j'ai épluché mes
souvenirs et pensé à l'avenir avec une insouciante
légèreté, j'ai laissé, en somme, pendant tout ce temps,
chacun de mes pas me nourrir de la vérité nue des
choses et des vivants, et tout cela m'a donné autant de
sourires que de larmes. Comme un clochard céleste,
plus pauvre que jamais, je n'ai pourtant manqué de
rien. Quand vous ne rêvez que d'aventure et qu'enfin
elle vous tend les bras, vous ne manquez jamais de
rien. Tout est là qui vous attend.*

*Malgré les quelques billets que m'avait donnés le
prêtre, je n'ai pas eu les moyens d'utiliser les transports, mais la chose me convenait. Moi qui avais toujours rêvé de voyager, les circonstances m'y ont enfin
obligé. Pour économiser le peu d'argent qu'il me restait, au lieu de dormir dans les hôtels, j'ai pris l'habitude, chaque fois que possible, de passer mes nuits
dans les bordels. Un jeune Blanc aux yeux bleus,
cela plaisait aux filles d'ici. De ville en ville, j'ai flirté
avec les prostituées, je les ai fait rire ou rêver en leur
racontant mon voyage, en rajoutait un peu ici et là,
et elles ont presque toujours fini par me garder une
nuit ou deux dans leur chambre, à l'œil. J'ai partagé
alors un peu leur quotidien, leur misère, j'ai découvert la vie nocturne des quartiers mal famés, l'alcool
bon marché, la cocaïne... Certaines prostituées m'ont
confié leur histoire et, pour moi, à qui la lecture manquait tant, c'était autant de romans tombés du ciel.*

*De temps en temps, quand j'ai pu trouver un petit
boulot, je suis resté quelques jours dans le même village, mais jamais bien longtemps, car j'ai toujours eu
peur que la police ne finisse par me repérer.*

*Et puis, un jour de février, enfin, je suis arrivé à
Belém.*

# 16

## 15 janvier 1986, Beyrouth

La règle de la Boîte voulait, quand un officier traitant avait rendez-vous avec une source, que l'un ne devait pas attendre l'autre plus de trois minutes. Plus de trois minutes de retard, c'était le signe d'une possible compromission, et l'on reportait alors le rendez-vous.

Or Nassim avait déjà quinze minutes de retard.

Dartan serra les poings. Cela n'était jamais arrivé.

Ne laissant rien paraître de son inquiétude, il fit un passage au bar de l'hôtel Bristol, et constata rapidement que son informateur n'y était pas non plus. Et, comme il n'y avait qu'un seul autre serveur dans la salle, tout laissait penser que c'était une absence imprévue.

Il ne lui fallut qu'une seconde pour analyser la situation. L'informateur avait dû tomber. Le protocole, bien sûr, aurait voulu que Dartan reparte immédiatement à l'ambassade, mais Nassim n'était pas une source comme les autres. Les gestes vifs et sûrs, l'officier descendit au parking, grimpa dans la vieille Citroën BX, sortit en trombe du garage et fonça vers le nord, sur l'avenue Alfred-Nobel.

Le visage scarifié de Beyrouth défila autour de lui, alors qu'il se faufilait entre les Mercedes 190 des chauffeurs de taxi, les détritus épars et les véhicules incendiés que personne ne venait jamais enlever. À haute vitesse, la voiture semblait glisser sur l'asphalte ensablé et voler par-dessus les nids-de-poule. Pilote aguerri, Dartan corrigeait sa trajectoire à chaque tour de roue par de petites impulsions sur le volant. Arrivé sur l'avenue Omar, apercevant au loin ce qui ressemblait à un barrage, Dartan obliqua brusquement vers la gauche dans un crissement de pneus et s'engouffra à contresens dans une ruelle étroite. Les quelques passants ne semblèrent pas s'inquiéter de voir apparaître ce véhicule qui roulait à tombeau grand ouvert ; dans les quartiers ouest, entre les bombes et les tirs de lance-roquettes, on ne s'effrayait pas pour si peu.

Quand il arriva enfin au pied de la colline de Ras Beyrouth, il abandonna sa Citroën à l'angle du pâté de maisons et grimpa dans la rue au pas de course, en longeant les murs. L'immeuble où Nassim Kara vivait avec ses quatre enfants était l'un des rares encore debout dans cette partie du quartier résidentiel. Dartan remarqua immédiatement le pick-up Toyota garé de travers sur le trottoir d'en face. Un mauvais signe de plus.

Il inspecta les lieux d'un regard circulaire. Personne à l'intérieur du véhicule, ni alentour. Personne sur les toits. Il mémorisa la plaque d'immatriculation puis il prit le MAC 50 à sa ceinture et tira sur la culasse pour engager la première cartouche. D'un pas plus prudent, il franchit les derniers mètres et se plaqua contre le mur, à côté de la porte d'entrée, pistolet au poing. Sans appui, il devait opérer vite, en mode offensif. *Se protéger, observer, progresser.* Des gestes mille fois répétés à l'époque où il avait rejoint les fusiliers commandos.

Dartan jeta un rapide coup d'œil à l'intérieur. La voie était libre. Il pénétra dans l'immeuble et commença à monter les escaliers, en garde, l'arme toujours pointée dans la même direction que le regard, couvrant l'angle auquel il s'exposait le plus et faisant une brève pause à chaque palier, tout en surveillant régulièrement ses arrières. Les murs et le sol de l'immeuble étaient en piteux état. Une forte odeur d'aubergine parfumait l'air. En fin d'après-midi, les femmes devaient commencer à préparer le repas du soir.

Quand il arriva enfin au troisième étage, il entendit des bruits au bout du couloir. Des cris étouffés, des claquements sourds, des meubles que l'on déplaçait.

Tous les sens en éveil, l'arme en joue, il s'engagea lentement dans le corridor vétuste, d'un pas fluide, sans à-coups. Sur la droite, une porte entrouverte. Dartan s'immobilisa et aperçut la tête d'un jeune adolescent qui regardait dans la même direction que lui, vers l'appartement de Nassim Kara, en se cachant.

— Psst !

L'officier de la DGSE fit signe au garçon de rentrer chez lui sans faire de bruit. L'adolescent disparut aussitôt, terrifié. Quelques mètres plus loin, les cris redoublèrent d'intensité. Il avança de plus en plus lentement.

Arrivé devant la porte, Dartan prit une profonde inspiration. S'il connaissait sa situation exacte, il n'était jamais entré dans l'appartement et ne pouvait en deviner la disposition. Y aurait-il une entrée pour lui permettre de s'infiltrer sans être vu ? Ou bien arriverait-il directement au milieu d'un feu ennemi ? Il avait deux options. Tenter une progression discrète pour analyser le terrain, ou entrer de force et profiter de l'effet de surprise. Les cris à l'intérieur lui firent immédiatement choisir la seconde solution.

Embusqué sur le côté, il ouvrit brusquement la porte et vit aussitôt deux hommes en armes au milieu du salon, qui se retournèrent vers lui, l'air surpris. Sans attendre, il ajusta son tir et fit feu par deux fois. Les balles atteignirent chaque homme en pleine poitrine, les projetant instantanément au sol.

Nassim Kara, le visage en sang, allongé au milieu de la pièce, lança immédiatement un regard horrifié vers sa droite. Un troisième homme, hors de portée.

Sans hésiter, Dartan se jeta par terre, à l'intérieur de l'appartement, et fit une roulade sur le côté pour ouvrir son angle de tir, alors que son adversaire venait de s'exposer en envoyant une rafale d'AK-47 à l'aveugle en direction de la porte, soulevant un nuage de plâtre à quelques centimètres à peine. L'officier, le genou solidement ancré au sol, lui colla une balle en pleine tête. Le crâne de l'assaillant, propulsé vers l'arrière, explosa dans une gerbe d'os et de sang, puis l'homme s'écroula lourdement sur le parquet.

— Nassim ! cria Dartan sans quitter sa position. Il y a quelqu'un d'autre ?

— Non, balbutia le Druze d'une voix tremblotante.

L'officier se releva, glissa son pistolet dans la ceinture et vint s'agenouiller auprès de son informateur. Le pauvre homme, même s'il saignait beaucoup, semblait n'avoir que des blessures superficielles. Le nez cassé et quelques coupures au visage.

— Vos enfants ?

— Leur mère est partie les chercher à l'école.

Dartan jeta un coup d'œil aux trois cadavres à côté d'eux. Leur accoutrement et le foulard jaune que portait l'un d'eux ne laissaient aucun doute : c'était des hommes du Hezbollah.

Il aida le Druze à se relever.

— Allons-y. Vous avez de l'argent ici, Nassim ?

L'informateur fronça les sourcils.

— Pourquoi ?

— Vous allez devoir abandonner cet appartement.

— Je peux pas tout laisser !

— Pas le choix, Nassim. Ils vont revenir. Je suis désolé. Nous vous trouverons un nouvel endroit, ailleurs. Prenez juste votre argent. Mais faites vite !

L'homme, ébranlé, hocha la tête avec un regard abattu. Il disparut dans la pièce voisine. Par les temps qui couraient, les habitants de Beyrouth préféraient garder leurs économies chez eux que les confier aux banques.

Sur un secrétaire, au coin de la pièce, Dartan aperçut alors la maquette inachevée de la petite voiture qu'il avait offerte au fils de Nassim. La 2CV verte. Il secoua la tête.

Le Druze réapparut dans le salon avec une petite sacoche.

— Allons-y !

Dartan dégaina son arme de nouveau et l'escorta jusque dans la rue. Pour l'instant, elle était encore vide. Ils coururent l'un derrière l'autre jusqu'à la 604, grimpèrent dedans à la hâte et démarrèrent sur les chapeaux de roues.

— L'école est sur Sidani, lança Nassim.

— Je sais.

Le chef de poste adjoint avait soigneusement étudié le dossier de son informateur, il connaissait les moindres détails de sa vie. Une vie qu'il venait de détruire. Il s'engagea sur la grande avenue. Il n'y avait pas de temps à perdre.

— Que s'est-il passé ?

— Je sais pas. Je comprends pas ! J'ai dû me faire repérer, ou bien quelqu'un m'a dénoncé. Hier soir, j'ai obtenu des informations pour vous, à l'hôtel. C'est pour ça que je voulais vous voir aujourd'hui, mon ami…

— Quelles informations ?

— Il y a dix jours, quand vous étiez reparti à Paris, il y a des Français qui sont venus ici, à Beyrouth. Ils ont rencontré le Hezbollah.

— Des Français ? Quels Français ?

— Des émissaires politiques.

Dartan fronça les sourcils. Il avait peur de comprendre.

— Du gouvernement français ?

— Non. De l'opposition. Ils sont venus pour négocier avec le Hezbollah, pour les otages. Ils leur ont dit d'attendre les élections avant de les libérer, et qu'alors ils pourraient leur offrir bien plus que ce que le gouvernement actuel a proposé...

Les poings de Dartan se crispèrent sur le volant. La chose était à peine croyable de cynisme politicien – retarder volontairement la libération des otages – et pourtant, cela aurait expliqué pourquoi les négociations à Paris avaient subitement capoté. Le camp de la droite, certain de remporter les législatives, serait donc venu ici torpiller le plan du gouvernement pour s'approprier, après les élections, le crédit d'une issue enfin heureuse. La manœuvre était aussi odieuse qu'elle aurait dû être prévisible.

— Les enfoirés ! marmonna-t-il, les yeux rivés sur la route. Les putains d'enfoirés !

— Qu'est-ce que ma famille va devenir, maintenant ? demanda le Druze en se tordant nerveusement les mains sur les cuisses.

Dartan se tourna vers lui avec un regard compatissant.

— Je vais pas vous laisser tomber, mon ami. Mon... mon pays va s'occuper de vous.

— La France..., murmura Nassim, et la petite lueur d'espoir au fond de ses yeux embués de larmes serra le cœur de Dartan.

# 17

## 4 février 1986, Belém, Brésil

Marc posa le livre de Steinbeck qu'il était en train de lire tranquillement sur le fauteuil club et se leva en soupirant. Connaissant si bien l'espagnol, il avait rapidement appris les rudiments du portugais et se débrouillait chaque jour un peu mieux. Assez, en tout cas, pour se faire parfaitement comprendre quand c'était nécessaire.

— Allez, mon pote, je crois que t'as assez bu comme ça pour la soirée, va falloir rentrer chez toi, maintenant.

Il attrapa doucement par l'épaule le client aviné qui, accroché au bar de l'établissement, vociférait des insultes depuis plusieurs minutes à l'encontre de la prostituée qui l'avait éconduit.

— Quoi ? Tu crois que j'ai pas d'argent, hein, *gringo* ? Tiens, regarde, j'ai des cruzeiros plein les poches !

Le soiffard sortit une liasse qu'il jeta en l'air en titubant. Les billets, soufflés par l'air du grand ventilateur qui tournait au-dessus d'eux, s'éparpillèrent et retombèrent lentement sur le bar comme des flocons de neige.

— Eh ouais ! J'ai certainement plus de pognon que toi, le Français ! Alors me parle pas comme ça. Lèche-moi plutôt le cul ! Allez ! Dis à cette salope de venir me sucer la bite !

Cette fois, la prise de Masson se fit beaucoup plus ferme. D'un mouvement brusque, il passa derrière l'ivrogne et lui fit une clef de bras.

— Eh ! Tu m'fais mal, *gringo* !

— Et toi, tu nous casses les oreilles, au minimum. Allez, dehors !

Même si le client le dépassait de trois têtes au moins et qu'il faisait le poids d'une baleine échouée, Marc n'eut aucune peine à le conduire jusqu'à la porte, tout en maintenant fermement sa clef de bras. Arrivé sur le perron, il le poussa vers la chaussée, puis resta devant l'entrée en croisant les bras.

— Enculé ! Fils de pute ! Bite d'âne ! Pédé ! gueu-lait l'autre, un doigt vengeur pointé vers le ciel.

Marc ne put s'empêcher de rire.

— C'est ça, allez, rentre chez toi, camarade.

L'ivrogne, qui tenait à peine debout, fit quelques pas vers Marc, puis s'immobilisa. Quelque part, dans les méandres des limbes embrumées de son cerveau enivré, une fulgurante étincelle de luci-dité, sans doute, lui fit admettre que le petit gaillard trapu qui se tenait devant la porte risquait de lui déboîter allègrement la mâchoire s'il faisait un pas de plus et, dans une moue abattue, il fit demi-tour.

— De toute façon, elles sont moches, vos putes, maugréa-t-il en claudiquant au milieu de la rue.

Marc secoua la tête et le regarda s'éloigner. Un mardi soir comme les autres, au Massilia.

Quelques mètres plus loin, il aperçut alors trois adolescents qui, assis au sommet d'un mur graf-fité, fumaient du cannabis à la lumière de la lune, et qui commencèrent à interpeller le poivrot. Marc grimaça. La viande soûle, dans les rues sombres de Belém, avait une espérance de vie considérablement limitée, surtout quand elle avait les poches emplies de billets. Et ce qui devait arriver arriva.

Quand il fut à leur hauteur, les gamins descen-dirent de leur perchoir et entourèrent le zombie en riant, le bousculant de plus en plus fort.

Encore debout sur le perron, le Français poussa un soupir. La raison, sans doute, aurait voulu qu'il tourne les talons, rentre tranquillement dans l'éta-blissement, et qu'il laisse l'homme qui venait de l'insulter se débrouiller avec son propre sort, mais Marc Masson était de ces hommes qui se laissent plus volontiers guider par leur nature que par la raison. Quand il vit le groupe d'adolescents projeter le client au sol et commencer à le rouer de coups, il se dirigea vers eux d'un pas rapide en pestant.

— Oh ! Laissez-le tranquille !

Alors que l'un d'eux venait d'envoyer un magistral coup de talon au visage du pochtron à terre, les deux autres se tournèrent vers Marc et lui firent signe de déguerpir.

— Occupe-toi de tes affaires, face de cul !

Au sol, le client prit un nouveau coup de pied dans le ventre et lâcha un râle désespéré.

Ils étaient trois, il était seul, et pourtant Marc continua son avancée sans ralentir, en penchant la tête de gauche à droite pour faire craquer les os de sa nuque. Les cinq derniers pas qui le séparaient d'eux, il les fit en courant et, d'un seul crochet, il envoya le plus grand des trois voyous s'écraser contre le muret comme un épouvantail. Ses acolytes se jetèrent aussitôt sur lui, ivres de fureur, mais Masson esquiva sans peine leur assaut désordonné, et assena un deuxième coup de poing au plus proche. Saisi en plein vol, le jeune homme s'écroula instantanément, le corps secoué de spasmes ridicules. Le troisième, réaliste, préféra partir en courant.

Marc le laissa filer, puis se baissa pour ramasser les billets de l'ivrogne sur la chaussée. Il les rassembla et les glissa dans la poche du pauvre homme en lui donnant des petites tapes sur la joue, alors qu'à l'autre bout de la rue, une femme replète arrivait en courant, encore vêtue de sa robe de chambre.

— Eduardo ! Eduardo ! Qu'est-ce qu'il a ? Oh, mon Dieu, qu'est-ce qui lui est arrivé ? s'exclama-t-elle en voyant les deux autres hommes à terre.

— C'est votre mari ?

— Oui ! Mon Dieu ! Qu'est-ce qui s'est passé ?

Elle s'accroupit auprès de son coquin d'époux en sanglotant.

— Il a un peu trop bu et il s'est fait agresser, expliqua Marc sans réussir à masquer son sourire.

— Eduardo ! Qu'est-ce que tu as fait, encore ?

L'homme, le visage ensanglanté, se redressa péniblement. Les coups, visiblement, avaient quelque peu contribué à son dégrisement. Masson l'aida à se relever.

— Vous allez pouvoir le ramener ? demanda-t-il à la femme en se retenant de rire devant ce spectacle pathétique.

— Oui ! Mon Eduardo ! Je t'ai cherché partout.

Masson regarda le couple improbable s'éloigner dans la rue, puis il se baissa vers le premier des deux adolescents qu'il avait mis à terre. Le jeune homme, conscient mais tétanisé au pied du muret, semblait toujours ne pas en revenir. Marc fouilla dans sa poche et en sortit un petit sachet d'herbe qu'il agita sous ses yeux.

— Ça, c'est pour le dérangement. Et si je revois vos sales gueules dans le quartier, toi et tes copains, je vous fais sortir les dents par le trou du cul.

Il se redressa et retourna nonchalamment vers le bâtiment.

— Le spectacle est terminé ? l'accueillit, hilare, l'homme en complet blanc venu à son tour sur le perron.

— Ça m'a donné soif.

Les deux hommes, se tenant par l'épaule, partirent côte à côte vers le bar en riant, et se servirent eux-mêmes de grands verres de rhum.

Angelica, la fille qui avait eu droit tout à l'heure aux copieuses insultes de l'ivrogne, passa derrière eux et déposa un baiser sur la joue de Marc. Il la regarda s'éloigner avec un théâtral tortillement du bassin...

L'homme en complet blanc lui donna une grande tape dans le dos.

— Tu fais partie d'une espèce en voie de disparition, Marc. C'est ce que j'aime, dans cette foutue ville. C'est le seul endroit au monde où on peut voir passer autant de gens comme toi.

— C'est quoi, des gens comme moi ?

Richard – comme on l'appelait *Monsieur Richard*, Marc ne connaissait que son prénom, et il n'était d'ailleurs pas sûr que cela fût vraiment le sien – était le patron du Massilia, le plus grand bordel de la ville. Un authentique bordel de l'époque coloniale, décoré comme un casino de la Riviera, avec ce bar somptueux et de belles et hautes chambres débordantes de draperies et de dorures. Ce Français – arrivé au Brésil quinze ans plus tôt – avait un jour eu la judicieuse idée d'épouser la fille du préfet de police, si bien qu'il jouissait d'une confortable et arbitraire protection pour diriger son établissement en toute quiétude. Tous les notables de la ville, à un moment ou un autre de leur vie, mettaient au moins une fois les pieds au Massilia...

Toujours vêtu d'un costume blanc impeccable, fumant de gros cigares, Richard était un homme respecté, autant par ses clients que par ses employées. Paternaliste, calme, redoutablement roublard et cultivé, il tenait son affaire avec le charisme et la classe d'un haut diplomate. Il avait fait d'emblée sur Marc une forte impression.

Quand le jeune homme était arrivé à Belém, nichée à l'extrême Nord du Brésil, entre l'Atlantique et le fleuve Amazone, avec l'idée de n'y rester que deux ou trois jours avant de rejoindre enfin la Guyane, il avait fait ce qu'il faisait presque toujours : il avait cherché un bordel. Et il était tombé sur le Massilia. Il y vivait maintenant depuis plusieurs semaines, dans une douce sérénité. Six mois avaient passé depuis l'Argentine, et il avait perdu la trace de la petite Luciana. Le couple de fermiers avait cessé de répondre. Il pensait souvent à elle avec émotion, se demandait quel destin il lui avait fait prendre...

— Les sages. Les bienveillants.

Marc sourit.

— Tu trouves que je suis bienveillant ?

— L'Univers est bienveillant ! La vie est une expression de la bienveillance universelle. Aussi, les vrais sages, ce sont les hommes comme toi qui s'inscrivent dans la bienveillance de l'Univers. Oui, t'es un bienveillant, mon garçon, et l'Univers te le rend bien : il t'a donné l'intelligence d'un philosophe et le corps d'un guerrier.

— Richard... Je crois que toi aussi, t'as trop bu.

Richard avait tout de suite adopté le jeune Français. Non pas comme un fils, mais plutôt comme un petit frère. Le soir, comme il savait que Marc avait un passé militaire et qu'il savait se servir d'une arme, il disait qu'il était content que le jeune homme soit présent pour protéger les filles mais, en vérité, il appréciait surtout sa compagnie.

Après des semaines de voyage en solitaire, Marc, lui, n'était pas mécontent non plus de pouvoir parler avec un homme de cet acabit. Quand il y avait besoin de casser quelques dents, il était ravi de pouvoir aider le tenancier, et quand celui-ci recevait par bateau une caisse de pessac-léognan, il était heureux de pouvoir la partager avec un compatriote.

Les filles aussi aimaient bien le petit Français. Pendant les premiers jours, le jeune homme avait dormi tantôt avec l'une, tantôt avec l'autre, puis Richard, pour l'inciter à rester, lui avait donné une chambre, sous les combles du Massilia. Il s'y sentait bien. Merveilleusement bien. Trop bien, sans doute, pour que cela puisse durer.

# 18

## Carnet de Marc Masson, extrait n° 5

*Septembre 1973, Lorient. J'ai quatorze ans.*

*Je déteste la rentrée. Les poings bien serrés au fond des poches sur des petits cailloux que j'ai ramenés l'an dernier de Bolivie, je marche dans la rue et mes pieds sont lourds comme des pierres tombales. À cause de l'état de mon père, nous sommes restés à Lorient tout l'été dans le climat sinistre de notre appartement, qui ressemble de plus en plus à une chambre d'hôpital. Pendant deux mois, je n'ai rien fait d'autre que lire dans le silence de ma petite chambre. J'ai dévoré Salinger, Kerouac, Gary, et dans leurs pages j'ai trouvé un écho savant et fraternel à ma mélancolie, à ma silencieuse rébellion, j'ai humé le vent de l'ailleurs. Je pense à Papi José, de l'autre côté de l'océan, et je me demande si je le reverrai un jour. Là-bas, il fait si bon vivre. Ici, mon cartable pue le plastique tout neuf.*

*À force de se plaindre auprès de notre mère, Aline a remporté ce qui semble être pour elle une immense victoire : elle n'est plus obligée de faire le trajet avec moi. Je ne vais pas mentir, la chose n'est pas pour me déplaire. Être tout seul, ça ne m'a jamais dérangé, au contraire. Au collège, je n'ai pas d'amis. Avoir un ami, c'est accepter de s'aimer soi-même. Je n'ai pas cette prétention.*

*Alors que je passe rue de la Belle-Fontaine, devant une fenêtre ouverte, j'entends un petit poste de radio qui chante* La Mort des loups *de Léo Ferré, et cela me rend un peu plus mélancolique encore. Lorient est moche. Je ne sais pas si c'est moi qui grandis, ou si ce sont ses rues qui s'amenuisent. Elles sont si petites qu'on dirait qu'elles ont honte.*

Il est 17 h 45 et je rentre dans notre petit immeuble morne en rêvant de Santa Cruz. Mes pas résonnent entre les murs blancs de la cage d'escalier. Je suis sur le point de sonner à la porte quand elle s'ouvre toute seule. Un type sort, une cigarette au bec, il me bouscule presque.

— Eh, oh !

Il me regarde en allumant sa cigarette. Sa tête me dit vaguement quelque chose.

— Vous êtes qui ? je demande en écartant les bras.

Il se contente de sourire et s'en va dans l'escalier sans répondre. Parfois, j'ai l'impression d'être l'homme invisible. Ça ne me dérange pas plus que ça.

Je me retourne. Dans l'appartement, j'aperçois ma mère qui reboutonne en hâte son chemisier, les joues rougies et le front trempé de sueur. J'entre, je regarde vers la chambre où je sais que mon père attend, muet, cloué sur son fauteuil de mort. Il ne peut pas ne pas entendre. Il ne peut pas ne pas savoir. Ce n'est pas la première fois.

Ma mère se fabrique un air de réprimande, comme pour masquer sa gêne :

— Tu n'as pas des devoirs ?

J'aimerais apprendre à la détester. Je la fixe droit dans les yeux et je réponds :

— Et toi ?

Une gifle.


# 19

## 5 février 1986, Paris


La bombe avait explosé à 18 h 10, au niveau –3 du Forum des Halles, dans le magasin de la Fnac

Sport. L'engin, similaire à celui des précédents attentats, avait été placé au rayon des anoraks de montagne, bondé de clients à quelques jours des vacances de sports d'hiver. Il fit vingt-deux blessés, dont sept grièvement.

Chaque soir, le feu qui embrasait déjà Paris était ravivé un peu plus encore par le vent de panique qui avait gagné ses habitants. En trois jours, c'était la troisième bombe qui explosait ainsi en plein cœur de la capitale : l'avant-veille à la Galerie Claridge, avenue des Champs-Élysées, et la veille à la librairie Gibert Jeune, place Saint-Michel. La tour Eiffel, quant à elle, avait échappé de peu au drame, quand une employée des lieux avait découvert un engin explosif dissimulé dans les toilettes de la troisième plateforme.

Quand Olivier Dartan arriva sur place, il eut bien de la peine à retrouver le commissaire Arnaud Batiza parmi les nombreux policiers, pompiers et ambulanciers qui se croisaient en hâte dans le sous-sol des Halles. Les gyrophares rouge et bleu quadrillaient les longs murs orangés du tunnel, alors que le Samu évacuait les derniers blessés sous des couvertures de survie dans un brouhaha indicible. Sur tous les visages se lisait un mélange de colère et d'accablement.

— Trois attentats en trois jours... Je crois qu'on est en guerre, Olivier, l'accueillit Batiza, adossé à une fourgonnette de police.

Le commissaire de la DST sentait l'alcool à plein nez. Mal rasé, les yeux cernés, la quarantaine lui avait donné un physique d'ancien catcheur rondouillard, et les faux airs d'un Lino Ventura noir.

— La tour Eiffel... Tu crois que c'était un message qui vous était adressé ?

Dartan, en effet, n'ignorait pas que plusieurs officiers de la DST utilisaient souvent la cohue des longues files d'attente, devant le pilier nord de la tour Eiffel, pour retrouver leurs sources à l'abri des regards. Le monument le plus fréquenté de Paris se trouvait à quelques rues du siège de la Surveillance du territoire…

— Je ne pense pas, répondit le commissaire d'un air dubitatif.

— L'AFP[1] a reçu une revendication ?

— La même. Le mystérieux CSPPA.

— CSPPA mon cul. C'est un groupe bidon, Arnaud, j'y crois pas une seconde.

— Eh bien, mon ami, t'auras qu'à expliquer ça au procureur, il nous attend dans la salle de sécurité du magasin.

— Alors tu ferais peut-être bien d'avaler un bonbon à la menthe, t'as la bouche qui respire au moins trois cuvées…

— Va te faire voir, faux frère.

Les deux hommes se faufilèrent au milieu des policiers et pénétrèrent dans la Fnac. L'odeur âcre de la fumée ne s'était pas encore dissipée. L'explosion avait plongé le magasin dans le noir, et la police avait dû installer des projecteurs pour permettre aux équipes techniques de débuter leur enquête. Par terre, au milieu des traces noires du sol calciné, l'amas de débris laissait imaginer la violence de la bombe.

Quand ils entrèrent dans le petit bureau où la police avait installé un QG de fortune, Alain Marsaud, qui venait d'être nommé chef du tout nouveau service antiterroriste du Parquet de Paris, le visage fermé, était au téléphone avec le ministre de l'Intérieur. Il raccrocha d'un geste sec et nerveux, puis se tourna vers eux, la mine grave.

— Je viens d'apprendre que le commissariat des Halles a reçu un appel anonyme dix minutes avant

---

1. Agence France-Presse.

l'explosion. Ces imbéciles n'ont même pas essayé de faire évacuer le magasin !

Marsaud, qui avait beaucoup œuvré pour la création du service central de lutte antiterroriste, était un fervent défenseur de la collaboration entre justice et services de renseignement. Selon lui, les magistrats avaient été trop souvent tenus à l'écart du Renseignement par le passé, et le terrorisme exigeait une bien meilleure fluidité de l'information. En somme, Dartan et Batiza allaient devoir s'habituer à travailler avec lui.

— En dix minutes, ils n'auraient probablement pas eu le temps, monsieur le procureur.

— Avec les Galeries Lafayette et le Printemps en décembre, et maintenant cette nouvelle série… On en est à cinq attentats à Paris en moins de trois mois. Près de soixante-dix blessés ! Les Parisiens sont gagnés par la psychose. Et toujours pas la moindre piste crédible ! Vous avez quelque chose de neuf, à la DST ?

Batiza haussa les épaules.

— On enquête, se contenta-t-il de répondre.

— Et à la DGSE ?

— Les services de recherche essaient de trouver des informations sur le CSPPA, en France et à l'étranger, répondit Dartan, mais, personnellement… je suis pas sûr qu'il ait une existence réelle.

— Comment ça ? s'étonna Marsaud.

— Comité de solidarité avec les prisonniers politiques arabes et du Proche-Orient ? Rien que le nom ressemble à une couverture, pour ne pas dire une farce. Les attentats sont très bien préparés, une organisation pareille, ça ne peut pas sortir de nulle part. C'est forcément des gens qu'on connaît. Et surtout, leurs revendications dans le courrier qu'ils ont envoyé à l'AFP avant-hier me semblent… un peu étranges.

— Pourquoi ?

— Les trois terroristes emprisonnés dont ils exigent la libération, Garbidjian, Naccache et Abdallah... Ils sont issus d'organisations qui n'ont absolument rien à voir les unes avec les autres. Arménie, Iran, Liban...

— Vous pensez que c'est une coalition de plusieurs groupes ? Si toutes les organisations terroristes du monde se mettent à se rassembler contre la France, on n'est pas près d'éteindre le feu, grogna le procureur.

— Je ne pense pas. À mon avis, ils font ça pour brouiller les cartes. Personnellement, je privilégierais la piste irano-libanaise.

— Eh bien, puisque vous êtes en poste à Beyrouth, suivez cette piste-là, Dartan. Et vous, à la DST, essayez d'enquêter sur la piste arménienne...

— Nous sommes déjà dessus, répondit Batiza. Mais je pense qu'Olivier a raison. Les Arméniens n'ont plus la moindre structure en France, il y a plus de chances que ça vienne de l'Iran...

— Inutile de vous dire que le ministre me met une pression énorme. Une bombe par jour en trois jours, à un mois des élections ! Si nous n'avons rien à leur donner rapidement, je ne donne pas cher de notre peau, messieurs.

— Nous faisons de notre mieux, monsieur le procureur.

— Faites plus.

Batiza hocha la tête et s'apprêta à sortir de la pièce.

— Tu viens, Olivier ? lança-t-il en voyant que son confrère ne le suivait pas.

— Je te rejoins dans une minute, répondit-il, puis il se tourna vers le procureur.

— Autre chose ? demanda Marsaud.

— J'ai besoin d'un service. J'ai un ami libanais, monsieur Nassim Kara, qui... a beaucoup aidé la France, au cours des derniers mois, sur le dossier des otages.

— Je ne suis pas en charge de l'affaire...

— Indirectement, si. Vous dirigez le service antiterroriste du Parquet de Paris...

— Certes. Et alors ?

— Il s'est fait attaquer à son domicile par des miliciens du Hezbollah. Il y a réchappé de peu. Il ne peut pas rester là-bas, c'est beaucoup trop dangereux pour lui et sa famille. Sur mes conseils, il a fait une demande d'asile en France. J'ai besoin que vous souteniez son dossier pour qu'il obtienne le statut de réfugié pour lui, sa femme et ses quatre gosses, et qu'il reçoive de l'aide et une allocation de subsistance.

— Rien que ça... Je n'ai aucun pouvoir sur l'Office de protection des réfugiés, Olivier. Votre chef de poste à l'ambassade devrait avoir bien plus d'influence que moi auprès des Affaires étrangères...

— Je suis sûr qu'un coup de fil du chef du service antiterroriste au directeur de l'Ofpra, ça pourrait peser dans la balance. J'ai fait une promesse à ce type. Il a beaucoup donné pour l'État français. J'ai besoin que vous m'aidiez à tenir cette promesse.

Le procureur acquiesça.

— OK. Je vais voir ce que je peux faire. Mais vous, trouvez-moi qui se cache derrière ce putain de CSPPA.

# 20

## 8 février 1986, Belém

— Marc ! Marc ! Il faut que tu viennes !

Masson fut réveillé en sursaut par les cris du jeune homme. Hébété, il lui fallut quelques secondes pour se souvenir de l'endroit où il s'était endormi.

Le soir, le Français s'enivrait souvent au Massilia avec les habitués qu'il avait appris à connaître, des furibonds comme lui, des amoureux du verbe venus s'échouer là des quatre coins du monde, des rêveurs écorchés qui cherchaient l'inspiration dans la cachaça, la marijuana, la coke et la cabriole. On jouait au billard ou au poker, on vidait des bouteilles de rhum et des godets de bière, on tenait de grands discours sur la politique, les femmes et la littérature, on dansait la samba ou le forró, on se chambrait et on chambrait les filles, mais gentiment, parce que ici, tout le monde était armé, et les petites étincelles faisaient rapidement de grandes flammes.

Il n'était pas rare qu'à l'issue de ces longues soirées passées à repeindre le monde à ses couleurs, assommé par la chaleur, l'alcool et le cannabis, Marc s'endorme dans les bras d'une des filles de Richard, au son ronronnant des ventilateurs, sur l'une des banquettes cramoisies du bar.

Angelica, à moitié nue, était encore blottie contre lui, comme un gentil petit chat. Le soleil venait à peine de se lever. De l'autre côté de la pièce, Masson vit que la femme de ménage avait déjà commencé son travail. En silence, comme chaque matin, la pauvre femme passait la serpillière sur les grandes dalles souillées du Massilia.

Il se dégagea lentement de l'étreinte de sa compagne nocturne et se redressa en se frottant le visage.

Le jeune Hector, blafard, l'attrapa par le bras.

— Ils sont revenus !

Depuis deux semaines, la journée, Marc travaillait pour des chercheurs d'or. Ici, c'était le Far-West. La pierre jaune valait souvent plus cher que la vie d'un homme. La police faisait la guerre aux négociants, et les négociants se faisaient la guerre entre eux. Masson, lui, protégeait des petits *garimpeiros* indépendants, des orpailleurs, de simples hommes qui étaient venus tenter leur chance ici, qui rêvaient de trouver fortune au fond des rivières. Certains étaient originaires des petites villes du Nord du Brésil, mais la plupart étaient des descendants des nègres marrons, les esclaves qui avaient fui les colonies et qui vivaient à présent en petits clans autonomes et libertaires, avec le souvenir aigu des sévices subis par leurs ancêtres, à une époque où, quand on retrouvait un esclave fugitif, on lui coupait les jambes devant les yeux des siens pour l'empêcher de courir à jamais. Les membres amputés finissaient souvent comme décoration dans les demeures luxueuses des colons...

Depuis quelques mois, cette bande improbable d'orpailleurs brésiliens et de nègres marrons s'était associée pour se protéger des mafias tout autant que des grands groupes industriels américains et canadiens. Marc leur avait très vite proposé ses services. Ils le payaient en or brut pour surveiller leur site d'orpaillage clandestin, situé à moins d'une heure de route de Belém. Pendant qu'ils chassaient l'or au fond de l'eau, le jeune homme sécurisait les motopompes et, surtout, les réserves de carburant, le nerf de la guerre. Ses petits chercheurs d'or le regardaient comme un Robin des Bois venu protéger les faibles des puissants, et l'image n'était pas pour lui déplaire. Comme chacun lui reversait une partie de ses gains, Marc n'avait jamais gagné autant d'argent. Mais, incorrigible, il dépensait presque tout pour faire des cadeaux aux filles du Massilia...

Quelques jours plus tôt, le climat s'était tendu sur le site d'extraction. Un mafieux vénézuélien avait essayé de mettre la main sur plusieurs filons locaux en envoyant des gros bras pour chasser les petits orpailleurs de leur site. À bout d'arguments, Marc avait dû tirer sur eux à coups de carabine pour les faire partir. Pour l'instant, le calme était revenu, mais il se doutait que les choses n'allaient pas s'arrêter là. Par sécurité, les *garimpeiros* se relayaient chaque nuit, deux par deux, pour surveiller le site, alors que Marc se chargeait de la journée, week-ends compris. Richard ironisait en disant qu'on se serait presque cru dans les *Sept Mercenaires*. « Alors, il n'est toujours pas revenu, Calvera ? »

Hector était l'un des plus jeunes de ses petits chercheurs d'or. Tout juste majeur, mais très débrouillard, c'était lui qui jouait le rôle d'intermédiaire entre les orpailleurs et Marc.

*Ils sont revenus.* Masson n'eut pas besoin de lui demander de qui il parlait. Les Vénézuéliens... Cela faisait plusieurs jours qu'il s'était attendu à des représailles.

— Ils ont attaqué le site pendant la nuit ! reprit Hector. Il faut que tu viennes tout de suite !

# 21

## 8 février 1986, Beyrouth

— T'as quelque chose, Rudi ?

Le jeune technicien se retourna en sursautant. Il était tellement concentré sur son travail qu'il n'avait pas entendu Olivier Dartan, son patron, entrer dans le petit grenier plongé dans la pénombre.

Deux semaines plus tôt, Rudi Girard – jeune ingénieur en télécommunications qui travaillait depuis quelques mois seulement à Beyrouth sous la couverture d'un employé d'une fabrique d'arak – avait installé là le poste d'écoute de l'appartement où vivait Ahmed M., l'un des chefs de la milice du Hezbollah. La DGSE avait surnommé cette cible *Le Vautour* car, se sachant surveillé, il avait l'habitude de tourner plusieurs fois autour de son immeuble avant d'y rentrer. En outre, les doigts de sa main gauche, atrophiés, ressemblaient vaguement aux griffes d'un rapace…

Rudi ôta maladroitement le casque de ses oreilles et le posa sur la table. Le contraste entre la vétusté de l'alcôve, quadrillée de toiles d'araignées, et la modernité des appareils qui clignotaient dans l'ombre était saisissant. Un rayon de lumière venu d'un vieux velux au verre brisé semblait découper le volume de la pièce. Plusieurs magnétophones Revox tournaient vingt-quatre heures sur vingt-quatre sous la poussière des combles pour enregistrer ce que captaient les six micros dissimulés dans plusieurs pièces de l'appartement.

— Le Vautour vient de rentrer de Téhéran, expliqua le jeune homme. Quelqu'un est venu le voir tout à l'heure… Je ne sais pas qui, mais je pense que c'est un membre de l'organisation. Haut placé.

Rudi, qui n'avait que quelques mois d'expérience du terrain, avait encore du mal à prendre conscience de la réalité de son travail. Tout était devenu soudain si concret. Cela faisait à peine plus d'un an qu'il était sorti de l'École polytechnique, et sans doute ce jeune ingénieur n'aurait-il jamais imaginé se trouver là aujourd'hui : au Liban, à lutter contre le Hezbollah ! Membre de la Khômiss[1], il avait fait un passage remarquable et remarqué à l'X[2], et il avait été rapidement approché par la DGSE à l'issue de sa troisième année. Série d'entretiens, enquête de sécurité, tests psychotechniques, formation, six mois à peine après son recrutement, le jeune homme avait intégré la Division technique, lui qui s'était pourtant initialement destiné à travailler pour France Télécom, ou dans le privé... Le salaire que la Boîte lui avait proposé était largement inférieur à ce que de nombreuses sociétés auraient été prêtes à débourser pour ce jeune polytechnicien prometteur. Issu d'un milieu social fort modeste, il s'était laissé néanmoins convaincre, dans un élan patriotique sans doute, comme beaucoup de ses collègues après l'attentat du Drakkar. Tête blonde, les yeux d'un bleu clair, lumineux, il avait encore un visage d'adolescent. En somme, pas le physique d'un agent secret...

À une époque où la technologie et les télécommunications connaissaient un développement exponentiel, la DGSE ne pouvait pas se passer de jeunes hommes comme Rudi Girard. Y compris sur le terrain. Et elle avait déjà, sur ce domaine, beaucoup de retard sur la CIA.

---

1. L'une des très nombreuses traditions de Polytechnique, la Khômiss est un groupe d'élèves qui, masqués d'une cagoule rouge, apprennent aux nouveaux les valeurs de l'École et assurent l'animation des soirées traditionnelles...

2. Surnom de l'École polytechnique.

— Ça a donné quelque chose d'intéressant ? demanda Dartan en lui tapotant sur l'épaule.

— Faïd est en train de traduire la transcription, répondit Rudi en pointant du doigt vers l'homme qui, assis à un petit bureau de l'autre côté du grenier, était en train de taper un texte sur une machine à écrire électrique, un casque collé sur les oreilles.

Dartan partit récupérer la première feuille dactylographiée par cet ancien instituteur libanais qui leur servait de traducteur. Il parcourut le feuillet et, après avoir lu la teneur de quelques échanges anodins, un paragraphe retint soudain son attention.

```
INVITÉ : Tu as pu faire ce que tu voulais ?
VAUTOUR : Bien sûr, mon frère.
INVITÉ : Que tu sois béni par Allah. [...] Tu
as vu tout le monde ?
VAUTOUR : Oui. Ça va.
INVITÉ : Abdel m'a dit qu'Ali avait besoin
d'argent pour son équipe en France.
VAUTOUR : Ils ont toujours besoin d'argent !
INVITÉ : Ça coûte cher.
VAUTOUR : Ils se plaignent toujours. Ils
ont… Farouk leur a envoyé du matériel qu'ils
peuvent revendre. C'est quand même…
INVITÉ : Mon frère, tu sais comment
c'est. Il faut que tu leur fasses parvenir
de l'argent directement. [bruit de papier]
Tiens, à l'un de ces cinq-là, à cet endroit.
VAUTOUR : C'est bon. Ils ne sont pas inquiétés ?
INVITÉ : Non, ça va.
VAUTOUR : Et ici, tout se passe bien ?
INVITÉ : Ici, on ne peut plus faire
confiance à personne, mon frère. On va encore
changer d'endroit.
VAUTOUR : Tu veux manger quelque chose ?
```

Rudi arriva dans son dos et lut par-dessus son épaule, alors que l'officier de la DGSE notait les trois prénoms mentionnés sur son petit carnet. Abdel, Ali et Farouk.

— « On va encore changer d'endroit ». Il parle des otages…

— C'est possible, répondit Dartan. Nassim m'a dit qu'ils les changeaient de cache régulièrement. Mais c'est pas ça qui m'intéresse…

— Quoi donc ?

— Quand il lui dit : « Tiens, à l'un de ces cinq-là, à cet endroit. » Il lui a noté quelque chose sur une feuille de papier. Je donnerais cher pour voir ce qu'il a écrit. Il dit qu'un certain Ali a besoin d'argent, que « ça coûte cher »…

— Vous croyez qu'il parle des attentats ?

— Eh bien, c'est juste une supposition, mais ça se tiendrait, non ?

— Possible. Et le « Farouk leur a envoyé du matériel qu'ils peuvent revendre » ? Vous pensez qu'ils vendent des armes à Paris pour se financer ?

— Non, Rudi. Les armes, ils les vendent pas, ils les utilisent. Je pencherais plutôt pour du bon vieux haschich libanais…

Dartan reposa la feuille sur la table. Il se gratta longuement le menton d'un air songeur, puis se tourna vers son jeune collègue.

— Il est encore dans l'appartement ?

— Non, il est sorti il y a une demi-heure.

— Le double des clés qu'on avait fait pour les micros est ici ?

— Oui, mais…

— Je vais y aller. Je veux retrouver ce papier.

— Mais, enfin, Olivier, c'est pas votre boulot !

— Et qui va le faire ? Je vais quand même pas appeler le SA[1] pour qu'un collègue vienne récupérer un bout de papier dans un appartement !

---

1. Service Action, nom d'usage donné à la Division Action de la DGSE, chargée de la planification et de la mise en œuvre des opérations clandestines.

— Eh bien, sauf votre respect, c'est exactement ce qu'on est censés faire, répliqua Rudi, d'un air embarrassé.

— Le temps qu'ils arrivent de Cercottes[1], le papier aura disparu depuis longtemps.

— Vous risquez de vous griller, Olivier, de *nous* griller ! Excusez-moi, mais c'est une idée un peu... euh...

— Ton manque de foi me consterne, Rudi. Donne-moi plutôt une radio et surveille l'entrée de l'immeuble depuis le toit. S'il revient, tu me préviens.

— Non mais ce genre d'opérations, ça se prépare !

— Tsss... Miles Davis n'est jamais aussi bon que quand il improvise.

— Comparer notre boulot à du jazz, c'est un peu limite, tout de même...

— Avec toi, j'ai toujours l'impression d'être le *Titanic*, Rudi.

— Vous avez peur de couler ?

— Non, je me dis que j'arriverais jamais à briser la glace. Détends-toi, mon garçon. Tu n'es plus à Polytechnique, là. Tu es à Beyrouth.

— C'est bien ce qui m'inquiète.

— Tout va bien se passer.


# 22

## 8 février 1986, Belém


Redescendu sur le perron équipé d'une carabine, d'un petit revolver Smith & Wesson de calibre.38

----

1. Centre d'entraînement de la DGSE, près d'Orléans.

et de munitions, Marc croisa Richard, le patron du bordel, coiffé de son habituel chapeau blanc.

— Votre bandit est revenu ?

Masson hocha la tête.

— Fais attention, gamin. Tu veux que je vienne ?

— Non, non, ça va.

Il adressa au tenancier un clin d'œil assuré et grimpa dans le vieux Jeep Wagoneer d'Hector.

— Fonce !

Le jeune homme, le pied au plancher, fila comme une boule de bowling dans les longues rues rectilignes de São Brás, désertes à cette heure matinale. Marc profita que la route fût encore calme pour glisser des cartouches dans le barillet de son revolver. Il leur fallut moins de vingt minutes pour rejoindre, à l'est, le pont qui enjambait le Rio Guamá, puis trente de plus pour s'engager enfin sur la piste qui se faufilait à travers la forêt amazonienne exubérante.

Les troncs des arbres immenses défilaient de chaque côté de la voiture alors qu'Hector survolait ce chemin qu'il connaissait par cœur, sans se soucier des branchages qui venaient gifler le pare-brise. Chahuté par la petite route de terre, le 4×4 les secouait dans tous les sens et Marc dut s'agripper pour ne pas se cogner aux parois. Hector, d'habitude si bavard, ne dit pas un mot, concentré sur sa conduite et rongé, à l'évidence, par l'inquiétude.

Quand ils arrivèrent enfin dans la clairière, un petit groupe les attendait. Marc descendit du Wagoneer, glissa le Smith & Wesson dans sa ceinture, attrapa la carabine et partit à la rencontre des *garimpeiros*.

— Quelqu'un a vu quelque chose ?

Le campement où ils se retiraient chaque soir était à dix minutes à peine du site.

— On a entendu des coups de feu, expliqua le vieux Romualdo, celui que les nègres marrons considéraient comme leur chef. Et ensuite, on a vu un hélicoptère jaune repartir vers l'ouest. On est venu aussitôt, mais tout l'or d'hier avait disparu, et nos deux gardes aussi.

— Qui était de garde ?

Il y eut un court silence gêné.

— Baptiste et Fábio.

Masson grimaça. Soudain, il comprenait mieux l'inquiétude d'Hector : Fábio était son petit frère. Dix-sept ans à peine. Peut-être moins. Un enfant. C'était un gentil garçon, lui aussi, toujours souriant, toujours prêt à aider les autres. Marc lui avait interdit de prendre des tours de garde. Trop jeune. Mais ces gamins étaient fiers, ils n'aimaient pas les traitements de faveur. Visiblement, il ne l'avait pas écouté.

Masson essaya de masquer l'appréhension qui le gagnait à son tour en donnant rapidement des ordres.

— L'or, c'est pas grave, il y en aura d'autre. Mais il faut retrouver Baptiste et Fábio. On va organiser une battue. Rassemblez tous les hommes armés.

Ils se divisèrent en deux groupes, l'un qui partit vers le nord, l'autre vers le sud.

Par endroits, la forêt amazonienne était d'une grande densité, et cela ralentissait les recherches. Marc avait gardé Hector près de lui et, plus le temps passait, plus il voyait l'angoisse ronger son compagnon.

— J'aurais jamais dû céder. Hier, il a insisté pour faire la garde. Je voulais pas, comme toi, mais il a tellement insisté…

Marc lui prit la nuque dans la main, d'un geste qu'il espérait réconfortant, puis il se tourna vers les autres :

— On va faire un deuxième passage, plus à l'ouest !

Les hommes lui obéirent aussitôt. Personne ne parlait. Les regards étaient vissés au sol. Tous redoutaient de trouver la même chose. Mais rien. Bientôt, ils furent revenus aux abords du site d'extraction sans avoir trouvé la moindre piste.

Masson commença à songer à la possibilité d'un enlèvement quand il remarqua qu'un attroupement s'était formé de l'autre côté des grandes rampes de lavage dans lesquelles les orpailleurs faisaient s'écouler les alluvions. Hector l'avait vu aussi. Soudain, des cris d'horreur se soulevèrent au cœur de la forêt. Hector attrapa Marc par le bras d'un air terrorisé.

Sans plus attendre, ils traversèrent en courant les grandes coulées de boue. En arrivant sur les lieux, Marc comprit tout de suite, à leurs visages, que les orpailleurs avaient fait une terrible découverte. Il aurait préféré qu'Hector ne soit pas là, mais il était trop tard pour le retenir.

Masson se faufila au milieu du groupe abasourdi. Devant eux, un puits. Dans le seau, qui pendait juste en dessous de la poulie, deux têtes coupées.

Il reconnut sans peine celle de Fábio, malgré le trou noir qui déchirait l'arrière de son crâne.

Au fond du puits gisaient les deux corps mutilés. Des milliers de fourmis rouges dévoraient déjà les chairs. Marc serra la mâchoire. On ne les avait pas jetés là pour les cacher. On les avait mis là pour adresser un message.

À côté de lui, Hector s'effondra sur les genoux. Son hurlement sembla monter jusqu'au ciel avant de se transformer en de déchirants sanglots.

Marc ne put s'empêcher de penser qu'il était en partie responsable. Et il comprit, à cet instant précis, à quoi cette responsabilité l'engageait. À quel devoir.

# 23

## 8 février 1986, Beyrouth

Quand il arriva sur le palier de l'appartement du Vautour, Olivier Dartan attendit un instant pour s'assurer qu'il n'y avait personne dans la cage d'escalier. La Boîte avait réalisé un double des clés à l'époque où ils étaient parvenus à truffer l'appartement de micros, ce qui allait lui permettre d'entrer sans laisser de trace. Du moins, il l'espérait.

Il serra la crosse de son pistolet à sa ceinture, comme pour s'assurer qu'il était toujours là, prit une profonde inspiration et entra dans l'appartement.

— Chasseur 1 de Chasseur 2, je rentre, chuchota-t-il dans le petit micro de l'intercom.

Après l'avoir *écouté* si souvent, il avait l'impression de connaître l'appartement par cœur, chaque recoin. Sans faire de bruit, il se dirigea immédiatement vers le bureau du Vautour, sortit l'appareil photo miniature Minox de sa poche et commença à fouiller rapidement les lieux, en essayant de remettre à sa place chaque objet qu'il déplaçait. À la hâte, il prit en photo tous les documents qu'il pouvait trouver dans les tiroirs, lettres, fascicules, carnet... mais aucun ne ressemblait à ce qu'il cherchait. Un petit bout de papier griffonné le matin même. Il resta encore un long moment dans le bureau, ouvrant tous les tiroirs, fouillant ici une sacoche, là un petit coffre en métal. Il était certain que tous les clichés qu'il allait ramener fourniraient à la Boîte de précieuses informations, mais ce n'était pas son objectif principal.

Quand il eut le sentiment qu'il ne trouverait pas là ce qu'il cherchait, il partit vers le salon. Après tout, c'était dans cette pièce que la conversation avait eu lieu.

Il venait d'arriver devant la table du salon quand la voix de son jeune collègue grésilla dans son écouteur.

— *Chasseur 2 ! Le Vautour vient d'arriver dans la rue ! Sortez de là !*

Dartan pesta en serrant les poings.

Il jeta un coup d'œil autour de lui. Il y avait encore tant d'endroits à fouiller.

Le Vautour, méfiant, avait l'habitude de faire deux ou trois fois le tour de l'immeuble avant de rentrer chez lui. Presque toujours, en tout cas. Avec un peu de chance, et si le client se tenait bien à son petit rituel, il lui restait encore deux ou trois minutes pour trouver ce qu'il cherchait. Mais c'était risqué. Très risqué. S'il se faisait repérer, toute l'opération de surveillance tombait à l'eau, alors qu'elle avait demandé des semaines de préparation.

— *Vous êtes sorti ?* s'inquiéta Rudi.

— Pas encore, répondit Dartan en commençant à fouiller le salon. Il fait le tour ?

— *Oui, mais sortez !*

Le chef de poste adjoint, la mine grave, s'entêta à continuer ses recherches. Là, il souleva des magazines, plus loin il ouvrit le tiroir d'un guéridon, fouilla une autre boîte, une valise… Le pire était de se dire que, dans l'empressement, il était peut-être passé juste à côté de ce qu'il cherchait sans l'avoir vu.

— *Chasseur 2 ! Il vient de repasser devant l'entrée ! Sortez, bon Dieu !*

Rudi, là-haut, le casque sur les oreilles, devait l'entendre se déplacer dans l'appartement.

Sur un fauteuil, Dartan aperçut un manteau. Il se précipita et fouilla les poches une par une. Rien.

Tout cela valait-il vraiment qu'il risque de se faire prendre ? Il grommela et chercha autour de lui un endroit où le Vautour aurait pu laisser ce papier. S'approchant de la bibliothèque, il passa les doigts sur les étagères en hauteur, mais n'y trouva que de la poussière.

— *Il entre ! Tirez-vous de là !*

Dartan secoua la tête et se dirigea vers la porte, terriblement frustré. Pourtant, arrivé dans l'entrée, il s'immobilisa soudain.

Là, sur la droite, posé sur une planche au milieu de bibelots, une boîte à clefs. Il ouvrit le couvercle. Les doigts tremblants, il sortit la feuille pliée en quatre qui était glissée à l'intérieur. Il l'étala sur la petite étagère et prit une photo, même s'il était capable de mémoriser ce qu'il venait d'y lire. Cinq noms et un lieu.

Au même moment, de l'autre côté de la porte, il entendit les pas du Vautour qui montait les escaliers.

Il replia la feuille, la remit à sa place et, le cœur battant, sortit de l'appartement aussi vite que le lui permettait l'absolue nécessité de ne faire aucun bruit. Il tira la porte derrière lui et s'apprêta à monter vers le grenier quand, soudain, il fit demi-tour. Il n'avait pas refermé à clef, ce qui risquait de trahir son intrusion.

Les pas du Vautour étaient de plus en plus proches. Il n'allait pas tarder à apparaître. Dartan glissa la clef dans la serrure, fit deux tours, puis il partit d'un pas rapide vers l'étage supérieur.

Il venait d'arriver en haut des marches quand il entendit, un étage plus bas, le Vautour glisser la clef dans la porte à son tour.

Dartan ferma les yeux et poussa un profond soupir en retenant un rire nerveux.

Quand il entra dans le petit grenier, Rudi l'attendait de l'autre côté de la porte, les yeux exorbités.

— Vous m'avez vraiment fait flipper !

— Allons ! T'es comme un lycée pendant les vacances scolaires, Rudi : tu manques de classe.

— Vous êtes complètement malade !

Dartan lui adressa un clin d'œil amusé.

— Vous avez trouvé quelque chose, au moins ?

— J'ai trouvé beaucoup de choses. Va falloir me développer ça rapidement, dit-il en lui tendant l'appareil photo miniature.

Puis il partit vers Faïd et recopia, de mémoire, ce qu'il avait vu sur le papier dans la boîte à clefs. Cinq noms et un lieu.

— Mazbouh, Mouhajer, Ghosn, Akil et Ben Kahla, bibliothèque du Kremlin, confirma le traducteur libanais.

— Je crois que c'est ce qui était écrit. Tu vérifieras avec la photo.

— Le Kremlin ? s'étonna Faïd. À Moscou ?

Dartan sourit.

— Je pencherais plutôt pour le Kremlin-Bicêtre, mon ami, en banlieue parisienne.


# 24

## 9 février 1986, Belém


— Marc, qu'est-ce que tu comptes faire, exactement ?

Richard s'était chargé des recherches. Au gendre du préfet de police, il avait suffi de graisser quelques pattes pour obtenir aisément les informations que Marc lui avait demandées. Le nom du propriétaire de l'hélicoptère, et son adresse.

Le Vénézuélien s'appelait Javier Montilla, et il s'était installé depuis deux mois à Limoeiro do Ajuru, entre Belém et la frontière guyanaise. Un endroit stratégique pour un trafiquant d'or. Reculé, discret, mais proche des zones aurifères. À condition, bien sûr, de disposer d'un hélicoptère...

Le patron du bordel regarda Marc d'un air inquiet alors que le jeune homme enfilait une chemise pour cacher le pistolet dans son dos.

— Ce que j'ai promis de faire. Si je ne fais rien, le Vénézuélien reviendra. Ces types-là ne s'arrêtent jamais.

— Et alors, tu vas faire quoi ? Les tuer tous ?

— Cela me pose aucun problème, Richard.

— Mon beau-père m'a dit qu'ils avaient ouvert une enquête. Laisse-leur un peu de temps...

— Tu sais très bien qu'ils feront rien. Dans quelques semaines, ils auront classé l'affaire.

Richard ne contesta pas.

— Alors laisse-moi venir avec toi.

— Non. C'est mon problème.

Le tenancier l'attrapa par l'épaule.

— Tu vas te foutre dans la merde, fiston. Tu le sais aussi bien que moi. T'as même pas de papiers. Si tu tombes, je pourrai pas te couvrir.

— Je sais. T'en fais pas pour moi, vieux maquereau. Souviens-toi : l'Univers est bienveillant. Tu diras à Hector que j'ai tenu ma promesse.

Richard secoua la tête.

Marc l'attrapa par l'épaule et ils partagèrent une chaleureuse accolade. Les grandes tapes que Richard donnait dans le dos du jeune homme avaient la saveur d'un adieu prémonitoire.

Derrière son ami, Marc devinait le regard inquiet des filles du Massilia. Comme il ne trouvait pas les mots, il n'offrit à son hôte qu'un sourire teinté de regrets, avant de descendre sur le trottoir.

Sans rien ajouter, Masson grimpa dans le vieux pick-up Chevrolet que Richard lui avait donné, et il se lança dans les rues obscures de Belém.

Vitres ouvertes, il savoura la fraîcheur du vent nocturne qui s'engouffrait dans l'habitacle. Quelque part au fond de sa conscience, il savait qu'il était sur le point de vivre un moment de vérité, décisif pour le reste de sa vie. Car une fois sa tâche accomplie, ce serait le grand vide, l'inconnu. L'aventure, encore.

Sans bateau, Limoeiro do Ajuru aurait été à plus de dix heures de route, mais Richard avait tout préparé. Un passeur attendait Marc à deux heures à peine de Belém avec une *lancha*, une petite barge à moteur sur laquelle le pick-up tenait tout juste.

Debout sur le bateau qui traversait la baie de Marapatá, à la lueur ocre de la lune, Marc regarda s'éloigner cette terre dont il savait déjà qu'il ne la reverrait pas avant longtemps. Peut-être jamais.

Arrivé sur l'autre rive, il paya le passeur sans qu'ils n'aient échangé un seul mot. L'homme lui indiqua le chemin de terre, et Marc se remit en route, au milieu d'une nature sauvage. La boîte de la vieille Chevrolet craquait à chaque passage de vitesse. Étrangement, ce bruit le rassurait presque. Chaque kilomètre dans la forêt amazonienne l'éloignait un peu plus de la civilisation, et la nuit agrandissait encore davantage ce sentiment d'être loin de tout, d'être seul avec la terre, en face à face.

Après une heure passée sur une piste cahoteuse au cœur de la forêt, Masson arriva enfin à destination. Il ne sut dire si c'était son humeur qui lui jouait des tours, mais Limoeiro do Ajuru faisait peine à voir. C'était une petite ville portuaire, nichée à l'embouchure du Río Limoeiro, dans un immense nulle part. Elle semblait presque à l'abandon. Une église, une école, un bureau de poste, des petites maisons individuelles, la plupart délabrées, des routes à peine goudronnées et, à l'entrée de la ville, une décharge publique survolée par des nuées de vautours...

Au pas, Marc roula quelques minutes dans les petites rues obscures et trouva rapidement ce qu'il cherchait. Malgré l'obscurité, la villa du Vénézuélien n'était pas difficile à repérer. Située au sud-ouest de la ville, c'était, de loin, la plus grande et la plus luxueuse maison alentour, et l'hélicoptère jaune était posé crânement dans un champ qui la jouxtait. Masson en déduisit que Montilla était chez lui. Le mafieux l'attendait sans le savoir.

Marc passa devant la maison sans ralentir, puis se gara à distance de la propriété, dans une petite allée sans habitations, bordée d'arbres, à l'abri des regards.

Il coupa le contact. Il resta un instant immobile, comme pour se préparer mentalement. Maintenant, il allait falloir faire vite. Il savait qu'il devait être reparti avant le lever du jour, et qu'il n'aurait pas de deuxième chance. Hésiter, c'était échouer. Il prit l'arme dans son dos. Un pistolet Taurus semi-automatique 9 mm, fabrication brésilienne. Il avait deux chargeurs de dix-sept cartouches, l'un dans l'arme, l'autre dans la poche. Il tira sur la culasse pour engager la première cartouche dans la chambre, puis descendit du pick-up.

Marc n'avait plus le choix. À présent, il devait agir comme un robot, comme une machine. Sans un bruit, il remonta l'allée jusqu'à rejoindre les abords de la propriété et s'accroupit derrière un bosquet pour inspecter les lieux.

Il n'était pas loin de 2 heures du matin, mais un homme gardait l'entrée de la villa, faisant les cent pas derrière la grande grille en fer forgée du portail. Marc s'y était préparé. S'il ne voulait pas se faire repérer trop vite, il n'y avait qu'une solution. Il revint sur ses pas pour escalader le mur et entrer par les jardins.

À mesure qu'il approchait de sa cible, le rythme de son cœur s'accéléra. Il s'enivra de la montée d'adrénaline qui envahissait ses poumons et ses artères. Ce n'était pas de la peur, c'était de l'excitation.

Arrivé à l'intérieur, sur la pointe des pieds, Masson longea l'enceinte en pierres dans l'obscurité. Sur son flanc gauche, il aperçut l'hélicoptère puis, bientôt, la silhouette du garde se dessina devant lui.

Tout doucement, drapé dans l'obscurité, il s'approcha encore un peu. Le garde piétinait en fumant une cigarette. Marc attendit le moment propice. Il étudia les allers et retours du cerbère, le rythme de ses pas. Quand l'homme lui offrit enfin son dos, Masson se jeta sur lui, enroula son bras droit autour de son cou et bloqua sa clef à l'aide du gauche. Pris par surprise, le veilleur n'eut pas le temps de réagir, ni de crier. De toutes ses forces, Marc écrasa son radius contre la trachée de son adversaire, jusqu'à provoquer l'étouffement. Pendant quelques secondes à peine, l'homme se débattit en suffoquant puis, lentement, son corps tout entier perdit sa rigidité, et il s'évanouit. En relâchant légèrement sa prise, Masson accompagna doucement la chute du garde jusqu'au sol. Il tira son corps hors de la lumière du réverbère et se dirigea sans attendre vers la propriété.

Aucune lampe n'était allumée dans la maison, mais la porte d'entrée était fermée. Il n'y avait pas mille solutions : il devait l'enfoncer. Casser une fenêtre aurait fait encore plus de bruit. C'était une simple porte en bois, peu épaisse, dans le plus pur style colonial, comme l'ensemble de l'édifice. Un coup de pied suffit à la forcer.

Son semi-automatique en main, Marc pénétra à l'intérieur. Dedans, il ne savait pas à quoi s'attendre. Combien de personnes ? Combien d'hommes armés ? Il devait miser sur son seul avantage : la surprise. Il fallait donc faire vite. Très vite.

Devant lui, après le salon, trois pièces en enfilade. Sur la droite, un bel escalier en bois. La chambre de maître était très certainement à l'étage. Marc suivit son instinct et se dirigea vers l'escalier mais, alors qu'il montait les premières marches, l'une des trois portes du rez-de-chaussée s'ouvrit d'un seul coup et un gros homme barbu, hagard, apparut en caleçon dans le salon avec une carabine dans les mains.

# 25

## Carnet de Marc Masson, extrait n° 6

— *Papi, parle-moi du Che.*

*Juillet 1974, j'ai quinze ans. Comme mes parents n'ont plus les moyens, c'est Papi José qui a payé mon voyage en Bolivie cette année et, pour la première fois, je suis seul avec lui. Aline a préféré rester à Lorient avec notre mère. Avec « maman ».*

*Je crois que je n'ai jamais été aussi heureux. Papi José est venu me chercher à l'aéroport, et nous vivons tous les deux, entre hommes. Il me traite comme un adulte et le regard qu'il pose sur moi me remplit de force et de fierté.*

*Mon grand-père a toujours été d'une grande bonté avec moi. Quand il a appris ma naissance, il paraît*

qu'il a couru dans les rues de Santa Cruz en brandissant sa canne et en criant : « ¡Tengo un nieto,
tengo un nieto[1]! », tant il était heureux de voir arriver
un nouveau mâle dans la famille. Je ne pense pas
que Papi soit phallocrate, je sais combien il aime sa
propre fille, mais je pense que c'est une histoire personnelle. Il attendait un guerrier, pour prendre la
relève.

Aujourd'hui, je n'ai pas pu faire ma promenade
en forêt. Au mois de juillet, il pleut rarement à Santa
Cruz de la Sierra, mais quand il pleut, il pleut. Des
torrents opaques ont empli les plaines jusqu'à en
faire d'immenses lacs bruns, les galeries des maisons
basses ont les pieds qui trempent dans l'eau, tout
est mouillé, tout est baigné d'une humide chaleur,
et la cathédrale en briques semble flotter comme un
navire sur la ville. Si les caprices du ciel n'affectent
en rien l'humeur joyeuse des Cambas, ils ont plongé
Santa Cruz dans une étrange quiétude. Assis sur la
balancelle à côté de mon grand-père, je sirote une
limonada en regardant s'éloigner les masses sombres
des nuages qui capitulent enfin. Dans ma main
droite, je tiens un petit livre à la couverture rouge
usée, aux pages jaunies et mal découpées. Ce livre
qui, d'aussi loin que je me souvienne, a toujours
trôné dans la bibliothèque de Papi, je l'ai déjà lu plusieurs fois. C'est l'édition argentine d'El Diario del
Che en Bolivia, le dernier journal de bord écrit par
Guevara.

— Tu lis l'espagnol, Marc ?
— ¡Claro que sí!
Papi José sourit doucement.
— Qu'est-ce que tu veux savoir ?
— Tu l'as connu, n'est-ce pas ?
Le sourire de mon grand-père s'efface lentement.
Ses yeux se perdent au loin et s'accrochent aux

---

1. « J'ai un petit-fils ! J'ai un petit-fils ! »

montagnes, comme s'il pouvait encore voir la silhouette du Che se cacher dans les sommets.

— Je l'ai seulement croisé quelquefois. Bien sûr,
c'était un grand homme. Et comme tous les grands
hommes, il était un peu fou. Mais il n'y a que les fous
qui peuvent changer le monde.

— Il a changé le monde ?

Papi José hausse les épaules.

— D'une certaine façon, oui. La vraie révolution ne
consiste pas à changer la société, mais les hommes. Il
m'a changé, moi. Et il a changé beaucoup d'hommes,
sans doute. Malheureusement, les hommes meurent,
et ils oublient.

— Tu crois en la révolution, Papi ?

— Je crois en sa nécessité, oui. Mais je ne sais pas
si elle est encore possible. Le Che a essayé... Parfois il
est allé trop loin.

— Mais c'est quoi, pour toi, la révolution ?

Papi hésite.

— Eh bien, justement, tu vois, la révolution, c'est
accepter de faire face à l'impossible. Mais c'est aussi
accepter de se salir les mains. Les révolutions propres,
ça n'existe pas.

Je me tais un instant pour m'imprégner de sa
réponse. Il n'y a que le grincement de la balancelle
pour décorer notre silence.

— Il était comment, le Che ?

— Il était beau, très beau. D'ailleurs, je pense que
c'est ça qui a rendu Castro si jaloux. Castro, il était
laid comme un pou. Le Che, lui, il était beau et entier.
Trop entier sans doute. Après s'être mis les États-Unis
à dos, il s'est aussi attiré la colère de Moscou. Foutus
Soviétiques ! Castro l'a lâché. Il est venu se réfugier
ici, en Bolivie, dans l'espoir de continuer la révolution tout seul. La vraie. Mais la CIA a fini par aider
les militaires boliviens à le capturer, et à l'exécuter.
Il est mort tout près d'ici, à La Higuera. Abattu dans
l'école de ce petit village.

*Papi soupire.*

*— Exécuté dans une école, tu te rends compte ?*

*Je hoche lentement la tête. Je n'ose pas dire à mon grand-père que les écoles sont trop souvent un bûcher où l'on brûle les plus jolis rêves.*

*— Demain, tu m'emmèneras à La Higuera ?*

*— Bien sûr, Marco. Je t'emmènerai où tu veux, mon petit !*

*— ¡Hasta Siempre!*

# 26

## 9 février 1986, Belém

— Qui est là ? s'écria le garde tout en actionnant la pompe de sa carabine.

Marc ne lui laissa pas le temps de viser. Son premier tir rata sa cible, le second l'atteignit en pleine poitrine. L'homme s'écroula en arrière sur une table basse, dans un immense fracas.

L'instant d'après, une lumière s'alluma à l'étage, puis un homme s'écria d'une voix distante :

— Léandro ! Qu'est-ce qui s'passe ?

C'était la voix d'un homme paniqué. Un patron qui appelait au secours. Marc n'eut pas le moindre doute : c'était son homme, Javier Montilla.

Alors qu'il s'apprêtait à monter, une deuxième porte s'ouvrit dans le salon et une nouvelle détonation déchira l'air. Marc redescendit de quelques marches et s'accroupit derrière un pilier, au pied de l'escalier, alors que deux autres tirs retentissaient dans la maison.

Masson vit un deuxième garde avancer dans sa direction. Mal réveillé, et choqué sans doute,

l'homme tirait à l'aveugle. Une balle, deux balles...
Si Marc ne faisait rien, il allait finir par en prendre
une. Sans paniquer, il prit le risque de s'exposer
pour ajuster son tir. Un seul coup. Il atteignit le cerbère en pleine tête.

— Léandro ! Qu'est-ce qui s'passe, nom de Dieu ?

Sans faire de bruit, Masson reprit son ascension.
Arrivé sur le palier, il inspecta les lieux d'un rapide
coup d'œil. Trois portes. L'une était ouverte, et il
devina derrière elle le carrelage d'une salle de bains.
Il ne restait que deux possibilités. La voix lui avait
paru venir de la dernière porte sur la droite. Sans
hésiter, il s'approcha et se plaqua contre le mur
mitoyen.

— Montilla !

Aucune réponse. Il recommença, plus fort :

— Montilla !

— Qu'est-ce que vous voulez ? C'est de l'argent
que vous voulez ? De l'or ? Vous voulez de l'or ?

— C'est toi que je veux, espèce de sac à merde !

Soudain, Marc entendit le bruit d'un meuble
qu'on tirait sur le sol. Le mafieux allait bloquer la
porte.

L'instinct de Masson lui hurla d'agir, maintenant
ou jamais. Si Montilla s'enfermait, il aurait tout le
temps de donner l'alerte, ou de s'enfuir. D'un coup
de pied, Marc enfonça la porte et retourna aussitôt
à l'abri derrière le mur. Il fut accueilli par un coup
de feu. La balle s'encastra à quelques centimètres de
son épaule à peine.

À l'intérieur, Montilla, telle une bête acculée,
sembla perdre le contrôle de lui-même. Il se mit à
pousser des hurlements de fou furieux tout en gril-
lant ses cartouches les unes après les autres.

Les détonations déchiraient les tympans de
Marc. Autour de lui, des nuages de plâtre et des
éclats de bois se soulevaient à chaque impact.

Il compta les tirs, de plus en plus proches. Trois, quatre, cinq, six.

Un temps d'arrêt. Le tintement de plusieurs douilles vides qui tombaient au sol. Montilla venait de commettre une terrible erreur. Ce n'était pas un pistolet, mais un revolver. À moins qu'il n'ait une autre arme, le bruit du barillet qui se vidait était un aveu de vulnérabilité. Marc comprit que c'était son ouverture, sa chance. Il n'avait que quelques secondes pour lui. Sans attendre, il s'avança dans l'encadrement de la porte, posa un genou assuré à terre et, les bras tendus, prit le temps de viser. Le visage halluciné de Montilla, debout au milieu de la pièce, se releva aussitôt. Et son regard trahissait qu'il avait compris.

Marc appuya sur la détente. La gorge du trafiquant se déchira dans une gerbe de sang.

Montilla, les yeux écarquillés, lâcha son arme et porta les mains à son cou avant de basculer en arrière. Le tenant toujours en joue, Masson traversa prudemment la chambre. Quand il arriva au-dessus de lui, le Vénézuélien respirait encore péniblement, étendu sur le dos. Le sang faisait des bulles en sortant de l'orifice gluant sous son menton.

À cet instant, une phrase revint à la mémoire de Marc, qui le ramena des années en arrière. *Je sais ce que l'on fait d'un cheval blessé qui ne pourra plus se lever.*

Il dirigea le canon de son arme vers le front du mourant.

— De la part des orpailleurs.

La balle s'enfonça entre ses deux yeux.

# 27

## 11 février 1986, Le Kremlin-Bicêtre

— Voilà le troisième ! annonça le policier du Raid[1] en observation, caché derrière la vitre fumée du premier étage. Nom de Dieu, c'est carton plein !

La Division T de la DST avait facilement identifié la « bibliothèque du Kremlin », mentionnée sur le papier récupéré par Dartan à Beyrouth. Il s'agissait en réalité du foyer Ahl el-Beit, au Kremlin-Bicêtre, un centre culturel dirigé par des chiites, qui publiait notamment un périodique dont l'objectif était de contribuer à améliorer l'image de la religion musulmane auprès des chrétiens. Visiblement, certains islamistes beaucoup moins bien intentionnés y avaient trouvé un discret refuge. Du moins, si l'information de Dartan était bonne. Le fait que trois des suspects se soient justement donné rendez-vous ce jour-là dans le foyer du Kremlin-Bicêtre tendait à prouver que sa piste était plus que solide. En outre, détail non négligeable, le foyer, d'abord situé dans le 13e arrondissement de Paris, avait été à l'origine dirigé par Mohammed Bakir, le frère de Cheikh Fadlallah, chef spirituel du Hezbollah !

Ayant estimé que l'interpellation revêtait un caractère hautement prioritaire, le directeur général de la Police nationale avait décidé d'utiliser les gros moyens. Baptisé « opération Ardoise » et mené de front par la préfecture de police et la DST, le vaste coup de filet devait frapper très largement le milieu des islamistes radicaux, à grand renfort

---

1. Unité d'élite de la Police nationale (Recherche, Assistance, Intervention, Dissuasion).

de perquisitions et de gardes à vue dans toute la France. En plus des cinq noms aimablement fournis par Dartan, la DST avait répertorié une soixantaine d'intégristes qui méritaient d'être entendus.

Batiza, lui, avait tenu à superviser personnellement l'interpellation des cinq suspects de son ami Dartan.

Le premier, Lotfi Ben Kahla, avait été arrêté chez lui au petit matin, à Tours, par la cellule locale. L'homme n'était pas inconnu des Services. Tunisien de trente-deux ans, après avoir étudié à l'université de Qom, en Iran, il y avait enseigné la « Révolution islamique » à des étudiants venus d'Afrique, d'Europe, d'Asie et des pays arabes. Installé à Tours depuis deux ans, où il recrutait de futurs étudiants pour l'université iranienne, il faisait partie d'un groupe de fondamentalistes surveillé de près par la DST.

Le deuxième, Hussein Mazbouh, avait été interpellé à la même heure, à son domicile parisien, rue du Faubourg-Saint-Denis. Les Services n'avaient que très peu d'informations au sujet de ce chiite libanais, mais avaient constaté qu'il fréquentait régulièrement le foyer du Kremlin-Bicêtre...

Restait donc trois noms sur la liste de Dartan.

L'un d'entre eux, Akil, n'avait rien donné.

Le deuxième, en revanche, Mohamed Mouhajer, avait un solide pedigree. Franco-Libanais, ancien responsable du Centre culturel iranien de la rue Jean-Bart à Paris (un centre rattaché à l'ambassade d'Iran qui avait été fermé en décembre 1983 par arrêté ministériel), il tenait à présent une librairie islamique à Paris, rue des Trois-Couronnes dans le 11e arrondissement, et fréquentait lui aussi assidûment le foyer Ahl el-Beit. Ancien élève en théologie à l'université de Qom, il était lié de près au Hezbollah, dont son frère était l'un des trésoriers.

En somme, ce que le commissaire Batiza appelait un « client sérieux ».

Venaient ensuite les frères Ghosn : Hassan et Ali. Car si le nom d'Akil n'avait rien donné, celui de Ghosn, en revanche, avait mené les enquêteurs non pas sur un mais deux individus. À leur sujet, la DST n'avait presque rien. Le prénommé Hassan, toutefois, était répertorié par la CIA comme membre actif du Hezbollah. Quant à son frère, Ali, son nom n'apparaissait nulle part.

Ainsi, les surveillances du service avaient permis de déterminer que ces trois derniers suspects devaient se retrouver ce jour-là, justement, au Kremlin-Bicêtre.

— Vous êtes sûr que c'est lui ?

— Affirmatif.

Le commissaire Batiza prit les jumelles sur le rebord de la fenêtre et vérifia par lui-même en observant l'homme qui venait d'entrer dans la petite rue Pasteur, à quelques pas à peine du périphérique parisien. De fait, il reconnut sans peine le libraire Mohamed Mouhajer, dernier suspect. Les deux autres, les frères Ghosn, étaient entrés ensemble dans le bâtiment vingt minutes plus tôt. Trois lascars dans le même panier, ils avaient tiré le gros lot !

L'opération ne devait surtout pas déraper. L'immeuble récent abritait également un petit théâtre associatif, et il y avait probablement beaucoup de monde dans les locaux, en pleine journée.

— On y va ? demanda le chef de groupe du Raid.

— Pas tout de suite, répondit Batiza. Laissons-leur le temps de se regrouper tous les trois, de papoter, de se sentir à l'aise... Faut laisser bouillir un peu, avant de saisir.

L'officier acquiesça, d'un air tendu.

— On ne devrait pas rencontrer trop de résistance, le rassura l'officier de la DST. Les responsables du foyer veulent certainement pas faire d'histoires...

— Je me méfie, avec ces gens-là.

— Ces « gens-là », comme vous dites, ne sont pas tous des terroristes. Ça sert à rien de jouer les cow-boys. Je veux une interpellation calme et sans accroc.

— On veut tous la même chose, commissaire.

Batiza ramena les jumelles contre ses yeux et inspecta le premier étage, où se trouvait la bibliothèque du foyer. Après quelques secondes d'attente, il vit Mouhajer apparaître et s'asseoir près des deux autres. Les hommes se saluèrent et engagèrent ce qui semblait être une conversation animée.

Il attendit un instant encore, puis se tourna vers son collègue en lui adressant un petit signe de tête.

— On y va.

Au pas de course, ils rejoignirent le groupe d'intervention du Raid, installé en planque au rez-de-chaussée.

Quand le chef de groupe donna l'ordre, les douze hommes de l'unité d'élite, arme au poing, sortirent dans la rue Pasteur en formation. Le schéma tactique pour l'interpellation était assez classique, et la rapidité de son exécution serait la clef de sa réussite.

Batiza, qui s'était pour l'occasion équipé d'un gilet pare-balles, suivit le groupe en léger retrait. Les policiers, alignés en colonne d'assaut, équipés de boucliers et encagoulés, pénétrèrent rapidement, sans effraction, dans le foyer, aux cris de l'habituel : « Police ! Personne ne bouge ! » Les deux hommes qui se tenaient dans le hall d'accueil, terrorisés, se mirent aussitôt à genoux, les mains sur la tête.

Deux policiers restèrent auprès d'eux, les tenant en joue et sécurisant le rez-de-chaussée, alors que les autres, ayant soigneusement étudié les plans du bâtiment, se dirigèrent sans hésiter vers l'escalier qui montait à la bibliothèque.

L'interpellation ne dura que quelques secondes. Quand ils arrivèrent à l'étage, Batiza ne put s'empêcher d'analyser l'échange de regards des trois suspects qui s'étaient levés d'un seul coup. Leurs yeux ne laissaient aucun doute : ils savaient qu'on était là pour eux. Ils n'opposèrent aucune résistance quand les agents du Raid, sans les ménager, les plaquèrent au sol pour les menotter sous le regard perplexe des autres visiteurs de la bibliothèque.

Quelques minutes plus tard, une fois les formalités terminées, le commissaire de la DST fit signe à ses collègues d'embarquer les interpellés rue Nélaton[1] et appela immédiatement le chef des opérations par radio.

— On les tient. Vous pouvez taper les perquises à leurs domiciles. Terminé.

# 28

## 11 février 1986, Brésil

Fuir.

Deux jours d'un éprouvant voyage avaient passé quand, soudain, le moteur du Chevrolet eut des ratés puis s'arrêta au beau milieu de la route

---

1. Tout nouveau siège de la DST qui, à l'époque, venait de quitter la rue des Saussaies.

fédérale 156, à une centaine de kilomètres à peine de la frontière guyanaise. Casse moteur.

Marc s'en voulut terriblement. Depuis près d'une heure, les coups secs qu'il avait entendus dans le carter auraient dû suffire à le faire s'arrêter. Il avait espéré que le vieux V8 tiendrait jusqu'en Guyane. Pari perdu.

Il donna un coup de poing rageur sur le volant et sortit du pick-up en poussant des jurons. Sans équipement, réparer un moteur pareil était inenvisageable. La situation se compliquait grandement. À vrai dire, elle était même devenue catastrophique.

La fatigue, en sus, ne l'aidait pas à garder son calme. Après avoir quitté la maison de Montilla, il avait roulé pendant douze heures jusqu'à Porto de Moz, en ne s'arrêtant que pour faire le plein. Là, il était monté avec le Chevrolet sur un bateau qui lui avait permis de traverser l'Amazone jusqu'à Macapá. À bord, Marc avait dormi deux heures à peine. Deux heures de sommeil en deux nuits, puis, au petit matin, il avait fallu repartir aussitôt sur la route. Même si la chose lui semblait peu probable, Masson ne pouvait pas négliger la possibilité que la police fût déjà à sa recherche, et il n'avait voulu prendre aucun risque : il s'était dépêché. Peut-être trop.

Seule bonne nouvelle, quand le moteur avait cassé, Marc avait eu la présence d'esprit de rouler au point mort jusque dans la forêt, pour mettre le pick-up à l'abri des regards. Le véhicule avait continué quelques mètres sur sa lancée avant de s'arrêter complètement au milieu des arbres. Même s'il n'y avait pas beaucoup de passage, la BR 156 était la seule route reliant directement le Brésil à la Guyane française. Un haut lieu de trafic. Les patrouilles de douanes et de police étaient fréquentes. Une voiture abandonnée sur le bord de la chaussée eût été le meilleur moyen de se faire repérer.

En soupirant, il se laissa tomber sur une vieille souche d'arbre pour tenter de retrouver son calme. Marc était obligé de se rendre à l'évidence : il allait devoir terminer le trajet à pied, en s'éloignant le plus possible de la route. De toute façon, n'ayant aucun papier, il n'aurait pas pu traverser la frontière en voiture. Mais il n'avait pas prévu de s'arrêter aussi tôt. Cent kilomètres à pied à travers la forêt amazonienne, il lui faudrait, au mieux, trois ou quatre jours.

Il se frotta le visage et – en souvenir de l'armée – essaya de se persuader que la fatigue n'était qu'une information, que son esprit pouvait conduire son corps bien au-delà des limites qu'il s'imposait lui-même. Marc devait, dès maintenant, s'enfoncer le plus loin possible dans la forêt.

D'un pas décidé, il partit récupérer dans le pick-up le matériel qu'il avait prévu pour la fin de son parcours. Une boussole, une bouteille d'eau, une veste à manches longues et un foulard pour éviter les éraflures et piqûres d'insectes, une machette, la trousse de secours du Chevrolet, un briquet et une lampe, un sachet de feuilles de coca. Il glissa le tout dans son sac à dos, avec ce qu'il lui restait de nourriture : une pomme, un sandwich et un paquet de biscuits. Dans la boîte à gants, enfin, son semi-automatique et son deuxième chargeur.

*Il n'y a que le premier pas qui coûte.*

Masson ramassa un bâton devant lui et se mit en marche vers l'ouest.

# 29

## 12 février 1986, Beyrouth

— Arnaud… C'est quoi, ces conneries ? s'emporta Dartan, le téléphone collé à l'oreille, en faisant les cent pas dans le petit appartement loué en secret par les Services, à proximité de l'ambassade.

La ligne téléphonique, enregistrée sous une identité fictive, et qui ne pouvait être reliée à l'ambassade, était utilisée très exceptionnellement par le poste de Beyrouth, en cas d'extrême urgence. En général, on évitait le téléphone pour joindre Paris, et on n'y livrait que des messages codés. Mais Dartan, fou furieux, avait décidé, une fois n'étant pas coutume, d'outrepasser cette précaution.

Batiza, à l'autre bout du fil, poussa un soupir.

— Calme-toi, Olivier. Le procureur Marsaud a été obligé de les relâcher tous les cinq. On n'a absolument rien contre eux. Rien de solide, en tout cas. Les interrogatoires n'ont rien donné.

— C'est une blague !

Dartan, le poing serré sur le front, était penché contre le mur du petit studio de Mar Takla, dans la banlieue sud-est de Beyrouth, tout près du quartier où l'ambassade s'était installée après l'attentat de 1982. En contrebas, les voitures filaient sur la longue autoroute qui menait à Damas, et les voir s'échapper ainsi était comme une allégorie de l'impuissance que lui imposait son éloignement.

— Vous avez fait des perquisitions chez eux ?

— Oui, bien sûr, Olivier. Et on a trouvé tout un tas de documents de propagande islamiste… Mais rien qui puisse les incriminer dans les attentats de Paris, ni dans les prises d'otages.

Dartan se passa la main dans les cheveux, aba-sourdi.

— Chez le libraire, Mouhajer, on a trouvé une carte d'identité au nom de Fouad Ali Saleh, continua le commissaire.

— C'est qui, ça ?

— Inconnu des Services. Un Tunisien né à Paris. Mouhajer dit que c'est un ami à lui, qui « partage la même foi ». Mais on n'a rien sur lui. Que dalle.

L'officier grimaça. Fouad Ali Saleh. Le nom ne lui disait rien. À part « Ali », peut-être, qu'avait évoqué le Vautour pendant l'écoute de son appartement. Mais le prénom était bien trop courant pour en tirer la moindre conclusion : c'était d'ailleurs aussi celui d'un des deux frères Ghosn.

— Et tu trouves ça normal de garder la carte d'identité d'un « ami » chez soi, toi ?

— Encore une fois, le procureur a estimé qu'il n'y avait pas là de quoi inculper quelqu'un, mon ami. Bon. Sinon, chez Mazbouh, on a trouvé une grosse somme d'argent en liquide. 123 000 francs en billets de 500.

— Rien que ça ?

— Il nous a expliqué qu'il avait gagné cet argent en commercialisant de la viande hallal et qu'il le gardait pour ouvrir une entreprise d'import-export...

Dartan ferma les yeux en secouant la tête.

— Eh bien, ça rapporte, la barbaque ! Et les frères Ghosn ?

— La CIA répertorie Hassan comme membre actif du Hezbollah, mais on n'a rien sur lui. Quant à son frère, Ali, inconnu de tous les Services.

— Dis-moi que tu as la même impression que moi, Arnaud ! Ça pue le *terro* à plein nez, non ?

— Disons que ça ne sent pas la candeur, en tout cas. Mais on a arrêté soixante-quatre types dans toute la France, Olivier. Ils ont tous des profils similaires, et on peut pas les arrêter juste à cause de leur profil ! Même tes cinq suspects.

— Ça me rend fou !

— Je peux quand même te donner une dernière information qui me semble intéressante. À la librairie de Mouhajer, on a retrouvé une lettre écrite de la main de Wahid Gordji, qui parle de Jean-Paul Kauffmann…

— Tiens ! Comme par hasard ! Un lien avec les otages ! Wahid Gordji ? Son nom me dit quelque chose…

— C'est le responsable des relations presse à l'ambassade d'Iran. On a une fiche sur lui, chez nous. Il y a cinq ans, il dirigeait un groupe d'étudiants activistes pro-Khomeini à la Cité universitaire, à Paris. On l'avait expulsé, mais il est revenu comme employé de l'ambassade d'Iran. Il n'est pas impossible qu'il ait des liens avec les services secrets iraniens. Et il fréquente lui aussi le foyer du Kremlin-Bicêtre.

— Et Marsaud trouve pas que ça fait un sacré faisceau, tout ce merdier ? s'exclama Dartan, de plus en plus hors de lui.

— Il a fait convoquer le fameux Gordji. Pour l'instant, il ne s'est pas présenté.

— Interpellez-le, putain ! Vous avez largement de quoi l'interpeller, au moins pour le garder à vue !

— C'est ce que nous nous apprêtons à faire. Calme-toi un peu mon bonhomme. Tsss. Tu sais que nous, les Antillais, on n'aime pas quand les gens nous brusquent. *Ayen di fòs pas bon*[1], hein ? *Tro présé pa ka fè jou ouvè*[2] !

— Fais pas chier, Batiza, ou je vais faire des accras de morue avec tes couilles. Et les autres, il

---

1. Rien de forcé n'est bon.
2. « Trop pressé » ne fait pas commencer le jour plus tôt.

va vraiment les laisser repartir ? Des types dont on a clairement établi qu'ils sont liés au Hezbollah, et qui gardent chez eux du liquide et des cartes d'identité ? J'arrive pas à y croire ! Vous avez des pressions, ou quoi ?

— Olivier, le droit français ne nous permet pas d'inculper des gens pour... si peu.

— La sécurité de la France devrait vous y obliger ! Dis à Marsaud de les garder au moins sous le coude le temps qu'on avance dans l'enquête ! T'es conscient que vous tenez peut-être les auteurs des attentats, bordel ?

— C'est un peu hâtif, comme conclusion, mon bonhomme ! Tout ce que Marsaud peut faire, c'est expulser Mazbouh et les frères Ghosn vers le Liban. Les deux autres, Mouhajer et Ben Kahla, ils vivent et travaillent en France, on se contente de les renvoyer chez eux.

L'officier de la DGSE s'assit sur le rebord de la fenêtre et se prit la tête dans la main d'un air songeur. Soudain, il releva les yeux et regarda fixement le téléphone.

— Il y a sûrement un coup à jouer.

— Comment ça ?

— Qu'ils nous servent au moins à quelque chose ! Si vous expulsez ces trois-là, il faut leur donner l'impression que vous leur faites une faveur. Ils sont où, là ?

— Chez nous, au deuxième sous-sol.

— Le procureur peut vous autoriser à les tenir en garde à vue encore combien de temps ?

— On les a depuis vingt-quatre heures. Étant donné le motif de la garde à vue, on peut prolonger d'autant, mais...

— Garde-les au moins jusqu'à ce que vous ayez pu entendre Wahid Gordji, Arnaud. Je veux tenter quelque chose.

— Tenter quoi ?

— Un coup de bluff. Garde les lascars sous le coude et appelle-moi quand vous aurez Gordji.

Batiza soupira.

— Je vais voir ce que je peux faire. Sinon, j'ai quand même une bonne nouvelle pour toi. Marsaud est malgré tout un chic type, Olivier.

— Comment ça ?

— Il s'est occupé de ton petit protégé, Nassim Kara. Sa famille est prise en charge par l'Ofpra. Ils vont le loger, lui verser une allocation et l'aider à trouver du boulot.

Pour une fois, l'État n'avait donc point failli, songea l'officier en raccrochant, qui savait que la reconnaissance ne servait à personne quand elle était silencieuse.

# 30

## Carnet de Marc Masson, extrait n° 7

*Troisième jour de marche. Je ne m'étais pas attendu à ce que ce soit aussi dur et, pourtant, j'en retire quelque satisfaction. C'est un combat que je veux gagner, et les plus belles victoires sont celles que l'on remporte contre un ennemi que l'on n'imaginait pas à sa portée : soi-même. Alors j'avance, je me bats à chaque instant pour repousser mes limites, au milieu de la jungle hostile.*

*En marchant, je ne peux m'empêcher de penser au Padre, à nos longues promenades dans la forêt bolivienne, quand je n'étais encore qu'un enfant, aux gestes qu'il m'avait appris, au savoir qu'il m'avait transmis. Sans cet héritage, je ne serais peut-être même pas arrivé jusque-là. Reconnaître les baies* comestibles, repousser serpents et mygales en écartant la végétation à l'aide d'un bâton, porter son regard aussi loin que possible et s'accroupir de temps en temps pour mieux inspecter, au ras du sol, son environnement, essayer de suivre les pistes de chasse des animaux pour diminuer son effort, marcher à la boussole... Les souvenirs me reviennent, les automatismes, mais ici, la forêt est bien plus dure qu'à Santa Cruz, et mon équipement trop sommaire.

Le toit des arbres est si dense que je commence à éprouver un sentiment de claustrophobie. Je n'ai pas vu le ciel depuis trois jours. Sans carte, sans repères, je peine à estimer la distance déjà parcourue. Suis-je déjà en Guyane ? Non. Il aurait fallu que je franchisse la rivière Oyapock, et je n'ai vu pour l'instant que de minuscules cours d'eau. Est-elle encore loin ? Et comment se fait-il qu'il ne pleuve pas ? En cette saison, il pleut d'ordinaire presque tous les soirs. Comment puis-je jouer d'autant de malchance ? Est-ce une punition ? Je ne peux m'empêcher de penser au père Rivero. La colère entraîne la colère. Me dirait-il, s'il était là, que c'est Dieu qui me punit, pour avoir cédé à la Loi du talion ? Mais Dieu n'existe pas. Ce n'est pas Lui qui me met à l'épreuve, c'est la nature.

Marcher, encore marcher. Je l'ai fait pendant des mois sur les routes, de l'Uruguay jusqu'ici. Mais, au cœur de la forêt, dans la plus totale solitude, le découragement vient plus vite. À chaque pas, mon esprit peine de plus en plus à le tromper. La volonté est comme un muscle qui s'épuise et qu'il faut développer par la contrainte. Avancer, coûte que coûte.

La faim n'est pas un problème. On trouve facilement de quoi se nourrir dans la forêt amazonienne. Les petits animaux que je peux chasser avec mon arme, les cœurs de palmiers wassaï et ses fruits au goût de chocolat, le raisin sauvage, les fruits de l'Aguaje... Mais la soif ! Sans pastilles de purification, avec les bactéries et les parasites qui pullulent *ici, trouver une source potable est absolument impossible. J'ai terminé ma bouteille hier, après l'avoir économisée aussi longtemps que possible. La seule eau que je peux encore boire, ce sont les quelques gouttes claires que l'on trouve en découpant les feuilles d'arbre les plus épaisses, au petit matin. C'est loin de suffire à étancher ma soif. Mais je dois tenir bon. Quand je passe près d'une rivière ou d'un étang, la vue de l'eau rend ma bouche plus sèche encore. Mais je ne peux pas prendre le risque de m'empoisonner. Je dois croire en moi-même : la fin du chemin est sûrement proche.*

*Encore un jour, peut-être...*

# 31

## 13 février 1986, Beyrouth

Philippe P., jeune officier traitant de la DGSE qui travaillait sous l'autorité du colonel Gautier depuis près d'un an, entra dans le petit appartement du quartier de Hamra. L'immeuble, en grande partie détruit par les bombardements, était dans un sinistre état. Murs en lambeaux, sol couvert de poussière de béton et jonché de débris, plafonds écroulés...

Deux hommes masqués et armés lui firent signe d'écarter les bras, et l'un des deux le fouilla entièrement, passant les mains dans son dos, le long de ses cuisses... Le jeune officier de la DGSE se laissa faire, espérant seulement que ses chefs ne venaient pas de le jeter dans la gueule du loup.

Dartan était parvenu, non sans peine, à convaincre le colonel Gautier du bien-fondé de cette périlleuse opération, et avait promis de veiller à son bon déroulement. À cet instant, un collègue était donc installé en surveillance sur le toit de l'immeuble d'en face, et un autre en faction dans la rue mais, de là où ils étaient, ils ne pourraient rien voir, et l'officier savait que, pendant toute la durée de l'entrevue, son jeune OT[1] serait seul, livré à lui-même. À l'ennemi.

C'était le prix à payer. Tout comme la fin de l'anonymat du jeune homme. À présent, le visage de Philippe serait connu du Hezbollah, et il ne pourrait plus jamais travailler ici. Il avait donc été convenu qu'il serait muté sur un autre poste dès le lendemain, derrière un bureau. C'était un sacrifice immense, qui avait suscité les profondes réticences du colonel Gautier et de la Centrale, mais le jeu en valait *peut-être* la chandelle, et Philippe l'avait accepté parce que le SA n'avait tout simplement pas les moyens d'envoyer l'un de ses hommes à temps.

Dartan, sincère, avait expliqué qu'il aurait préféré faire cette mission lui-même, mais son poste officiel à l'ambassade l'empêchait totalement de mener ce type d'opération. Son visage à lui était connu, et sa couverture trop précieuse pour être mise en péril. Ce type de couvertures diplomatiques avait des avantages, notamment celui d'offrir à l'officier un passeport diplomatique qui le mettait à l'abri de nombreuses complications, mais aussi un lourd inconvénient : il le mettait en haut de la liste des personnalités suspectes de l'ambassade. À regret, il avait donc confié la tâche au jeune OT. Le sacrifice de Philippe, comme l'avait promis le chef de poste, serait néanmoins très favorablement pris en compte dans ses états de service.

Une heure plus tôt, le procureur Marsaud avait fait savoir à Dartan que l'interrogatoire de Wahid Gordji n'avait rien donné non plus. Et le magistrat

---

1. Officier traitant.

allait être obligé de le relâcher lui aussi, avant le début de l'après-midi. Le Quai d'Orsay lui était tombé dessus : Gordji était un employé de l'ambassade d'Iran, et les diplomates ne voulaient pas fâcher les Iraniens au moment où les négociations sur les otages au Liban étaient dans une phase... compliquée. *Une phase compliquée !* Avec les manigances de l'opposition, ces négociations étaient surtout devenues un sacré nœud de vipères ! Mais il y avait maintenant une carte à jouer. Un dernier coup de bluff.

Les miliciens, toujours sans un mot, firent signe à Philippe de s'asseoir sur la petite chaise d'écolier disposée au centre de la pièce, puis l'un des deux sortit un bandeau et passa derrière l'officier de la DGSE.

— Ce n'était pas les termes de notre accord ! se plaignit-il en se raidissant.

L'homme armé lui adressa un regard entendu. C'était ça ou rien. L'officier hocha la tête, sa poitrine de plus en plus oppressée et ses tempes battant sous les assauts d'une montée d'adrénaline.

On lui banda les yeux et on lui ligota les mains dans le dos. À cet instant, la crainte que ses chefs aient commis une grave erreur commença à s'emparer de lui. Les minutes qui suivirent furent parmi les plus longues de sa vie. Sans défense, totalement offert à l'ennemi, il était bien conscient de jouer sa peau à la roulette russe.

Soudain, une voix s'éleva derrière lui.

— On me dit que vous avez quelque chose à nous proposer.

Philippe serra les poings. Cette voix. Il l'avait déjà entendue. C'était l'homme avec qui le Vautour avait parlé, le fameux jour où les enregistrements avaient permis à Dartan de trouver le foyer du Kremlin-Bicêtre. Mais qui était-il ? Un haut dignitaire du Hezbollah ? Un proche du Cheikh Fadlallah ?

— À qui je parle ?

— C'est nous qui posons les questions, monsieur… Martin.

Le jeune officier avait bien sûr utilisé une identité fictive, mais il ne faisait aucun doute que ses hôtes n'étaient pas dupes. Il décida d'aller droit au but, respectant mot pour mot les instructions du chef de poste adjoint.

— Mazbouh et les frères Ghosn.

Un silence. Philippe fut convaincu d'avoir au minimum capté l'attention de son mystérieux interlocuteur.

— Eh bien ?

— Je peux les faire libérer et revenir ici.

— Qui êtes-vous ?

— Un ami.

— Un ami de qui ?

— Un ami qui peut faire libérer ces trois personnes.

Il entendit le souffle de l'homme qui, sans doute, venait de sourire.

— Et que demandez-vous en échange ?

Philippe serra les poings plus fort encore, et les cordes lui comprimèrent la peau. En reconnaissant implicitement que ces trois hommes avaient une valeur marchande, son interlocuteur venait de confirmer leur importance dans les méandres de l'organisation. C'était déjà beaucoup.

— La libération des otages français.

Cette fois, l'homme ne retint pas son rire.

— Qui vous dit que nous pouvons les faire libérer ?

Philippe ne répondit pas. La question était purement rhétorique, voire une simple provocation.

— Tous les otages ? Le prix est bien trop élevé, reprit la voix dans son dos. Si vous êtes ici, monsieur Martin, vous savez certainement ce que la

France doit faire pour que les otages puissent rentrer chez eux.

Le remboursement de la dette Eurodif et la fin de l'aide apportée à l'Irak, oui, la DGSE le savait parfaitement. Mais les monnaies d'échange étaient peut-être... convertibles.

— Eh bien, ce pourrait être un début. Une première preuve de la bonne volonté de la France. Mazbouh et les frères Ghosn, en échange de Carton, Fontaine, Seurat et Kauffmann.

— Ce ne sera pas possible, monsieur Martin. Vous me faites perdre mon temps.

Philippe poussa volontairement un profond soupir.

— Alors vos trois amis resteront en cellule à Paris.

Le coup de bluff était osé. Comme Dartan l'avait expliqué, dans une heure ou deux, les trois hommes allaient être de toute façon libérés et renvoyés au Liban dans un avion du Glam[1]. Mais l'information n'avait sans doute pas encore filtré jusqu'ici.

— Au mieux, nous pourrions peut-être vous obtenir un otage. Un seul.

Philippe se redressa, tremblant presque. Le bluff avait fonctionné.

— Michel Seurat, répliqua-t-il aussitôt. J'ai entendu dire qu'il était malade.

— Vous savez beaucoup de choses.

— La France va me demander des garanties.

— La France a un milliard de dollars de garantie, monsieur Martin !

— Vos trois hommes contre Michel Seurat. Je dois pouvoir vous obtenir ça.

— Nous verrons quand ils seront ici.

---

1. Groupe de liaisons aériennes ministérielles, unité de l'Armée de l'air française dont le rôle était d'assurer les transports aériens des personnalités politiques et militaires.

Philippe serra les dents. Il n'était pas en position de force, et il ne pourrait sans doute obtenir aucune garantie. Mais, de toute façon, il n'avait rien à perdre. Tout cela reposait sur du vent.

— Entendu.

Plongé dans l'obscurité, il entendit de l'agitation derrière lui, des bruits de frottement, des pas qui s'éloignaient... Il resta un long moment immobile, luttant pour apaiser son rythme cardiaque. Sa position de totale soumission était de plus en plus insupportable.

Plusieurs minutes avaient passé sans un bruit quand il commença à se demander si ses hôtes n'étaient pas tout simplement partis. Pour de bon.

— Détachez-moi ! lança-t-il à tout hasard.

Rien. Le seul bruit qu'il pouvait entendre était celui des voitures au loin qui traversaient Beyrouth Ouest.

Il attendit quelques instants encore, puis commença à forcer sur les liens qui tenaient ses poignets quand soudain, il entendit de nouveaux pas à l'intérieur de l'appartement.

Il s'immobilisa aussitôt.

— Du calme Philippe. C'est moi.

Il reconnut aussitôt la voix de Rudi Girard, son jeune collègue.

Un soupir de soulagement. Une main passa dans son dos et lui libéra les poignets. Le souffle court, il enleva le bandeau sur ses yeux à la hâte et regarda les deux officiers qui étaient venus le libérer.

— Ils sont partis, le rassura Girard. Viens. On sort d'ici.

Une heure plus tard, le colonel Gautier et Olivier Dartan procédèrent au débriefing de leur officier dans l'appartement secret du poste libanais, à l'extérieur de l'ambassade. Par précaution, ils avaient renoncé à équiper le jeune homme de micros pendant sa mission.

— Alors ? Ça a marché ?

— Seurat. Je pense qu'ils vont libérer Seurat, mon colonel. J'ai rien pu avoir de plus.

— C'est déjà beaucoup, Philippe.

— Vous avez fait mieux que le Quai d'Orsay à vous tout seul, ajouta Dartan. C'est du très bon boulot.

— *Partout où nécessité fait loi*, chefs. J'espère juste que ça en valait la peine, murmura le jeune homme.

Le lendemain, l'OT dévoué quittait Beyrouth, pour ne plus jamais y revenir. On lui offrit à Paris une place au sein du Bureau R, chargé de contrôler les comptes rendus des officiers traitants pour les mettre en garde contre d'éventuelles manipulations de leurs sources. Un poste honorable, certes, mais bien éloigné du terrain...

# 32

## 16 février 1986, Brésil

Sixième jour. Troisième sans eau potable.

Toujours aucun signe de civilisation. Pas de route, pas de poteaux électriques en vue, pas même la moindre clairière. La soif était devenue insupportable. Les lèvres de Marc lui brûlaient, sa langue était de plus en plus sèche et la force lui manquait. Par moments, il avait l'impression de s'endormir en marchant, il était pris de vertiges et une migraine lancinante ne le quittait plus depuis la veille. Il sentait bien que son esprit lui-même peinait à garder le cap. Il perdait sans cesse le fil de ses pensées et avait l'impression de divaguer comme dans un rêve éveillé. Les feuilles de coca qu'il mâchait ne lui faisaient plus aucun effet, mais il préférait continuer à en prendre, de peur que cela ne soit pire encore.

Pourquoi, au fond, était-il venu ici ? Récupérer des papiers français en Guyane ? Était-ce vraiment la meilleure solution ? Et était-il sûr d'en trouver ? Il aurait sûrement pu retourner chez Papi José en Bolivie. Les compagnons de la Junte lui auraient trouvé un faux passeport. Ou bien était-ce la France qui lui manquait ? Il n'avait rien là-bas, pourtant, sinon de mauvais souvenirs et un père en chaise roulante.

Le simple fait d'essuyer les gouttes de sueur qui coulaient à son front était devenu trop fatigant. L'énergie qui lui restait ne pouvait servir à rien d'autre qu'à marcher. Mais marcher n'était plus un automatisme. Chaque nouveau pas était une épreuve, un défi. Un nouvel ordre qu'il devait donner à ses muscles seconde après seconde. Éreinté, il s'appuyait sur son bâton tel un vieillard bossu.

Une heure encore. La chaleur humide l'étouffait. Des images se mirent à hanter son esprit. Il revit Nieve, le cheval de son grand-père, agonisant au sol, il revit le visage des amants de sa mère envahissant leur appartement, les combats à l'école de boxe, les ouvriers de Sosa qui l'avaient roué de coups, il revit la main du père Rivero soigner ses blessures dans sa petite église de Montevideo et, enfin, il revit le corps de Montilla, la blancheur de son visage, le trou bien rond que la balle lui avait fait entre les deux yeux.

Il allait perdre la tête, peut-être, mais s'arrêter, jamais.

Soudain, au milieu de ses divagations, Marc crut entendre le bruit d'une rivière.

Une hallucination, rien de plus.

Pourtant, le bruit continua, il grandit même. L'espoir lui donna alors comme une gifle salvatrice, le tirant de sa torpeur. Un bref instant, il reprit ses esprits : le sol descendait, or les cours d'eau passent souvent aux pieds des pentes... Et ces insectes autour de lui, n'étaient-ils pas plus nombreux que d'habitude ? Ce n'était peut-être pas un rêve...

Marc rassembla ses dernières forces et accéléra le pas. Et puis, enfin, elle se dessina devant lui.

Oyapock. La rivière qui marquait la frontière entre le Brésil et la Guyane. Comme une terre promise.

Il y était enfin arrivé. Sur le sol français ! Accroupi devant le cours d'eau, Masson fut pris d'un fou rire qui lui déchira la gorge. L'eau devant lui, qui filait abondamment, n'était pas potable. Or, s'il ne buvait pas tout de suite, il savait qu'il n'aurait plus la force d'avancer et, si près du but, tout cela, tous ces efforts, tous ces combats n'auraient servi à rien. L'ironie était presque diabolique. Il allait mourir ici, déshydraté, au bord d'une rivière.

Il essaya de réfléchir. Mais il ne put trouver aucune solution. Il devait boire l'eau de l'Oyapock, malgré les énormes risques de contamination. C'était une idée insensée, mais c'était aussi sa dernière chance. Ses dernières barrières tombèrent. Et alors, il se mit à boire. Plongeant ses mains en coupe dans la rivière, tout doucement, il but.

L'eau avait un goût amer, écœurant, mais c'était tout de même bon de la sentir couler dans sa gorge ! C'était comme une caresse divine le long de son œsophage, un pansement. Marc avait beau avoir conscience qu'il était probablement en train de s'empoisonner lui-même, il éprouva en cet instant un sentiment de volupté auquel il avait rêvé depuis des jours, et c'était tout ce qui comptait.

À présent, il ne fallait plus perdre de temps.

S'il voulait avoir une chance de survivre, les risques d'infection étant particulièrement élevés, il allait falloir qu'il trouve rapidement un médecin, avant de dépasser le temps d'incubation des bactéries qu'il avait très probablement avalées. S'il ne s'était pas trompé, s'il était bien là où il pensait être, Saint-Georges, la première ville à la frontière guyanaise, était à trois ou quatre heures de marche tout au plus. En soi, c'était peu, mais dans son état, c'était énorme. Un dernier combat.

Alors il se remit en marche. Revigoré par l'eau et par la perspective d'arriver enfin à destination, il traversa la rivière à la nage et se mit en route en suivant l'autre rive vers le nord.

Rapidement, l'énergie nouvelle que ce répit lui avait donnée commença à s'estomper, et la fatigue immense reprit le dessus. La douleur, le tournis, tout son corps le suppliait d'arrêter. Mais il ne pouvait pas se reposer. Il aurait risqué de s'endormir et de ne jamais se réveiller. Il devait tenir encore jusqu'à Saint-Georges. Quelques kilomètres seulement.

Il ne savait depuis combien de temps il marchait quand, soudain, le vertige devint si grand que ses jambes l'abandonnèrent totalement et qu'il tomba à quatre pattes. La forêt se mit à tourner autour de lui comme un immense manège. Des petits points blancs dansaient dans son champ de vision, et il avait beau fermer et rouvrir les yeux, rien ne semblait pouvoir les chasser.

Masson s'écroula dans un râle en vomissant.

Si près du but. Il songea qu'il allait bel et bien mourir ici, sur le sol français, au cœur de la forêt amazonienne. De la plus stupide mort qui fût.

Dans un ultime effort, Marc se retourna sur le dos.

Au-dessus de lui, la cime des arbres dessina un visage, et il aurait juré que c'était celui de Che Guevara.

Alors, il se sentit aspiré par un tourbillon glacial, comme au ventre d'une longue crevasse.

Et puis, plus rien.

# 33

## 2 mars 1986, Paris

Trois semaines avaient passé depuis le coup de bluff qu'il avait orchestré à Beyrouth. Olivier Dartan, tout juste rentré en France, se laissa tomber, abasourdi, sur le fauteuil de son bureau, dans son appartement de la banlieue parisienne.

Il resta un long moment, interdit, comme collé à son siège, jusqu'à ce qu'on vienne frapper à la porte.

— Entre, chérie, murmura-t-il, le regard dans le vide.

Samia apparut dans l'encadrement de la porte et comprit aussitôt que quelque chose n'allait pas.

— Qu'est-ce qu'il se passe, Olivier ? Pourquoi tu viens pas dans le salon ?

L'officier se leva et prit son épouse dans les bras. Il ne servait à rien de lui mentir.

— Ils ont… Ils ont liquidé Seurat.

— Mon Dieu !

Elle se blottit contre lui et ferma les yeux d'un air effondré. Comme des millions de Français, la jeune assistante sociale suivait depuis des mois avec angoisse le sort des otages au Liban. Elle n'osait trop en parler avec son mari, qui n'aimait pas se confier sur son travail, mais elle ne pouvait échapper à l'actualité. Tous les soirs, les journaux télévisés rappelaient à leurs téléspectateurs la détention des quatre hommes, en ouverture des informations : « *Aujourd'hui, 331ᵉ jour de détention pour Marcel Carton et Marcel Fontaine, et 270ᵉ jour de détention pour Jean-Paul Kauffmann et Michel Seurat. Les otages français au Liban n'ont toujours pas été libérés.* »

— Quelle horreur, murmura-t-elle, les yeux brillants. Je croyais qu'ils devaient le libérer...

— C'est ce que j'ai cru aussi...

Samia resta un long moment serrée contre son mari. Si, comme toutes les épouses des officiers en poste à l'étranger, elle avait suivi à la Centrale une formation pour la mettre en garde contre les désagréments que risquait de subir sa vie de couple, elle éprouvait toujours quelque gêne à partager les affaires de son mari. En outre, elle n'était pas dupe : le fait qu'Olivier ait épousé une musulmane d'origine marocaine avait certainement attiré une attention plus particulière des Services, et elle s'était toujours efforcée d'être la plus effacée possible, pour ne pas lui porter préjudice. Si les Services prenaient bien garde à ne pas mélanger Islam et islamisme, ils restaient malgré tout très vigilants envers ce qu'ils considéraient comme un risque de possible compromission.

— Je... Je te prépare quelque chose à dîner ?

— Non, chérie. Je vais devoir y aller.

— Maintenant ? Tu viens à peine de rentrer...

— Je suis désolé.

Samia acquiesça lentement, alors que la tristesse et l'inquiétude éteignaient son visage. Elle était habituée aux longues absences répétées de son mari. Leur couple était solide, éprouvé, mais cette solidité se reposait justement sur les rares moments de répit comme celui qu'ils auraient dû vivre ce soir-là, quand Olivier rentrait en France.

— J'ai vraiment pas le choix...

La jeune femme s'efforça de sourire.

— Essaie de rentrer avant que je m'endorme. Si tu ne me fais pas l'amour ce soir, je te trompe avec le facteur.

— On n'a pas de facteur, ma chérie. C'est la gardienne qui distribue le courrier. Bon, c'est vrai qu'elle a de la moustache, mais quand même...

— Eh bien, je te trompe avec la gardienne.

— Tu dis ça pour m'exciter ?

Une heure plus tard, Dartan arrivait boulevard Mortier, dans le bureau du général Émin, directeur du Renseignement.

La vidéo que lui montra son supérieur lui glaça le sang. Sur le petit écran, la caméra zoomait encore lentement sur cette image terrible : la photo du cadavre de Michel Seurat, allongé dans un linceul blanc, les yeux clos. On entendait en fond sonore la voix d'un homme qui se disait appartenir au Djihad islamique et revendiquait fièrement l'exécution de l'otage français.

— Ça vient d'où ? demanda-t-il enfin au général, d'une voix accablée.

Roger Émin, Saint-Cyrien également, passé par l'Indochine et l'Algérie, avait été nommé général de brigade en 1979. Attaché de défense à Rome jusqu'en 1983, il avait ensuite été nommé au poste de directeur du Renseignement à la DGSE, fonction que l'on attribuait en ce temps-là plus souvent à des militaires qu'à des civils. Brillant, fin tacticien, rigoureux, il était respecté de ses hommes tout autant que des pouvoirs politiques successifs, ce qui lui avait valu de conserver sa place malgré l'affaire désastreuse du *Rainbow Warrior*, faveur dont n'avait pas bénéficié l'amiral Lacoste, alors grand patron de la Boîte.

Petit et trapu, le crâne chauve, l'homme n'était pas réputé pour sa douceur, mais pour sa rigueur et sa droiture. Quand il avait appelé Dartan pour lui dire de venir au plus vite, le chef de poste adjoint s'était douté que l'heure était grave.

— De l'AFP. Ils ont directement remis la VHS à la DST et, *a priori*, ça n'a fuité nulle part. Le président a demandé la tenue d'une nouvelle réunion du Cilat ce soir.

Dartan se prit la tête entre les mains et se frotta le visage avec consternation. Il n'arrivait pas à y croire. Il avait surtout bien du mal à ne pas éprouver quelque culpabilité. Son coup de bluff à Beyrouth n'avait donc pas marché. Pire : les ravisseurs venaient de les défier ouvertement. Plutôt que de libérer Seurat après le rapatriement des suspects par la France, ils l'avaient exécuté. C'était un affront odieux, et une issue catastrophique à son initiative.

— Le pire, conclut Dartan, c'est que, maintenant, les suspects du foyer du Kremlin-Bicêtre ont été relâchés dans la nature, et qu'on leur remettra probablement plus jamais la main dessus.

— Je ne vous le fais pas dire, Olivier.

— Seurat était malade, souffla le chef de poste adjoint en s'asseyant sur une chaise. Ces enfoirés ont dû le laisser mourir et...

— Ça ne change pas grand-chose. Ce qui est sûr, c'est que votre tentative à Beyrouth n'a pas fonctionné, et que vous avez grillé l'un de vos OT pour rien, Dartan.

— C'était un risque à prendre. Si vous voulez ma démission, vous l'aurez demain matin sur votre bureau avant votre café.

Le général récupéra la cassette en soupirant.

— Bien sûr que non. Vous avez fait ce que vous pouviez, et personne ne vous reproche quoi que ce soit. Et le colonel Gautier avait validé l'opération, il en assume pleinement la responsabilité.

— Mais c'était mon idée...

— Et elle n'était pas mauvaise. Ça valait le coup de le tenter. La seule chose vraiment regrettable, c'est d'avoir grillé l'un de vos OT. Vous auriez dû envoyer quelqu'un d'autre.

— Envoyer qui ? Vous savez bien qu'on manque d'effectifs. Tout se passe là-bas, général. Et, sur place, on n'a que six OT ! Six, pour tout Beyrouth, pour près d'un demi-million d'habitants ! Il y a trop à faire. Nos soldats tués dans l'immeuble Drakkar, les attentats, les enlèvements, tout est lié...

— C'est fort probable. Mais, pour l'instant, on ne sait pas où taper.

— Le procureur n'aurait jamais dû relâcher Mouhajer, Mazbouh, les frères Ghosn et Ben Kahla. On aurait dû les travailler au corps.

— Vous avez essayé de pister les frères Ghosn et Mazbouh à Beyrouth ?

— Vous pensez bien qu'ils se planquent. Et le type qui nous a mis sur leur trace a disparu du jour au lendemain.

— Ahmed M. ?

— Oui. Le Vautour. Quelques jours après l'expulsion de Mazbouh et des frères Ghosn, il a quitté son appartement, et il est jamais revenu. Depuis, il reste introuvable.

— Il est peut-être mort.

— J'en doute. Mais quoi qu'il en soit, on a besoin de plus d'hommes, général. Et puis, surtout, on a besoin d'un clandestin. Un bon. Un type capable de faire des opérations musclées à la dernière minute, et de rester totalement anonyme. Sans lien avec nous.

— Il y a les Alpha, pour ça.

— Non. Il nous faut un type plus disponible, qui puisse rester sur place. Et puis, pas un gars de chez nous. Un agent[1]. Un type qui a l'habitude de se faufiler dans le civil autant qu'en opération. De se faire oublier…

— Un genre d'Alpha rien que pour vous ? Vous rêvez, Olivier. Nous n'avons pas ça sous la main.

---

1. Contrairement à ce qu'on lit parfois, dans le jargon des Services, le terme « agent » désigne une personne extérieure, qui ne fait pas partie de la DGSE, mais qui peut être payée (en liquide…) pour ses services ponctuels. Les employés de la DGSE ne sont pas des « agents » mais des « officiers ».

LIVRE DEUXIÈME

# Clandestino

« Nous jouerons aux dés sur les dalles,
Rois, nous sommes les aquilons,
Vos couronnes sont nos vassales,
Et nous rirons quand nous mourrons. »

Victor Hugo, « Les Réîtres »,
*La Légende des siècles.*

# 34

## 8 mars 1986, Beyrouth

Le brouhaha ne cessait de monter entre les murs de la mosquée.

— J'aime pas ça, lâcha à voix basse Philippe Rochot, le journaliste d'Antenne 2, en se retournant vers Hansen, Cornea et Normandin, ses trois confrères.

Envoyés en urgence au Liban à la suite de l'annonce de l'exécution de Michel Seurat par le Djihad islamique, les quatre hommes avaient obtenu l'autorisation très exceptionnelle du guide spirituel du Hezbollah, le sayyed Mohammad Hussein Fadlallah, de venir filmer son prêche à la mosquée de Bir el-Abed, dans la banlieue sud de Beyrouth, où près de cent civils avaient trouvé la mort un an plus tôt dans l'explosion d'une bombe attribuée à la CIA. Escortés par des miliciens en armes, les journalistes avaient pris place parmi les fidèles pour rendre compte de cette célébration à la mémoire des victimes.

Juché sur son promontoire, au-dessus d'une bannière où était imprimé le logo jaune et vert du Hezbollah – une calligraphie coufique du « Parti d'Allah », où la première lettre du nom de Dieu représentait un poing brandissant un fusil d'assaut, directement inspiré de l'emblème des Gardiens de la Révolution islamique d'Iran – les paroles du religieux chiite étaient d'une férocité assumée et une ferveur de plus en plus inquiétante gagnait la foule de ses partisans, assemblés dans la mosquée. Des hommes et des jeunes garçons, assis en tailleur au milieu des colonnes qui quadrillaient la grande salle de prière…

— Si un chien français ou un chat américain meurt dans les ruelles de Beyrouth, ils remuent ciel et terre, mais ils ne disent rien quand des massacres sont commis contre les peuples opprimés ! Mort à Israël ! Mort à l'Amérique ! Mort à la France !

Les acclamations des fidèles résonnèrent entre les hauts murs blancs de l'édifice religieux.

Rochot, crispé, se retourna et fit un signe discret à Georges Hansen, qui était en train d'effectuer quelques plans de coupe en zoomant sur les visages des chefs religieux.

— Range la caméra. Il faut qu'on dégage d'ici.

Hansen ne se fit pas prier et commença rapidement à ranger son matériel.

L'un des responsables du service de presse du Hezbollah, qui les avait accompagnés, sembla remarquer l'agitation des journalistes et s'approcha de Rochot.

— Qu'est-ce qu'il se passe ? demanda l'homme, alors que deux miliciens veillaient sur lui en retrait.

— Nous avons ce qu'il nous faut, répondit Rochot en s'efforçant de sourire. Nous rentrons à l'hôtel pour faire le montage.

L'attaché de presse fronça les sourcils.

— Vous n'avez pas enregistré votre commentaire.

— Nous ferons une voix off. Les images sont très bien…

— Non. Vous devez faire l'intégralité du reportage directement ici. Pas après. C'est ce qui est prévu.

Le visage du journaliste s'assombrit.

— Je suis désolé, mais il y a un peu trop de bruit ici, et ça résonne beaucoup…

— Pas de ce côté-ci, venez. Vous devez enregistrer maintenant. Sinon nous confisquons les caméras. C'est comme ça.

Rochot jeta un coup d'œil à son équipe.

— C'est bon, le rassura Hansen en décrochant la caméra de son pied. On enregistre ton commentaire et on y va. Tout va bien se passer, Philippe. On a déjà vu pire, hein...

Rochot se mordit les lèvres et regarda ses deux autres confrères. Cornea lui adressa un signe d'encouragement à son tour. En vérité, ils étaient tous pressés de partir d'ici.

— OK. Allons-y.

Ils suivirent l'attaché de presse un peu plus loin et Rochot s'assit sur un matelas posé à même le sol, face caméra, pendant que Jean-Louis Normandin installait une mandarine pour éclairer son collègue. Derrière lui, on devinait la foule des fidèles qui se recueillait en contrebas. Le brouhaha avait nettement diminué.

— Ça tourne ?

— Oui.

— Fais attention à ce que tu dis, Philippe, murmura Aurel Cornea en tenant fébrilement la perche.

Rochot acquiesça et, la mine grave, les traits tirés, commença son commentaire d'une voix bien moins assurée qu'à l'accoutumée.

« Voilà dans quelle atmosphère Beyrouth vit la guerre des nerfs, dans la bataille des otages. Ici, les Partisans de Dieu célèbrent le premier anniversaire de l'attentat à la voiture piégée qui avait fait près de cent morts dans ce quartier chiite de Bir el-Abed, au sud de Beyrouth, juste à côté du domicile du cheikh Fadlallah, l'un des chefs religieux les plus prestigieux du Liban. »

Derrière la grosse caméra siglée Antenne 2, l'attaché de presse du Hezbollah le fixait du regard, et l'on pouvait deviner au ton hésitant de Rochot qu'il sautait volontairement certains passages du texte qu'il avait originellement prévu de dire, et qu'il adoucissait les angles de certains autres.

L'atmosphère tendue était accrue par la petite diode rouge qui clignotait sur le dessus de la caméra, comme une menace rappelant le lourd égrènement des secondes.

« Il y a là tous les dirigeants de ce mouvement qui prend de plus en plus d'ampleur à Beyrouth, mais aucun d'eux n'a jamais revendiqué la responsabilité de l'enlèvement des otages. Leur porte-parole, le cheikh Ibrahim Al-Amin, réaffirmait hier encore qu'il n'était pour rien dans l'affaire, et le cheikh Fadlallah, leur guide spirituel, a toujours condamné ce genre d'actions. Mais les hommes et les chefs de ce mouvement demeurent pourtant les seuls interlocuteurs auprès des ravisseurs. Et c'est ici, dans cette mouvance aux multiples tendances, qu'il faut chercher... On comprend que la négociation est difficile, d'autant qu'à chaque discours, ils renvoient la France à ses responsabilités. Et pourtant, un élément nouveau : jusque-là, ce mouvement gardait en effet ses distances vis-à-vis de la Syrie, empêchant ainsi Damas de prendre une quelconque initiative comme intermédiaire dans l'affaire des otages. Aujourd'hui, on observe un rapprochement avec les partis musulmans libanais de gauche, c'est-à-dire que le Hezbollah, le Parti de Dieu, avec qui nous sommes ici, a aujourd'hui ses entrées à Damas, et qu'il y est accepté. Or, cela peut permettre à la Syrie de peser sur ce parti, pour favoriser une négociation pour une possible libération des otages français. »

Rochot, bien conscient de l'imperfection de son commentaire, resta un bref moment immobile, les yeux plongés dans l'objectif de la caméra, puis il fit signe à Hansen de couper.

— C'est bon, on remballe.

— Vous devez faire le montage ici pour qu'il soit validé, intervint l'attaché de presse, et l'envoyer directement à votre rédaction. Nous avons un camion SNG[1] devant la mosquée.

— Écoutez, c'est un peu compliqué de faire ça sur place et...

— C'est bon, Philippe, le coupa Hansen. On a pris un banc de montage portable. On peut faire ça rapidement. Si c'est ce qu'ils veulent, on le fait, et basta. À Paris, ils seront ravis d'avoir ça pour le 20 heures.

L'attaché de presse les conduisit dans un bureau en retrait, et les journalistes effectuèrent rapidement le montage sur une petite table, sous le regard inquisiteur du Libanais. Georges Hansen, sans peaufiner, intégra simplement quelques plans de coupe tout au long du commentaire de Philippe Rochot. Des panoramiques sur les Partisans de Dieu, assis dans la mosquée, un gros plan du cheikh Al-Amin, coiffé de son turban noir, et qui tenait un chapelet entre ses doigts, puis un zoom vers le prêche du cheikh Fadlallah, coiffé du turban blanc, avant de revenir vers le journaliste lui-même, dont le regard dur, face caméra, en disait long sur le climat de tension qui avait accompagné son intervention.

— Je n'aime pas la phrase où vous dites que « c'est dans cette mouvance qu'il faut chercher », annonça l'attaché de presse quand il eut terminé de visionner le reportage, qui faisait à peine plus d'une minute. On dirait que vous impliquez directement le Parti dans les enlèvements, ça ne va pas.

— Écoutez, s'emporta Rochot, nous sommes des journalistes, pas une agence de communication. Le cheikh Fadlallah nous a autorisés à faire ce reportage, c'est à nous de décider de ce que nous voulons y dire.

---

1. *Satellite news gathering*, véhicule autonome de journalisme avec liaison satellite.

— Vous êtes nos invités, ici, vous devez faire selon nos règles.

— Justement ! répliqua Rochot, sans se démonter. Si vous m'avez invité, c'est que vous me faites confiance. Je me suis toujours montré compatissant avec les populations chiites de Beyrouth Sud. Je comprends votre cause, et j'essaie toujours d'être le plus objectif possible dans mon travail. Je crois que je n'ai de leçon à recevoir de personne.

Un lourd silence s'installa. Les trois confrères du journaliste le regardèrent d'un air inquiet, mais l'attaché de presse sembla finalement trouver la réplique… amusante. Il hocha lentement la tête en souriant.

— Bon. Ça ira. Vous pouvez l'envoyer.

Il conduisit les quatre Français devant la mosquée, jusqu'au camion SNG libanais qui attendait sur le trottoir. Hansen se chargea d'envoyer le reportage par satellite jusqu'à la rédaction d'Antenne 2, puis l'attaché de presse du Hezbollah vint nonchalamment leur serrer la main, alors que la foule commençait à sortir de la mosquée, femmes voilées d'un côté, hommes de l'autre. Il était à peine 5 heures de l'après-midi.

Rochot, à bout de nerfs, héla un grand taxi où ils pourraient monter tous ensemble.

— Allez, on rentre, fit-il dans un soupir en tapant sur les épaules de ses confrères. C'est fini.

Ils s'installèrent dans la voiture et donnèrent au chauffeur l'adresse de l'hôtel Cavalier, près du port au nord de Beyrouth, où siégeaient les journalistes français et l'AFP.

Le taxi s'engouffra dans les rues dévastées de la banlieue sud.

— Putain ! J'ai bien cru que ça allait mal tourner, souffla enfin Normandin dans un rire nerveux.

— J'avoue que j'étais pas trop fier non plus, répliqua Rochot. Je suis pas mécontent que ce soit fini, j'avais un très mauvais pressentiment. Mais il faut bien que quelqu'un le fasse, hein ?

— Ça fait partie du job, affirma Hansen.

— Vous avez assuré, les gars.

— Il se passe pas une minute sans que je pense à Kauffmann et aux autres otages. Ils sont là, quelque part, dans une cellule. Si ça se trouve, on est passé juste à côté d'eux sans le savoir.

— Je vous cache pas que je boirais bien un petit remontant, intervint Normandin.

— Rassure-toi, moi aussi, et ils ont ce qu'il faut à l'hôtel !

Ils venaient d'arriver à proximité de la Cité sportive de Beyrouth quand, soudain, un pick-up Datsun et deux motos frôlèrent leur taxi en les doublant brusquement par la gauche.

— Ils sont cons ceux-là, ou quoi ? lança Normandin.

La voiture se mit alors à ralentir devant eux, jusqu'à les obliger à s'arrêter totalement.

— Qu'est-ce que c'est ? demanda Rochot en s'approchant du chauffeur.

— Je ne sais pas, monsieur.

Deux hommes sortirent du pick-up, Kalachnikov au poing, et s'avancèrent vers le taxi d'un pas rapide.

— C'est quoi ces conneries ?

Les deux miliciens tapèrent au carreau et leur demandèrent leurs papiers d'un air tendu.

— C'est juste un contrôle, murmura Rochot. Juste un contrôle. Montrez-leur vos papiers, tout va bien se passer.

Les quatre journalistes s'exécutèrent, mais alors, contre toute attente, les deux hommes armés leur firent signe de se pousser et montèrent à bord du taxi déjà surchargé, l'un à l'avant, l'autre à l'arrière, en les menaçant de leurs fusils d'assaut.

Rochot, instinctivement, mit les mains sur la tête. Ses confrères, perplexes, l'imitèrent.

L'un des hommes cria un ordre en arabe au chauffeur, et celui-ci, visiblement terrifié, se remit en route.

— Où est-ce que...

Normandin ne put terminer sa phrase, coupé par la gifle que lui adressa l'homme à côté de lui avant de lui coller le canon de sa Kalachnikov sous le menton.

Les quatre journalistes, pétrifiés, gardèrent le silence.

Ils avaient remonté plusieurs rues quand le ton commença à monter à l'avant du véhicule. Le chauffeur de taxi semblait maintenant réprimander les deux hommes, jusqu'à ce que celui qui se trouvait à ses côtés se mette à lui donner des tapes sur la tête.

Rochot, qui parlait pourtant de nombreuses langues, s'en voulut terriblement à cet instant précis de ne pas mieux maîtriser l'arabe. Mais il n'y eut bientôt plus besoin de comprendre la langue pour deviner ce qui venait d'être dit, quand le chauffeur de taxi arrêta sa voiture et en sortit en courant.

L'homme à l'avant cracha un juron, changea de place et prit le volant.

À cet instant, les quatre journalistes d'Antenne 2 comprirent que leur sort était scellé.

Vingt minutes plus tard, ils étaient enchaînés aux murs d'une petite cellule sombre et vétuste, sans qu'aucune parole ne leur ait été adressée, et leur long calvaire commença. Tout comme les autres otages français détenus au Liban, ils allaient être régulièrement transportés de cache en cache, aux mains de bourreaux qui ne cessaient de changer de visage.

# 35

## 10 mars 1986, Sathonay-Camp

Marc Masson, assis devant le bureau métallique au milieu de la longue pièce plongée dans la pénombre, regarda l'homme en jeans et santiags entrer et s'asseoir lentement en face de lui, une petite sacoche à la main. Le seul néon qui éclairait les murs gris-vert de la pièce s'éteignait par intermittence avec un grésillement agaçant. Il soupira. Les souvenirs de son retour en France restaient vagues, les images floues. Un brancard, un hélicoptère, les murs d'un vieil hôpital guyanais, puis l'avion, le long vol vers Lyon, l'ambulance, le plafond d'un nouvel hôpital, encore, des flashs de lumière, les médecins s'affairant autour de lui... Il n'était pas sûr de savoir ce qu'il faisait ici, à présent, dans cette pièce sinistre, des menottes aux poignets. L'armée française, à l'évidence, lui avait remis la main dessus, et le déserteur risquait de finir au trou. Pourtant, l'homme qui venait d'entrer ne portait aucun uniforme. Il était même habillé avec une décontraction bien éloignée de la rigueur militaire. Un avocat, peut-être ?

— Bonjour monsieur Masson.

Le jeune homme répondit d'un froncement de sourcils. Éreinté, affaibli, il attendait ici depuis près d'une heure déjà, seul avec ses doutes, sa confusion, l'esprit assailli de questions. Après quinze jours passés à l'hôpital militaire Desgenettes, trois soldats étaient venus le chercher et, sans rien lui dire, l'avaient menotté et conduit ici, au camp de Sathonay, siège du 99$^e$ régiment d'infanterie. Le sien. Ou plutôt, celui qu'il avait déserté plus d'un an auparavant.

— Vous… Vous pouvez me dire qui vous êtes et ce que je fais là ?

— Vous êtes ici parce qu'on vous a sauvé la vie de peu, monsieur Masson, et que vous êtes à présent entre les mains de l'armée française. Quant à savoir qui je suis, vous n'aurez qu'à m'appeler Olivier, répondit Dartan en souriant.

— Olivier ?

— Absolument.

— Vous n'avez pas de nom de famille ?

— Pour vous, non.

— Je vois. J'ai le droit à un avocat ?

L'officier laissa passer un court silence, puis il posa l'une de ses santiags sur le bord du bureau et se mit à faire nonchalamment basculer sa chaise d'avant en arrière.

— Vous avez un parcours intéressant, pour un type de vingt-six ans.

Marc secoua la tête en dévisageant son interlocuteur. Une quarantaine d'années, grand, plutôt costaud, les cheveux bruns taillés très court, un regard bleu d'acier, habillé comme un cow-boy, la posture sereine, il dégageait à la fois l'image d'une certaine impertinence – qui flirtait avec l'arrogance – mais aussi d'une évidente intelligence.

— Qu'est-ce que vous savez de mon parcours ?

— Sans doute plus que vous ne l'imaginez.

— Ah oui ? J'ai de l'imagination, vous savez…

Dartan continua un moment de se balancer sur sa chaise en souriant puis, reposant le pied par terre, il ouvrit sa petite sacoche, en sortit un épais dossier cartonné qu'il posa sur la table et commença à feuilleter calmement devant Masson.

— QI nettement au-dessus de la moyenne, excellente culture générale, lettré, mais aussi bagarreur, très bon tireur, mais la détente facile, assez solitaire…

— C'est pas un parcours, ça, c'est un profil psychologique, et plutôt approximatif...

L'officier continua sans sourciller.

— Vous obtenez votre bac en 77 et commencez des études à l'université de Brest, section Sciences humaines et sociales. Là, vous faites une courte apparition dans les Jeunesses communistes révolutionnaires, version gros bras, mais vous êtes visiblement trop indépendant pour y rester bien longtemps. À cette occasion, on remarque chez vous une fâcheuse tendance à casser du flic...

— N'ayez crainte, ça m'a un peu passé...

— Sans terminer vos études, vous quittez la fac en 1980 pour faire un parcours classique d'élève sous-officier : école militaire de Saint-Maixent, formation générale de premier niveau puis formation spécialisée. On note là que vous vous faites remarquer par votre excellente aptitude au tir... Vous entrez au 99ᵉ régiment d'infanterie, ici même, à Sathonay, vous intégrez les commandos motorisés et terminez chef de groupe Milan[1]. En 1984, vous participez à la première mission de la Finul[2] à Beyrouth, suite aux attentats contre l'immeuble du Drakkar et contre l'aéroport. Et puis soudain, après votre retour en France, pouf, vous disparaissez mystérieusement sans laisser d'adresse...

— Combustion spontanée.

— Vous réapparaissez quelques semaines plus tard en Argentine, où vous jouez les mercenaires pour la société UKSL pendant quelques mois, puis vous disparaissez de nouveau pour réapparaître en Bolivie, où vous fréquentez les milieux révolutionnaires.

---

1. Missile d'Infanterie Léger Antichar Nato, engin à système de guidage semi-automatique filoguidé.

2. Force intérimaire des Nations unies au Liban.

— C'est un bien grand mot, s'amusa Masson en songeant à Papi José.

— Ensuite, vous participez à un réseau de trafic de viande en Uruguay, avec une fascination notable pour les bordels sud-américains...

— Ah, ça, ça ne m'a pas passé. « Les putes ont cet avantage d'être des femmes qui vous donnent beaucoup de plaisir pour... »

— « relativement peu d'argent », termina l'officier.

— Ah ! Vous connaissez Audiard...

— Sur le bout des doigts. Question de professionnalisme. Le mois dernier, vous prenez un petit boulot de sécurité pour des trafiquants d'or au Brésil... Et là, enfin, il y a cet épisode un peu obscur qui se termine par votre disparition et la mort d'un mafieux vénézuélien, et on vous retrouve dans le coma en Guyane. Sauvé de peu par un couple de touristes américains, vous êtes rapatrié en France, dans un état plutôt moyen.

Dartan, visiblement fier de lui, croisa les mains sur la table et adressa un sourire à son interlocuteur.

— Vous avez eu beaucoup de chance, monsieur Masson.

— Vous appelez ça de la chance ?

— Sans ces deux touristes américains, avec la shigellose, l'anémie et la déshydratation, vous seriez en train de pourrir au bord d'un fleuve. Ça aurait été un peu décevant, comme sortie, pour un type comme vous.

Marc poussa un soupir.

— Bon. Félicitations. Vous avez réussi votre effet.

— Merci.

Dartan referma lentement son dossier.

Marc songea alors que sa vie tenait presque tout entière sur ces quelques misérables pages, et il se mit à rêver d'un feu de joie.

— Vous savez certainement que la désertion est punie de trois ans d'emprisonnement, et que le fait de quitter le territoire de la République suite à une désertion porte la peine à cinq ans...

— Non, mais je vous crois sur parole. Avant de continuer cette passionnante conversation, lâcha Marc d'un air las, encore une fois, j'aimerais tout de même être sûr de savoir à qui j'ai affaire et ce que je fais là...

— Vous êtes là parce que vous allez avoir besoin d'aide, monsieur Masson. Vous avez foutu un sacré bordel, au Brésil. On a eu bien du mal à vous rapatrier. Vous ne mesurez sans doute pas les complications diplomatiques occasionnées par vos exploits.

— J'en ai surtout rien à foutre.

— Vraiment ? Vous voulez y retourner ? Au Brésil, les peines pour homicide varient entre douze et trente ans d'emprisonnement.

— Régler son compte à un mafieux qui coupe la tête à des mineurs, c'est pas un homicide, c'est de la rectification.

— Une fois sorti, continua Dartan, vers quarante-cinq balais au mieux, vous pourrez revenir en France faire les cinq ans qui vous resteront pour désertion. Magnifique perspective, dites-moi...

— Qu'est-ce que vous attendez de moi ?

— Je n'attends rien de vous. Vous n'avez plus rien, aujourd'hui. Plus d'argent, plus de boulot...

— Il n'y a pas que l'argent et le boulot, dans la vie.

— Vous en êtes où, avec vos parents ? Quand on a prévenu votre mère de votre rapatriement, ça n'a pas eu l'air de l'intéresser plus que ça...

Le visage de Marc s'assombrit.

— Allez vous faire foutre.

Dartan hocha lentement la tête avec un petit sourire.

— Bien. Alors ce sera tout pour aujourd'hui.

Il se releva, remit le dossier dans sa sacoche et quitta la pièce sans ajouter un mot de plus.

# 36

## Carnet de Marc Masson, extrait n° 8

*La solitude ne m'a jamais dérangé. Elle est un reposant exil où s'extraire des regards, et il faut souvent être seul pour être vraiment libre, ou au moins pour penser librement. Non pas que je n'aime pas mon prochain – au contraire, j'éprouve pour l'humanité une infinie tendresse – mais je ne ressens simplement pas le besoin de le lui prouver. Je n'attends rien de lui.*

*Je n'ai gardé aucun ami de mon enfance ou de mon adolescence. Pour tout dire, à l'époque, je n'en avais pas vraiment. J'ai grandi seul, par choix. Mes compagnons, c'était mes livres, et les personnages avec qui je me liais dans leurs pages. Au fond, enfant, je n'avais que Papi José.*

*Plus tard, il y en a eu quelques-uns. Des gens comme Richard, fulgurants, qui ne restaient jamais longtemps dans ma vie, mais qui la marquaient à chaque fois profondément. La plupart ont disparu. La mort ou la trahison me les ont enlevés.*

*Néanmoins, chaque fois que j'ai eu un ami, je lui ai tout donné. Tout, comme si c'était une évidence. En amitié, ce qui n'est pas donné est perdu. Cela a toujours été mon exigence. L'homme pour lequel je ne serais pas prêt à mourir, je ne serais pas digne de me dire son ami.*

# 37

## 11 mars 1986, Téhéran

En attendant devant le bureau de Rafighdoust, ministre iranien des Pasdaran[1], Éric Rouleau avait parfaitement conscience qu'il jouait à présent la dernière carte du président de la République française dans la négociation pour la libération des otages au Liban.

Quelques jours plus tôt, alors qu'il dînait chez des amis à Tunis, Rouleau avait reçu un appel urgent de l'Élysée, et on lui avait alors passé François Mitterrand en personne, qui lui demandait de se rendre au plus vite à Téhéran.

— Pourquoi moi ?

— Vous êtes ambassadeur de France.

— À Tunis, monsieur le Président…

— Certes, mais vous parlez l'arabe et le persan. Vous avez une excellente connaissance du Moyen-Orient, et vous avez eu maintes fois l'occasion de côtoyer des officiels iraniens lorsque vous étiez journaliste au *Monde*. On me dit même que vous avez tissé des liens d'amitié avec Mohammed Sadegh, le bras droit du ministre iranien.

— Disons plutôt des liens cordiaux… C'est, comme moi, un ancien journaliste. Nous avons déjà travaillé ensemble.

— Vous êtes le mieux placé pour mener ces négociations. La tentative de Roland Dumas à Paris il y a deux mois a… échoué. Vous êtes, pour ainsi dire, notre dernière chance.

_____

1. Gardiens de la Révolution islamique, organisation paramilitaire, pilier central de la République islamique de Khomeini.

— Et quelle est ma marge de manœuvre ?

— Pas de rançon, pas de livraison d'armes à l'Iran, pas d'arrêt de nos livraisons d'armes à l'Irak et pas d'expulsion des opposants iraniens réfugiés en France.

— Ça ne me laisse pas grand-chose pour négocier, monsieur le président...

— Il vous reste le remboursement de la dette Eurodif et la libération de Naccache.

Le cas d'Anis Naccache était, à n'en pas douter, un point de négociation auquel l'Iran tenait particulièrement. Condamné en France à la réclusion criminelle à perpétuité, Mitterrand n'aurait certainement aucun plaisir à libérer cet homme responsable de la mort d'une femme et d'un policier français, alors qu'il tentait d'assassiner un opposant de Khomeini. Mais le dévouement de ce Libanais à la Révolution islamique iranienne avait fait de lui un symbole, un mercenaire d'Allah, un soldat de l'islam que l'ayatollah refusait de laisser moisir dans une prison française...

— Je suis disposé à lui accorder une grâce présidentielle. Mais à lui seul. Pas à ses complices. Voyez si Yasser Arafat, dont je sais qu'il a une grande estime pour vous, peut intercéder en votre faveur auprès du ministre Rafighdoust afin que vous obteniez un rendez-vous rapide.

Et il avait raccroché.

Ainsi, cela faisait maintenant deux jours et deux nuits qu'Éric Rouleau négociait avec le ministre et son bras droit, Mohammed Sadegh, dans le somptueux bâtiment du ministère, juché sur les hauteurs de la capitale iranienne, et il avait le sentiment d'avoir accompli de véritables avancées.

D'entrée de jeu, le ministre iranien avait ouvert la voie au dialogue.

— Il va de soi que nous n'avons rien à voir dans cette affaire d'enlèvements.

— Bien sûr, avait répondu Rouleau, pour ne pas heurter son interlocuteur.

Il savait pourtant pertinemment que Rafighdoust, un homme puissant et redouté de l'entourage de Khomeini, entretenait des liens étroits avec le Hezbollah. Une note de la DGSE laissait même entendre qu'il était peut-être le véritable orchestrateur des prises d'otages au Liban.

— Mais si nous pouvons vous aider en jouant le rôle d'intermédiaire, nous essaierons de le faire en tenant compte de l'état des relations franco-iraniennes.

L'ambassadeur français, dès lors, avait amené les discussions sur le terrain d'une amélioration desdites relations. Après de longues discussions, il avait promis un remboursement progressif de la dette Eurodif et garanti que deux opposants chiites, détenus à Bagdad et chers aux Iraniens, pourraient revenir en France, d'où ils avaient été expulsés à la suite des premiers attentats. Enfin, concernant Anis Naccache, Rouleau avait fini par faire accepter à son hôte que, pour des raisons juridiques, son commando tout entier ne pouvait être libéré, mais que lui seul pourrait bénéficier d'une grâce présidentielle.

Quand la porte s'ouvrit et que Mohammed Sadegh l'invita à entrer, Éric Rouleau espérait sincèrement que ce serait, cette fois, la dernière ligne droite.

Le ministre Rafighdoust, étonnamment décontracté, lui offrit d'emblée un thé à la menthe. Une barbe noire taillée de près, un regard intelligent caché derrière des lunettes aux épaisses montures, l'homme, soucieux sans doute de rappeler son passé militaire au sein du service de sécurité de Khomeini, portait l'uniforme des Gardiens de la Révolution islamique.

— Il nous reste un dernier point à voir, monsieur l'ambassadeur, fit-il en prenant place derrière son large bureau.

— Je vous écoute.

— La vente d'armes à notre pays.

Rouleau grimaça.

— Je vous arrête tout de suite, monsieur le ministre. Le président Mitterrand a été catégorique à ce sujet : c'est une fin de non-recevoir. La France ne livrera pas d'armes à l'Iran. Il n'y a aucune marge de négociation possible sur ce sujet.

Le ministre iranien haussa un sourcil d'un air surpris, échangea un regard perplexe avec son conseiller, puis il éclata franchement de rire.

— Vous plaisantez, n'est-ce pas ?

— Pas du tout.

— Mais, enfin, monsieur Rouleau ! La France nous vend *déjà* des armes !

— Pardon ? répliqua l'ambassadeur, perplexe.

— Votre pays n'a jamais cessé de nous vendre des armes, par le biais de la société Luchaire !

— Je ne comprends pas...

— Luchaire, avec la bénédiction de votre ministère de la Défense lui-même, nous fournit régulièrement des obus, qui sont officiellement destinés au Brésil, au Portugal et à la Thaïlande. Soit vous vous fichez de moi, soit on s'est fichu de vous !

C'était, en effet, la désagréable impression qui gagnait à présent l'ambassadeur français. Si la France vendait vraiment, en secret, des armes à l'Iran, pourquoi Mitterrand ne l'avait-il pas prévenu ? Il avait l'amer sentiment de passer pour un imbécile devant ses interlocuteurs, et cela ne renforçait pas sa position en tant que négociateur crédible.

— Admettons. Mais, dans ce cas, si la France vous vend déjà des armes, je ne comprends pas vos revendications, monsieur le ministre...

— Le problème, voyez-vous, c'est que votre pays nous vend les mêmes armes qu'à l'Irak, mais trois fois plus chères ! Nous ne demandons pas de régime de faveur, mais qu'au moins la France nous vende ses armes au même prix qu'à nos adversaires ! Que votre pays veuille jouer sur les deux tableaux, cela vous regarde, mais pas en vous enrichissant sur notre dos, vous comprenez ?

— Écoutez, je vous avoue que, sur ce sujet, vous me prenez un peu de court…

— J'en ai bien l'impression, s'amusa le ministre iranien, sardonique.

— Pouvez-vous m'accorder quelques heures ?

— Mais bien sûr, monsieur. Nous vous attendrons ici jusqu'à 20 heures.

Rouleau, à la fois perplexe et furieux, retourna à l'ambassade et, passablement remonté, y passa immédiatement un coup de fil à Paris.

# 38

## 12 mars 1986, Sathonay-Camp

Cela faisait deux jours que Marc était enfermé dans son cachot du camp militaire de la région lyonnaise quand des gardes vinrent le chercher pour le conduire de nouveau dans cette longue pièce obscure où son séjour ici avait commencé.

Ses cheveux et sa barbe, qui avaient poussé depuis le Brésil, lui donnaient un air presque sauvage, mais deux jours de pompes et de tractions dans sa cellule avaient déjà ramené un peu de vigueur à son corps de boxeur, et l'avaient aidé à réfléchir un peu plus posément. À faire le point sur sa situation. Et, de fait, les perspectives n'étaient guère réjouissantes.

Toujours menotté, on le fit s'asseoir derrière le bureau métallique et, comme la première fois, on le laissa seul près d'une demi-heure avant que la porte s'ouvre enfin et que l'homme qui se faisait appeler Olivier apparaisse de nouveau devant lui, qui portait un carton.

— Bonjour, monsieur Masson.

— Ah, le Saint-Esprit en personne. Et en santiags, ironisa Marc. Que me vaut le plaisir, aujourd'hui ?

Dartan sortit un nouveau dossier de son carton et le posa sur la table, puis il lui tendit un stylo.

— Nous allons vous demander de faire quelques tests.

— Pourquoi ?

— Une évaluation.

— Vous vous foutez de ma gueule ?

— Vous avez mieux à faire ?

— Ça va durer combien de temps, votre manège ? Il me semble que j'ai droit à un avocat, non ?

— Vous y aurez droit si nous transmettons votre dossier au procureur de la République pour engager des poursuites. Mais nous n'en sommes pas encore là. Et, à votre place, je serais pas trop pressé. Tenez.

Il lui tendit une feuille imprimée.

— C'est quoi ?

— Rien de bien compliqué. Des suites logiques à compléter.

— C'est une plaisanterie ?

— Vous êtes pas obligé de les faire. Si vous préférez retourner dans votre cellule pour jouer au Morpion, M. Masson, ça me dérange pas. Mon but est simplement d'essayer de vous aider.

— Et je suppose que tout ceci est filmé, lâcha Marc en faisant un signe de tête vers le coin de la pièce où, la dernière fois déjà, il avait remarqué une sorte de petit boîtier d'aération où l'on aurait pu aisément dissimuler une caméra.

— Vous voulez un peu de fond de teint ?

Masson soupira et jeta un coup d'œil à la feuille devant lui. Puis, le visage fermé, il ramassa le stylo et, les mains toujours menottées, commença à remplir le papier d'un air désabusé.

La difficulté des suites logiques allait dans un ordre croissant. Les premières étaient confondantes de simplicité, mais les dernières lui donnèrent quelque fil à retordre. En moins de quinze minutes, pourtant, il avait terminé. Sans erreur.

Dartan récupéra la feuille avec une moue admirative, puis lui donna un deuxième document ; une carte du monde, vierge.

— Remplissez un maximum de noms de pays. Vous avez dix minutes.

Marc leva les yeux au ciel. Il avait l'impression d'être retourné au collège. Mais, après tout, le mystérieux Olivier n'avait pas tout à fait tort : il était toujours mieux ici à jouer les écoliers qu'à ne rien faire dans son cachot. En outre, l'idée de pouvoir clouer le bec à son professeur n'était pas sans saveur. Il se livra à l'exercice.

Au fur et à mesure qu'il remplissait la carte avec une aisance assez exceptionnelle, il s'amusa de voir le visage de son interlocuteur se transformer. Au bout des dix minutes, il lui manquait une quinzaine de pays sur l'ensemble de la carte.

— C'est pas mal, lâcha Dartan en récupérant la feuille pour la ranger dans son dossier.

Masson sourit. Il savait pertinemment qu'il était probablement très au-dessus de la moyenne.

— Vous m'auriez laissé quelques minutes de plus, je vous mettais aussi les capitales.

— J'en doute pas. Cela dit, fanfaronnez pas trop, Masson. La dernière fois que j'ai fait ce test, il ne me manquait que cinq pays, et j'avais pas inversé la Zambie et le Zimbabwe, moi...

Marc grimaça. Il avait peut-être sous-estimé son interlocuteur.

Dartan sortit alors une vingtaine de petits objets du carton posé à terre et les disposa un par un sur la table. Un stylo, des cartes à jouer, un briquet, un verre, une bague, une gomme...

— Qu'est-ce que vous foutez ? On va jouer à la marchande ?

— Regardez bien la table, et mémorisez ce que vous voyez.

Marc inspecta la vingtaine d'objets et, tout en les comptant, essaya de les mémoriser un par un.

Au bout d'une minute, Dartan les enleva de la table, les remit dans le carton, et tendit celui-ci au jeune homme.

— Maintenant, remettez chaque objet que vous avez vu exactement là où il était sur la table.

— Je croyais qu'il fallait juste les mémoriser...

— Je ne vous ai pas dit de mémoriser les objets, je vous ai dit précisément : « mémorisez ce que vous voyez ».

— C'est vraiment un jeu à la con, votre affaire.

— Mémoire photographique. Il vous reste une minute.

Masson secoua la tête et fouilla dans le carton. Il y avait là bien plus d'objets que ceux initialement sortis par son interlocuteur. Se remémorant la liste, il commença à remettre les objets un par un sur la table, avec beaucoup moins d'aplomb, cette fois. Il était loin d'être sûr de leur disposition, mais il lui sembla qu'il ne s'en sortait finalement pas si mal.

Quand la minute fut écoulée, Dartan rangea toutes les affaires dans le carton et sortit une série de cartes imprimées qu'il posa sur la table. Marc reconnut aussitôt les taches d'encre symétriques d'un célèbre outil d'évaluation psychologique du début du xxᵉ siècle.

— Par pitié, pas le test de Rorschach ! dit-il en secouant la tête.

— Il vous met mal à l'aise ? demanda Olivier.

— Pas du tout. Mais c'est de la branlette de psychanalyste, ce truc.

— Alors prenez-le comme un jeu. Qu'est-ce que vous voyez là ? demanda l'officier en sortant la première carte.

— Une tache d'encre.

— C'est malin. Allez, jouez le jeu, Marc !

Masson soupira

— Un utérus.

Olivier sourit et montra la carte suivante. Une à une, Marc donna ses réponses sans réfléchir, pressé d'en finir.

— Deux koalas qui se tapent dans la main. Une danse rituelle africaine. Un gorille avec un sexe énorme. Un papillon de nuit. Une peau d'ours. Un collier en papier mâché. Euh… des poumons dessinés par un type sous acide. Le drapeau du Pays de Galles. Une tache de sperme laissée par Casimir.

L'officier ne masqua pas son amusement, puis conclut :

— Bien. Je vous remercie, Masson, ça sera tout pour aujourd'hui.

Marc, agacé, se leva et le retint par le bras.

— Vous allez me dire ce que je fous là ? Ça commence à être un peu long, votre histoire…

Dartan lui retourna un sourire.

— Eh bien, disons que nous testons aussi votre patience, monsieur Masson.

— C'est pas mon fort, la patience !

— Il va falloir apprendre, jeune homme.

Marc grimaça.

— Est-ce que je peux au moins passer un coup de fil ?

— Je vous ai dit que vous n'aviez pas besoin d'avocat pour le moment.

— C'est pas un avocat que je veux appeler.

# 39

## 12 mars 1986, Téhéran

Il était près de minuit quand Éric Rouleau, épuisé, y croyant à peine lui-même, parvint enfin à un protocole d'accord avec le ministre iranien.

Les négociations avaient été longues et ardues, et il avait fallu au Français une belle force de caractère pour parvenir à faire tomber les dernières résistances de Rafighdoust, lui-même redoutable négociateur.

Dans les grandes lignes, la France s'engageait donc à libérer Anis Naccache le 14 mars au soir, après une grâce présidentielle, et celui-ci pourrait rejoindre alors Genève par avion, accompagné de son avocat. Un premier versement de la dette Eurodif serait effectué à la fin du mois, et les deux opposants chiites détenus à Bagdad seraient libérés par l'Irak et accueillis, comme promis, à Paris. Quant au prix des armes vendues en dessous-de-table à l'Iran, la France s'était officieusement engagée à le maintenir à un tarif plus « raisonnable »... En échange, Téhéran garantissait la libération de tous les otages français détenus au Liban, le 15 mars au matin. Ceux-ci seraient confiés aux autorités syriennes à Damas, par l'intermédiaire du président Hafez el-Assad, qui pourrait alors assurer leur retour sain et sauf à Paris.

Quand Mohammed Sadegh, conseiller du ministre iranien, raccompagna Rouleau en bas du ministère, il lui donna une tape amicale dans le dos.

— Vous avez bien mérité une bonne nuit de repos, Éric.

— Vous aussi, Mohammed. Je suis heureux que nous ayons fini par trouver un accord.

Pourtant, une fois rentré à l'ambassade de Téhéran, dominant la bien nommée rue Neauphle-le-Château[1] au bout d'un parc arboré, l'ambassadeur éprouva bien de la peine à trouver le sommeil. Les yeux grands ouverts, allongé dans l'immense lit de ses quartiers diplomatiques, il ne pouvait s'empêcher de penser aux otages qui, dans quelques jours, allaient enfin recouvrer leur liberté. La chose était à peine croyable, et ferait sans doute l'effet d'une bombe, à la veille des élections législatives. Mitterrand allait se frotter les mains. Il espérait, pourtant, que l'aspect politique de la chose ne l'emporterait pas sur la simple joie de voir ces hommes retrouver leur famille, leur pays, leur vie. Mais pouvait-on vraiment retrouver sa « vie », après une expérience pareille ? Rouleau songea alors à Jean-Paul Kauffmann, qu'il avait eu l'occasion de croiser une ou deux fois à l'époque où il avait été lui-même journaliste pour la presse écrite. Grand reporter aguerri, érudit, c'était un homme délicat et ouvert, d'une grande finesse d'esprit, d'une absolue discrétion, et l'imaginer aux mains de ses bourreaux avait toujours empli l'ambassadeur français d'une immense tristesse. Il ne pouvait s'empêcher d'éprouver, égoïstement, quelque fierté à pouvoir ainsi être l'un des ouvriers de sa libération.

Il avait à peine dormi deux heures quand, au petit matin, le ministre Rafighdoust le réveilla au

1. Ville de résidence de l'ayatollah Khomeini en exil en France de 1978 à 1979.

téléphone en lui demandant de venir le rejoindre au plus tôt dans son bureau, au ministère des Pasdaran.

Rouleau, inquiet, se fit conduire aussitôt dans l'une des voitures blindées de l'ambassade, sans prendre le temps du bain dont il rêvait depuis la veille.

Le ministre iranien l'accueillit debout dans son bureau, signifiant d'emblée que la réunion allait être très courte.

— Nos accords sont annulés, fit-il simplement d'un ton glacial.

L'ambassadeur français ne put masquer sa surprise.

— Pardon ?

— Oubliez tout cela et rentrez à Paris.

— Je... Je ne comprends pas. Qu'est-ce qui a changé depuis hier soir ?

— Rien n'a changé, je romps l'accord, c'est tout.

— Mais...

— Je suis désolé, monsieur Rouleau, je n'ai pas plus de temps à vous consacrer.

L'ambassadeur français, abasourdi, se laissa conduire vers la sortie.

Dans la salle d'attente, Mohammed Sadegh, conseiller du ministre, lui expliqua d'un air embarrassé qu'une voiture l'attendait devant le ministère et allait le conduire à l'aéroport.

— Qu'est-ce qu'il s'est passé, Mohammed ? Je ne comprends pas.

— Je suis désolé, Éric. Vos propositions étaient trop modestes.

— Mais... Elles semblaient vous convenir hier soir !

— C'était hier soir...

— Mais qu'est-ce qu'il s'est passé, bon sang ? Mohammed ! Nous étions si près du but !

— Monsieur le ministre a acquis la certitude qu'il pourrait bientôt obtenir meilleure satisfaction avec de nouveaux interlocuteurs.

— Pardon ?

— Il ne veut plus entendre parler d'un émissaire français avant le 16 mars. Je ne peux rien vous dire de plus, Éric, je suis désolé.

Rouleau, abattu, ferma les yeux. L'explication était plus claire, à présent. Trop claire, même. Le 16 mars, c'était la date des élections législatives. Une fois de plus, il semblait que l'opposition était parvenue à s'imposer auprès des Iraniens comme un meilleur interlocuteur. Et la libération des otages, qui avait semblé si proche, était de nouveau ajournée.

Incapable d'ajouter quoi que ce fût, l'ambassadeur français grimpa dans la voiture qui allait le ramener vers la France, les poches vides et le cœur lourd.

# 40

## 16 mars 1986, Sathonay-Camp

— Eh bien, Olivier, quand vous avez une idée dans la tête, vous ne l'avez pas ailleurs ! Bon. Je reconnais qu'il est... intéressant, affirma le général Émin en éteignant le petit écran où il venait de regarder les enregistrements de Marc Masson. Bonne culture générale, QI nettement au-dessus de la moyenne, mais...

— Il a toutes les qualités requises, le coupa Dartan. Il a l'habitude de travailler seul, il fait preuve d'honnêteté intellectuelle dans ses interviews, il a une mémoire étonnante, photographique, même, et il a une bonne aisance dans le discours, ce qui est essentiel pour la clandestinité. Son parcours et sa réaction aujourd'hui prouvent aussi qu'il a une bonne résistance au stress, qu'il sait garder son calme, et qu'il a, comme on dit chez nous, de la rusticité. C'est un dur au mal. Enfin, ses états de service sont étonnamment bons. J'ai récupéré ses dossiers à Saint-Maixent et au régiment. D'excellentes notes en tir, en combat rapproché...

— Des états de service remarquables ? Vous trouvez ? Ça s'est quand même terminé par une désertion, Olivier ! Et s'il y a bien une chose que je déteste, ce sont les déserteurs.

— Certes. Je pense simplement qu'il n'était pas fait pour rester dans un régiment d'infanterie classique. Et il a certainement beaucoup appris, pendant sa cavale...

— Je me méfie des gens qui ne vont pas au bout de leurs engagements. Ce genre de types peut vous claquer dans les doigts à n'importe quel moment.

— C'est un idéaliste, général.

— C'est surtout un communiste révolutionnaire !

— Et alors ?

— Reconnaissez que c'est pas le meilleur profil pour finir chez nous.

— Sans vouloir vous contredire, on a tout de même quelques collègues qui ont fait leurs premières armes aux JCR, eux aussi... C'est pas une école inintéressante.

— Nous ne devons pas avoir les mêmes valeurs...

— Une chose est sûre, il a la tête sur les épaules.

— Il m'a l'air très dispersé.

— Je ne pense pas. Il a simplement besoin de croire à ce qu'il fait. Je vous l'ai dit, c'est un idéaliste. Son *credo*, c'est de se mettre au service des plus faibles. Un peu comme nous, en fait...

— Bien sûr...

— Après sa mission à la Finul, le 99e régiment l'a ramené à Lyon, et il passait ses journées à n'avoir rien de mieux à faire que de nettoyer des chars. On peut comprendre qu'un type comme lui ait eu envie d'aller voir ailleurs...

— C'est un peu trop facile. Il aurait pu chercher à évoluer au sein de l'armée. Venir toquer à notre porte de sa propre initiative, par exemple.

Dartan se leva pour faire quelques pas dans le petit bureau qu'on lui avait prêté au camp militaire.

— Il y a quelque chose chez lui qui me dit que c'est exactement l'homme dont on a besoin à Beyrouth. Et, cerise sur le gâteau, il connaît déjà le Liban. C'est... une perle rare.

— Vous savez que j'ai tendance à faire confiance à votre instinct, Olivier, mais là, vous prenez quand même un sacré risque. Il ne m'a pas l'air d'être particulièrement respectueux de l'autorité.

— Je n'en suis pas si sûr. Je crois, au contraire, que c'est un soldat redoutable, quand il est entre de bonnes mains.

— Les vôtres, vous voulez dire ?

Dartan haussa les épaules.

— Je pourrais continuer de l'évaluer pendant sa formation, éprouver ses motivations...

— Vous m'avez dit vous-même que vous en aviez besoin rapidement. On n'aura jamais le temps de le former.

— C'est l'affaire de six ou sept mois, général.

— Les Alpha font au minimum dix mois.

— Oui, mais lui, il a déjà de très bonnes bases. Et il a un avantage sur les Alpha : il ne vient pas de chez nous. Visiblement, il est capable de se débrouiller tout seul dans le civil.

— En assassinant un mafieux dans la jungle amazonienne ?

— C'est plutôt un bon point, si j'ose dire.

— Sauf que ça a mal fini.

— Parce qu'il n'avait pas de soutien logistique. Mine de rien, il a quand même survécu après avoir traversé la jungle tout seul à pied ! Si on lui donne les moyens, et si on lui apprend encore deux ou trois trucs...

— Ça fait beaucoup de « si ».

— Certains des Alpha que le SA a formés à Cercottes avaient des profils encore plus incertains, au départ.

— Mais ce sont des gars de chez nous, Olivier, des hommes volontaires, impliqués, pas des déserteurs.

Dartan écarta les bras d'un air désolé.

— C'est le prix à payer pour trouver un homme qui sorte de l'ordinaire. Et puis, l'inconvénient avec les militaires de service, sans vouloir vous offenser, c'est qu'on les reconnaît trop facilement. Jargon, tiques, attitudes... Lui, il a eu le temps de se débarrasser de tout ça. Il sera plus facile à faire entrer dans la clandestinité.

— Ses réponses au test de Rorschach laissent penser qu'il est complètement obsédé par le sexe. Il n'y a rien de plus dangereux, en mission, qu'une personne trop portée sur le sexe. C'est la pire des failles pour la compromission.

— Dans plusieurs cas, une certaine liberté sexuelle peut aussi être un avantage, répliqua Dartan. Et je crois qu'il en rajoutait, pour se foutre un peu de nous.

Le général secoua la tête en souriant.

— Vous n'aimez pas qu'on vous dise non, hein, Olivier ?

— Pas quand je suis sûr d'avoir raison. C'est *ce type* qu'il nous faut.

— Qu'en pense votre chef de poste ?

Dartan grimaça. Il ne pouvait pas mentir.

— Le colonel Gautier n'est pas très chaud, lui non plus... Mais il ne l'a pas rencontré. Ce type, quand je l'ai en face de moi, je sens dans mes tripes qu'il est fait pour ça. C'est comme s'il était déjà de la maison.

Le général Émin soupira, regarda sa montre et retourna allumer le petit poste de télévision. Il appuya sur la deuxième chaîne et monta légèrement le son.

Les bureaux de vote venaient de fermer dans la France entière. Le visage du journaliste d'Antenne 2 apparut sur l'écran, annonçant les premières estimations des élections législatives : les listes unies de l'opposition, RPR, UDF et Divers droite, semblaient avoir remporté la majorité, de peu. Si la chose se confirmait, le président de la République allait devoir, conformément à la Constitution, nommer un Premier ministre issu de l'opposition. Une première dans l'histoire de la Cinquième République.

— Pas de surprise, lâcha le général en éteignant le poste.

— Ça va être un sacré bordel.

— Pas plus que d'habitude.

— Une chose est sûre, le nouveau Premier ministre va vouloir accélérer les choses avec les otages au Liban. Ça fait des mois qu'ils... préparent le terrain.

— Qu'ils ont miné le terrain, vous voulez dire ?

Dartan sourit.

— Vous êtes au courant pour Éric Rouleau ? demanda-t-il d'un air intrigué.

— Bien sûr. Le spectacle continue. Et pendant ce temps-là, les otages pourrissent dans l'indifférence.

— Justement. On peut pas rester sans rien faire. Ils ont besoin de nous.

Le directeur du Renseignement retourna vers le bureau et jeta un dernier coup d'œil au dossier de Marc Masson. Il sembla réfléchir un instant, puis releva la tête vers son collègue et le dévisagea longuement.

— Il sera sous votre entière responsabilité, Olivier. Au moindre dérapage, c'est vous qui sautez. Ni moi, ni votre chef de poste. C'est *votre* poulain. Aucun lien avec nous.

Dartan acquiesça.

— Aucun lien avec nous.


# 41

## 17 mars 1986, Sathonay-Camp


— Je me suis beaucoup inquiété, Marco. Beaucoup.

La voix de Papi José submergea Marc d'émotions confuses. Il éprouvait à la fois de la joie, de la nostalgie, de la honte et de l'inquiétude... Et tout cela se mélangeait aux images que le souvenir de son grand-père ramenait à son esprit.

Masson, les yeux fermés, se laissa glisser le long du mur, le combiné du téléphone collé contre la joue. Le mystérieux Olivier lui avait accordé le droit de passer un appel en Bolivie, un seul. Et il avait cinq minutes, pas une de plus.

— Je suis désolé, Papi. J'ai pas pu t'appeler plus tôt. Il s'est passé tellement de choses...

— C'est ta mère qui m'a annoncé que t'avais été rapatrié en France. Et que t'avais failli mourir...

Était-ce la voix de Papi qui avait changé, ou bien était-elle simplement déformée par le téléphone ? Elle lui semblait faible, abîmée.

— Je vais bien maintenant, Papi, je vais bien.

— T'es solide, mon garçon, n'est-ce pas ? Et t'es où, maintenant ?

— À côté de Lyon, dans le camp militaire.

— Tu vas faire de la prison ?

— Je sais pas. Peut-être.

— T'aurais dû venir me voir, Marco. Qu'est-ce qu'il s'est passé au Brésil ?

— Des aventures.

— As-tu fait des choses dont tu puisses avoir honte ?

— Non. Je crois pas. À part peut-être que je suis pas venu te voir.

— T'as appelé ta mère ?

— Non.

Un silence passa.

— T'es trop dur avec elle. Je l'aime, tu sais ? C'est ma fille…

— Je sais. Je l'aime aussi, sans doute. Mais c'est compliqué. Mais toi, comment tu vas, papi ?

— Eh bien, je vais comme un vieillard, tiens ! Il recommence à faire chaud, ici. Plus je vieillis, moins je supporte la chaleur. Je reste à l'ombre, je me terre comme un tatou des Andes.

Marc sourit en imaginant le petit mammifère, roulé sous sa carapace, en train de se pelotonner sur un tapis de feuilles au fond de son terrier.

— Tu me manques, Papi.

— Toi aussi, tu me manques, mon Marco. Le fils du voisin, le petit dernier, il me fait penser à toi. Comment qu'il s'appelle, déjà ?

— Alejandro.

— Oui, c'est ça. Alejandro ! C'est un sacré garnement, celui-là. L'autre jour, il a cassé ma belle amphore devant la maison, en fonçant dedans avec son vélo. Tu te souviens, le jour où t'avais cassé les carreaux de la chambre de Mme Sedeño, en tirant au lance-pierres ?

— Oui, je me souviens. Je croyais que c'était une vieille fenêtre du grenier.

— T'avais fait un vrai carnage, oui ! Il y avait du verre partout dans sa chambre, la pauvre !

— Tu m'avais passé un sacré savon, Papi !

— Je ne suis pas sûr que tu sois beaucoup plus sage aujourd'hui, Marco.

— Pas beaucoup plus, non.

— Ah… Sage, ce n'est pas grave. Ce sont les fous qui font avancer le monde. Les sages ne font que nous ralentir. Mais est-ce que tu es digne, au moins ? Est-ce que tu es droit, Marco ? Est-ce que tu es fidèle aux choses auxquelles tu crois ?

— Je sais pas, Papi…

— Il n'y a que cela qui compte, mon petit. Ne laisse jamais personne t'enlever ta dignité, et surtout pas toi-même.

— J'essaie.

— L'essentiel, c'est pas de gagner, mais de lutter.

— Je ne suis plus très sûr des combats que je dois mener, Papi. Je crois que je me suis un peu perdu.

— Oh… Il manque simplement une femme dans ta vie, mon garçon. T'as pas une amoureuse ?

Marc sourit.

— Non.

— Eh bien voilà. C'est ça qu'il te manque ! L'intelligence d'une femme pour te guider.

Un militaire entra de nouveau dans la pièce et fit signe à Masson qu'il était temps de raccrocher.

Marc prit une profonde respiration.

— Je dois te laisser, Papi.

— Viens me voir bientôt, Marco. Je serai pas là encore bien longtemps, tu sais…

— Je suis sûr du contraire. Les types comme toi n'abandonnent jamais. Mais je viendrai te voir dès que possible. C'est promis.

— Et reste digne. Toujours.

Le militaire s'approcha et coupa la conversation d'une pression de l'index. Marc s'efforça de ravaler la boule qui lui brûlait la gorge et tendit les mains devant lui pour se laisser passer les menottes.

# 42

## 17 mars 1986, Paris

Le long TGV orange Paris-Lyon n°627 quitta la gare parisienne peu avant 15 heures, dans le bruit caractéristique des moteurs électriques.

La rame venait d'entrer dans le département de l'Essonne et roulait à la vitesse de 140 kilomètre à l'heure quand, à 15 h 12 précisément, une puissante détonation se produisit dans le compartiment à bagages de la voiture 06.

Les vitres alentour volèrent en éclats sous le souffle de l'explosion. Le bruit sec et sourd se fit entendre jusque dans les deux wagons adjacents, avant que l'odeur de brûlé et la fumée ne les envahissent totalement.

Le conducteur effectua aussitôt un freinage d'urgence et parvint à arrêter le train à proximité de la ville de Brunoy, sans dérailler.

Les secours arrivèrent rapidement sur place, évacuant cinq blessés légers, alors que les artificiers de la police scientifique effectuaient déjà leurs prélèvements pour identifier l'explosif. Une base de C4, mélange d'octogène et d'hexogène, identique à celle des bombes précédentes.

À peine plus d'un mois s'était écoulé depuis le dernier attentat parisien, et la même gravité se lisait sur le visage des voyageurs.

La série n'était donc toujours pas terminée.

# 43

## 17 mars 1986, Sathonay-Camp

— Nous avons peut-être quelque chose à vous proposer.

— « Nous » ? Qui ça, « nous » ? demanda Marc Masson d'un air amusé en dévisageant l'homme qui se faisait appeler Olivier.

— Vous n'avez vraiment pas une petite idée ?

— Eh bien, comme ça, je dirais que ça sent le barbouze à plein nez… DST ?

— Non.

— DGSE ?

Dartan se contenta de sourire.

— Je vois. Bon. Et donc, qu'est-ce que vous avez à me proposer ?

— Une issue de secours.

Masson hocha la tête, presque satisfait. On y était enfin. Cela faisait plusieurs jours qu'il attendait ce moment.

— Laquelle ?

Dartan prit une profonde inspiration et posa les deux mains sur le bureau.

— Vous connaissez le Service Action ?

— Évidemment.

— Ce que j'ai à vous proposer ressemble un peu à ça, mais sous une forme moins officielle et beaucoup plus… solitaire.

— J'ai toujours aimé travailler seul. Et ça consisterait en quoi, ce travail solitaire ?

— Diverses opérations clandestines, essentiellement au Liban, que vous connaissez déjà grâce à votre mission à la Finul.

— Quel type d'opérations ? insista Masson.

— De l'obtention de renseignements par la capture de matériels dits sensibles, des opérations « arma », qui consistent en du sabotage ou de la destruction de matériel et, éventuellement, en dernier recours, des opérations plus... délicates.

— N'y allez pas par quatre chemins.

— À titre très exceptionnel, il se peut qu'un agent ait à mener une opération « Homo ».

— Homo ?

Dartan soupira.

— Oui, comme « homicide ».

Marc pencha la tête d'un air faussement admiratif.

— Le type qui se charge de vos abréviations est vraiment doué !

— La DGSE a toujours eu un sens de l'humour un peu particulier... Mais nous ne sommes pas là pour faire de la communication. Parfois, les Services peuvent avoir besoin de voir disparaître une personne qu'on ne peut pas... *neutraliser* autrement.

— Je suppose que tous les grands pays en font autant...

— Officiellement, la France ne le fait pas. Mais disons qu'il arrive que certains individus représentant une menace pour la sûreté nationale disparaissent mystérieusement. C'est ce qu'on appelle la raison d'État.

— Un accident est si vite arrivé... Et les cibles sont ?

— En grande majorité des terroristes.

— En grande majorité... Donc, si je comprends bien, vous êtes en train de proposer à un déserteur un boulot d'assassin au sein du Service Action ? Je vous avoue que j'ai un peu du mal à y croire...

— Ce ne serait pas au sein du Service Action, ni même de la DGSE. Vous seriez un agent clandestin, extérieur, ponctuel. Nous recherchons quelqu'un qui sorte de l'ordinaire.

— Je suis extraordinaire, plaisanta Marc.

— On peut dire ça. Mais ne vous emballez pas, Masson, pour l'instant, je ne vous propose pas un *boulot*, comme vous dites, mais une formation. Si vous acceptez, on fera en sorte que vos prouesses en France et au Brésil disparaissent des archives.

— Quel genre de formation ?

— Après le fiasco du *Rainbow Warrior* l'an dernier, la direction a décidé de réorganiser un peu les Services.

— Tu m'étonnes !

Dartan sourit à son tour et Marc fut rassuré de voir qu'il avait affaire à un type qui avait tout de même un peu d'humour. La chose n'était pas gagnée d'avance.

— On a mis en place une formation spécifique pour ce qu'on appelle les agents Alpha. C'est cette formation que vous suivrez, mais en candidat libre, si je puis dire. Votre travail commencera là où les lois de la République ne peuvent plus protéger notre pays.

— Qui donne l'ordre ?

— Officiellement, personne. La règle d'or, c'est qu'il ne peut exister aucune trace entre vous et nous. Mes collègues ne connaîtront même pas votre identité.

— Mais vous, vous la connaissez.

— Je suis et resterai le seul, avec mon supérieur hiérarchique. Tout comme vous ne connaîtrez jamais le nom des autres agents, si vous nous rejoignez. Ou le mien. À vrai dire, si on finit vraiment par utiliser vos services, il se peut que vous ne soyez jamais amené à rencontrer quiconque au sein de la Boîte, en dehors de moi et de l'instructeur qui assurera votre formation.

— J'espère qu'on va s'entendre, alors. Et qu'est-ce qui me prouve que vous êtes bien de la DGSE, dans ce cas ?

— Vous vous doutez bien que si je suis ici et que vous n'êtes toujours pas en prison, c'est que je dispose tout de même d'une certaine latitude...

— On dirait, oui.

— C'est une histoire de confiance, Marc. Vous resterez entièrement clandestin. Des identités fictives, pas de consigne écrite, pas de rapport, pas de comptabilité, mais surtout, pas de protection : si les choses tournent mal, on ne peut évidemment pas invoquer les conventions de Genève sur ce type d'action. Les agents clandestins sont tout seuls, point final. En cas de problème, les Services ne s'impliqueront jamais. Il faut bien que vous compreniez ça, et que vous l'acceptiez. On ne veut pas d'un deuxième *Rainbow Warrior*.

Marc, reprenant son sérieux, hocha la tête en signe d'approbation.

— Ça me paraît normal.

— Tant mieux. En contrepartie, c'est un boulot excitant, unique, intense, où vous servirez réellement les intérêts du peuple français, et c'est plutôt bien payé, et... en liquide.

Marc sourit.

Dartan laissa passer un moment de silence, puis il soupesa le dossier posé devant lui.

— Voilà. Je vous ai tout dit. Maintenant, vous avez le choix, Masson. C'est à vous de décider de ce que je fais de ce dossier. Soit vous acceptez de suivre cette formation et je le garde, soit vous refusez et je le transmets au procureur, et votre sort ne dépend plus de moi, mais de la justice.

— C'est un peu court, comme temps de réflexion.

— Le temps est malheureusement un bien dont on dispose très peu, en ce moment. Vous n'êtes sans doute pas au courant, mais il vient d'y avoir une nouvelle prise d'otages à Beyrouth, et un nouvel attentat en région parisienne. Dans un TGV. On a du pain sur la planche. Et si ça vous intéresse pas, j'ai d'autres candidats.

Marc songea alors aux années passées, à son parcours sinueux, à ses espoirs et à ses échecs. Sa désertion, ses déboires au Brésil... L'envie de se mettre tout entier au service non pas de l'État mais plutôt de son prochain ne l'avait toujours pas quitté. *Servir à quelque chose*. L'armée lui avait apporté bien des désillusions, et il n'avait devant lui aucune perspective. Pas d'emploi, pas de femme, et presque plus d'argent. Et même si son père lui manquait, retourner chez ses parents n'était évidemment pas une option.

— Ça *pourrait* m'intéresser.

— Il va d'abord falloir nous prouver que vous en êtes capable. On a besoin d'une personne infaillible, loyale, engagée, qui adhère entièrement à la cause commune. Quelqu'un pour qui les intérêts du pays passent avant les siens. Je ne vous cache pas que certaines personnes dans mon entourage sont un peu inquiètes à cause de votre parcours passé...

— On peut être révolutionnaire et patriote, vous savez ?

— Je le sais parfaitement. D'ailleurs, par les temps qui courent, le patriotisme est presque devenu révolutionnaire. Mais vous êtes aussi un déserteur, Masson. C'est un acte beaucoup moins patriotique...

— J'avais pas l'impression d'être utile, dans l'armée. Je pense pas que je leur manque beaucoup.

— Nous, on veut une personne humble, un homme qui ne recherche pas la gloire ou les récompenses. Il n'y en a aucune.

— J'ai jamais été attiré par la célébrité.

— Et il faudra que vous appreniez à rester dans les clous.

— Tout dépend où vous plantez vos clous. Qu'est-ce qui se passe quand vous demandez à un agent d'exécuter une mission qui est contraire à sa conscience ? On a le droit de refuser ?

— Non. Mais je connais très bien votre conscience politique, monsieur Masson. Je ne vous parlerais pas de tout ça si je pensais qu'il puisse y avoir une incompatibilité. Croyez-moi, j'ai le sentiment de vous connaître un peu et je suis persuadé que vous n'aurez aucun problème de conscience, concernant nos... clients. En revanche, une fois que vous aurez accepté, il n'y a plus de recul en arrière possible. Plus de questions. Vous devez agir avec sang-froid, sans état d'âme.

Masson laissa passer un long moment de silence.

— Pas de femme, pas d'enfant, lâcha-t-il finalement.

Dartan acquiesça lentement. Il comprit – en même temps que Masson le comprenait lui-même – que son interlocuteur venait d'accepter.

— Pas de femme, pas d'enfant, confirma-t-il.

— On commence quand ?

L'officier sortit une petite enveloppe de sa sacoche. Il la tendit à Marc. Dedans, cinq jolis billets de 500 francs, une clef, et une carte d'identité toute neuve, à son nom.

— On va vous déposer dans un petit studio à Lyon, où vous pourrez rester pendant tout le temps de votre formation. On vous a refait vos papiers, puisque vous n'en aviez plus. Et vous avez de quoi tenir quelques semaines.

— C'est trop aimable. En gros, vous saviez déjà que j'allais accepter ?

— J'ai l'habitude d'être prévoyant. On vous appellera bientôt pour commencer la formation.

Marc regarda la clef d'un air sceptique.

— Et je peux partir comme ça, maintenant ? Je suis libre ?

— La liberté est un concept bien trop compliqué pour que je puisse répondre à cette question à votre place. Mais pour ce qui est du Brésil et de l'armée, disons qu'on s'occupe de vous couvrir. Jusqu'à nouvel ordre.

Marc fit un signe de tête vers son dossier.

— Vous allez garder ça longtemps comme une épée de Damoclès au-dessus de ma tête ?

— Jusqu'à ce que vous finissiez votre formation. Si vous y parvenez, tout ça disparaîtra définitivement à la poubelle. Dernier petit détail : à partir de maintenant, on n'utilisera plus jamais le nom de Marc Masson.

— Ah. Et je m'appelle comment ?

— Pour l'instant, vous n'aurez qu'un nom de code : Hadès.

Marc se retint de rire.

— Hadès ? Le dieu des Enfers ? C'est un peu ridicule, non ?

— Il paraît qu'il était capable de devenir invisible. Vous allez en avoir besoin.

# 44

## 18 mars 1986, Paris

Olivier Dartan gara sa voiture près de l'élégante fontaine et confia ses clefs au voiturier. Il se laissa ensuite guider à l'intérieur du restaurant Laurent, cet ancien pavillon de chasse niché au cœur des jardins du rond-point des Champs-Élysées, à l'abri des regards et des bruits de la foule qui, à l'approche du printemps, arpentait déjà la plus belle avenue du monde.

L'officier traversa les salles successives du luxueux établissement, au milieu des colonnes, tableaux de maîtres et épais rideaux qui donnaient aux lieux un charme désuet. Depuis la veille, il ne cessait de penser à sa nouvelle recrue. Avait-il fait le bon choix ? Ne prenait-il pas un risque énorme avec un homme comme Marc Masson ?

Déjà installés à une table isolée, près des hautes fenêtres qui donnaient sur le jardin arboré, le commissaire de la DST, Arnaud Batiza, et Jean-Christophe Castelli – l'homme qui les avait invités – l'attendaient en dégustant un apéritif.

— Messieurs…

Dartan prit place en face de Castelli, un homme qu'il avait eu l'occasion de rencontrer deux ou trois fois, et à l'égard duquel il n'éprouvait guère une grande estime, mais plutôt une certaine méfiance. Ancien du SAC[1], militant d'extrême droite dans sa jeunesse, cet homme de l'ombre au bras long avait été recruté très jeune au SDECE, ancêtre de la DGSE, avant de suivre une jolie carrière au sein de grandes entreprises du secteur privé. À l'évidence, compte tenu du large réseau dont il jouissait, Dartan se doutait que ce Corse influent allait tenir quelque rôle d'importance – fût-il officieux – au sein du nouveau gouvernement, très probablement du côté du ministère de l'Intérieur.

Même si plusieurs noms avaient été évoqués, de Simone Veil à Jacques Chaban-Delmas, depuis quelques heures, la véritable identité du prochain Premier ministre n'était plus un mystère pour personne. À cet instant précis, le président Mitterrand

---

1. Service d'Action Civique, association créée sous le général de Gaulle, notamment par Charles Pasqua et Jacques Foccart, souvent qualifiée de « police parallèle »…

était en train de s'entretenir avec Jacques Chirac à l'Élysée, à quelques pas de là, pour se mettre d'accord avec lui sur le fonctionnement de leur cohabitation à venir.

— Comment va ce cher général Émin ?

À l'origine, Castelli avait en effet présomptueusement demandé à rencontrer deux pontes des Services, le directeur des Renseignements à la DGSE, et le directeur de la division Moyen-Orient de la DST. D'un côté comme de l'autre – l'homme n'ayant encore aucun statut officiel – on avait poliment décliné, mais consenti à lui envoyer Batiza et Dartan, au cas où... Une habile manière de remettre le Corse à sa place, sans pour autant fermer la porte à une éventuelle future entente cordiale...

— Il va bien. Il est désolé de ne pas pouvoir être là, mais vous vous doutez qu'il a un planning chargé en ce moment. Et, comme j'étais à Paris, il m'a demandé de le représenter.

— Oh, mais rassurez-vous, je suis tout aussi content de vous voir vous, Olivier.

— Et moi, je suis curieux de vous entendre, monsieur Castelli. Dites-moi, c'est vous qui payez le repas ?

Le Corse éclata de rire, s'attirant les regards de quelques autres convives. Le restaurant, comme souvent, comptait sans doute plusieurs personnalités politiques, et probablement du haut personnel de l'Élysée, devant lesquels l'homme d'affaires devait prendre un malin plaisir à parader ainsi au lendemain des élections.

— Oui, rassurez-vous, c'est moi qui invite !

— Sur vos propres deniers, ou bien vous pouvez déjà faire des notes de frais au ministère de l'Intérieur ?

— Je vois que vous n'avez rien perdu de votre sens de l'ironie. Ce sera sur mes propres deniers,

Olivier. Mais, qui sait ? La prochaine fois, ce sera peut-être, en effet, aux frais du contribuable.

— Dans ce cas, la prochaine fois, je préférerais qu'on se retrouve dans un restaurant un peu plus abordable. Je crois que nous avons une vision très différente de l'éthique républicaine...

— Eh bien, pour l'instant, profitez-en, répliqua le Corse en lui tendant la carte du restaurant. Faites-vous plaisir ! La salade de homard du chef Pralong est fabuleuse...

— On est ici pour parler gastronomie ?

— Pourquoi pas ? Je tenais à ce que nous fassions plus ample connaissance tous les trois, car nous risquons en effet d'avoir très bientôt à travailler ensemble.

— C'est marrant, quelque chose me dit qu'on a déjà travaillé l'un à côté de l'autre, mais pas tout à fait dans la même direction.

Castelli fronça les sourcils.

— Ah oui ?

— Je ne peux pas m'empêcher de penser que vous avez joué un rôle décisif dans les manigances qui ont fait capoter nos discussions avec Husseini, l'émissaire iranien venu à Paris pour négocier la libération des otages français...

— Je ne vois pas de quoi vous voulez parler, Dartan.

Son sourire cynique disait le contraire.

— Bon, intervint Batiza d'un air blasé, ce n'est pas que vos petites joutes verbales m'ennuient, mais on pourrait peut-être laisser ça de côté, et parler concrètement d'avenir.

— Le CSPPA a réservé un bel accueil à vos amis de la nouvelle majorité, reprit Dartan sans changer de ton. Une bombe dans un TGV le lendemain même des élections, le message est plutôt clair : votre offre à vous ne les a pas plus convaincus que celle du gouvernement précédent.

— Les choses seraient plus simples si, depuis des mois, vos services avaient trouvé quelque chose de concret au sujet de ce mystérieux CSPPA. Avez-vous la moindre piste sur leur identité ?

— Dartan pense qu'il s'agit en réalité d'une branche du Hezbollah, répondit Batiza. Un autre nom du Djihad islamique, en somme. Ça se tient.

— Quelque chose vous permet de l'affirmer ?

— La logique.

— Ça ne suffit malheureusement pas.

Un serveur arriva à cet instant pour prendre leur commande. Dartan, qui voulait imprimer son style, choisit volontairement l'entrée la moins chère et demanda qu'on lui serve seulement de l'eau en carafe. Batiza, lui, se montra beaucoup moins raisonnable.

— En gros, vous nous avez invités pour savoir où on en était sur le CSPPA ?

— Quelque chose me dit que la passation d'informations entre les deux gouvernements successifs va être compliquée.

— Vous aurez certainement un rapport circonstancié de l'avancée de nos enquêtes respectives quand vous entrerez en fonction, Jean-Christophe. Un peu de patience. Je suis sûr que c'est une affaire de deux ou trois jours. Et si c'est ce qui vous inquiète, je peux vous rassurer, personnellement, je suis pas du genre à retenir des informations. Le sort du peuple français m'intéresse beaucoup plus que la composition d'un gouvernement. Et je suis sûr qu'il en va de même pour la DST.

— Absolument, confirma Batiza en levant son verre de Mouton Rothschild pour trinquer.

Castelli tendit son verre à son tour.

— Mitterrand n'a jamais caché sa méfiance vis-à-vis des Services, et en particulier du vôtre, Olivier. Je suis là pour vous rassurer : le nouveau gouvernement aura bien plus de bienveillance à votre égard. Après tout, je viens de la même maison.

— C'est plus tout à fait la même…

— Peu importe. J'ai gardé une certaine affection pour la Boîte.

— Ça tombe bien, dans le contexte actuel, la Boîte a besoin de plus de fonds. On manque de personnel.

— Je militerai en ce sens. Je vous l'ai dit, l'idée est que nous puissions travailler mieux ensemble.

— Vous m'en voyez ravi, affirma Dartan sans conviction.

— Le futur ministre de l'Intérieur sera bien plus investi dans ces dossiers, et avec plus de poigne…

— Avec seulement deux ans avant la présidentielle, je me doute que vos petits copains ont besoin d'obtenir rapidement des résultats.

— Ça vous pose problème ?

— Oh, vous savez, moi, la politique politicienne ne m'intéresse pas beaucoup. Si le gouvernement se met à traiter sérieusement ce dossier, que ce soit pour des raisons politiques, je m'en contre-fous. Mais j'ai tendance à penser que ces affaires devraient être traitées par des fonctionnaires, pas par des politiques. Les politiques sont toujours dans une logique d'urgence, ils pensent d'abord à leur réélection. Et le terrorisme, ça se traite pas dans l'urgence, c'est une lutte de longue haleine.

— Nous ferons ce qu'il faut pour soutenir le travail des fonctionnaires. Et si c'est le Hezbollah qui est derrière tout ça, nous l'écraserons.

— Voilà qui est bien ambitieux.

— À mon époque, quand la Boîte voulait anéantir un mouvement comme celui-là, on livrait des armes aux factions ennemies, on les soutenait, on les entraînait, bref on les aidait à mettre la pâtée à ceux qui nous emmerdaient. Point final.

— Le SA a envisagé cette solution mais, dans la situation actuelle, c'est bien trop risqué pour les otages. Les affrontements entre les milices sont déjà bien assez lourds comme ça et, chaque fois que quelqu'un attaque le Hezbollah, nos otages sont mis en danger.

— Nous trouverons une solution, répéta Castelli.

— Et on a déjà un nom, pour ce futur ministre de l'Intérieur ? risqua Batiza.

— Patience, il sera annoncé dans les prochains jours.

— Laissez-moi deviner : c'est un ancien humaniste du SAC, lui aussi ?

Castelli éclata de rire une nouvelle fois.

— Patience, je vous dis !

# 45

## 18 mars 1986, Lyon

Marc, enfoncé dans le canapé-lit, les pieds posés sur la table basse, regardait, sans vraiment les voir, les images qui s'enchaînaient sur le petit poste de télévision. Il était question de Jacques Chirac et de sa très probable nomination au poste de Premier ministre.

Le studio, à quelques pas de la place Bellecour, venait visiblement d'être refait à neuf. Ses murs, d'un blanc immaculé, étaient vierges de toute décoration. Il n'y avait là que le strict nécessaire, le canapé-lit, la table basse, une armoire, un meuble TV et une minuscule kitchenette chichement équipée. On était à deux doigts de la chambre d'hôpital. Mais au fond, ça ne le dérangeait pas. Il y avait quelque chose d'apaisant dans ce dénuement, et il était toujours mieux ici que dans une cellule du camp militaire.

Il soupira. Avec cette proposition de la DGSE, il avait le sentiment d'arriver de nouveau à un grand tournant de son existence, peut-être le plus important, ou en tout cas le plus inattendu. Les services secrets ! Avait-il eu raison de se dire intéressé ? Avait-il vraiment le choix ? À vrai dire, il était plutôt excité. Le poste semblait taillé pour lui. De l'action, de l'adrénaline, et l'impression d'être enfin réellement utile, sur des actions très concrètes. Pour ses concitoyens. Il était presque impatient de commencer. Combien de temps mettraient-ils pour le recontacter ?

Il n'était pas loin de minuit quand, incapable d'apaiser ce tourbillon de questions, et certain qu'il ne trouverait pas le sommeil, Marc décida finalement de sortir du petit studio pour retourner dans cette ville où, malgré tout, il avait gardé quelques bons souvenirs lors de ses années d'armée.

Il flâna quelque temps puis, après avoir traversé le pont Bonaparte dans la fraîcheur de la nuit, en entrant dans le bar du vieux Lyon, il fut heureux de voir l'homme qui, comme il l'avait espéré, était accoudé au comptoir.

Diouf était un grand Sénégalais affable, malin et farceur, taillé comme un rugbyman, le seul camarade que Masson avait gardé de son passage dans l'armée. Le seul qu'il s'était vraiment fait là-bas, à vrai dire, et peut-être même le seul qu'il comptait en France.

— Marc ! s'exclama le grand Noir, incrédule. Putain, Marc ! T'es vivant ?

— Tout juste. J'étais sûr de te trouver ici.

Diouf l'attrapa par les épaules et le serra chaleureusement dans ses bras.

— Mon Dieu ! J'y crois pas ! Ça alors ! Le sergent Masson en personne ! Mec ! J'aurais juré que t'étais en prison, à l'heure qu'il est !

Masson se contenta de sourire.

— Ça alors. Ça s'arrose, bon sang ! Tu payes ton coup, hein ?

— Je vois que t'as pas changé les bonnes habitudes. C'est *toujours* moi qui paye. T'es un crevard, Diouf.

— Je suis pas un crevard, je suis un militaire !

— C'est pareil.

Masson commanda deux verres au barman.

— T'étais où, sacré bonhomme, pendant tout ce temps, hein ?

— En Amérique du Sud.

— Eh bien ! Enfoiré ! T'aurais quand même pu prévenir, hein ! Disparaître comme ça, sans rien dire ! T'es un beau salaud. Qu'est-ce que t'es allé foutre en Amérique du Sud, d'abord ?

— Oh, c'est une longue histoire...

Accoudé au bar près de son ami, il ne lui en raconta que les grandes lignes, se gardant bien d'en dire trop sur les événements récents.

Après l'étrangeté des dernières semaines, Marc était heureux de pouvoir retrouver un visage familier et de se laisser aller à quelque légèreté. Cela faisait au moins trois semaines qu'il n'avait pas bu une goutte d'alcool et, tout simplement, qu'il n'avait pas eu l'occasion de rire franchement. Le caractère enjoué de Diouf était exactement ce dont il avait besoin ce soir-là. Après avoir partagé plusieurs verres avec lui, il se laissa donc entraîner du côté de la Part-Dieu, dans la boîte de nuit à la mode, le Palladium.

Diouf – comme si cela pouvait impressionner son ami – expliqua fièrement que toutes les stars du moment s'y retrouvaient, Jean-Luc Lahaye, Indochine, Jeanne Mas... C'était plutôt le genre d'informations qui aurait donné à Marc l'envie de s'enfuir en courant mais, au fond, ce n'était pas pire que de retourner dans le silence pesant de son petit appartement sans trouver le sommeil. Alors il accompagna son ami et s'amusa de voir le videur à l'entrée le reconnaître instantanément et les laisser passer devant tout le monde comme deux invités de marque.

— J'ai la classe, qu'est-ce que tu veux ?

Dans les tons rouges, quadrillée par les rayons lasers qui balayaient le sol à un rythme frénétique, la boîte respirait le luxe et la débauche bourgeoise. Sur de grands écrans collés aux murs, des images vaguement érotiques tournaient en boucle pendant que la sono vomissait les décibels assourdissants des derniers tubes en date. Après quelques verres, quoique totalement désorienté par ce soudain retour à la société moderne, Marc dut bien admettre qu'il commençait à se sentir bien. Mieux. La boîte respirait le m'as-tu-vu nouveau riche, mais il avait toujours eu un faible pour les lieux nocturnes et il finit par se détendre. Il discuta avec un ou deux piliers de bar en regardant Diouf danser de loin et enchaîna les shots de Jack Daniel's.

Vers 2 heures du matin, les deux amis se retrouvèrent dans le carré VIP de l'établissement, parce que Diouf connaissait un type qui connaissait un type qui connaissait le patron. Ils étaient une demi-douzaine avachis autour d'une table basse sur laquelle des bouteilles d'alcool fort baignaient dans des seaux à glace. Il y avait là trois filles, plutôt jolies, dont deux insatiables piles électriques en minijupes et hauts colorés qui faisaient des allers et retours entre leur table et la piste de danse, où elles se trémoussaient avec Diouf. La troisième, qui semblait être restée, elle, ancrée dans la mode fleurie et désinvolte des années hippies, avait l'air beaucoup moins survolté. Comme Marc, elle regardait avec amusement l'agitation frénétique du Palladium.

— On peut deviner beaucoup de choses sur les gens rien qu'en regardant leur manière de danser, vous trouvez pas ? dit-elle avec un sourire en faisant un geste vers la masse des danseurs qui se noyaient sous les spots multicolores.

Marc regarda Diouf en transe sur la piste, le buste en arrière, les mains en l'air et les hanches collées à celles de sa partenaire, et sourit à son tour. Oui, à cet instant, il imaginait trop bien ce qu'on pouvait deviner de son ami...

— Par exemple, continua la jeune femme, elle, là-bas, je vous parie que c'est une fonctionnaire célibataire, un peu coincée, qui s'ennuie toute la journée dans son bureau.

— Ah oui ?

— Sûre !

— Si vous le dites. Et vous, vous dansez comment ?

— Je ne danse pas, répondit-elle avec un petit regard malicieux.

— Ah bon ? Pourquoi ?

— Je ne voudrais pas que les gens devinent des choses sur moi.

Marc la regarda. Ils étaient plongés dans la pénombre, mais il distinguait de bien jolis traits.

— Vous croyez que j'ai besoin de vous voir danser pour deviner des choses sur vous ?

Elle pivota sur sa chauffeuse pour se mettre face à lui. Ils étaient obligés de parler fort pour couvrir la musique insupportable que crachaient les immenses enceintes.

— Ah ? Et que croyez-vous deviner ? demanda-t-elle sur un air de défi.

Il la regarda un peu mieux, de la tête aux pieds. Oui. Elle était belle. Un visage doux, sans maquillage, des yeux pétillants de malice. Ses vêtements tout

droit sortis de la fin des *sixties* et sa longue chevelure brune, frisottante et décoiffée, accentuaient une
ressemblance troublante avec Janis Joplin. Ce même
nez un peu large, ces mêmes paupières gonflées de
petite fille à peine réveillée, et cette même grâce naturelle, spontanée. Un enchevêtrement inepte d'une
dizaine de colliers plongeait au milieu d'une belle et
libre poitrine, que sa longue chemise froissée laissait
insolemment entrevoir. Elle devait avoir à peu près le
même âge que lui, dans les vingt-cinq ans, et elle ne
portait pas de bague au mauvais doigt.

— Je dirais... Petite bourgeoisie lyonnaise, fille
à papa rebelle, on vous a payé des études de commerce dans une école qui coûtait une blinde... mais
vous avez tout envoyé balader pour aller bosser
dans une association humanitaire, ou plutôt non,
un truc de protection des animaux. Vous essayez de
sauver des pandas !

— N'importe quoi ! Je suis libraire !

— J'étais pas loin. Par les temps qui courent, la
librairie, c'est presque de l'humanitaire. Papa doit
être terriblement déçu.

— C'est pas faux.

Il continua de faire mine de la détailler savamment.

— Hmm... Vous venez de vous faire larguer...

Elle ouvrit grand ses yeux verts et éclata de rire.

— Qu'est-ce qui vous fait dire ça ?

— Trop jolie pour être célibataire depuis longtemps, et vous ne seriez pas seule en boîte à cette
heure, si vous étiez en couple.

— Mon mec se couche tôt.

— Alors c'est un imbécile.

— C'est un flic.

— C'est bien ce que je vous dis.

Elle éclata de rire de nouveau.

— Vous êtes plus drôle que vous n'en avez l'air.

— Ah bon ? Et j'ai l'air de quoi ?

Elle haussa les épaules.

— D'un militaire.

— Je l'ai été, mais plus maintenant.

— Ah, et vous faites quoi, maintenant ?

— Pour l'instant, pas grand-chose. Vous êtes déçue ? Ça vous plaît, visiblement, les mecs avec des armes…

— Qu'est-ce qui vous fait dire que vous me plaisez ?

Marc la regarda droit dans les yeux.

— Les petites gouttes de sueur qui perlent à la naissance de votre poitrine.

La brune resserra le haut de sa chemise et secoua la tête.

— Quelle déception ! Moi qui vous avais imaginé un peu différent…

Ses deux amies ne tardèrent pas à revenir de la piste de danse. L'une des deux se laissa tomber grossièrement sur le fauteuil au milieu d'eux, sortit de son sac un petit pochon de cocaïne et commença à écraser la poudre blanche sur un coin de table avec sa carte de crédit américaine.

Le visage de la belle brune s'assombrit de l'autre côté de la table.

— Bon, désolée les filles, mais c'est mon heure, lâcha-t-elle en se levant.

Ses amies eurent beau insister pour qu'elle reste encore un peu, elle s'excusa, leur fit la bise, envoya à Marc et Diouf un vague salut de la main et disparut comme une étoile filante.

Marc fit mine de ne pas être déçu et accepta la petite paille de fortune roulée dans un billet de 100 francs que lui tendait la blonde écarlate pour priser une ligne de coke.

Il se redressa et essuya nerveusement sa narine alors que Diouf lui faisait un clin d'œil. La poudre était de mauvaise qualité, coupée probablement au bicarbonate de soude, rien à voir avec ce que Marc avait pu goûter en Amérique du Sud. Mais ça suffisait à lui donner envie de rester encore un peu.

Alors le temps s'échappa et sa conscience tout autant.

Il était 4 heures du matin quand, non sans mal, il finit par convaincre Diouf qu'ils devaient rentrer. Les effets de la mauvaise cocaïne s'étaient dissipés depuis bien longtemps et il était épuisé. Ils sortirent en titubant du Palladium.

Quand Diouf le déposa enfin chez lui, Marc se rendit compte qu'il avait oublié de demander son nom à la belle libraire tout droit sortie des *sixties*...

# 46

## 19 mars 1986, Beyrouth

Assis au bord de la piscine de l'hôtel Commodore, Olivier Dartan ne se leva même pas pour accueillir l'homme avec qui il avait rendez-vous.

— Alors, on bronze ?

Sami al-Azem était un ancien des « Tigres », milice du Parti national libéral fondé par des chrétiens laïcs libanais opposés aux forces musulmanes et palestiniennes. Les Tigres, qui avaient disparu en 1980 en étant absorbés par les Forces libanaises, avaient été l'une des plus puissantes milices chrétiennes, comptant jusqu'à quatre mille hommes, grâce au soutien financier et matériel des États-Unis, d'Israël et de la Syrie. Ils avaient aussi acquis une violente et féroce réputation en s'opposant régulièrement aux milices musulmanes lors des nombreux combats et massacres des années 1970.

Officiellement retiré de la lutte armée, Sami, qui avait en son temps dirigé le service de renseignements de la milice, s'était lancé avec succès dans les affaires, mais avait gardé un solide réseau au sein des différentes factions chrétiennes, Phalanges et autres Gardiens des Cèdres. Il entretenait depuis près de quatre ans une relation « cordiale » avec Olivier Dartan, faite d'échanges de bons procédés. Un service contre un service, la maison ne faisait pas crédit. *A priori*, le Libanais ignorait que Dartan travaillait directement pour la DGSE, mais il se doutait probablement que son poste à l'ambassade de France ne se limitait pas à du secrétariat... À vrai dire, les attachés militaires aux ambassades étaient, à raison, souvent considérés, dans le monde entier, au minimum comme fricotant avec les services de renseignement. C'était une sorte de consensus international, une tolérance réciproque, un non-dit d'apparat...

Cette fois, Olivier avait l'avantage, car c'était l'ancien Tigre qui l'avait sollicité pour qu'il lui obtienne un rendez-vous avec un important industriel français.

— Assieds-toi.

— Je t'ai apporté un jus de fruits, annonça fièrement le Libanais en posant deux verres sur une petite table entre les deux transats.

— T'aurais pu apporter du champagne, rétorqua Dartan. T'as rendez-vous avec le directeur régional d'Alcatel demain matin à 10 heures, ici même. Je me suis arrangé avec le patron de l'hôtel pour qu'il vous prête une suite pendant une heure.

— Tu l'as mise sur écoute, c'est ça ?

— Mon pauvre ami, si tu crois que l'ambassade n'a pas autre chose à faire en ce moment que d'écouter les magouilles des businessmen de Beyrouth, il est grand temps que tu visites la planète Terre.

Le Libanais sourit.

— Tu es mon bienfaiteur, Olivier.

— Ça n'est pas gratuit, camarade.

— Je me doute. Qu'est-ce que je peux faire pour toi ?

— L'ambassadeur a besoin d'informations sur cinq types.

Il lui tendit la liste des cinq suspects révélés par les écoutes du Vautour.

— Qui sont ces charmants personnages ?

— Cinq lascars interpellés en France en février. Trois d'entre eux ont été expulsés. Je veux savoir qui ils sont, ce qu'ils font, et où sont les trois qui ont été renvoyés ici.

— Rien que ça ? s'exclama al-Azem.

— Je peux encore annuler ton rendez-vous de demain, si veux…

— Oh là ! Doucement, animal ! Je vais voir ce que je peux faire…


# 47

## 20 mars 1986, Paris


C'était le premier jour du printemps. Et ce fut, pour les médias tout au moins, l'une des journées les plus folles de l'année 1986.

Peu après 17 heures, depuis le perron de l'Élysée, le secrétaire général de la présidence de la République, Jean-Louis Bianco, officialisait enfin la nouvelle que tout le monde attendait depuis plusieurs jours : Jacques Chirac était nommé Premier ministre de la France, devenant *de facto* le premier chef d'un gouvernement de cohabitation dans l'histoire de la V<sup>e</sup> République.

À 18 h 05, le nouveau Premier ministre livrait, en direct de l'Hôtel de Ville – il était toujours le maire de Paris – sa première déclaration devant les caméras de télévision. Un discours grave et volontariste. À ses côtés, la présence de Charles Pasqua laissait peu de doute quant au rôle central que celui-ci allait jouer dans le nouveau gouvernement...

Cinq minutes plus tard à peine – et ce timing serré n'était sans doute pas un hasard – une bombe explosait à l'intérieur de la galerie Point Show, sur les Champs-Élysées, à l'heure de la plus grande affluence. Dissimulé à l'entrée du Café de Colombie, l'explosif souffla toutes les vitrines de la galerie, causa la mort de deux personnes et en blessa vingt-neuf autres, dont neuf grièvement, qui furent emmenées d'urgence à l'hôpital Bichat. Parmi les témoignages, la police releva la description d'un suspect, de type moyen-oriental, portant un pantalon gris et un blouson blanc.

Peu avant 19 heures, alors que Paris était en alerte, un voyageur circulant dans un wagon de seconde classe du RER A, à la station Châtelet, était intrigué par le comportement d'un jeune homme qui avait abandonné sous une banquette un petit sac de voyage en nylon noir. Prudent mais courageux, le voyageur jeta le colis suspect sur la voie et fit immédiatement prévenir la police. Arrivés sur place, les artificiers découvrirent effectivement une bombe à l'intérieur, un explosif particulièrement vicieux, du C4 encore, mais entouré de gros clous. Ils la firent exploser sous cloche. Trois mille à quatre mille personnes se trouvaient dans la station à cet instant.

À 19 h 30, les caméras de télévision filmaient en direct la passation de pouvoir entre Laurent

Fabius et Jacques Chirac sur le perron de l'hôtel Matignon.

À 20 heures, les informations télévisées annonçaient à la France entière la composition du nouveau gouvernement. Pour le ministère de l'Intérieur, Jacques Chirac avait choisi Charles Pasqua, sénateur des Hauts-de-Seine et ancien cofondateur du SAC.

À 20 h 16, le Premier ministre, nommé depuis tout juste cinq heures, se rendait, la mine grave, sur les lieux de l'explosion, en plein cœur des Champs-Élysées.

Le lendemain, le CSPPA revendiquait l'attentat auprès d'une agence de presse à Beyrouth.

Olivier Dartan reçut sur-le-champ un coup de téléphone de Jean-Christophe Castelli. L'homme, à présent, était officiellement conseiller du ministre de l'Intérieur. Les lignes de l'ambassade étant très probablement écoutées par de nombreux pays, ils ne pouvaient trop en dire au téléphone et se contentèrent de rester en surface…

— Il faut croire que vous avez vu juste, Olivier.

— Vous parlez de la nomination de votre copain ou de l'attentat ?

— Eh bien, des deux.

— Ma mère me disait souvent que j'avais toujours raison. Elle n'avait pas tort.

— Vous êtes à Beyrouth encore longtemps ?

— Pour trois jours encore, oui.

— Et vous avez du neuf ?

— Rien de concret.

Rien, en tout cas, qu'il ne puisse dire au téléphone.

— Le ministre tient à ce que Beyrouth devienne une priorité…

Dartan sourit.

— Parlez-moi en dollars, Jean-Christophe.

# 48

## 21 mars 1986, Lyon

Pendant les jours qui suivirent, alors que l'attente fébrile d'un coup de fil de la DGSE le plongeait dans un désœuvrement auquel il n'était guère habitué, la belle et brune hippie du Palladium devint pour Marc une véritable obsession, sans qu'il ne veuille s'en confier à Diouf. Sans doute son ami aurait-il pu l'aider à retrouver la jeune femme, mais Masson préférait garder la chose pour lui. Une fierté mal placée, peut-être.

Ainsi, pendant trois longues journées, comme un adolescent éperdu, il se mit à arpenter les librairies de Lyon, à la recherche de sa mystérieuse inconnue. C'était un peu ridicule, il devait le reconnaître, mais l'idée de pouvoir la retrouver ainsi, au milieu des livres, par un hasard forcé et diablement romanesque, n'était pas pour lui déplaire. Quand une brune apparaissait soudain au détour d'un rayonnage, il éprouvait un petit pincement au cœur mais, chaque fois, la déception le faisait redescendre sur terre : ce n'était jamais elle. La libraire n'était trouvable nulle part.

Au terme de sa quête désespérée, Marc devait avoir visité – non sans un certain plaisir – toutes les librairies de Lyon et une bonne partie de celles des villes voisines, Villeurbanne, Écully, Bron... Peut-être la brune venait-elle de beaucoup plus loin. Ou peut-être lui avait-elle menti et ne travaillait-elle pas dans une librairie. Pour ce qu'il en savait, la traîtresse pouvait aussi bien être une impitoyable employée de banque ! Chaque fois qu'il rentrait bredouille, le soir, dans ce petit studio anonyme du centre de Lyon, Marc se sentait terriblement idiot.

Mais, au fond, c'était agréable de se sentir idiot. C'était léger, de se sentir idiot.

Il n'aurait su dire pourquoi cette femme lui avait fait tant d'effet, en une si brève rencontre. La femme d'un flic... Bon sang, on aurait dit du Brassens ! Quelques mots, quelques regards, une maturité et une fragilité mélangées qui lui avaient donné follement envie d'elle. À vrai dire, la chose était assez déstabilisante. Marc avait toujours préféré les rencontres sans lendemain. Et, pourtant, il ne cessait à présent de revoir le visage de cette belle anonyme, d'entendre son rire. Il lui inventait une vie, lui fabriquait la plus belle des personnalités, et alors elle devenait peu à peu dans son esprit l'incarnation de la femme idéale. Il savait bien que tout cela ne relevait que du fantasme et, pourtant, quelque chose lui disait qu'il ne pouvait pas se tromper. Une histoire de chimie, peut-être. D'alchimie.

Il aurait juste aimé la revoir, pour être sûr.

Marc Masson était de ces hommes qui ne croient pas à la magie du hasard, à la fatalité ; de ces hommes qui ne croient pas aux signes du destin. À vrai dire, il ne croyait en rien, sinon en la science, y compris celle que les hommes ne maîtrisaient pas encore. Les coïncidences les plus troublantes de la vie n'étaient pour lui qu'un effet secondaire de la loi des grands nombres et, pour une seule incidence étonnante, on en connaissait chaque jour des milliers d'ordinaires. Le Destin n'existait pas.

Et, pourtant, le soir du troisième jour, quand il entra dans le bar de la rue des Trois-Maries et que, assise à une table dans la pénombre, il aperçut sa petite libraire à la farouche chevelure, Marc ne put s'empêcher de songer que la science était pleine de poésie.

— Vous n'êtes pas vraiment libraire, hein ?
— Ben, si, pourquoi ?
— Non, pour rien.

# 49

## 22 mars 1986, Beyrouth

Une quinzaine d'années plus tôt, le bar de l'hôtel Commodore eût sans doute été bondé à cette heure-là, mais quand, en ce début de soirée, en pleine guerre civile, Olivier Dartan y retrouva Sami al-Azem, il n'y avait aucun autre client alentour pour les entendre.

— Comment s'est passé ton petit rendez-vous ?

— Plutôt bien, sourit l'ancien milicien des Tigres. Si tu me vois rouler en Rolls Royce l'année prochaine, tu sauras que ça a fonctionné, et tu pourras dire que c'est en partie grâce à toi.

— Fais-moi plaisir, ne me couvre pas de honte et prends plutôt une Aston Martin.

— Si tout marche bien, je pourrai prendre les deux.

— Ah ! Quelle joie de voir qu'il y a toujours des gens comme toi pour s'enrichir dans les périodes de guerre ! ironisa Dartan.

— Les affaires sont les affaires.

— Tu as trouvé ce que je t'ai demandé ?

— Oui.

Olivier Dartan fronça les sourcils en scrutant les mains et les poches de son informateur. Sami semblait n'avoir apporté aucun document.

— Il est où, le dossier ?

— Pas de dossier, camarade. Vu la bande de joyeux drilles sur lesquels tu m'as demandé des tuyaux, je préfère ne pas me balader dans les rues avec ce genre d'informations. Mais rassure-toi, tout est là, dit-il en tapotant son front de son index. Tu n'auras qu'à répéter tout ça à monsieur l'ambassadeur.

— J'espère que tu as une bonne mémoire, alors.

— Redoutable. Tiens-le-toi pour dit, d'ailleurs. Je n'oublie jamais rien.

— Moi non plus, répliqua Dartan, amusé. Alors ?

— Alors, d'abord, je tiens à dire que votre procureur a laissé filer une sacrée bande ! C'est du lourd.

— J'en ai bien peur.

— Il n'y a qu'un seul nom sur lequel je n'ai rien : Lotfi Ben Kahla. Désolé, inconnu au bataillon.

— C'est un Tunisien, expliqua Dartan.

— Sans doute pour ça que j'ai rien trouvé sur lui. Ensuite, il y a Mohamed Mouhajer. Lui, c'est un très gros poisson. Franco-libanais, il a fait des études de théologie à l'université de Qom en Iran, puis de philosophie à la Sorbonne, et son frère est l'un des trésoriers du Hezbollah. Mais il y a mieux : son oncle, tiens-toi bien, c'est le cheikh Ibrahim al-Amin en personne, le leader du Parti de Dieu.

— En effet, on n'avait pas cette information à l'ambassade, reconnut Dartan.

— Sinon, c'est plutôt un intellectuel. Il tient une librairie islamique à Paris, comme tu dois le savoir, rue des Trois-Couronnes. Les rumeurs disent qu'il travaille de près avec les services secrets iraniens, notamment avec Wahid Gordji, attaché de l'ambassade d'Iran à Paris.

— Bien. Ensuite ?

— Ensuite il y a Hussein Mazbouh, qui est tantôt surnommé *Madbouh el Mazbouh*, tantôt *el Madbouh*. C'est un chiite libanais. Lui, c'est un combattant du Hezbollah, spécialisé dans les explosifs.

*Tiens donc !* songea Dartan.

— Il est bien au Liban, mais ne me demande pas où, je n'en ai pas la moindre idée. Ensuite, il y a Hassan Ghosn. Encore un gros poisson, celui-là. Libanais et membre du Hezbollah lui aussi, c'est un proche d'Imad Moughniyah, l'un des plus hauts dirigeants de l'organisation. Il est aussi toujours au Liban, selon mes informations.

— OK.

— Enfin, j'ai fait des recherches sur Ali Ghosn, et là, y a un truc qui cloche.

— Pourquoi ?

— Ali Ghosn est le frère de Hassan Ghosn. Et tu m'as dit qu'il avait été expulsé de France. J'ai du mal à y croire, parce que Ali Ghosn est un handicapé physique et mental, totalement incapable de voyager. Donc, si tu veux mon avis, le type que vous avez arrêté en France n'était pas Ali Ghosn, mais un autre type, auquel Hassan Ghosn avait prêté la carte d'identité de son frère handicapé.

— OK.

— En somme, sur les cinq noms qui inté-ressent ton ambassade, trois sont des membres du Hezbollah, et un autre est une identité d'emprunt.

Olivier acquiesça lentement, l'air pensif.

Sur le papier qu'il avait récupéré dans l'apparte-ment du Vautour, un nom figurait qui n'avait rien donné à Paris : Akil. Un cinquième personnage lié au foyer du Kremlin-Bicêtre, mais qu'on n'avait jamais trouvé. Il se demanda si cela ne pouvait être la véritable identité de celui qui avait donc utilisé le nom d'Ali Ghosn.

— J'ai un dernier nom pour toi, dit-il à sa source.

— Ma dette est payée, camarade. Ça va te coûter quelque chose en plus.

— Si j'avais envie de me suicider, Sami, je mon-terais au sommet de ton ego et je me laisserais tomber jusqu'au niveau de ta reconnaissance. Ne tire pas trop sur l'élastique, mon garçon. Tu me dois largement ça.

— Bon. T'as de la chance, je suis de bonne humeur. Je t'écoute.

— Un certain Akil. Il fait très probablement partie du même réseau.

— Akil ? Un simple nom de famille ? Ça va pas être facile.

— Je te fais confiance. Tu manques pas de ressources.

— Alors c'est toi qui paies la note de ce soir, plaisanta le Libanais.

— Marché conclu. Merci, Sami. C'est toujours un bonheur de travailler avec toi.

Quand, quelques minutes plus tard, Dartan sortit de l'hôtel par l'issue de service, il repéra immédiatement deux individus immobiles non loin de sa voiture. Des blousons larges qui pouvaient cacher une arme. Plus loin, un troisième homme fumait une cigarette tout seul au croisement. Tout son corps se tendit. Le signe d'une possible compromission. Des années de pratique lui avaient appris à repérer le moindre individu hostile potentiel. La plus petite anomalie dans son environnement déclenchait immédiatement une alerte dans sa tête. C'était comme si leurs regards émergeaient de la foule, comme si leurs silhouettes se détachaient du décor. Son cerveau calcula aussitôt la probabilité d'une surveillance en cours. Élevée. Il se mit aussitôt en quête d'une solution, guidé par ses automatismes.

Ne pas montrer qu'on se sait surveillé. Ne pas se distinguer soi-même. Dartan ne changea pas le rythme de ses pas et obliqua vers la droite, pour rejoindre l'allée qui contournait l'arrière-cour de l'hôtel. Marcher d'un pas vif et sûr, tête basse. Ne pas accrocher les regards. Ne pas se retourner pour voir si les hommes réagissaient. Chercher un reflet dans une vitre. Là, au premier étage de la façade arrière de l'hôtel, dans une fenêtre, il distingua la réflexion des deux hommes qui le prenaient effectivement en filature. Cheveux courts, allure militaire. Plus de doute : des hommes des services secrets. Mais lesquels ? Hezbollah ? Liban ? Syrie ? Algérie ? Dans tous les cas, c'était une très mauvaise nouvelle.

Il attendit d'avoir tourné au bout de la ruelle pour accélérer franchement le pas. Il devait rapidement trouver un moyen de sortir durablement du champ de vision de ses poursuivants, mais ne surtout pas entrer, ce faisant, dans une voie sans issue. Les bases. Aller contre la logique de déplacement habituel, utiliser le décor pour se soustraire à la vue, chercher au plus vite un lieu avec beaucoup de monde, garder une connaissance précise de la position de ses poursuivants. Des exercices mille fois répétés à l'époque de son recrutement.

La direction du Sud aurait permis de rejoindre un quartier plus peuplé de la capitale, mais cela l'aurait obligé à traverser la rue et donc à s'exposer davantage. Il choisit de tourner de nouveau vers le nord, revenant par un axe parallèle dans la direction de l'hôtel.

Le cœur battant, il fonça vers le prochain croisement. En route, il se fit insulter par un groupe d'hommes qu'il avait bousculés sur le trottoir. Ne pas se retourner. Il continua plus vite encore, changea de direction une fois, deux fois, longeant les murs, passant entre les voitures... À l'angle d'une troisième rue, il aperçut de nouveau le reflet de ses poursuivants dans la vitrine d'un magasin. Ils étaient plus près encore qu'au début de sa fuite. Plus de temps à perdre. Nouveau croisement. Sur sa droite, une porte cochère. Dartan entra à l'intérieur d'un petit immeuble, traversa la cour et prit son élan pour grimper sur le mur qui la séparait du bâtiment voisin.

*J'ai plus l'âge pour ces conneries.*

Normalement, ses poursuivants ne pouvaient l'avoir vu entrer dans l'immeuble. Moins d'une seconde d'hésitation. Prendre de la hauteur et essayer d'inverser la situation : devenir le prédateur plutôt que la proie.

Au pas de course, il traversa le jardin et pénétra dans la cage d'escalier pour monter jusqu'au dernier étage. Là, il trouva rapidement une trappe dans le plafond. D'un bond, Dartan s'agrippa à la corniche qui courait le long du mur, débloqua le loquet et poussa le panneau métallique pour se hisser sur le toit.

Dans ce quartier de Beyrouth, on pouvait facilement passer d'un immeuble à l'autre en se faufilant entre les antennes, les tiges filetées qui s'érigeaient ici et là comme si les travaux semblaient ne jamais vouloir terminer. Il courut vers le nord, enjamba plusieurs murets en courbant le dos pour garder un profil le plus bas possible.

Sur sa course, soudain, il aperçut un vide entre deux immeubles. Trois mètres, tout au plus. Ça se tentait.

*J'ai plus l'âge pour ces conneries*, répéta-t-il dans sa tête.

Dartan conserva son élan et prit le risque. Le souffle court, il se jeta au-dessus de la petite allée qui séparait les deux constructions et se réceptionna brutalement de l'autre côté.

Accroupi sur le toit voisin, il releva la tête. Là-bas, une rangée de cheminées. Déjà épuisé, il courut se mettre à l'abri. Plaqué derrière le conduit, il reprit son souffle brièvement et risqua enfin un coup d'œil derrière lui.

Personne. Les deux hommes l'avaient bien perdu. Mais, pour lui, ce n'était pas fini. S'il était compromis, autant aller au bout de l'histoire.

Prudemment, il s'approcha du bord du toit et commença à inspecter les rues du pâté de maisons, à la recherche des deux hommes. Rien au sud, rien à l'est. Dans la troisième rue, il aperçut, de haut, l'un de ses poursuivants qui, visiblement furieux, fouillait son environnement du regard tout en parlant dans un petit micro caché sous le col de son blouson. Les deux lascars s'étaient séparés pour tenter de retrouver leur fuyard. Grossière erreur.

Dartan étudia le tour du bâtiment. Au nord, une échelle de service descendait dans la rue. Si le type en bas continuait dans la même direction, il pouvait lui tomber dessus juste au moment où il passerait l'angle. C'était risqué. C'était même inconsidéré. Mais Dartan était Dartan. On ne se refaisait pas à quarante ans. L'adrénaline et la vexation d'avoir été compromis finirent de le décider.

Sans plus hésiter, il se précipita vers la vieille échelle métallique et descendit jusqu'à deux mètres du sol. Quand la silhouette de son poursuivant apparut à l'angle de l'immeuble, il se jeta dessus comme un lion sur une jeune gazelle.

Les deux hommes roulèrent au sol. Pris par surprise, l'inconnu n'eut pas le temps de parer l'étranglement de Dartan. Après plusieurs roulades, il se retrouva sur le dos, incapable de se défendre, la gorge écrasée par le bras de son assaillant solidement ancré sous lui.

— Qui êtes-vous ? cracha Olivier en ne relâchant que très légèrement sa prise pour le laisser parler.

L'homme était de type caucasien, et l'officier de la DGSE était quasiment certain d'avoir affaire à un Américain. Une bonne tête de jeune Marine.

L'homme resta silencieux, essayant encore de se dégager de la clef qui lui comprimait la pomme d'Adam.

— *CIA* ? insista Dartan.

— *Who the fuck are you*[1] ? lâcha l'autre, avec un accent texan qui, cette fois, ne laissait plus de doute.

— *I'm with the French embassy, you moron*[2]!

---

1. — Mais vous, vous êtes qui ?
2. — Je suis avec l'ambassade de France, espèce d'abruti !

L'Américain tapota sur le bras de Dartan en signe de reddition.

— *OK, OK, let it go, man! It's not you we're after*[1]*!*

L'officier de la DGSE hésita un instant avant de relâcher sa prise. Puis il poussa d'un coup l'Américain qui roula sur le côté en toussant.

Dartan se releva en secouant la tête et épousseta ses vêtements. La situation était tellement pathétique qu'elle était à peine croyable. Ce crétin devait probablement sortir tout juste de l'université. Pour qu'un agent de la CIA n'arrive pas à identifier le chef de poste adjoint de la DGSE à Beyrouth, ça ne risquait pas d'être un cador.

Le jeune homme, certainement humilié, s'adossa au mur de l'immeuble en essuyant le sang sur sa tempe.

— Il va falloir me donner une explication, mon garçon, lança le Français en le dévisageant.

— Sami al-Azem. On voulait savoir à qui il filait des informations.

— Et qu'est-ce que vous lui voulez, à Sami ?

— Pas vos affaires.

Dartan ricana.

— Eh bien… Toi et ton pote, vous faites une belle paire de bras cassés. Vous êtes toujours aussi cons ou je suis tombé sur un jour spécial ?

— OK, OK, ça va… Et on fait quoi, maintenant ?

— Tu veux savoir si je vais faire un rapport, c'est ça ? Si tu voulais pas finir écrasé à Beyrouth sud en faisant la circulation, fallait mieux réfléchir avant, trou du cul.

— J'aimerais mieux éviter…

L'officier français fit mine d'hésiter.

— Bon. C'est donnant-donnant, mon pote. J'oublie ce petit incident, et toi, tu dis à ton patron

---

1. — OK, c'est bon, lâche-moi, mec ! C'est pas après vous qu'on en a !

de lâcher un peu la grappe à al-Azem, pendant quelques jours. J'ai encore besoin de lui.

L'Américain se releva à son tour et hocha doucement la tête en lui tendant la main.

— Je suis vraiment désolé, mec. Je te revaudrai ça.

Dartan, presque amusé finalement, accepta la main tendue. Au fond, il n'était pas mécontent de l'issue de cette rocambolesque poursuite : cela aurait pu être bien pire, s'il avait été compromis par un service local.

— Pour que tu puisses me rendre la pareille, il va me falloir ton nom.

L'Américain hésita.

— Chris Boomer.

C'était sans doute une identité fictive, mais c'était déjà ça.

— *The truth shall make you free*[1], ironisa le Français avec un sourire.

Une demi-heure plus tard, de retour à l'ambassade, Dartan, remis de ses émotions, rédigea sa note, omettant de bon gré le fâcheux épisode, et le fit envoyer à la Centrale par le chiffreur, sur téléimprimeur.

Les infos livrées par al-Azem n'étaient au fond qu'une confirmation de plus. Le fait que tous ces hommes fussent effectivement liés au Hezbollah et que leurs noms fussent apparus dans les écoutes du Vautour ne constituait en rien une preuve qu'ils soient impliqués dans les attentats de Paris, mais il espérait au moins que le Bureau d'exploitation jugerait utile d'informer le ministre concerné, afin que les contrôles aux frontières soient particulièrement renforcés pour que ces énergumènes ne remettent pas les pieds sur le territoire français. C'était peu, mais ce serait déjà ça.

_____

1. *La vérité vous libérera*, devise de la CIA, issue de l'Évangile selon saint Jean.

Le lendemain, Dartan récupérait un document dans la « boîte aux lettres morte » qui permettait régulièrement à Sami al-Azem de lui laisser des messages : le boîtier électrique d'un vieil immeuble à l'abandon. L'ancien Tigre avait tenu parole. L'officier espéra seulement que la CIA n'allait pas être trop dure avec lui. Il aurait sans doute pu le prévenir que les Américains le surveillaient de près, mais ce n'était pas son genre de se mêler des affaires d'un service allié.

De retour à son bureau, il put sans peine décoder le message de sa source, qui avait, comme à son habitude, utilisé un « chiffrage bible », basé sur un décalage des lettres du chapitre XIX de l'Apocalypse, convenu à l'avance.

*« AKIL, IBRAHIM alias TASHIN*

*Nationalité libanaise. Membre services secrets Hezbollah, bras droit d'Imad Moughniyah. Rôle décisif dans la scission du mouvement Amal. Attaches en France et en Allemagne. Participe à l'attentat début 1983 contre Premier ministre libanais Chafik Wasan. »*

La photo reproduite en haut du texte crypté ne laissait aucun doute : il s'agissait bien de l'homme arrêté puis relâché à Paris, et qui avait utilisé la carte d'identité d'Ali Ghosn, frère handicapé de Hassan Ghosn.

Un nouveau membre du Hezbollah impliqué dans le groupe, mais toujours aucune preuve reliant tous ces hommes aux attentats parisiens. Dartan grimaça. Il ne lui manquait pourtant pas grand-chose.

# 50

## Carnet de Marc Masson, extrait n° 9

*Connais-toi toi-même. Cruel précepte. Je préfére-rais sans doute m'être totalement étranger. La longue pratique de la solitude et du silence m'a poussé à me connaître bien mieux que je ne le voudrais. Mon parcours a souvent forcé l'introspection. Et plus je me connais, plus je suis déçu.*

*On se résigne. J'ai fini par apprendre à me contenter de ce que je suis. Un homme. Un petit homme. Bien loin des héros romantiques, des savants aventuriers et élégants auxquels les plus belles pages des plus grands auteurs me donnaient tant envie de ressembler. J'ai beau me battre pour y échapper – parce que, philosophiquement, la chose s'accorde mal avec ma haine du stéréotype – au fond, j'ai tous les travers du mâle, tous les poncifs de la plus navrante masculinité. J'aime les grosses motos qui font du bruit, les voitures qui vont vite, j'aime la bagarre, la boxe, les armes, la bière, j'ai une libido hypertrophiée, insa-tiable, j'aime les gros seins et les gros culs, je deviens fou à lier quand on me fait une queue de poisson, je suis terriblement paternaliste, et rien ne me ferait plus honte que de pleurer en public. Je ne suis qu'un homme, en somme.*

*Papi José est la seule personne qui m'ait vu pleurer. J'avais quatorze ans, je crois, et c'était à l'aéroport, quelques minutes avant d'embarquer dans l'avion qui devait me ramener en France. Les larmes sont sorties toutes seules et, quand il m'a vu me retourner pour les cacher, mon grand-père m'a attrapé par les épaules.*

*— Pourquoi tu te caches ?*

*J'ai essuyé mes timides larmes d'un geste colérique.*

— *C'est la honte !*

— *Pourquoi ? Parce que tu pleures ?*

— *Ça pleure pas, un homme.*

— *Ah oui ? Je pense, moi, que c'est le contraire. Marco, tu n'as pas lu* L'Île *mystérieuse, de Jules Verne ?*

— *Non.*

— *Alors promets-moi de le lire, petit homme.*

*Le lendemain, à Lorient, je découvrais dans l'ouvrage emprunté à la bibliothèque la phrase à laquelle mon grand-père avait dû penser. « Ah ! s'écria Cyrus Smith, te voilà donc redevenu homme, puisque tu pleures ! » Je ne l'ai jamais oubliée. Et puis, il y a quelques années, un jour, je me suis surpris à verser soudain trois petites larmes inattendues, des larmes autonomes, de celles qui vous prennent par surprise et vous narguent en coulant. J'étais seul cette fois. Je venais de retrouver la phrase de Jules Verne, mais dans un roman de François Mauriac.*

*Le Sagouin, c'est moi.*

*Connais-toi toi-même. Au fond, c'est sans doute la seule façon d'apprendre à aimer les autres, un peu. Comment ne pas leur pardonner leurs petitesses quand on connaît si bien les siennes ?*


# 51

## 25 mars 1986, Orléans


Quand il sortit de la gare, Marc Masson repéra rapidement la grande berline noire aux vitres fumées de l'instructeur qui était censé l'attendre.

Le coup de fil tant attendu était enfin arrivé.

Au téléphone, les consignes d'« Olivier » avaient été claires : le jeune homme devait se rendre à la gare d'Orléans en payant son billet en liquide. Il ne devait avoir aucun papier sur lui, ni quoi que ce soit qui pût dévoiler son identité. En cas de contrôle de police, c'était son problème, et celui de personne d'autre. Sur place, il serait accueilli par « Vulcain », un instructeur du Service Action qui allait se charger de sa formation.

— Bonjour Hadès. Montez.

L'homme, caricature ambulante, avait le physique emblématique du bon vieux para. Le corps et la gueule carrés, les mains larges, le cheveu ras, une mine peu amène, il ne dérogeait à aucune règle du stéréotype, et Marc ne put s'empêcher de penser, non sans appréhension, à certains sous-officiers fort désagréables qu'il avait connus lors de son expérience militaire.

Masson grimpa dans la voiture et ils filèrent aussitôt vers le nord. L'instant avait quelque chose d'irréel. Marc eut le sentiment étrange qu'il était en train de livrer aveuglément son sort à la République et, qu'une fois de plus, il se laissait embarquer par une immense locomotive dont il ne tenait pas la barre. Il espérait seulement, cette fois, être monté dans la bonne.

À chaque fois que Masson lui posait une question sur ce qui l'attendait, Vulcain ne répondait que par un « vous verrez bien » quelque peu irrité. Marc comprit alors que les choses sérieuses avaient commencé et qu'il allait falloir apprendre à se taire. Dans le monde qu'il s'apprêtait à rejoindre, le silence était un sacerdoce.

Pendant les quelques jours passés à Lyon, quand il n'avait pas été occupé à penser à sa mystérieuse libraire, l'idée avait lentement fait son chemin dans sa tête. Ainsi, jour après jour, l'excitation était montée. En un temps record, il avait lu tous les livres et les articles qu'il avait pu trouver sur l'histoire des services secrets français. Et cela n'avait fait qu'aiguiser son envie.

Ils arrivèrent bientôt à l'entrée sud-est du camp de Cercottes. Le Centre, où le Service Action formait, entre autres, ses propres agents, était entouré par une double rangée de grillages verts qui lui donnaient des airs de prison, impression accrue par les nombreuses caméras de surveillance et le mirador qui s'élevait près du sas. L'homme qui se faisait appeler Vulcain fouilla dans la boîte à gants et en sortit une cagoule.

— Mettez ça, Hadès. À partir d'aujourd'hui, plus personne d'autre ne devra voir votre visage. C'est bien compris ?

Marc acquiesça, en essayant de masquer son excitation. Il prenait vraiment conscience, à présent, qu'il allait sans doute toucher au but. Venir ici, dans le saint des saints du Service Action de la DGSE, c'était peut-être enfin la concrétisation d'une vocation à laquelle il avait si longtemps espéré trouver une réponse. Il enfila le bout de tissu noir, ajusta les trous autour des yeux, puis, après les contrôles d'usage – au cours desquels les gardes ne semblèrent pas étonnés de voir un homme cagoulé et sans papier d'identité –, ils passèrent la barrière de sécurité.

Cercottes était un petit camp militaire au milieu de la forêt, essentiellement consacré à l'entraînement parachutiste, alternant bâtisses blanches austères et préfabriqués. De nombreuses zones du camp étaient arborées et, au loin, Marc aperçut même des moutons qui se promenaient dans l'herbe !

— C'est un message subliminal ? s'amusa-t-il. La DGSE élève des moutons ?

Vulcain ne sembla pas trouver la remarque amusante.

— Non.

— Alors c'est pour les mines ?

— Non plus. C'est pour le méchoui de la Saint-Michel, la fête du saint patron des parachutistes. Vous n'y serez pas convié.

Marc ne put s'empêcher d'éprouver une authentique émotion en traversant ainsi le domaine historique du 11e Choc[1]. Un lieu chargé d'histoire tout autant que de légende. Fouler cette terre, c'était comme toucher du doigt un mythe qui l'avait longtemps fait rêver. Ici passait l'élite des combattants secrets au service de la France. Il ne s'était pas attendu à ressentir, à cette seule vision, une exaltation aussi grande.

Le long d'un des bosquets, au nord du camp, il vit passer quelques paras soigneusement alignés au pas de course, mais les lieux n'avaient pas l'air de souffrir de surpopulation. Ici et là, d'immenses antennes quadrillaient l'espace. Au milieu du camp, il aperçut un terrain de foot, plus loin, une bande d'asphalte qui ressemblait à une piste de conduite... Partout, sur les poteaux et les murs des bâtiments, il remarqua les caméras.

Soudain, près d'une cahute, il découvrit, perplexe, un groupe d'hommes qui, à genoux sur des tapis, semblaient faire leur prière, selon le rite musulman.

Vulcain sourit en remarquant la surprise du jeune homme.

— Ce sont des résistants afghans, des Pachtounes. On leur fournit une formation pour lutter contre les Soviétiques. Ça donne parfois lieu à des situations un peu... inattendues. On a l'habitude, ici.

Ils roulèrent au ralenti jusqu'à l'armurerie.

---

1. Le 11e régiment parachutiste de choc était le bras armé du SDECE, et donc l'ancêtre du Service Action de la DGSE...

— Vous pouvez descendre.

Marc suivit l'instructeur dans le petit bâtiment. À l'intérieur, il découvrit, ébahi, un arsenal comme il n'en avait jamais vu. Des casiers de plusieurs mètres de long, emplis d'armes. Vulcain lui demanda alors de choisir à sa guise quatre armes classiques : une arme de poing, un pistolet-mitrailleur, un fusil d'assaut et un fusil de précision.

Masson déambula le long des rayonnages en hésitant ; on eût dit un enfant devant une immense confiserie. Parmi les pistolets, il remarqua un modèle de Glock compact qu'il n'avait jamais vu auparavant.

L'instructeur hocha la tête en le voyant s'arrêter.

— Glock 19. Il n'est pas encore commercialisé. On a la chance de l'avoir en test. Prenez-le, si ça vous dit.

Masson ne se fit pas prier. Pour le pistolet-mitrailleur, il opta assez naturellement pour un MP5 à crosse télescopique et prit un M16 de dernière mouture pour fusil d'assaut.

— Prenez aussi une Kalachnikov. Pas le même calibre, pas la même mécanique, c'est intéressant de voir comment vous vous débrouillez avec les deux.

Comme fusil de précision, enfin, il choisit un FR-F2. L'instructeur lui fit ajouter une lunette de visée nocturne puis lui fit signe de le suivre.

Ils chargèrent le tout dans la voiture et allèrent chercher les munitions dans un autre bâtiment. À chaque fois, les hommes que Marc croisait n'avaient pas l'air étonné de le voir circuler ainsi avec cette cagoule noire sur la tête. C'était à peine s'ils remarquaient sa présence.

Une fois leur tournée terminée, ils ressortirent du camp en voiture et empruntèrent une petite route vers le nord pour rejoindre un pas de tir caché en plein cœur de la forêt. Mesurant plus de quatre cents mètres de long, avec dix cibles vertes alignées au pied d'une butte à son extrémité, l'endroit était désert.

Vulcain arrêta la berline au premier pas, à vingt-cinq mètres. Il tendit à Marc un casque antibruit.

— Montrez-moi ce que vous savez faire.

Masson sourit sous sa cagoule. Il était dans son élément. Le spectacle pouvait commencer.

Ainsi, pendant une bonne heure, il fit la démonstration de sa maîtrise des armes des quatre catégories. Les douilles s'empilaient par terre autour de lui dans une débauche que l'économie militaire ne permettait pas d'ordinaire. À la DGSE, visiblement, on ne comptait pas les cartouches. Marc s'en donna à cœur joie. À vingt-cinq et cinquante mètres pour le pistolet et le MP5, à deux cents mètres pour le M16 et la Kalachnikov, puis à quatre cents mètres pour le tir de précision.

— En opération, on ne fait jamais tirer les agents à plus de quatre-vingts mètres, pour avoir cent pour cent de taux de réussite. Mais c'est bien de s'entraîner de plus loin.

— C'est pas un souci.

Il se remit en action. Ses tirs étaient groupés et ajustés. Tout au long de l'exercice, ses temps de recharge montraient en outre qu'il connaissait ces armes sur le bout des doigts. Vulcain ne manifesta pas le moindre sentiment ni ne fit de commentaire, mais Marc n'eut aucun doute sur l'impression qu'il lui avait faite.

Petit à petit, la nuit commença à tomber.

— Je prends la lunette de visée nocturne ?

L'instructeur lâcha son premier sourire.

— Ça ira. C'est à l'armée que vous avez appris à tirer comme ça ?

— Non, à l'armée, j'ai appris à laver les chars et à cirer des pompes. Tirer, c'est la seule chose que j'aie toujours su faire.

— Vous vous en sortez pas mal. Venez.

Ils retournèrent dans la berline et, plutôt que de rentrer au camp, ils traversèrent alors plusieurs villes et villages à l'ouest de Cercottes : Saran, Ormes, Boulay-les-Barres, Gidy... Une fois cette étrange promenade terminée, ils retournèrent vers le nord-est pour revenir au cœur de la forêt. Vulcain, toujours muet, ne cessait de changer de direction, faisait demi-tour, empruntait des routes de plus en plus étroites, revenait sur son chemin, et Marc finit par comprendre que l'instructeur essayait de lui faire perdre son sens de l'orientation.

Quand le formateur du Service Action s'engagea enfin dans un petit chemin de terre qui serpentait entre les bois, Masson commença à deviner ce qui l'attendait.

— Descendez.

Il faisait nuit noire à présent, et seule la lumière des phares et de l'habitacle permettait d'y voir clair.

— Enlevez tout ce que vous avez sur vous, sauf votre pantalon et votre T-shirt.

— Tout va si vite entre nous...

Cette fois, l'instructeur sembla vraiment perdre patience.

— Vous croyez qu'on est là pour rigoler ? J'ai autre chose à foutre que de supporter vos vannes à deux francs, Hadès. Magnez-vous le cul !

Marc s'exécuta, réprimant avec peine l'envie d'envoyer balader son instructeur. L'idée de devoir supporter une nouvelle fois les brimades d'une école militaire ne lui plaisait pas du tout, mais sans doute était-ce un passage obligé et, cette fois, le jeu en valait assurément la chandelle.

— Les chaussures aussi.

Il enleva ses rangers.

— Videz vos poches de jeans.

— Elles sont vides.

Vulcain ramassa toutes les affaires et les jeta dans le coffre de la berline.

— Quelle heure avez-vous sur votre montre ?

— 21 h 47.

L'instructeur lui tendit alors une clef.

— Mise en ambiance opérationnelle. Au cours de notre petite balade, nous sommes passés devant plusieurs hôtels. J'espère que vous êtes observateur. Cette clef ouvre la chambre numéro six de l'un d'entre eux. Là-bas, il y a une enveloppe qui vous attend. Vous avez jusqu'à 6 heures du matin pour lire ce qui est à l'intérieur de l'enveloppe. Passé 6 heures, vous échouez. Si j'apprends que vous avez bénéficié d'une aide extérieure, vous échouez. Si vous êtes repéré avant d'avoir pu lire le contenu de l'enveloppe, vous échouez. Bon courage.

Sans un mot de plus, Vulcain remonta dans sa voiture, claqua la portière et partit bruyamment.

Marc poussa un soupir amusé en regardant les feux rouges disparaître dans le noir de la nuit.. À côté de ce qu'il avait vécu dans la forêt amazonienne, cette petite course d'orientation ne lui faisait pas vraiment peur. Pendant son armée, il en avait fait des dizaines d'autres et cela ne lui avait jamais posé le moindre problème. Le plus délicat risquait d'être l'arrivée en ville. Mais c'était un exercice qui n'était pas pour lui déplaire.

Malgré l'obscurité, il parvint à distinguer une petite inscription sur le porte-clefs : « Le Tout va bien. » C'était le nom de l'hôtel. Marc se souvenait d'avoir vu ce nom un peu singulier dans l'une des villes qu'ils avaient traversées, mais laquelle ? Il savait que c'était l'une des deux dernières : Boulay-les-Barres ou Gidy. Il s'en voulut alors de ne pas avoir mémorisé tout ce qu'il avait vu pendant le trajet, chaque détail, chaque décor. Sans doute aurait-il dû s'en douter à l'avance. C'était une première leçon.

Quoi qu'il en fût, il devait partir vers le sud-ouest, et il n'eut besoin d'aucune aide pour savoir où celui-ci se trouvait. Les quatre points cardinaux étaient inscrits dans son cerveau comme une évidence immuable. Il se mit en route.

Sans papiers, sans argent, pieds nus, Marc était parfaitement conscient qu'il devait à tout prix éviter de croiser qui que ce fût pendant toute la durée de son trajet. Si quelqu'un le signalait à la police, il était cuit. Ainsi, même s'il y avait peu de chance de tomber sur des promeneurs à cette heure-là, en plein mois d'avril, et même si ses pieds dénudés eussent largement préféré emprunter le chemin de terre, il décida de couper à travers bois.

Au bout de quelques mètres, après s'être écorché plusieurs fois, il se rendit à l'évidence : s'il voulait maintenir un bon rythme, il fallait qu'il se protège la plante des pieds. À l'aide de la clef, Marc déchira un pan de jean au bas de chaque jambe de son pantalon et s'en servit comme bandages de fortune, puis il se remit en route. Pendant deux heures, alors que le froid commençait à le faire trembler, il suivit, en retrait, les routes forestières en direction du sud-ouest.

Il était précisément 00 h 37 quand, soudain, Masson entendit le grondement d'un véhicule qui approchait au loin à travers bois. L'engin roulait à faible allure et la lumière des phares se rapprocha lentement.

Aussitôt, Marc chercha un bosquet où se cacher, s'allongea par terre et attendit. Qui pouvait bien s'aventurer dans ce coin de la forêt à une heure pareille ?

Il n'en crut pas ses yeux quand le véhicule, un VBL de l'armée, s'arrêta à une centaine de mètres de lui à peine et que quatre paras entièrement équipés en sortirent, l'arme au poing. Des élèves de Cercottes, à n'en pas douter. Mais que faisaient-ils là ? Un exercice ? Selon toute vraisemblance, Vulcain leur avait demandé de trouver un imbécile qui se promenait dans les bois en t-shirt et les pieds nus... En somme, eux ou lui allaient rater leur mission. Marc préférait à l'évidence que ce fût eux, car il n'était pas sûr, lui, d'avoir le droit à l'échec. Quoi qu'il en soit, au cas où les paras le retrouveraient, la règle absolue était qu'ils ne devaient pas voir son visage. Or, Marc n'avait plus de cagoule. Il n'allait tout de même pas s'en fabriquer une avec son t-shirt ! Pas le choix : il ne devait pas se faire prendre, point final.

Au loin, les quatre paras commencèrent leur battue dans la forêt, arme au poing. Si Marc voulait leur échapper, c'était maintenant ou jamais. Il devait quitter la zone au plus vite, sans faire de bruit. Sur les premiers mètres, il rampa lentement au milieu des branchages, et le souvenir du Brésil lui revint immanquablement à l'esprit. Quand il estima qu'il était hors de leur champ de vision, il se releva et continua de progresser vers l'ouest, le dos courbé, en veillant à ne faire aucun bruit. Après une dizaine de minutes, il se mit véritablement au pas de course. Dans l'obscurité, sans chaussures, la chose n'était pas aisée, mais il fallait qu'il s'éloigne rapidement des quatre paras.

Alors qu'il courait dans la nuit, des centaines d'images défilèrent dans sa tête, et puis il pensa à son père, à son accident, à cette maudite chaise roulante, et l'énergie lui revint. Le souvenir lui aurait donné la force de courir jusqu'au bout du monde.

Il n'était pas loin de 2 heures du matin quand, à bout de force, Masson arriva, à travers champs, en vue de la petite ville de Gidy. Au nord, il aperçut le cimetière. Il décida que c'était un bon moyen d'entrer dans le village en évitant l'axe principal. Ainsi, les pieds de plus en plus meurtris, il traversa les rangées de tombes, enjamba l'enceinte, puis remonta vers le bourg en longeant les jardins des maisons, à l'abri des haies.

En redécouvrant les façades de Gidy sous le voile de la nuit, il fut de plus en plus persuadé que l'hôtel ne se trouvait pas ici, mais dans la prochaine agglomération. Quand il repéra au loin une cabine téléphonique, il songea que c'était le bon moyen d'en avoir le cœur net.

Caché derrière un muret, Marc resta quelques instants aux aguets pour s'assurer de la tranquillité des lieux. À cette heure-ci, tout le village était probablement endormi depuis longtemps. Alors il traversa la rue, plutôt heureux de retrouver une surface lisse sous ses pieds, et entra dans la cabine. En feuilletant les pages jaunes de l'annuaire froissé qui pendait sous l'appareil, il trouva sans peine la confirmation qu'il attendait : l'hôtel se trouvait à Boulay-les-Barres, à cinq kilomètres d'ici environ. S'il longeait la grande route, il y serait dans moins d'une heure.

Sa course, rythmée par son propre souffle, de plus en plus court, reprit à la seule lumière d'une timide lune. Quand, un peu avant 3 heures, il arriva enfin devant l'hôtel, épuisé et frigorifié, ce fut pour trouver porte close. Sa clef, évidemment, n'ouvrait pas l'entrée principale du « Tout va bien ».

— Oh, putain, le salaud...

C'était un petit hôtel, avec un seul étage supérieur et un bar-tabac au rez-de-chaussée. Crocheter une serrure sans le matériel nécessaire était rigoureusement impossible. Enfoncer la porte n'était pas une option non plus, pour quelqu'un à qui l'on avait demandé de rester discret.

Marc fit le tour du bâtiment. Sur la gauche, une grille donnait sur une petite cour intérieure. Il l'enjamba et inspecta la façade. Au premier étage, il aperçut une fenêtre ouverte. Si elle donnait sur une chambre occupée, cela risquait d'être vraiment compliqué. Mais Marc n'avait pas d'autre choix. Il devait tenter sa chance. Alors, rassemblant ses dernières forces, il se mit à escalader la façade et grimpa jusqu'à la fenêtre. Sans faire de bruit, il jeta un coup d'œil à l'intérieur.

Il sourit. C'était une chambre vide, et une enveloppe kraft était posée sur le lit. Dans un immense soulagement, il se laissa glisser de l'autre côté, à bout de forces.

Sur un fauteuil, Vulcain avait soigneusement déposé le reste de ses habits, et ses rangers étaient posées sur le sol, bien alignées.

Dans l'enveloppe, Masson trouva la cagoule noire et un mot : « 07 :00 devant Cercottes. Venez à pied. »

À pied. Le camp de Cercottes était probablement à plus de deux heures de marche d'ici. Marc secoua la tête. S'il était arrivé à 6 heures, délai qui lui était normalement imparti, il n'aurait jamais pu être dans les temps à ce nouveau rendez-vous !

Il regarda sa montre : 3 heures du matin. Il pouvait se permettre de dormir une bonne heure avant de devoir reprendre la route. Avec des chaussures et un peu de repos, le parcours serait bien moins pénible…

Le sourire aux lèvres, il s'allongea sur le lit. La nuit allait être bien courte. Mais il se sentait bien. À sa place, enfin.


# 52

## 28 mars 1986, Paris


Dartan accepta avec plaisir le verre de single malt que lui tendait son confrère de la DST. Qu'un officier de la DGSE soit invité rue Nélaton était suffisamment rare pour qu'il fasse au moins preuve de bonnes manières. En réalité, la chose était même officieusement interdite, d'un côté comme de l'autre. Mais ces deux vieux compères avaient toujours eu un goût prononcé pour une amicale insubordination...

— Vous avez une vue bien plus sympa que la nôtre, dit-il en regardant par la fenêtre du dixième étage. Je suppose qu'il fallait bien ça, pour des gens qui foutent rien les trois quarts du temps.

— Ta gueule.

L'immeuble moderne et ultrasécurisé où la Surveillance du territoire venait de s'installer était chargé de symbole. Il avait été érigé à l'endroit même où s'était jadis tenu le tristement célèbre Vélodrome d'Hiver, théâtre de la rafle orchestrée par le Troisième Reich, qui déporta plus de treize mille Juifs vers Auschwitz en 1942 avec la collaboration du gouvernement de Vichy, de la police et de la gendarmerie françaises. Dartan s'était toujours demandé si ce choix d'implantation, pour le moins étonnant, relevait davantage de l'hommage coupable que du plus parfait mauvais goût. La DGSE, cela dit, n'avait pas été beaucoup plus adroite en installant son siège dans la caserne des Tourelles, boulevard Mortier, l'ancien siège du 104e régiment d'infanterie de ligne ayant servi, sous le gouvernement de Pétain, à y enfermer quelque quatre cents Juifs et autres personnes manifestant pour ceux-là trop de sympathie, étoile jaune cousue sur la poitrine...

En se penchant un peu, il aperçut le sommet de la tour Eiffel, qui semblait s'élever tristement au-dessus de la grisaille parisienne.

— On a quelque chose à arroser ?

— La police a identifié l'un des deux morts de l'attentat de la galerie Point Show, expliqua Arnaud

Batiza en posant les photos du drame sur son bureau. Nabil Dagher, un Libanais qui est fiché chez nous comme membre des Farl[1]. Le procureur pense qu'il s'agit de l'un des poseurs de bombes.

— J'ai du mal à y croire, répliqua Dartan en inspectant les photos, perplexe. Ça serait un nouveau mode opératoire : aucun des attentats n'était un attentat suicide. Et je continue de penser que tout ça n'a rien à voir avec les Farl.

— La bombe peut lui avoir sauté à la gueule, plus tôt que prévu. Et puis... Étant donné que le CSPPA demande la libération de Georges Ibrahim Abdallah dans ses revendications, et que celui-ci est le fondateur des Farl, ça se tient, fit remarquer le commissaire de la DST. Pour couronner le tout, le fameux Nabil Dagher a été incarcéré l'an dernier pendant un mois par le juge chargé de l'information contre Abdallah. Honnêtement, Olivier, j'aime pas te contredire, mais ça renforce la thèse selon laquelle les attentats pourraient être commandités par les Farl.

— La galerie des Champs-Élysées est un lieu très fréquenté par les Libanais de Paris. Il se pourrait très bien que ce soit juste une coïncidence. Je vois mal les Farl poser une bombe dans un lieu où ils savent qu'il y a de fortes chances que se trouvent certains de leurs amis. Et, que je sache, les Farl n'ont rien à voir avec les otages au Liban... Que tout parte de Beyrouth, j'en suis persuadé, oui, mais pas des Farl.

— Il n'y a que toi qui tiennes absolument à ce que les attentats soient liés aux otages du Liban, Olivier.

— Ce n'est pas parce que je suis seul que j'ai tort. Tout ça est lié à l'Iran et à la dette de la France, c'est

---

1. Fractions armées révolutionnaires libanaises, organisation marxiste fondée en 1979 par Georges Ibrahim Abdallah.

une évidence. Pour moi, la piste Abdallah est bidon. Abdallah, c'est un communiste, un chrétien maronite. Sa cause, c'est la Palestine. Il n'a pas grand-chose à voir avec l'Iran.

— C'est pourtant la piste qui est privilégiée par le procureur.

— Sans doute parce que ça arrange beaucoup de monde, Arnaud. Tu sais comme moi que les deux « diplomates » qu'on accuse Abdallah d'avoir assassinés étaient en réalité un agent de la CIA et un agent du Mossad. Les États-Unis et Israël doivent être ravis qu'on lui fasse porter le chapeau. Mais, pour moi, ça tient pas. Les Farl n'ont rien à voir avec tout ça. Le CSPPA et le Djihad islamique ne sont qu'une seule et même entité : un écran devant le Hezbollah.

— Eh bien continue de suivre cette piste de ton côté, Olivier. Moi, je suis obligé d'aller dans le sens du procureur et du gouvernement…

— Laisse-moi deviner : t'as eu un coup de fil de Castelli, toi aussi ?

Batiza lui adressa un clin d'œil.

— Disons que le ministre de l'Intérieur m'a fait savoir que la France avait besoin de réponses, et que la piste Abdallah était la meilleure réponse possible, à ce jour.

— Fais gaffe à ne pas trop laisser ton doigt traîner dans les rouages des politiques, Arnaud. Je crois que nos Services vont traverser une époque particulièrement étrange, avec cette histoire de cohabitation. Ils se partagent le pouvoir, ils vont aussi vouloir se partager les Services. L'Élysée va s'approprier la DGSE, et Matignon la DST. C'est sans doute logique, mais à nous de rester autant que possible à l'écart de leurs querelles politiciennes. N'oublie jamais que nous ne sommes pas au service des hommes politiques, mais de l'État.

— Oh tu sais, moi, je suis surtout au service du malt et du raisin.

— J'ai jamais pu vérifier, mais si ça se trouve, quand t'es sobre, t'es pas con, comme mec.

— Dieu m'en garde.

# 53

## 5 avril 1986, Lyon

— Encore vous ? Le moins qu'on puisse dire, c'est que vous avez des goûts éclectiques, en matière de lecture… Vous les lisez, au moins, tous les livres que vous m'achetez ? Ou c'est juste un prétexte pour venir me voir ?

Cela faisait une semaine que Marc, après ses premières journées de formation à Cercottes, était rentré à Lyon et il n'avait toujours pas eu la moindre nouvelle d'Olivier. Avait-il finalement échoué aux tests ? Comme il n'avait aucun moyen de joindre l'officier de la DGSE, Masson était bien obligé d'attendre sans savoir, et le stress commençait à monter. Peut-être n'aurait-il pas dû nourrir autant d'espoirs. La chute serait terrible.

Aussi, pour se changer les idées, quand il n'était pas à la salle de boxe, Marc se rendait presque tous les jours à Sathonay, chez la belle libraire, dont il connaissait enfin le nom, qu'il trouvait aussi délicieux que son regard : Pauline Sainte-Croix.

— Que voulez-vous, Mademoiselle Sainte-Croix, je suis gourmand, comme garçon !

— Un peu monomaniaque aussi, non ?

— Totalement.

— Vous savez que je suis toujours avec mon petit ami ?

— Le flic ? Je suis pas jaloux. Et puis, une hippie avec un flic ? Allons, soyons réalistes, ça tiendra jamais !

La libraire secoua la tête d'un air amusé.

— Vous êtes insupportable.

— Un peu de respect pour vos clients ! Si vous me perdez, Pauline, votre chiffre d'affaires va être divisé par deux.

— C'est pas faux.

— Je peux toujours pas vous inviter à dîner ?

— Toujours pas. Mais vous pouvez continuer de m'acheter des livres.

— Si je vous achète l'intégrale de la Pléiade, vous finirez bien par prendre le petit déjeuner chez moi, quand même ?

— Non.

— Vous avez quelque chose à me conseiller, aujourd'hui ?

— Si vous cherchez encore un livre sur le Liban, j'ai bien peur que vous n'ayez déjà acheté tout ce que j'avais sur le sujet…

— Non, non, je voudrais un roman…

— Eh bien, je sais pas… Vous qui aimez les paradis artificiels, vous avez lu *Flash ou le Grand Voyage* de Duchaussois ?

— Bien sûr ! Allons, Pauline, épargnez-moi vos clichés baba cool ! Je vous demande de m'étonner un peu…

La libraire, avec un sourire malicieux, réfléchit un instant, puis partit vers la petite table des nouveautés et revint avec un roman dont la couverture – un dessin érotique du peintre autrichien Egon Schiele – représentait un couple faisant l'amour assis, comme dans une délicate et mélancolique interprétation du Kâma-Sûtra.

— Tenez. C'est le dernier roman de Patrick Grainville, *Le Paradis des orages*. Ça devrait vous plaire : c'est l'histoire de l'obsession du narrateur pour les fesses des femmes.

— Ah ! Voilà ! Les fesses des femmes ? Je prends.

— J'ai toujours eu un petit faible pour Grainville.

— À cause des *Flamboyants* ?

— Peut-être. Mais aussi parce qu'il est né à Villers-sur-Mer, dans le Calvados, et que c'est là que mes parents m'emmenaient passer toutes nos vacances d'été.

— C'est un peu léger, comme critère d'appréciation littéraire… J'ai adoré mes vacances à Talence, ça n'a jamais fait de Philippe Sollers un écrivain supportable.

— Vous pouvez pas comprendre, Marc. Il faut s'être longuement promené sur les falaises du Calvados pour vraiment apprécier l'œuvre de Grainville. Et de Marguerite Duras aussi, d'ailleurs.

— Sur une falaise, on est encore un peu trop loin de la mer, Pauline.

Le soir même, Marc reçut enfin un appel de son officier traitant, l'informant qu'il avait réussi les premiers tests et qu'ils allaient pouvoir passer à la mise en place d'une « légende » et d'une « couverture ».


# 54

### 6 avril 1986, Paris


— Vous donnez toujours rendez-vous dans des bars d'hôtels ? C'est pas très intime, comme endroit…

— Les agents extérieurs ne mettent jamais les pieds dans nos bureaux, Hadès. À Cercottes, oui, mais vous ne viendrez jamais à la Centrale, dans le 20e arrondissement. Et les bars d'hôtels sont bien plus discrets que vous ne le pensez. Et puis, ils ont deux avantages pour nous : ils disposent de plusieurs sorties et d'un parking.

Olivier lui avait donné rendez-vous au bar du Crowne Plazza, un bel et récent hôtel quatre étoiles en plein sur la place de la République, à quelques stations de métro de la « Piscine », surnom que les journalistes donnaient à la Centrale de la DGSE, boulevard Mortier. Il avait choisi une table isolée, à l'intérieur, où personne ne pourrait entendre leur conversation.

Quand Masson eut pris place en face de lui, l'officier lui tendit une enveloppe qui contenait une grosse somme d'argent liquide et une vraie fausse carte d'identité, toute neuve, avec sa photo, au nom de Matthieu Malvaux.

— Voici votre « IF », votre Identité Fictive principale. Vous serez peut-être amené à en utiliser d'autres ponctuellement, mais celle-ci restera votre IF principale, pour votre couverture parisienne. Vous aurez remarqué que ce sont vos véritables initiales.

Marc acquiesça.

— Ça ne m'a pas échappé. C'est brillant, ironisa-t-il. Et plus crédible qu'Hadès.

— Et vous êtes né à Madagascar en 1958.

— Vous m'avez vieilli d'un an, pour le coup, c'est pas très élégant.

— Il faut brouiller les pistes, si quelqu'un essaie de vous identifier. Les registres de naissance à Madagascar, c'est un joyeux bordel, personne ne pourra prouver que c'est une identité fictive. Et, administrativement, elle est authentique. Maintenant, vous allez devoir fabriquer votre

« légende », pour aller avec. Inventez-vous une histoire, la plus crédible possible, en y mettant un peu de votre vraie vie, pour que ça sonne juste et pour éviter les erreurs, et connaissez-la par cœur.

— C'est pas vous qui me la créez ?

— Non, ça, c'est dans les films, Hadès. Vous êtes le mieux placé pour créer votre propre légende. Tout ce qui compte, c'est que vous la possédiez sur le bout des doigts. Vous devez devenir Matthieu Malvaux.

— Je *suis* Matthieu Malvaux.

— Méfiez-vous, assumer sa légende sans erreur, c'est bien plus dur qu'il n'y paraît. J'ai connu d'excellents officiers traitants qui se sont fait avoir bêtement, en se trompant dans leur signature, par exemple, un soir qu'ils avaient un peu bu. Votre légende, elle doit être infaillible. Vous devez l'incarner totalement. Et, croyez-moi, parfois, ça peut rendre légèrement schizophrène.

— J'ai vécu pendant plus d'un an en Amérique latine en cachant mon identité. Je suis pas trop inquiet.

— On verra. Vous allez avoir deux mois pour réussir vos premiers tests de personnification. Avec cette carte d'identité fictive, vous allez devoir remplir tout un tas de démarches, ce qui permettra à la fois de construire votre nouvelle identité, mais aussi de vérifier que vous êtes en mesure de l'incarner naturellement. D'abord, louer un appartement à Paris, et toutes les démarches qui vont avec : assurance, abonnement à l'électricité, au gaz, ligne téléphonique...

— Quoi comme appartement ?

— Un studio, dans le centre.

— Je quitte celui de Lyon ?

— Surtout pas. Celui-là reste à votre vrai nom. Vous ne serez à Paris que quand on vous le demandera. Le reste du temps, vous resterez chez vous sous votre véritable identité. À Paris, vous êtes Matthieu Malvaux, à Lyon, Marc Masson. Comme je vous l'ai dit, la schizophrénie vous guette.

— Tant que je m'entends avec moi-même, et réciproquement, tout va bien.

— Ensuite, vous irez vous faire faire un passeport avec cette carte d'identité. Enfin, vous allez devoir repasser sous votre IF tous les permis classiques : voiture, poids-lourd, moto, bateau.

— Je dois aussi repasser le poids-lourd ?

— Oui. Ça vous fera pas de mal de vous rafraîchir la mémoire. D'autant plus que nous allons vous donner un emploi de chauffeur poids-lourd à Lyon, pour que vous ayez tout de même une activité sous votre identité réelle. Nous avons là-bas un Honorable Correspondant qui vous embauchera et acceptera que vous soyez souvent absent sans poser de questions...

— Chauffeur poids-lourd ? Mince, il faut aussi que j'apprenne le langage radio des routiers, alors ? Le jargon de la Cibi[1], tout ça ?

— Ça va vous plaire. Les routiers sont sympas.

— Et j'ai deux mois pour faire tout ça ?

— Deux mois. Pas un jour de plus.

Olivier lui tendit enfin un petit bout de papier.

— Mémorisez ce numéro et détruisez-le.

— Ah ! Ce coup-ci c'est comme dans les films !

— Comme dans les films. Quand vous aurez votre appartement parisien et une ligne téléphonique, appelez ce numéro, présentez-vous en tant que Hadès-MM-MM, et demandez à me parler. Par la suite, vous n'utiliserez ce numéro qu'en cas d'extrême urgence.

Marc mémorisa aussitôt le numéro et montra le bout de papier.

— Je le brûle ?

_____

1. C.B., abréviation de Citizen Band, émetteur radio.

— Vous le mangez.

— Pardon ? C'est une blague ?

— Pas du tout. C'est de l'encre et du papier comestibles.

Marc secoua la tête, hésita et avala le bout de papier devant son interlocuteur en se demandant s'il ne se payait pas sa tête.

— Bien, fit Olivier en jetant un coup d'œil vers la terrasse couverte du bar de l'hôtel, avec un air espiègle. Avant de partir, vous allez devoir réussir un petit test.

— Ici ?

— Oui. Vous avez dix minutes pour aller sur la terrasse et attirer l'attention des clients et des serveurs. On appelle ça un exercice de diversion. Vous devez divertir les gens suffisamment pour que je puisse partir d'ici sans payer, et sans que personne ne me remarque.

— En gros, vous voulez juste que je vous aide à faire un « plan basket » ? ironisa Marc.

— Non. C'est un vrai test, Hadès. Allez-y.

Marc, décontenancé et emballé à la fois, fit une grimace en réfléchissant. Puis, avec un sourire, il donna une tape sur l'épaule de son officier traitant et se dirigea sans hésiter vers la terrasse. Marchant au milieu des tables, il interpella alors un couple de quinquagénaires qui sirotaient tranquillement un cocktail.

— Excusez-moi, mais j'ai oublié un petit sac à dos ici tout à l'heure, vous ne l'auriez pas vu, par hasard ?

— Où ça ?

— Eh bien, sous la table, là.

Le couple jeta un coup d'œil.

— Il n'y a rien.

— Vous êtes sûrs ? Vous pouvez vous lever s'il vous plaît, que je regarde ?

— Bien sûr...

Les deux clients se levèrent docilement et s'écartèrent, dans l'espace exigu de la terrasse, sous le regard quelque peu importuné des clients alentour.

— Oh ! C'est pas possible ! s'exclama Marc d'un air furieux, attirant de plus en plus l'attention des personnes autour de lui. Il peut pas avoir disparu quand même ! Personne l'a vu ? Vous, Madame ?

Il se mit à déambuler entre toutes les tables, de plus en plus agité, prenant les clients à partie ici et là, leur demandant de se lever, de pousser leurs chaises, mettant sur la terrasse un joyeux désordre, tant et si bien qu'il n'y eut bientôt plus aucune personne autour de lui qui ne fût en train de suivre, qui avec agacement, qui amusement, ce pathétique mélodrame.

— Garçon ! cria Marc sans vergogne. On m'a volé mon sac !

Deux serveurs de l'hôtel s'approchèrent, visiblement embarrassés.

— Qu'est-ce qu'il se passe ?

— Regardez, j'avais laissé mon sac là, et il n'y est plus. Appelez-moi le patron ! C'est scandaleux, enfin !

— Mais enfin, monsieur...

— Je vous préviens, je vais vous faire un procès ! Vous avez intérêt à retrouver mon sac ! Et évidemment, personne n'a rien vu. Vous n'avez rien vu, vous ? Allez me chercher le patron, je vous dis !

En quelques minutes à peine, Marc était parvenu à réussir son exercice de diversion avec un certain brio. Tous les yeux étaient maintenant tournés vers lui, y compris ceux du personnel qui, à bout de nerfs, était sur le point de le jeter dehors, et Olivier Dartan, amusé par les prouesses de sa nouvelle recrue, passa totalement inaperçu en sortant tranquillement de l'hôtel, non sans avoir réglé son addition malgré tout...

Quand Marc vit que son officier traitant avait disparu, il fit semblant de se calmer, s'excusa et quitta
les lieux à son tour.

Quelques minutes plus tard, Masson, plutôt fier
de son coup, réalisa en entrant dans le métro que
les choses étaient en train de devenir très concrètes,
et cela l'emplissait de joie. Il avait conscience de
vivre quelque chose d'extraordinaire, quelque chose
d'indicible, c'était comme s'il entrait soudain dans
un monde invisible, un monde parallèle dans lequel
il savait déjà qu'il serait toujours seul, totalement
seul, mais heureux. Au fond, rien ne pouvait mieux
lui convenir.

# 55

## Avril-mai 1986, Paris

Les deux mois qui suivirent passèrent à une
vitesse folle et Marc se prit rapidement au jeu. Il y
avait quelque chose d'excitant dans la construction
de sa nouvelle identité, qui amplifiait cette impression de prendre un second départ et, surtout, d'en
être le propre artisan. Olivier lui laissait une grande
liberté dans la fabrication de son personnage, et
il n'y avait personne pour le contraindre dans ses
choix.

Lentement, Marc Masson devint Matthieu Malvaux,
un homme nouveau, et ce n'était pas sans saveur.
Petit à petit, il s'inventa, il consolida sa *légende*. Il se
fabriqua des souvenirs d'enfance, des parents, des
voyages, inspirés de sa propre vie... Une version
détournée, et quelque peu améliorée, de son existence réelle.

Dans les premiers jours d'avril, il s'installa dans un studio du Quartier latin, rue de l'Éperon, où il se fondit avec plaisir dans la faune estudiantine. La journée, il faisait du sport, du tir ou de la boxe, quand il ne retrouvait pas l'inénarrable Vulcain qui montait de temps en temps à Paris pour lui faire faire de nouveaux exercices en situation. Le soir, il sortait un peu pour jouer les Matthieu Malvaux et, quand il rentrait dans son petit appartement du vieux Paris, il se sentait bien, enfin, tout simplement. Ressuscité, presque.

En moins de deux mois, il passa comme convenu tous les permis nécessaires, en s'inscrivant à des formations accélérées. Ce faisant, il se découvrit une véritable passion pour la moto et, Olivier lui ayant donné bien plus d'argent qu'il n'en dépensait réellement, Marc se permit même de s'acheter, sous son identité fictive, une vieille Ducati avec laquelle il allait tourner de temps en temps sur le circuit Carole, quand celui-ci était ouvert au public. Le frisson de la vitesse, l'impression de liberté... Il sourit un jour quand un pilote qu'il avait croisé là-bas une ou deux fois lui lança un « Salut Matthieu ! » désinvolte. L'impression était étrange : c'était la première fois qu'on l'appelait ainsi et, pourtant, la chose lui parut déjà la plus naturelle du monde.

À partir du deuxième mois, sa formation auprès de l'instructeur du SA s'intensifia : en complément d'un entraînement physique intensif, avec de nombreuses courses en forêt d'Orléans, Vulcain lui apprit aussi à crocheter une serrure, s'infiltrer dans l'appartement d'un inconnu, photographier correctement un objectif, utiliser des micropoints[1], voler un véhicule, faire une filature en milieu urbain

---

1. Procédé permettant de cacher un texte crypté miniature, dans une image par exemple.

ou, au contraire, y semer un poursuivant, à pied ou en voiture... Malgré le peu de sympathie qu'il éprouvait pour son instructeur, Marc se montra un excellent élève, comme si tous ces gestes étaient innés chez lui et, en deux mois, il apprit aisément à maîtriser les techniques essentielles qu'on attendait d'un agent clandestin. Lui, porté par une nouvelle espérance, il voulait simplement être le meilleur.

Quand il eut enfin terminé toutes les démarches administratives qu'on lui avait demandé d'accomplir, Marc appela comme convenu son OT au numéro qu'il avait littéralement ingurgité. Olivier lui donna alors de nouveau rendez-vous, dans un parking cette fois.

— Vulcain a l'air content de votre progression.

— C'est un type sensass. On s'adore, plaisanta Marc.

— Jusqu'ici, vous vous en sortez très bien.

— Ça vous étonne ?

— Non. Ça me rassure, Hadès.

— J'ai du mal à ne pas rire quand vous m'appelez Hadès, vous savez ?

— Va falloir vous habituer. En mission, ce sera pareil. On est dans le vif du sujet, maintenant.

Installés dans la berline noire, au dernier sous-sol du parking désert de la Fnac Montparnasse, les deux hommes fumaient une cigarette en discutant.

— Je vous cache pas que...

Marc s'arrêta de parler, masquant mal un accès de pudeur inattendu.

— Oui ?

— Eh bien, disons que, tout ça... J'y prends un certain plaisir, Olivier.

Dartan sourit.

— Je le vois. Ce n'est que le début, mon garçon. Vous allez maintenant avoir une nouvelle épreuve. Et ce ne sera pas seulement un test, Hadès. Ça a une utilité pour la Boîte.

— Alléluia !

— Il y a là-dedans une liste de pays européens, fit l'officier en tendant une enveloppe à son voisin. Vous allez devoir voyager clandestinement à travers tous ces États et en ramener le plus de plaques numérologiques possible, en notant à quel modèle de voiture chacune correspond.

Marc, qui s'était attendu à une mission plus périlleuse, ne masqua pas sa déception.

— Ça a l'air trépidant…

— Soyez patient. Ces plaques pourront servir de doublettes lors de futures missions de la DGSE. Et c'est un excellent entraînement pour vous.

— Si vous le dites.

— Vous ne devez utiliser ni le train, ni l'avion, ni une voiture de location, car « Matthieu Malvaux » doit éviter autant que possible de laisser une trace de son passage.

— Et comment je vais faire, alors ?

— Vous regarderez dans l'enveloppe, il y a toutes les informations nécessaires. Vous allez devoir voler un véhicule d'un modèle et d'une couleur bien précis, pour lequel nous vous avons délivré une vraie fausse carte grise, à votre nom de couverture.

— Ça n'a pas l'air bien compliqué.

— Détrompez-vous. Si vous vous faites prendre, c'est votre problème, pas le nôtre, et ça pourrait vous attirer de sérieux ennuis. N'oubliez jamais qu'officiellement, nous n'avons rien à voir avec vous.

— Je ne l'oublie pas. Je connais les règles du jeu et j'assume parfaitement le risque que je prends. J'aimerais juste que ce soit pour faire des choses un peu plus… intéressantes.

— Ça viendra.

— J'espère. Je peux y aller, maintenant ?

— Attendez.

L'officier lui tendit la clef d'une consigne de la gare de Lyon, à Paris, et une petite plaquette de gommettes autocollantes blanches.

— Qu'est-ce que c'est que ça ? C'est l'heure des travaux manuels ?

— Il va falloir vous habituer à ça aussi. Ces petits ronds vont devenir vos meilleurs amis. C'est un moyen de communication ultra-high-tech.

— Ah bon ?

— Oui. Quand vous aurez les plaques, déposez-les dans le coffre de la consigne qui nous sert de « boîte aux lettres » et collez une gommette coupée en deux sur la porte. Nous saurons que vous avez réussi.

— Une gommette coupée en deux ?

— Absolument.

— C'est moderne.

— C'est efficace. De même, au cas où, un jour, vous auriez besoin de nous contacter alors que vous êtes dans un pays étranger, nous avons un protocole de contact un peu… singulier.

— C'est-à-dire ?

— *Alpirando*, vous connaissez ?

— Non.

— Comme son nom l'indique, c'est un magazine sur l'alpinisme et la randonnée. Si vous avez *vraiment* besoin de nous contacter, vous devez envoyer par la poste une petite annonce à ce magazine, avec ce texte précis : « JH vingt-six ans, solide marcheur, cherche compagnons de voyage pour trek en Bolivie. » Nos Services comprendront.

— Ah oui, c'est singulier.

— Vous avez retenu ou j'ai besoin de répéter ?

— Comment oublier ?

— Alors qu'est-ce que vous faites encore ici ?

Marc hocha la tête en souriant, attrapa son casque de moto sur la banquette arrière et sortit de la voiture sans rien ajouter.

Le lendemain, en fin d'après-midi, il prit le métro en direction de Bagnolet. Il devait trouver le modèle de voiture correspondant à la carte grise qu'Olivier lui avait donnée. Une Volkswagen Golf série II, trois portes, sur laquelle la clef du bouchon du réservoir d'essence était la même que celle des portières et du démarreur, ce qui en rendait le vol beaucoup plus aisé. Il fallait donc en trouver une de couleur noire et n'ayant pas plus de deux ans. En outre, il fallait que Marc repère un véhicule susceptible de rester un long moment garé au même endroit, dans un lieu discret, le temps qu'il puisse mener à bien son opération. Un parking d'immeuble extérieur non fermé, par exemple. On en trouvait plus facilement en proche banlieue.

Dès qu'il fut arrivé à Bagnolet, Marc commença à chercher discrètement sa cible. De parkings d'immeuble en parkings municipaux, de petites ruelles en impasses, il arpenta la ville avec une fausse désinvolture, se fondant dans les quartiers populaires de la banlieue, entre pavillons modestes, ateliers d'artisans et grandes barres de béton. La douceur des soirées de juin amenait jeunes et moins jeunes sur les trottoirs de la ville, ce qui rendait les choses plus difficiles pour passer inaperçu. Après de longues heures de recherche – pas la bonne couleur, pas le bon nombre de portes, pas le bon modèle... – Marc finit par repérer la poule aux œufs d'or au pied d'un immeuble du quartier Gallieni.

Une belle Golf noire série II, trois portes, aux vitres teintées. Il inspecta les environs. Pas beaucoup de passage, pas de caméras de surveillance. Après un rapide repérage, il vérifia que personne ne pouvait le voir, s'approcha de la voiture et arracha rapidement le bouchon de réservoir, avant de le remplacer par un bouchon standard qu'Olivier lui avait donné, et sur lequel le barillet était « vierge » : si le propriétaire mettait sa clef dedans, le bouchon s'ouvrirait sans qu'il ne puisse se rendre compte que ce n'était plus le sien.

À présent, il fallait faire vite. Marc chercha un endroit abrité pour se mettre au travail. Quelques centaines de mètres plus loin s'étalait l'un des terrains vagues de Gallieni, où se côtoyaient gitans et gamins du quartier, au milieu des débris et des vieux bidons d'huile transformés en braseros. À l'écart, Marc repéra un vieux container rouillé, couvert de graffiti. Après s'être assuré qu'on ne viendrait pas l'y déranger, il se glissa à l'intérieur, s'assit par terre et sortit de son sac tout le matériel nécessaire : lampe de poche, limes, tournevis, petit étau…

Dans la pénombre des lieux, il sortit le bouchon d'essence, le dénuda, puis, à partir d'une des nombreuses ébauches qu'Olivier avait fournies, il fabriqua à la hâte une clef compatible avec le barillet, en y réalisant des petites encoches plus ou moins profondes. Dehors, on entendait le bruit des jeunes adolescents de Bagnolet qui jouaient au football, écoutaient de la musique sur de gros postes à cassettes… Marc essaya d'accélérer le rythme. Un seul gamin entrait ici, et cela risquait de tout faire capoter. Il dut s'y reprendre à plusieurs reprises pour que la clef permette enfin l'alignement parfait de toutes les lamelles. L'exercice lui prit près de trente minutes, un temps qu'il allait devoir apprendre à améliorer à l'avenir.

Sa clef enfin en poche, il sortit du container et retourna rapidement vers le parking où était garée la voiture.

Ce quartier de Bagnolet était plus calme, à cette heure-là. Les bandes de jeunes qui traînaient ici et là devant les halls d'immeubles ne firent pas attention à lui. Avec son allure de mauvais garçon, Masson ne détonait pas dans le paysage.

La nuit commençait à tomber, et la Golf était toujours là, plongée dans la pénombre du parking, au milieu des immeubles. Après une rapide vérification des lieux, Marc se dirigea tout droit vers la voiture et entra la clef dans la serrure de la portière, le plus naturellement possible. Si quelqu'un le voyait depuis les étages, il fallait donner l'impression que c'était la sienne.

La serrure résista un peu mais finit par tourner. Masson ouvrit la portière, se glissa derrière le volant et enfonça la clef dans le neiman. À cet instant, il sentit le rythme de son cœur qui s'accélérait, mais c'était bien plus de l'excitation que de la crainte. La voiture démarra du premier coup. Le quatre cylindres en ligne allemand se mit à ronronner avec la précision d'une horloge. Un sourire se dessina sur son visage.

« Volkswagen. C'est pourtant facile de ne pas se tromper. »

Il quitta lentement la cour de l'immeuble, traversa le quartier puis entra dans un parking municipal, fermé celui-là, afin de procéder au remplacement des plaques à l'abri des regards. Quatre coups de pince, des rivets, dix minutes plus tard, la voiture était enfin prête, maquillée.

Vers 22 heures, Marc rejoignait l'autoroute de l'Est et fonçait vers le Luxembourg, excité à l'idée de remplir enfin une première véritable « mission », aussi basique fût-elle.

Ainsi, pendant deux semaines, celui qui était devenu Matthieu Malvaux suivit le long parcours préparé par la Boîte : Luxembourg, Belgique, Pays-Bas, RFA, Autriche, Suisse et Italie. Plus de trois mille kilomètres de périple en solitaire, au volant d'une voiture volée.

Le soir, Marc dormait dans la Golf ou dans des petits motels délicieusement minables qu'il payait en liquide. Pour les repas, il se contentait de snacks dans les stations-service où il faisait ses pleins d'essence. Il évita les rencontres, se contentant de rouler et de découvrir les paysages de la vieille Europe, et le souvenir de son long périple en Amérique du Sud lui revint immanquablement en mémoire. L'aventure, bien sûr, était moins grande, et il ne retrouva pas le plaisir et les sensations de jadis, mais l'aisance qu'il éprouva dans cette excursion solitaire confirma une fois de plus qu'il était fait pour ça, que la Terre n'était jamais trop grande, qu'il était doux, parfois, de se soustraire au regard d'autrui en devenant un voyageur anonyme, et que la solitude n'était pas l'isolement, elle était une compagne, et elle permettait, au contraire, de communier mieux que jamais avec l'universel. Le monde entier tenait tout autant dans la splendeur des monuments de Rome ou de Vienne que dans l'odeur moisie des vieilles chambres d'hôtel, dans la richesse des couleurs de l'été sur les vallées autrichiennes que dans l'austérité impersonnelle des aires d'autoroute, l'humanité était partout, dans les poings levés aux statues de la grande place de Bruxelles, dans les télécommandes cassées sur les lits des motels, dans la rigueur majestueuse et déchirante de la porte de Brandebourg, dans l'œil décousu d'une peluche abandonnée au bord d'une nationale, elle était belle et sotte, l'humanité, futile et infatigable, guerrière et dévouée, et elle n'avait d'autre sens que de mériter qu'on se batte pour elle. Loin de tout et si proche de lui-même, Marc se laissa bercer par la reposante opacité des langues étrangères, et sa mission elle-même trouva quelque sens nouveau à ses yeux : il ne travaillait pas pour la France, il se battait pour la multitude.

Le passage des douanes était toujours pour lui un moment délicat : la peur de se faire prendre et que tout s'arrête avant même que de n'avoir commencé. Mais il fallait croire que ses vrais faux papiers faisaient illusion. Officiellement, il était un simple touriste. Parfois, on lui demandait où il allait, et Marc donnait alors simplement le nom et l'adresse d'un hôtel qu'il avait sélectionné au hasard à l'avance dans la prochaine capitale. On ne lui en demandait pas plus.

Dans chaque pays, il vola deux ou trois paires de plaques d'immatriculation, en notant soigneusement à quel modèle elles correspondaient. C'était un jeu d'enfant, mais il y prit tout de même un certain plaisir. Pour la première fois depuis le début de sa formation, Marc avait l'impression de servir à quelque chose. Et s'il se faisait prendre avec une vingtaine de plaques cachées à l'arrière de sa voiture, il risquait sûrement de passer un mauvais quart d'heure, alors le danger, bien réel, ajoutait un peu de piment.

Et puis, enfin, à la date prévue, de retour en France, il déposa un sac empli d'une quarantaine de plaques dans la consigne de la gare de Lyon, à Paris et, comme convenu, il colla une petite gommette blanche coupée en deux sur la porte, signe de la réussite de sa mission… Il sourit. C'était comme s'il venait de faire entrer l'Europe tout entière dans un petit casier métallique.

Le lendemain, il retrouvait enfin Olivier au légendaire Café Laurent, petit havre de paix bien isolé au cœur du somptueux hôtel d'Aubusson, rue Dauphine, à quelques pas de son appartement parisien.

— C'est gentil d'être venu jusque chez moi, s'amusa Marc en prenant place dans ce haut lieu germanopratin.

Cette vie nouvelle le conduisait décidément dans des lieux bien éloignés de ceux que sa vie passée l'avait amené à fréquenter…

— J'ai bien peur que les employés de l'hôtel de République aient gardé un fort mauvais souvenir de votre dernier passage.

— On est bien mieux ici.

— C'était le café préféré des gens de lettres, cher ami. Rousseau, Voltaire, Montesquieu… Nous sommes entourés de bien jolis fantômes.

— Faites attention, je vais y prendre goût.

Ils passèrent leur commande.

— Je suis fier de vous, Hadès. Vous vous en sortez très bien.

— On va pouvoir passer à quelque chose de plus sérieux, alors ?

— Pour l'instant, vous allez devoir rentrer quelques jours à Lyon.

— Pourquoi ?

— Pour la couverture de votre identité réelle. Vous ne devez pas vous absenter trop longtemps et il faut que vous fassiez une ou deux courses pour la société de transport qui vous sert de couverture là-bas.

— Je suis bien, à Paris…

— Raison de plus.


# 56

## 1er juin 1986, Paris


— Vous savez que c'est Jean Cocteau qui a dessiné le logo original du restaurant ?

Le commissaire Arnaud Batiza jeta un coup d'œil à la carte du Méditerranée. L'écriture du logotype ressemblait en effet à celle, si caractéristique, de l'artiste.

— Non, je l'ignorais. Je ne suis pas aussi familier que vous des grandes tables parisiennes, Jean-Christophe…

— Il a beaucoup contribué à la renommée de cet établissement, affirma Castelli en entamant la célèbre bouillabaisse du restaurant.

À quelques pas de l'Odéon, le décor élégant de la salle, enluminée de ses fresques aux tons pastel, brillait sous le soleil qui filtrait par la longue véranda. Le conseiller du ministre de l'Intérieur semblait ici comme un poisson dans l'eau... de la Méditerranée.

— Comme quoi, on peut à la fois avoir un faible pour l'Allemagne nazie et pour la bonne cuisine, ironisa Batiza.

— Oh, on a beaucoup exagéré là-dessus, Arnaud ! Disons que Cocteau était assez ouvert dans le choix de ses amis et, je vous l'accorde, quelque peu opportuniste.

— Si peu...

— Il ne refusait pas plus la compagnie d'Allemands cultivés que de ses nombreux amis juifs. L'Occupation était une période compliquée pour les artistes...

— Les pauvres !

— Allons ! Un homme qui affichait très ouvertement son homosexualité ne pouvait pas être aussi bienveillant à l'égard des nazis qu'on le prétend !

— Si vous le dites.

— Je vous laisse choisir le vin. Il paraît que vous êtes un spécialiste...

Batiza ne s'offusqua point de la petite pique. Il assumait volontiers son penchant pour la boisson.

— Alors ? relança Castelli. Ça donne quoi, la piste Abdallah ?

— Rien de bien concret, pour l'instant, j'en ai peur. Les Farl sont en bout de course, peu de chances qu'ils aient un lien réel avec les attentats...

— Ça va faire quatre mois qu'on est au point mort, Arnaud, on a besoin de faire avancer les choses.

— Je comprends, mais on a beau chercher, on ne trouve rien sur le réseau Abdallah. Je vous avoue que la piste iranienne, défendue par la DGSE, me paraît plus... prometteuse.

Castelli acquiesça en souriant.

— Vous savez que le dossier iranien est particulièrement sensible, pour nous. Mais le ministre est prêt à tenter quelque chose de ce côté-là. Et nous pensons que la DST est mieux placée que la DGSE pour nous y aider.

— Je vous écoute, répondit l'Antillais, sans masquer son amusement.

— Nous allons vous demander d'assurer l'expulsion de Massoud Radjavi du territoire.

Radjavi était un opposant iranien qui, s'étant lancé dans une lutte armée contre le régime islamiste, était devenu une cible directe pour Khomeini. En 1982, se sentant en danger, il s'était enfui pour la France, où il avait obtenu le statut de réfugié politique et la protection appuyée du président Mitterrand.

Ainsi, en expulsant Radjavi du pays, le nouveau gouvernement faisait d'une pierre deux coups : d'un côté il adressait un signe « amical » à l'Iran, dans l'espoir de relancer les négociations sur la libération des otages au Liban, et de l'autre il faisait la nique à Mitterrand, qui avait toujours défendu l'opposant iranien.

Batiza se garda bien de faire remarquer que la manœuvre était particulièrement machiavélique.

— Vous croyez que ça suffira ?

— On aurait préféré libérer Naccache, mais le président de la République est le seul à pouvoir lui accorder une grâce, et... il a pas l'air de vouloir.

— Après ce que vous lui avez fait, c'est un peu taquin, mais c'est de bonne guerre...

— Je ne vois pas de quoi vous voulez parler.

— Bien sûr...

— Bref, nous aimerions que la DST se charge directement, et rapidement, de l'expulsion de Radjavi.

— Et vous voulez l'envoyer où ?

Castelli sourit.

— En Irak.

— Chez Saddam Hussein ? Vous êtes sûrs que ça va plaire aux Iraniens ?

— Disons que c'est un moyen de montrer que nous ne protégeons plus Radjavi, sans pour autant le jeter dans la gueule du loup.

— C'est particulièrement tordu.

— Vous avez une semaine.


# 57

## Carnet de Marc Masson, extrait n° 10


*Très jeune, j'ai été déçu par le sens que le monde moderne a donné à la politique. Et par ceux qui la font. J'ai le sentiment que, comme va le monde, les gens s'intéressent trop à la politique et pas assez à la philosophie. La norme semble non plus d'avoir une pensée, mais un avis. Un avis politique. Au lieu de se forger chaque jour une philosophie de vie propre, on se sent obligé de choisir un camp, on devient un partisan et, dès lors, on cesse de penser. On se met une étiquette, on en colle à autrui, et l'on ne juge plus qu'à travers elles. On fait de la politique un outil de dissension, de dispute, quand elle ne devrait servir que nos intérêts communs. Les gens qui font de la politique et ceux qui les élisent ne le font plus pour des raisons philosophiques, mais partisanes. Ils ne pensent plus à l'humanité, mais à leur portefeuille.*

*J'ai toujours pensé que l'homme ne devrait se battre que pour protéger les faibles, jamais pour assouvir. L'homme ne devrait pas être dirigé par l'homme, mais par ses idées, ou ses idéaux. Et pour se forger des idées et des idéaux, il faut s'instruire, apprendre, écouter, chercher, questionner, remettre tout en question à chaque instant, y compris ses propres convictions.*

*On ne peut penser le monde sans le connaître. Et pour connaître le monde, une vie ne suffit pas. Je me méfie des hommes qui savent comme j'admire ceux qui cherchent.*

*Mon amour de l'humanité m'a donné, à jamais, une extinguible soif de connaissance et un profond dégoût pour la politique. Alors je suis parti. Chaque fois que j'ai pu le faire, je suis parti pour connaître le monde un peu plus. Apprendre, toujours. Et demain, encore, je partirai.*

# 58

## 9 juin 1986, Lyon

— Et si on jouait au questionnaire de Proust ?

— Ah, Marc ! Vous êtes un éternel enfant...

À force d'insistance, de guerre lasse, la libraire avait enfin accepté un rendez-vous ce soir-là, *en tout bien tout honneur*, dans le café qui faisait face à sa librairie de Sathonay.

La brune apportait un souffle de légèreté dans l'étrange quotidien de Marc et, préférant éviter Diouf, comme il ne voyait personne d'autre en dehors du patron de la société de transport qui assurait sa couverture, c'était à présent la seule personne avec laquelle Marc pouvait redevenir Masson. Il se sentait bien, auprès d'elle. Il y avait dans leurs échanges une sorte d'innocence qui berçait son esprit. Une bouffée de normalité. L'érudition étonnante de la jeune femme, et sa vive intelligence ne gâchaient rien. D'ordinaire, sans doute Marc aurait-il essayé avec plus d'insistance de l'entraîner dans son lit, ou de se jeter dans le sien, mais il se surprenait à aimer ce jeu de flirt un peu désuet auquel ils se livraient tous deux. Pauline Sainte-Croix avait l'air de vivre dans ses romans, et Marc voulait prendre son temps pour en tourner chaque page. Cela faisait plusieurs mois qu'ils se connaissaient, et ils en étaient encore à se vouvoyer.

— Bon. D'accord. Votre vertu préférée ? demanda-t-elle alors que le serveur leur apportait leurs cafés.

— La vache ! Vous connaissez le questionnaire de Proust par cœur ? s'exclama Marc, perplexe. Je plaisantais à moitié…

— Eh bien, assumez, maintenant ! Ne vous défilez pas ! Ça vous apprendra à faire le malin. Alors, votre vertu préférée ?

— La petite.

Elle sourit et, quand elle souriait, elle était plus séduisante encore. La joie lui dessinait deux petites fossettes au milieu des joues qui lui donnaient un délicieux air coquin. Il y avait dans les traits de Pauline, et jusque dans ses gestes, une affolante sensualité qui avait ceci de formidable que la jeune femme ne semblait pas s'en rendre compte elle-même. Ou si peu. Sans maquillage, avec ses vêtements toujours trop grands et froissés, elle semblait ne pas vraiment se soucier du regard des hommes.

— Vous êtes incorrigible ! Ça vous arrive de penser à autre chose ?

— Quand je suis avec vous, non.

— Va falloir vous y faire : je ne suis toujours pas célibataire, Marc.

— Va falloir vous y faire aussi : je suis très patient, Pauline. Et vous, alors ? Votre vertu préférée ?

Elle hésita.

— La force d'âme. La qualité que vous préférez chez un homme ?

— L'honnêteté. Et vous ?

— L'humilité. Et chez une femme ?

— Euh… La souplesse ? risqua Masson d'un air espiègle.

— Marc !

— Bon… Alors, l'humour !

— Elle est idiote, cette question : je ne vois pas pourquoi les femmes devraient avoir des qualités différentes, au fond. Dites-moi plutôt ce que vous appréciez le plus chez vos amis ?

Marc n'osa pas lui dire qu'il n'avait pas vraiment d'amis. Ayant décidé de tenir Diouf à l'écart pour éviter de mettre sa couverture en danger, il ne lui restait plus que des fantômes.

— La discrétion. Et vous ?

— La bienveillance ! Il y a un dicton qui dit qu'un véritable ami c'est quelqu'un qui vous connaît par cœur, mais qui vous aime quand même. Ah ! Justement ! Quel est votre principal défaut ?

— Je suis colérique.

La réponse était sortie toute seule, avec la spontanéité de l'honnêteté, et Marc se rendit compte, à regret, que c'était un bien terrible aveu. *El Furibundo*.

— Ah bon ? Vous êtes colérique, vous ? Ça se voit pas.

— J'y travaille. La boxe, ça aide beaucoup. Et vous, votre principal défaut ?

— Je suis terriblement bordélique. Sans commentaires. Votre occupation préférée ?

Marc sourit.

— Conduire des gros camions.

— Pardon ?

— Je vous ai pas dit ? J'ai retrouvé du travail. Je suis chauffeur routier, maintenant.

— Vraiment ? Et c'est votre occupation préférée ?

— Non. En réalité, j'hésite entre lire... et faire l'amour.

— Ça m'aurait étonnée. On peut difficilement faire les deux en même temps.

— C'est un défi ?

— Non.

— Et vous ? Votre occupation préférée, Pauline ?

— Eh bien, je vous aurais naturellement répondu que c'était la lecture mais, du coup, j'ai peur que vous ne pensiez que je suis un peu prude...

— En même temps, vous êtes avec un flic... Ça doit plutôt donner envie de lire.

— Très drôle. Quel serait votre plus grand malheur ?

À cet instant, Marc aurait voulu lui répondre que son plus grand malheur aurait été de ne jamais revoir son grand-père, mais cela ressemblait à une réponse idiote, alors il tricha un peu :

— Ne pas vous revoir.

— Vous êtes mignon.

— Pourquoi vous avez enfin accepté de prendre ce verre avec moi ?

— Parce que j'étais fatiguée de dire non. Je me dis que vous allez peut-être me foutre un peu la paix ensuite...

— Foutaises ! Vous seriez triste de pas me revoir, Pauline. En vérité, je parie qu'il y a de l'eau dans le gaz, avec votre poulet !

— Dans vos rêves.

— Vous pouvez m'expliquer ce qu'une libraire hippie fait avec un flic ? C'est pour faire plaisir à vos parents ?

— Vous savez bien que l'amour a ses raisons que la raison ignore, Marc.

— Admettons. Et vous, alors ? Quel serait votre plus grand malheur ?

Pauline grimaça.

— Mon plus grand malheur, ça serait de ne plus pouvoir travailler dans une librairie.

— Pourquoi vous dites ça ?

Elle haussa les épaules.

— Les affaires sont un peu dures. Ma patronne parle de revendre. Bon. J'oublie sûrement une ou deux questions… Quel est votre auteur préféré ?

— La vache ! Aucune idée ! Il y en a tellement ! Quand j'étais gamin, mon livre préféré était *Lorenzaccio*. Et vous ? Par pitié, ne me sortez pas Kerouac ou Burroughs !

— Pourquoi ? Qu'est-ce que vous leur reprochez ? s'offusqua Pauline.

— Oh, rien, j'adore Kerouac ! Mais avec vos faux airs de Janis Joplin, ce serait tellement cliché !

— À vrai dire, j'allais vous répondre Romain Gary, dit-elle en ouvrant grand ses yeux.

Les minutes passaient et Marc se rendit compte que cela faisait des années qu'il n'avait pas pris autant de plaisir à parler. Pauline était douce, fine, drôle, et cela lui apportait une délicieuse sérénité. Avec elle, il avait l'impression que rien n'était grave.

Quand ils se quittèrent, avant même l'heure du dîner, Marc lui glissa un bien innocent baiser sur la joue, mais il voulut croire que celui-ci était bien plus romantique, ou romanesque peut-être, qu'une phénoménale galoche.

En s'éloignant, Mlle Sainte-Croix lui adressa un petit signe de la main anachronique.

— À bientôt, Marc.

— Mort aux vaches !

# 59

## 20 juin 1986, Beyrouth

— Vous pensez que c'est mauvais signe, Dartan ?

— Je ne sais pas, colonel.

À 19 h 30, les militaires syriens procédèrent à l'évacuation totale de l'hôtel Beau Rivage. Personnel de l'ambassade, journalistes, services de sécurité, tous ceux qui étaient venus ici pour préparer l'accueil des otages français étaient finalement priés de débarrasser le plancher au plus vite. L'ordre était venu directement de Hafez el-Assad, le président syrien, qui avait joué le rôle d'intermédiaire avec les ravisseurs.

L'expulsion de l'opposant iranien Massoud Radjavi, concédée par la France, avait donc porté ses fruits. Il fallait bien reconnaître que l'inénarrable Castelli venait de marquer un premier point.

Les ravisseurs libanais, qui avaient annoncé pour 19 heures la libération de deux des quatre journalistes enlevés quatre mois plus tôt, avaient finalement repoussé l'heure en exigeant que les mesures de sécurité installées autour de l'hôtel soient levées. Seule la présence des militaires syriens était tolérée, et ceux-ci se chargeraient alors de remettre les deux otages aux autorités françaises, à Damas.

— Je vous rejoins à l'ambassade, chuchota Dartan à son chef de poste alors que les militaires syriens guidaient la délégation vers la sortie de l'hôtel.

Le colonel Gautier regarda son collègue d'un air inquiet.

— Faites pas le con, Olivier...

— Vous me connaissez...

— C'est bien ce qui me fait peur.

— Donnez-moi l'appareil.

Le chef de poste lui tendit la petite sacoche de l'appareil photo et secoua la tête en regardant l'incorrigible Dartan s'écarter discrètement au milieu de la foule.

L'officier de la DGSE, retrouvant ses vieux réflexes, glissa progressivement vers le côté du troupeau, avec suffisamment de fluidité pour ne pas se faire remarquer. Au bout du lobby, quelques mètres seulement avant les grandes portes vitrées de l'hôtel, s'assurant qu'aucun des militaires syriens ne le regardait, il profita de la cohue pour obliquer au dernier instant vers les chariots des bagagistes, se faufilant au milieu d'eux pour rejoindre d'un pas preste les escaliers de secours de l'hôtel. D'un geste souple mais prompt, il s'infiltra et disparut derrière la porte.

Arrivé au quatrième étage, il entrouvrit délicatement la porte de l'issue de secours et aperçut aussitôt le groupe de militaires syriens qui patrouillait dans le couloir. Il referma doucement la porte, se plaqua derrière le mur et attendit que les pas se fussent éloignés.

Deuxième tentative. Un rapide coup d'œil à l'intérieur. Les soldats étaient de dos, en direction du nord. Il prit sa chance. En prenant garde à ne pas laisser la porte claquer derrière lui, il entra dans le couloir et se dirigea à la hâte dans le sens opposé.

Au bout du corridor, il ouvrit la large fenêtre à double battant, fit glisser la sacoche de l'appareil dans son dos et grimpa sur le rebord. Dehors, Beyrouth était déjà plongée dans l'obscurité, illuminée çà et là par les halos orangers des réverbères. Debout sur le bâti, au-dessus du vide, Dartan s'agrippa à la corniche et se hissa péniblement vers le toit. La *planche*, souvenir des fusiliers commandos. Un rapide regard circulaire pour s'assurer que les Syriens n'avaient placé aucun sniper sur le toit, puis il rampa vers les hautes lettres lumineuses de l'enseigne « Beau Rivage » qui s'élevaient au sommet de la façade.

Couché au sol, Dartan se glissa entre le « R » et le « I » lumineux et sortit l'appareil photo du chef de poste. Il régla le Canon sur une petite ouverture et une sensibilité faible puis le cala précautionneusement sur le montant de l'enseigne pour que sa stabilité permette un temps de pose assez long.

La longue attente commença.

Il était près de 21 heures quand Olivier Dartan aperçut enfin les phares du 4×4 noir qui venait de s'arrêter au bout de la rue. Il prit une profonde inspiration. S'il se faisait repérer, les conséquences seraient certes dramatiques. Avec des gestes calmes, il pointa l'objectif de son appareil vers le véhicule et commença à prendre des photos.

À cet instant, il ne put s'empêcher de penser à Marc Masson, sa nouvelle recrue, sur laquelle il misait tant. Celui-ci, bientôt, pourrait enfin être amené à Beyrouth pour les missions les plus délicates, et le chef de poste adjoint éprouvait une certaine impatience. Il commençait à s'attacher à ce jeune homme peu ordinaire.

Selon le communiqué officiel des ravisseurs, cette première libération était le résultat d'un « début de changement dans la politique française au Moyen-Orient ». La médiation du président Assad, sollicitée par le Quai d'Orsay, n'y était sans doute pas tout à fait étrangère. Les autres otages seraient bientôt libérés « si la France [profitait] de l'occasion pour prouver sa bonne volonté ». Une fois de plus, Dartan en était certain : l'opération portait la signature implicite de l'Iran.

Ajustant son objectif, il observa les deux hommes qui venaient de sortir du véhicule. « Type caucasien », comme on disait. Il parvint, malgré la faible lumière, à identifier les journalistes français,

Philippe Rochot et Georges Hansen. Il appuya plusieurs fois sur le déclencheur. Visiblement épuisés, les deux hommes marchèrent tout droit vers l'hôtel Beau Rivage en se tenant par le bras. On pouvait lire sur leur visage non seulement la fatigue, mais l'extrême anxiété. Une centaine de mètres seulement les séparaient de l'hôtel, mais ce devait être pour eux la marche la plus longue et la plus terrifiante de leur existence.

Dartan continua de les mitrailler alors qu'ils approchaient. À Paris, le nouveau gouvernement allait pouvoir se frotter les mains en annonçant la première libération d'otages du Liban. Il y avait quelque chose de terriblement émouvant dans la longue traversée solitaire de ces deux hommes, livrés à eux-mêmes au cœur de la nuit, pour quelques secondes encore. C'était à la fois un spectacle réjouissant et d'une grande tristesse. Dartan ne pouvait s'empêcher de penser au terrible gâchis, aux dégâts irréparables sur la vie de ces hommes, mais surtout, il répéta dans sa tête le nom des cinq autres otages français qui étaient, eux, toujours détenus : Carton, Fontaine, Kauffmann, Cornea, Normandin.

En contrebas, Olivier vit des militaires syriens sortir enfin sur le trottoir pour accueillir les deux hommes. La fin de leur calvaire était proche. Il dirigea alors de nouveau l'appareil vers le 4 × 4 noir. Par acquit de conscience, il fit des clichés de la plaque d'immatriculation du véhicule, mais il savait bien qu'elle ne donnerait rien. Puis, alors qu'elle démarrait, il essaya de distinguer les deux hommes à l'avant de la voiture. Leur visage, à l'évidence, était masqué. Il appuya plusieurs fois sur le déclencheur, alors que le 4 × 4 faisait demi-tour.

Quelques rues plus loin, deux de ses collègues attendaient dans une voiture pour essayer de suivre de loin le véhicule des ravisseurs. Mais, sans soutien logistique, dans le dédale nocturne des rues de Beyrouth, leurs chances de pouvoir les pister étaient quasi nulles. Il espéra seulement que ces photos pourraient lui apporter quelque chose.

# 60

## 23 juin 1986, Paris

Marc but une gorgée de soda en regardant, quelques tables plus loin, la clientèle chic du Café Laurent, au cœur du Quartier latin. Les premières chaleurs de l'été attiraient déjà une foule un peu plus nombreuse dans la douceur du prestigieux établissement. Quelques touristes, des étudiants, des clients de l'hôtel, quelques acteurs du milieu de l'édition, des écrivains sans doute et, au milieu d'eux, il était là, anonyme, s'apprêtant à jouer aux espions… Le sentiment de déréalisation était déroutant. En marchant jusqu'ici, il n'avait cessé de se répéter la même phrase, comme une litanie envoûtante. *Je suis Matthieu Malvaux, je suis Matthieu Malvaux…*

— J'ai vu que deux otages avaient été libérés, fit-il en reposant son verre.

— Rochot et Hansen, confirma Dartan.

— C'est plutôt une bonne nouvelle.

— Une goutte d'eau. Il reste cinq de nos compatriotes dans les cachots de Beyrouth. Et Seurat y a laissé sa peau. On est loin d'être sortis d'affaire, Hadès.

— Vous travaillez là-dessus ?

— Pour l'instant, c'est pas votre problème, répondit l'officier en souriant.

Marc acquiesça lentement.

— À chaque fois que j'entends parler du Liban à la télévision, je...

— Vous quoi ?

— Je prie pour que vous m'envoyiez là-bas.

— Vous priez, *vous* ?

— Façon de parler. Quand j'ai vu aux infos la tête des deux otages libérés à Orly, amaigris, fatigués, ça m'a glacé le sang. Leurs familles...

— Vous savez que les émotions sont plutôt mauvaises conseillères, dans notre boulot ?

Masson haussa les épaules.

— Parce que vous faites ça pour quoi, vous ? Pour l'argent ?

Dartan sourit.

— Je ne suis pas aussi bien payé que vous semblez le croire...

En réalité, un officier installé dans un pays « à risque » touchait plus du double de son salaire normal, ce qui commençait à faire une somme tout à fait honorable... Mais sans doute dérisoire, en comparaison du risque bien réel d'y laisser sa peau.

— C'était ironique. Je me doute que c'est pas l'argent qui vous envoie sur le terrain. Moi, vous n'auriez même pas besoin de me payer pour y aller.

— Dites jamais ça, mon patron risquerait de sauter sur l'occasion pour vous sucrer vos enveloppes. De toute façon, on n'en est pas encore là, Hadès. Vous devez encore faire vos preuves. C'est pour ça que je vous ai fait venir.

— Je vous écoute.

— Cette fois-ci, ça va être un peu plus compliqué.

— Tant mieux.

— Vous avez jusque lundi matin pour nous rapporter les plans détaillés de l'Aérogare 2 de Roissy-Charles-de-Gaulle. Ça n'est encore qu'un exercice, mais vous devez le réussir dans des conditions réelles. On fait souvent ce genre de missions

« équipement » à l'étranger, pour des reconnaissances à fin d'action (RFA).

— Et je dois faire ça par quel moyen ?

— Le plus discret possible. À vous de vous débrouiller. Nous allons régulièrement vous demander d'accomplir des petites tâches de ce genre, Hadès. Un jour, ça sera plus un exercice, mais une véritable mission. Vous le saurez pas forcément, d'ailleurs. Mais ça sera à l'étranger.

— À Beyrouth ?

— Il y a des chances. Comme vous le savez, la DGSE n'intervient jamais sur le sol français. Enfin… presque jamais.

— Presque ?

— Ça peut nous arriver, quand une cible que nous suivons à l'étranger vient sur le territoire national. Mais c'est rare. Pour l'instant, concentrez-vous sur votre formation, conclut Dartan en coupant court à la conversation.

De bonne grâce, Marc s'exécuta. Pendant tout l'après-midi, il essaya de se renseigner sur l'aérogare, savourant chaque instant de sa première véritable mission. Rapidement, il découvrit que, pour des raisons de sécurité, les plans de l'aéroport n'étaient pas accessibles au public. On ne pouvait les trouver dans aucune bibliothèque et on ne pouvait évidemment pas les demander à un service d'urbanisme. Il fallait donc aller au plus évident : sur place.

Bille en tête, il récupéra la Ducati dans son box du Quartier latin et partit aussitôt pour Roissy.

Le mois de juin était magnifique et il profita avec délectation du trajet, se faufilant entre les voitures en savourant entre ses jambes les vibrations caractéristiques du bicylindre italien. Le vent qui fouettait son visage, cette indicible sensation de pouvoir, plus rien n'existait que l'instant présent…

Arrivé à l'aéroport Roissy-Charles-de-Gaulle, il gara sa moto le plus près possible des portes d'entrée, au cas où il aurait besoin de partir rapidement, puis il accrocha son casque sur le guidon : c'eût été un signe distinctif trop évident.

Se glissant dans la peau d'un voyageur, il passa les sas d'entrée et essaya de ne pas attirer l'attention en se promenant dans les deux terminaux récents de la deuxième aérogare, entièrement aux couleurs d'Air France. Feignant de chercher son chemin dans l'immense labyrinthe, il repéra ici et là des plans d'évacuation affichés dans les escaliers et les sous-sols. Discrètement, Marc les prit en photo avec le petit Instamatic qu'il avait eu le soin d'apporter, mais il se doutait bien que cela ne suffirait pas. S'il voulait impressionner Olivier, il fallait certainement ramener quelque chose de bien plus précis.

Après quelques hésitations, il décida de jouer le tout pour le tout et d'y aller au culot. En un instant, il élabora un plan, bien conscient qu'il était truffé de failles mais, au fond, il n'avait pas grand-chose à perdre. Si cela ne marchait pas, il essaierait autrement. Dans cet exercice, c'était sans doute sa capacité à improviser qui allait être jugée.

Quelques minutes plus tard, il finit donc par trouver le bureau d'accueil des locaux administratifs de la société Aéroports de Paris, gestionnaire de l'aérogare. Derrière le comptoir, deux employés étaient là pour recevoir les visiteurs. Un homme d'une quarantaine d'années et une jeune femme qui devait avoir à peu près le même âge que Marc. Sans hésiter, il se dirigea directement vers elle, en lui adressant le plus beau sourire qu'il pût se composer. Tant qu'à faire, autant essayer la séduction.

— Bonjour monsieur, vous avez rendez-vous ?
— Oui, avec vous !

La jeune femme sourit.

— Ah ? J'étais pas au courant !

— En fait, j'ai juste besoin d'un renseignement, mais je suis sûr que vous allez pouvoir m'aider. Je suis étudiant en dernière année à l'École nationale des sciences géographiques, je viens de terminer un mémoire sur l'Aérogare 2, et mon prof m'a dit que si je ne joignais pas un plan détaillé de l'aérogare à mon mémoire, ça risquait de diminuer sérieusement ma note. Le problème, c'est que j'arrive à trouver ce foutu plan nulle part ! Et ça serait vraiment très dommage que j'aie une mauvaise note juste à cause de ça, alors que j'ai travaillé là-dessus pendant des mois ! Vous savez pas comment je peux me le procurer ?

— Le plan de l'aérogare ? Eh bien, on en a une copie ici quelque part. Je vais vous chercher ça.

Marc vit que sa bonne samaritaine avait les yeux qui pétillaient. Bonne prise.

— Vous êtes charmante !

— Je reviens.

La jeune femme se leva et Marc fit exprès de la regarder avec insistance alors qu'elle s'éloignait vers les bureaux.

Quand il la vit revenir quelques minutes plus tard avec une chemise en carton sous le bras, il n'en crut pas ses yeux.

— Voilà. Tous les plans sont là-dedans. Malheureusement, je ne peux pas vous les laisser, mais vous pouvez y jeter un coup d'œil, si vous voulez. Ça vous aidera peut-être ?

Marc simula une moue embarrassée puis fit un clin d'œil à la belle hôtesse en lui glissant à voix basse :

— Vous pouvez pas me les photocopier ?

Elle grimaça en jetant un coup d'œil aux bureaux de ses supérieurs derrière elle.

— J'ai vraiment pas le droit, je suis désolée.

— Juste une copie. Vous me sauveriez la vie !

— Désolée, c'est impossible. Mais vous pouvez vous installer là sur le bureau et les consulter.

— Je peux les prendre en photo ?

La jeune femme haussa les épaules.

— Je sais pas.

— Je vais me débrouiller, vous inquiétez pas.

Marc la remercia et partit s'asseoir au bureau que l'hôtesse lui avait indiqué, sur lequel étaient éparpillés plusieurs tas de brochures publicitaires.

D'un air décontracté, essayant d'incarner au mieux le rôle d'un simple étudiant, il étala devant lui les plans de l'aérogare et fit d'abord mine de prendre des notes. L'accueil des bureaux d'Aéroports de Paris était surveillé par un agent de sécurité qui, à l'évidence, le regardait d'un air de plus en plus suspicieux. D'une manière aussi naturelle que possible, comme s'il effectuait un travail très officiel et de son bon droit, Marc sortit son Instamatic et commença à prendre les plans en photo.

L'agent de sécurité, un colosse de près de deux mètres, se dirigea alors vers l'hôtesse et Marc entendit de loin la dernière question qu'il lui posait à voix basse : « Vous êtes sûre ? » Le grand gaillard fronça les sourcils et disparut alors dans les bureaux derrière elle. Masson comprit qu'il était temps de mettre les voiles. Il prit une dernière photo puis rassembla tous les plans à la hâte, les remit dans la pochette et retourna d'un pas preste vers le comptoir d'accueil.

— Merci mademoiselle, dit-il tout sourire en lui rendant les documents. Vous êtes un amour.

L'hôtesse le regarda d'un air embarrassé.

— Euh... Attendez...

Marc lui adressa un clin d'œil et se dirigea aussitôt vers la sortie alors que l'agent de sécurité venait de réapparaître dans le dos de la jeune femme.

— Monsieur !

Trois pas et il était dans le hall.

— Monsieur ! s'écria le garde un peu plus fort.

Marc, la mâchoire serrée, pressa le pas et se glissa au milieu des voyageurs. D'un seul coup d'œil, il analysa la situation autour de lui.

Disparaître dans la foule. C'était le moment ou jamais d'appliquer les techniques acquises pendant ses différents exercices. Le jeu du caméléon : se fondre dans le décor. Marcher vite mais sans courir. Ne montrer aucun signe de nervosité. Se servir du reflet des vitres pour garder un œil sur ses poursuivants sans avoir besoin de se retourner. Privilégier les zones avec le plus de monde possible et se caler sur leur rythme de marche. Masson se mêla à un groupe de personnes qui se dirigeaient vers les panneaux d'affichage et, ce faisant, avec une économie de gestes, il ôta sa chemise le plus discrètement possible, la roula en boule et la jeta dans une poubelle. Puis il rejoignit un autre groupe qui se dirigeait vers la sortie et se fondit au milieu d'eux.

Cette fois-ci, il avait un avantage : il était petit, et l'agent de sécurité, lui, était un géant. Le repérant au loin du côté des panneaux d'affichage, il comprit qu'il l'avait semé. Accélérant le pas, il passa les grandes portes vitrées de l'aérogare et fila vers sa moto sur le parvis.

La Ducati s'engouffra avec bruit dans les grandes artères de Roissy et disparut au milieu du trafic.

Opération réussie.

Le lendemain matin, Marc Masson déposa avec satisfaction dans la consigne de la gare de Lyon la pellicule photo contenant les plans détaillés de l'Aérogare 2 de Roissy-Charles-de-Gaulle, et colla la petite gommette blanche sur la porte du coffre. Puis il monta dans son train, fier de son coup.

Marc avait quitté Lyon depuis quelques jours seulement, mais il devait bien reconnaître que Pauline commençait déjà à lui manquer.

Une fois rentré, il n'avait qu'une idée en tête : aller la voir ! Pourtant, quand il arriva près de la librairie, il comprit tout de suite que quelque chose clochait.

La porte était fermée, les présentoirs n'étaient pas sur le trottoir et la lumière était éteinte. Marc s'approcha encore un peu et découvrit, interdit, la pancarte posée sur la porte vitrée : « Changement de propriétaire, fermeture provisoire. »

Il resta un moment immobile, perplexe, et prit conscience qu'il n'avait pas le numéro de téléphone de Pauline.

Il poussa un long soupir. C'était peut-être mieux ainsi. Après tout, il devait bien se rendre à l'évidence : il n'y avait pas vraiment de place pour une femme dans sa nouvelle vie.


# 61

## 25 juin 1986, Beyrouth


Dartan était en train de faire lire sa note de synthèse au colonel Gautier quand le jeune Rudi Girard entra dans le bureau du chef de poste, au dernier étage de l'ambassade.

— Asseyez-vous, Rudi. Alors ? La plaque d'immatriculation n'a rien donné ? demanda le colonel.

— Non. Rien. On pouvait s'en douter. Mais j'ai développé les photos, répondit le jeune ingénieur en posant une série de clichés sur le bureau.

— Et alors ? demanda Dartan en s'approchant à son tour de son petit protégé.

— Ça va vous plaire, Olivier.

— Quoi ?

— Tenez, fit Rudi en lui tendant une loupe. Regardez le conducteur.

Olivier prit la loupe et essaya de deviner quelque chose sur le visage cagoulé de l'homme qui conduisait le 4×4, le jour de la libération des otages. La faible lumière dont il avait profité rendait le cliché difficile à lire.

— Eh bien ?

— Vous ne regardez pas au bon endroit. Regardez sa main sur le volant.

Dartan descendit légèrement la loupe.

— Oh la vache ! Tu crois que c'est lui ?

La photo n'était pas assez nette pour en être absolument certain, mais la main gauche du conducteur semblait atrophiée, comme privée de deux doigts.

— On dirait, non ?

Dartan tendit le cliché au colonel Gautier.

— Ahmed M. ! Le Vautour ! s'exclama le chef de poste. Vous savez ce que ça veut dire, Olivier ?

— Ça veut dire que le type qui nous a mis sur la piste des cinq lascars du Kremlin-Bicêtre est bel et bien lié aux enlèvements, mon colonel ! On en a maintenant la preuve concrète. Et ça veut dire que je suis encore plus furieux que le procureur ait laissé partir ces hommes !

— Le problème, c'est qu'on n'a aucune idée d'où il se planque, ce rapace.

— Il est sans doute avec les otages. Il doit bouger avec eux, à chaque déplacement. Vous pourriez peut-être demander l'émission d'un mandat d'arrêt international ?

— Non, répliqua Gautier. Ça deviendrait encore plus difficile de le trouver.

— J'enrage de me dire qu'on a passé des semaines à écouter ce type, et qu'on aurait pu l'arrêter. Bon sang, je suis même entré dans son appartement !

— Pas forcément de quoi s'en vanter. Au moins, maintenant, on est fixés. Comme on sait qu'il dirige une milice du Hezbollah, le lien entre les enlèvements et le Parti de Dieu est clairement établi. Cette fois-ci, Paris ne pourra plus dire qu'on n'a pas de preuve.

— Pour moi, ça n'a jamais fait le moindre doute, mon colonel. Mais vous savez ce qu'on va nous dire, hein ? Un type cagoulé à qui il manque deux doigts, ça fait pas lourd, comme preuve.

— Ça fait pas lourd, mais ça mérite largement qu'on mette le Vautour en haut de notre liste de priorités.

— Une cible de haute valeur, confirma Dartan avec un sourire.


# 62

## 10 juillet 1986, Paris


— *Assalamu alaykoum.*
— *Wa alaykoum assalam.*

Cela faisait huit mois qu'Ali n'avait pas revu Abdel, l'homme qui lui donnait ses ordres. Recevoir la visite de l'un des dirigeants de l'organisation était toujours un immense privilège, et le Tunisien éprouvait quelque honte à le recevoir ainsi dans la cave du petit restaurant de la rue de Chartres, dans le quartier de la Goutte d'Or. Mais c'était l'un des rares lieux dont il était sûr qu'il n'était pas surveillé par les chiens de la DST.

— Il y a eu un attentat d'Action Directe à Paris aujourd'hui. Les Français n'ont même plus besoin de nous : ils se tuent entre eux, maintenant ! plaisanta Abdel en prenant place à la petite table.

Le jour même, une attaque sur les locaux de la Brigade de répression du banditisme avait tué un inspecteur de police et fait vingt-deux blessés.

— Nous ferons bien mieux qu'Action Directe, répliqua Ali. Les Français n'ont encore rien vu.

— Il va falloir frapper à la rentrée, expliqua Abdel en buvant une gorgée de thé. L'été, les Français ne regardent pas la télévision.

— C'est ce que j'ai prévu, mon frère. Les explosifs sont en lieu sûr, et j'ai fait tous les repérages. On va leur faire très mal. Tout est prêt. Je serai là pour assister Hussein quand il reviendra.

— C'est pas lui qui viendra. Il peut plus revenir en France. Il est trop surveillé, maintenant.

— Tu veux que je m'en occupe tout seul ? s'inquiéta Ali.

— Non. Bien sûr que non. C'est Bassam qui va venir maintenant pour remplacer Mazbouh. Il est très doué avec les explosifs. Tu vas devoir lui trouver un endroit pour séjourner, et tu devras l'assister. Il parle pas bien le français.

— Bien sûr.

Le Libanais essuya son front trempé de sueur par la chaleur estivale qui envahissait la petite cave.

— Ton équipe fonctionne bien ?

— Oui. Ils sont sûrs. Ils savent ce qu'ils ont besoin de savoir, rien de plus. C'est Badaoui qui garde le matériel. Les autres non.

— Tu dois rester prudent, Ali. La DST surveille tout le monde en ce moment.

— Je sais. Mais les hommes que j'ai pris ne sont pas connus des Services. C'est des bons musulmans que j'ai recrutés à la mosquée. Nous sommes tranquilles.

— Ils ne doivent pas aller au Kremlin-Bicêtre. Plus personne ne doit aller là-bas.

— Ils n'y ont jamais mis les pieds.

— Tu travailles bien, le Tunisien. Nous sommes fiers de toi. Tu seras récompensé. *Baaraka Allahu fik*.

Les deux hommes se levèrent et échangèrent une accolade avant de retourner dans le restaurant au rez-de-chaussée.

# 63

## 1er septembre 1986, Lyon

Pendant tout l'été, la formation de Marc Masson, lui faisant multiplier les allers et retours entre Paris, Cercottes et Lyon, s'était intensifiée. Deux mois de nouvelles épreuves, d'instruction, de cours théoriques et de mises en pratique de l'action clandestine comme de l'intervention opérationnelle rapprochée, sous la houlette d'un Vulcain toujours aussi inamical mais, il fallait bien le reconnaître, redoutablement efficace. L'essentiel consistait à apprendre à Marc l'art de disparaître dans le paysage, de passer inaperçu en maîtrisant notamment les secrets du désilhouettage, puis de mener une opération éclair, fût-elle « arma » ou « homo ».

Ainsi, à force de formations intensives, et toujours cagoulé, il s'était perfectionné petit à petit dans tous les domaines nécessaires. Conduite à grande vitesse, vol, natation, tir de précision, manipulation d'explosifs, corps à corps, techniques de combat commandos, de survie, saut en parachute… Tout au long du mois d'août, il avait effectué à Cercottes de nombreux sauts à ouverture automatique, dont plusieurs de nuit, dans diverses configurations, et avec différentes mises en situation. L'instructeur lui avait également appris à plier et cacher son matériel après les sauts et lui avait fait faire un entraînement d'urgence avec mise en œuvre du parachute de secours. À l'issue du stage, Marc avait obtenu, sous le nom de Matthieu Malvaux, un joli brevet de parachutiste.

Ses progrès étaient fulgurants et, l'heure du bilan venu, le général Émin lui-même dut avouer à Dartan qu'il était impressionné par les prouesses de son petit protégé.

Pourtant, depuis deux semaines, rentré à Lyon, Marc n'avait plus la moindre nouvelle de la DGSE. Se pliant sans enthousiasme aux obligations de son identité réelle, il n'espérait en réalité qu'une chose : qu'un appel d'Olivier vienne enfin le tirer de là.

Les journées à Lyon se ressemblaient terriblement, et Marc lutta pour ne pas se laisser gagner bientôt par une étouffante lassitude. La formation lui avait redonné le goût de l'action, l'addiction à l'adrénaline. L'envie de servir enfin, de se rendre véritablement utile l'appelait chaque jour un peu plus, et il détestait cette impression de vivre dans la pénombre d'un purgatoire.

Le matin, il lisait les journaux, soucieux de rester à la pointe de l'actualité géopolitique. L'après-midi, il enchaînait salle de boxe et séances dans un club de tir sportif de la banlieue lyonnaise. De temps en temps, il partait faire une courte mission de chauffeur poids-lourd, non seulement pour assurer la couverture de son identité réelle, mais aussi, tout simplement, pour avoir quelque chose à faire. Le soir, enfin, il évitait de sortir, de peur de sombrer trop facilement face à de vieux démons. En somme, il s'ennuyait à mourir, et il attendait.

Un jour, pas vraiment par hasard, il passa à côté de la librairie de Pauline, à Sathonay. La boutique, bien sûr, était toujours fermée. Nostalgique, il entra dans le café sur le trottoir d'en face, où il avait passé de si délicieux moments avec elle, et alors l'idée lui vint d'aller interroger le serveur.

— Vous savez dans combien de temps la librairie d'à côté va rouvrir ?

Le barman haussa les épaules.

— Pas sûr qu'elle rouvre vraiment. Il paraît que le nouveau propriétaire veut en faire une boutique de vêtements.

— Ah bon ? Et la libraire qui travaillait dedans ?

— Ah ! Vous en pincez pour elle ? Jolie hein ?

— Vous savez ce qu'elle est devenue ?

— Il paraît qu'elle travaille au centre commercial de Caluire maintenant. Elle s'occupe toujours des bouquins, mais ça doit être beaucoup moins inté-ressant que dans une vraie librairie...

— Il y a des chances.

Marc, retrouvant soudain la saveur d'une bien déraisonnable excitation, ne réfléchit même pas, sortit du bar et grimpa dans sa voiture.

Une demi-heure plus tard, il se garait sur le par-king du centre commercial, au nord de Lyon. D'un pas décidé, il entra à l'intérieur de la grande surface et se dirigea directement vers le bien triste rayon consacré aux livres. Le cœur battant comme celui d'un adolescent, il erra quelques minutes sans la trouver puis, enfin, il vit arriver Pauline, les bras chargés de bandes dessinées, vêtue d'une petite blouse d'épicier.

Marc, caché derrière un pilier du magasin, profita quelques secondes de ce spectacle, en éprouvant un soulagement enfantin. La belle ne l'avait pas encore vu. Alors qu'elle rangeait consciencieusement les albums dans les rayonnages, il se rendit compte que le seul fait de la voir suffisait déjà à alléger son esprit. Un sourire aux lèvres, il s'approcha derrière elle et lui glissa à l'oreille :

— Vous n'auriez pas du Romain Gary ?

La libraire sursauta puis, quand elle se retourna et le reconnut, elle ne put empêcher une vague rouge de monter à ses joues.

— Oh... Qu'est-ce que vous faites là ?

— On pourrait peut-être commencer à se tutoyer, non ?

— Euh... Oui, bien sûr, si tu veux. Mais j'ai un peu honte que tu me voies ici, comme ça...

— Je vois pas pourquoi. Ça te va très bien, cette blouse. Ça change du look hippie. Ça te donne des petits airs de crémière, c'est charmant.

— Bien sûr. Je suis contente de vous... de *te* revoir.

— Vraiment ?

Elle haussa les épaules.

— Ben oui ! dit-elle en faisant un signe de tête pour montrer l'allée du supermarché. Je traverse pas la meilleure période de ma vie, là...

— Ah ! La bonne nouvelle !

— Pardon ?

— Les femmes sont bien plus faciles à séduire quand elles sont vulnérables !

— C'est bien que je puisse te tutoyer : t'es vraiment con.

— C'est ce qui te plaît chez moi. Tu finis à quelle heure ?

— Dans une heure.

— *Je t'attends à la sortie* ? dit-il en imitant la voix d'un jeune adolescent.

Pauline leva un sourcil d'un air circonspect.

— Tu veux m'emmener boire un verre dans la cafétéria du centre commercial, c'est ça ?

— Ben oui, qu'est-ce que tu crois ? Je te sens fébrile, alors je sors le grand jeu. Et après, je t'emmènerai même faire un tour à la Halle aux Chaussures, si tu veux !

— Oh, tu me vends du rêve ! C'est extrêmement tentant, mais je préférerais qu'on se retrouve demain soir dans le Vieux Lyon, si ça te dérange pas.

— Tu veux dire, dans un endroit plus romantique ?

— Dans un endroit plus sympathique. Le bar de la rue des Trois-Maries, où on s'était retrouvés par hasard la première fois, vers 21 heures, ça te va ?

— Bon sang, tu m'excites !

Pauline secoua la tête d'un air amusé.

— À demain, vieux tordu !

— Mais sinon, pour Romain Gary, j'étais sérieux. Vous en avez, ici ?

— Bien sûr. Au rayon légumes.

# 64

## Carnet de Marc Masson, extrait n° 11

*La douleur ne m'a jamais fait peur. Je ne sais pas pourquoi. Peut-être parce que je me suis toujours dit que je la méritais un peu.*

*Pour mes quatorze ans, ma mère m'avait offert une inscription au club de boxe anglaise de Lorient. C'était le docteur Messin qui le lui avait suggéré, parce qu'elle s'inquiétait de mes accès de colère, des bagarres à répétition dans la cour du collège. On avait menacé de me renvoyer. Le médecin avait utilisé des termes comme « comportement agressif réactif » et*

« trouble d'opposition ». Des mots de l'université pour dire que je n'aimais pas l'injustice. Je ne savais pas que détester l'injustice était une maladie. « Ce serait quand même mieux de le voir taper dans un sac de sable plutôt que sur ses petits camarades, non ? » Ma mère avait acquiescé, d'un air accablé.

Au fond, je ne demandais pas mieux.

La boxe anglaise, pour moi, au premier jour, fut une révélation. C'était comme si tout mon être n'avait attendu que ça.

Cette année-là, dans ma chambre, les photos de Mohamed Ali, de Joe Frazier et de Carlos Monzón vinrent tenir compagnie à celles du Che Guevara.

Sur le ring, il n'y a pas d'injustice. Les deux adversaires se battent avec la même arme, la plus belle, la plus digne qui soit : le poing. La boxe, c'est l'aristocratie du combat. Le noble art. Au début, je me battais comme un chien sauvage, toutes griffes dehors. Et puis j'ai appris. J'ai compris. Il faut désapprendre à se battre pour apprendre à boxer. Que l'intelligence se fasse corps. Là, entre les cordes, j'étais bien, j'étais chez moi, enfin, avec les miens. Les gens de chair. De ceux qui savent que la douleur est précieuse, car elle n'est qu'une manifestation aiguë de la vie.

J'ai toujours préféré les adversaires plus grands et plus forts que moi. Avec eux, on ne perd jamais, on apprend. J'ai toujours aimé apprendre. Apprendre, c'est prendre. Et comme rien n'est donné, je veux prendre tout ce que je peux.

À quatorze ans, la pratique de la boxe anglaise m'a apporté la paix. Elle a fait mieux que ça, même : elle a donné un sens au feu qui m'habitait. La colère me faisait animal, le ring m'a fait homme.

# 65

## 2 septembre 1986, Beyrouth

Olivier Dartan reposa lentement sur la table le compte rendu que leur avait fait parvenir la Direction du renseignement et dans lequel était résumé le débriefing de Philippe Rochot et Georges Hansen, effectué à Paris peu après leur libération.

Un élément, bien sûr, avait retenu son attention.

S'ils n'avaient jamais pu voir le visage de leurs ravisseurs, cagoulés à tout moment, les deux journalistes avaient toutefois mentionné divers détails à leur sujet, et s'étaient notamment étendus plus largement sur deux d'entre eux.

Du premier, ils ne connaissaient que le prénom, mais indiquaient qu'ils le soupçonnaient d'être le cerveau de tous les enlèvements : un certain Imad. Dartan ne put s'empêcher de penser à Imad Moughniyah, l'un des dirigeants du Hezbollah, dont le nom ne cessait de revenir depuis le début de son enquête. L'homme, recherché par la plupart des services secrets occidentaux, faisait partie des intouchables du Parti de Dieu. Aguerri, habitué à la traque, il était tout bonnement insaisissable... Une note de la DGSE, qui le surnommait « le Geôlier », le suspectait d'être intimement lié aux prises d'otages. Sa présence avait pourtant été signalée au mois de mars dernier, un passage étrange et remarqué à Paris, qui déclencha presque un accident diplomatique entre la France et les États-Unis : la CIA soupçonnait la cellule antiterroriste de l'Élysée d'avoir fait venir l'homme pour tenter de négocier avec lui et, quand les Américains avaient fait savoir qu'ils voulaient absolument que Moughniyah soit interpellé, Paris avait fait la sourde oreille. Un micmac politique de plus, comme les Français en avaient le secret... Le fameux Imad était rentré tranquillement au Liban.

Quant au second, que les ex-otages surnommaient « la teigne », ils avaient notamment indiqué qu'il lui manquait deux doigts de la main gauche. Pour l'officier, il s'agissait bien, à n'en pas douter, d'Ahmed M., chef d'une milice du Hezbollah, cet homme qu'il avait lui-même surnommé le « Vautour », et qui leur avait échappé. Rochot et Hansen le décrivaient comme « le plus cruel de nos ravisseurs, véritablement vicieux. Il prenait un malin plaisir à nous faire croire régulièrement que l'heure de notre exécution avait sonné. Ou à agiter des électrodes devant nous pour nous laisser penser que nous allions passer à la torture. On aurait dit que nous faire souffrir l'amusait. Parfois, il venait nous réveiller au milieu de la nuit, et laissait entendre que nous allions être libérés... ou tués. Il semblait jouir de nous voir ainsi accablés par la peur et par le doute. Et puis il repartait, fier de cette torture morale à laquelle nous ne nous sommes jamais habitués ».

Dartan, seul dans le silence de son bureau, au dernier étage de l'ambassade, partit se servir un verre. L'idée que le Vautour puisse être encore à ce jour en train de faire subir le même sort aux autres otages, quelque part dans les sous-sols de cette ville, était insupportable.

Il sursauta quand on frappa à la porte.

C'était le colonel Gautier, et le visage fermé du chef de poste ne laissait présager rien de bon.

— Il faut que vous alliez tout de suite dans les bureaux d'ABC News, à Beyrouth Ouest.

— Qu'est-ce qui se passe ?

— Ils ont reçu un paquet du Djihad islamique. On doit le faire parvenir au plus vite à Paris par valise diplomatique, pour analyse. Ça peut donner quelque chose. Foncez, ils vous attendent.

Dartan arriva peu avant midi dans les locaux de la chaîne américaine et se présenta sous sa couverture diplomatique, en tant qu'attaché de défense adjoint de l'ambassade de France.

À l'intérieur, les journalistes semblaient partagés entre l'ébullition et l'accablement. Les États-Unis comptaient eux aussi deux de leurs compatriotes parmi les otages enlevés à Beyrouth et attribués au Hezbollah. Thomas Sutherland, doyen de la faculté d'agronomie de l'Université américaine de Beyrouth, mais aussi Terry Anderson, directeur général de l'*Associated Press*, détenu lui depuis plus d'un an et demi, et dont le sort, à l'évidence, préoccupait ici chaque jour un peu plus ses confrères américains.

Un homme se présenta à Dartan comme le chef de la rédaction locale et, visiblement préoccupé, le conduisit à l'écart dans une petite salle qui disposait de divers magnétoscopes et écrans vidéo.

— Le paquet a été déposé ce matin devant nos bureaux, expliqua le journaliste américain d'un air désolé.

— Personne n'a vu qui l'avait déposé ?

— Non. Le paquet était déjà là quand nous sommes arrivés. C'est moi qui l'ai ouvert. Il y avait donc un communiqué et une vidéo à l'intérieur. Nous avons bien sûr décidé de ne pas diffuser la vidéo.

— Vous avez bien fait. Merci.

— Je suppose que nos confrères français auraient fait la même chose s'il s'était agi de nous. Je ne sais pas pourquoi ils ont choisi de déposer le paquet chez nous, plutôt qu'à l'Agence France Presse, d'ailleurs. Peut-être qu'ils espéraient justement que nous la diffusions.

— Peut-être.

— Dans ce cas, ils se sont mis le doigt dans l'œil. Nous avons envoyé la vidéo aux autorités à Paris par satellite, mais vous voulez la regarder, je suppose ?

Dartan aurait pu attendre d'être de retour à l'ambassade, mais il n'en avait pas la patience.

— S'il vous plaît.

Le journaliste hocha la tête avec une mimique compatissante et inséra la cassette VHS dans l'un des lecteurs.

L'image était de mauvaise qualité. Sur un fond blanc cassé, le visage du journaliste Jean-Paul Kauffmann apparut, terriblement amaigri, les joues creusées, la mine sombre. L'otage portait un t-shirt blanc qui tombait sur ses frêles épaules. L'abattement se lisait dans ses yeux cernés et l'inclinaison résignée de son grand front dégarni. D'une voix hésitante, il lisait un texte, visiblement écrit de sa main, mais certainement validé par les ravisseurs, en adressant par moments des regards à la caméra qui ressemblaient à des suppliques.

« Nous vivons perpétuellement des moments d'angoisse et de frayeur. La mort nous obsède à chaque instant de la journée. Nerveusement, nous sommes au bout du rouleau. Tout peut arriver. Il faut que vous sachiez que nous ne reverrons peut-être jamais les nôtres. Nous avons le sentiment d'être complètement oubliés, complètement abandonnés… »

La vidéo durait à peine trois minutes. Dartan, abattu, ferma les yeux, envahi par un irrépressible sentiment de culpabilité. La dernière phrase de Kauffmann résonna dans sa tête comme un terrible reproche adressé à ses compatriotes : « Nous portons déjà en nous des marques qui ne s'effaceront jamais. »

Le journaliste américain, d'un air compatissant, éjecta la cassette et la tendit au Français.

— Je suis vraiment désolé.

Il prit alors dans le dossier qu'il avait amené le communiqué signé du Djihad islamique. Dartan le lut d'une traite. Sans surprises, le groupe adressait de nouvelles menaces au gouvernement français concernant les otages, et le sommait de « s'écarter de la politique américaine ». Il demandait également que les deux opposants irakiens emprisonnés à Bagdad soient libérés et puissent retourner à Paris comme réfugiés politiques. Cela avait fait partie des promesses de l'ambassadeur Éric Rouleau au mois de mars, mais l'Iran ayant finalement rompu l'accord, les deux militants chiites étaient toujours retenus en Irak. Une chose était sûre, ce document reliait une nouvelle fois les motivations des ravisseurs aux Iraniens, quoi qu'en aient dit ces derniers.

# 66

## 2 septembre 1986, Lyon

Quand Marc entra le lendemain soir dans le petit café de la rue des Trois-Maries, ses lunettes de soleil ne suffisaient pas à masquer l'immense cocard à son œil droit. La blessure, héritée de son entraînement de boxe, était si vilaine qu'il avait même songé à annuler le rendez-vous, mais l'envie de voir Pauline était bien plus forte que la moindre coquetterie.

Et puis, surtout, il venait enfin de recevoir un appel d'Olivier, qui lui avait dit de venir à Paris dès le lendemain, ajoutant que, cette fois, il en aurait pour plusieurs jours, peut-être deux semaines. C'était à la fois une excellente nouvelle, inespérée, et une énorme frustration, lui qui venait tout juste de retrouver sa libraire à fleurs.

— Qu'est-ce qui t'est arrivé ?

— Un mauvais coup à l'entraînement de boxe.

— Tu es… Tu es quand même un drôle de personnage, Marc.

— Pourquoi ?

— Un ancien militaire devenu chauffeur routier, qui fait de la boxe et passe son temps dans les librairies…

— C'est *chauffeur routier* ou *boxeur* qui est incompatible avec la lecture ?

— Aucun des deux, je suppose… Mais c'est un peu inhabituel.

— J'aime bien lire dans ma cabine, le soir. Pas de téléphone, pas de télé, personne ne me dérange. Et puis j'ai toujours aimé les gros camions.

Pauline sourit.

— Je t'imagine en train de lire *Lorenzaccio* dans ton gros camion.

— Et alors ?

— C'est mignon.

— Je suis mignon. Comment va ton flic ?

— Je sais pas.

— Doux Jésus ! Vous n'êtes plus ensemble ?

Pauline haussa les épaules.

— Changement de boulot, changement de mec, dit-elle d'un air espiègle.

— Ça s'arrose !

Marc fit un signe au serveur et commanda deux coupes de champagne.

— C'est un peu déplacé de boire du champagne ce soir, non ?

— Pourquoi ?

— T'as pas vu les infos ? On vient de recevoir une vidéo des otages au Liban… C'est affreux, cette histoire. Ils ont diffusé un extrait où on voit Jean-Paul Kauffmann. Il a l'air tellement épuisé, tellement abattu ! Ça m'a brisé le cœur. Cela fait au moins un an qu'il est détenu…

— Quatre cent soixante-huit jours, exactement.

— Tu comptes les jours ?

Marc hocha lentement la tête.

— Il ne se passe pas une seule journée sans que je pense à eux, avoua-t-il. Mais bon... Raison de plus pour boire du champagne, Pauline ! Je suis sûr que Kauffmann trinquerait avec nous, s'il était là.

Elle lui adressa un sourire et leva sa coupe.

— C'est bizarre, finit-elle par dire, d'un air gêné. Je me sens bien avec toi, Marc, et pourtant, je ne sais presque rien de toi.

— Ceci explique sans doute cela.

— Je suis sûre que t'es un chic type, malgré tes petits airs de mauvais garçon. Un type qui pleurait en lisant *Lorenzaccio* quand il était petit ne peut pas être foncièrement mauvais.

— Tu dis que tu sais presque rien de moi, mais tu connais quand même toutes mes réponses au questionnaire de Proust, et le titre des cent derniers livres que j'ai achetés, au bas mot. On peut deviner beaucoup de choses sur quelqu'un, à travers sa bibliothèque.

— C'est vrai. La tienne me dit que tu es intelligent, cultivé, curieux, un peu étrange, que tu apprécies les belles lettres, et que t'aimes drôlement les armes anciennes. Et les dauphins aussi.

— C'est déjà pas mal, non ? Au fond, tu en sais bien plus sur moi que moi sur toi.

— Je suis sûre que je sais pas un millième de ce qu'il y a à savoir sur toi. Tu as l'air d'avoir eu mille vies, d'avoir vu mille pays.

— En vérité, Pauline, je suis beaucoup moins mystérieux que toi.

— Ah bon ? Tu trouves ? Qu'est-ce que tu veux savoir de moi ?

— Euh... Ta position préférée ?

La libraire leva les yeux au ciel.

— Sois sérieux deux minutes ! Pour une fois ! L'humour salace, au-delà de seize ans, ça devient discutable comme mécanisme de défense.

— C'est pas de l'humour, enfin ! J'aimerais vraiment connaître ta position préférée !

— Ça se demande pas.

— Bon, alors si tu insistes... Parle-moi de tes parents.

— Mon père vient d'une famille de viticulteurs de la Côte-Rôtie.

— Mazette ! Sainte-Croix ! Avec un nom pareil, je savais bien que tu venais d'une famille blindée ! Et tu te fais suer à travailler dans une librairie ?

— L'argent ne fait pas le bonheur.

— C'est un dicton idiot qu'on a inventé pour consoler les pauvres.

— Je ne me suis jamais entendue avec mon père. C'est un homme qui ne vit que pour son boulot et qui ne s'intéresse à rien d'autre. Il n'a pas une très haute opinion des femmes. Il travaille avec ses frères dans le domaine familial. Moi, je rêvais de musique, de livres et de liberté. Je suis partie à dix-huit ans pour faire des études de lettres à Lyon, et j'ai jamais remis les pieds là-bas. Je m'en porte pas plus mal.

— T'as quand même un prix sur les bouteilles ?

— Quand même.

— Et ta mère ?

— Elle... Ma mère et mon frère sont morts dans un accident de voiture.

Doucement, timidement presque, Marc posa sa main sur celle de Pauline, au milieu de la table. Elle ne l'enleva pas. Au contraire, de l'autre main elle caressa délicatement le coquard de Marc, autour de son œil droit.

— Pourquoi est-ce que tu as toujours ce besoin idiot de te battre ?

— Quand la cause est juste, se battre est déjà une victoire.

Pauline enleva sa main.

— T'as l'air triste, murmura-t-elle.

— Triste, non. Contrarié, un peu. Demain, je dois partir deux semaines pour le boulot. J'étais content de t'avoir retrouvée, et je dois déjà repartir.

— C'est rien, deux semaines.

— Dans deux semaines, tu m'auras déjà oublié.

— Peut-être. Mais je vais quand même te laisser mon numéro de téléphone, cette fois-ci, au cas où…

Sans lâcher sa main, Marc approcha doucement son visage de celui de Pauline en la fixant des yeux. Son regard disait oui, alors il l'embrassa.


# 67

## 3 septembre 1986, Beyrouth


Jean-Louis Normandin fut réveillé en sursaut par le bruit d'une explosion lointaine. Les yeux écarquillés, il essuya la sueur grasse qui coulait à son front.

Le journaliste d'Antenne 2, malgré le temps, n'avait toujours pas réussi à s'habituer aux bruits de la guerre civile qui continuait de plonger Beyrouth dans un enfer de métal et de sang. Les coups de feu, les explosions, le ronronnement menaçant des chars d'assaut, comme un tambour funeste… Pouvait-on jamais s'habituer à ces choses-là ?

Le cœur encore battant, il se redressa sur sa couche.

Autour de lui, toujours ce même décor écrasant. Étouffant. Les quatre murs délavés d'une vieille chambre en sous-sol, à peine éclairés par la lumière qui se glissait sous la porte. De l'autre côté, le son indistinct d'un poste de télévision, le brouhaha distant des ravisseurs.

Il poussa un soupir et partit s'agenouiller au milieu de la pièce. Puis, comme chaque matin à présent, il commença dans la pénombre une série de pompes.

Il arrivait maintenant facilement à dépasser les cent répétitions. En sept mois de captivité, il avait perdu beaucoup de poids, plus de dix kilos sans doute, mais il avait gagné en musculature et s'efforçait chaque jour d'entretenir sa forme, malgré l'exiguïté de leur cachot et l'entrave des chaînes qui le liaient toujours à l'un des quatre murs. Ces foutues chaînes, qui avaient presque fini par faire partie de son corps, depuis le temps qu'il ne les avait pas quittées ! Trois fois par jour, quand on le conduisait aux toilettes et qu'on le détachait, il éprouvait un paradoxal malaise en sentant ses poignets plus légers, une impression idiote de dénuement, de vulnérabilité, et il était presque soulagé de retrouver ses fers à chaque fois. Quelque chose comme un syndrome de Stockholm envers l'acier de ses menottes.

Ces pompes journalières, c'était, pour lui, une façon de montrer à ses geôliers qu'il ne se laissait pas abattre. Une façon de rester digne, sain, vivant. À toutes les frustrations que leur imposaient les ravisseurs, il voulait opposer une immuable rage de vivre. En apparence, tout au moins. Car au fond de lui, il n'était plus certain que la mort ne fût pas préférable. Ou bien devenir fou, peut-être, eût été plus confortable.

Tout en continuant son entraînement, il regarda son ami Aurel Cornea, qui dormait encore, recroquevillé sur son vieux matelas. En juin dernier, Rochot et Hansen, leurs deux compagnons de misère, avaient été libérés. C'était à la fois une source d'espoir et de frustration. L'espoir d'être libéré, et la frustration de n'avoir pu partir avec eux, et de devoir attendre, encore et encore, sans savoir.

Cela faisait bien longtemps que le journaliste avait abandonné cette idée d'évasion, qui lui avait un temps traversé l'esprit. Face à des miliciens armés et fanatiques, elle eût de toute façon été impossible, ou suicidaire. Il ne restait donc que le doute, l'anxieuse espérance et, chaque jour, cette persuasion de plus en plus forte que tout ceci ne pourrait se terminer que par la mort.

La veille, l'équipe de leurs ravisseurs avait été remplacée par une nouvelle. Trois ou quatre autres miliciens cagoulés, comme des figures fantomatiques, des clones déshumanisés, qui étaient venus prendre le relais. Ces changements avaient lieu régulièrement, toutes les semaines environ. Quand ce n'était pas eux que l'on déplaçait dans une nouvelle cellule. Et, chaque fois, les otages se demandaient à quelle sauce ils allaient être mangés. Certains de leurs gardiens étaient plus cruels que d'autres, plus violents. Et alors il fallait seulement se résigner. Toujours. Faire profil bas. Avaler l'humiliation.

Quand il entendit la porte s'ouvrir et qu'il aperçut le milicien entrer, Kalachnikov à la main, Normandin interrompit immédiatement son exercice et se releva, ébloui par la soudaine lumière qui avait envahi le cachot.

L'homme en face de lui le mit en joue, et lui cracha un ordre :

— Recommence !

La mâchoire du journaliste se resserra.

— Allonge-toi et recommence !

Normandin, comme porté soudain par la colère sourde qui l'habitait depuis des mois, le regarda droit dans les yeux, d'un air de défi.

— Non.

Le ravisseur, les pupilles dilatées par la colère, s'approcha et fit un geste menaçant avec son fusil d'assaut.

— Allonge-toi !

— Non, répéta le Français d'une voix calme et déterminée. Je me coucherai pas devant toi. Tu n'as qu'à tirer, si tu veux, mais je me coucherai pas.

Il sentit alors le canon de la Kalachnikov se poser sur son front. Tout son corps se tendit. Mais ses yeux ne bougèrent pas. Comme si soudain, son esprit avait accepté, résigné, l'idée de mourir.

— Vas-y, tire.

Cornea, derrière lui, venait de se redresser sur son matelas.

— Fais pas le con, Jean-Louis, murmura-t-il d'une voix paniquée.

Le geôlier accentua la pression de l'arme sur le front de son otage et poussa un juron en arabe.

— Allonge-toi !

— Non.

Normandin ferma les yeux et attendit la détonation.

Il entendit le bruit métallique de l'arme. Et il se sentit prêt.

Au même instant, la porte de la cellule s'ouvrit de nouveau, laissant percevoir des murmures indistincts. Quand il rouvrit les yeux, le journaliste vit les deux hommes qui étaient entrés à leur tour dans le cachot, armés et cagoulés eux aussi.

— Qu'est-ce qui se passe, le Français ? cracha l'un d'eux, d'un air menaçant.

Celui-là, Normandin le reconnut immédiatement. C'était Imad, le seul de leurs ravisseurs dont il connaissait le nom, et qui semblait être leur chef. Petit, fort, il avait une épaisse barbe noire qui dépassait de sa cagoule.

— Votre collègue veut que je me couche devant lui. Je le ferai pas.

— Et pourquoi ? Tu dois obéir, ici !

— Obéir à ça ? Non. S'il veut que je me couche devant lui, il n'a qu'à me tuer.

Les trois hommes échangèrent des paroles incompréhensibles.

— Tu veux mourir, le Français ?

— Non.

— Tu te prends pour un martyre ? Ou bien tu veux nous tester ?

— Non. Je me suis toujours montré respectueux. Je suis toujours resté calme. J'ai jamais réclamé quoi que ce soit, ni fait la moindre crise de nerfs. Mais vous devez me respecter aussi. Je me coucherai pas devant vous. Point final.

Un lourd silence s'installa. Quelques secondes peut-être, mais qui parurent bien plus longues aux deux otages, alors que les trois armes étaient toujours pointées vers eux.

Et puis, soudain, celui qui se faisait appeler Imad cracha un ordre en arabe, et ses deux complices baissèrent leurs armes, visiblement déçus. Ils quittèrent la pièce en adressant un regard dédaigneux à Normandin.

Leur chef, resté seul, s'approcha de lui et l'inspecta longuement. On eût dit même qu'il le reniflait.

— Alors tu es le courageux, toi, c'est ça ?

— C'est pas une question de courage, mais de dignité. Si vous voulez qu'on vous pose pas de problème, vous pouvez pas faire ça. C'est une limite que je peux pas dépasser. Je me couche devant personne, moi.

L'homme hocha lentement la tête.

— Je respecte ça, dit-il alors. Tu as quelque chose à demander, le courageux ? Vous n'êtes pas bien traités ici ?

Normandin haussa les épaules. Comment répondre à une question pareille ?

Imad le regarda de nouveau longuement, et finit par sourire.

— Allez, le Français. Retourne t'asseoir.

Puis il s'en alla.

# 68

## 3 septembre 1986, Romainville

Marc grimpa dans la berline noire et enfila la cagoule sur son visage.

— J'aime bien vos santiags, dit-il en faisant un signe de tête vers les pieds de Dartan. Ça fait longtemps que je voulais vous le dire.

— Merci. Fabriquées au Texas.

— Bon, après, ça doit pas être super pratique pour conduire.

— Peut-être, mais pour monter à cheval, c'est l'idéal.

— C'est con qu'on soit pas à cheval, alors.

— Je ne vous le fais pas dire.

— Qu'est-ce qu'on fout là, du coup ?

— Vous connaissez l'histoire de Reinhard Heydrich ? demanda Dartan en allumant une cigarette.

La voiture était garée avenue Pierre-Kérautret, à Romainville, dans la banlieue parisienne. Le long de la rue, sous un alignement de caméras de surveillance, s'étendait le mur blanc du Fort de Noisy-le-Sec, siège du Service Action de la DGSE. De l'autre côté de la paroi, on apercevait déjà les hautes antennes du centre.

— C'était le bras droit de Himmler, une véritable ordure, avec une bonne tête de sadique, un artisan besogneux de la terreur nazie depuis les années 1930.

— Et alors ?

— Eh bien, figurez-vous que c'est le seul nazi que les services secrets aient réussi à descendre pendant la Seconde Guerre mondiale. Sur ordre de Churchill, le SOE[1] forma deux agents pour abattre celui qu'on appelait le « bourreau de Prague ». Heydrich était si arrogant qu'il roulait tous les jours en décapotable pour parader en ville. Le jour dit de son exécution, à l'été 1942 si je me souviens bien, la mitraillette de l'un des deux agents britanniques s'est enrayée, et l'autre a jeté une bombe dans le véhicule. Et vous savez quoi ? Heydrich a survécu !

— Je croyais qu'ils l'avaient eu ?

— En réalité, il est mort huit jours plus tard, d'une septicémie, infecté par des fragments de la voiture lors de l'explosion.

— Pourquoi vous me racontez ça ?

— Vous allez voir.

Dartan fit démarrer la voiture et ils s'arrêtèrent devant l'entrée du fort. Comme à Cercottes, après les vérifications d'usage, les gardes les laissèrent pénétrer à l'intérieur des fortifications sans se soucier de la cagoule que Masson portait sur la tête.

Dans ce havre inconnu du peuple français, au milieu d'un tapis de verdure, Marc contempla l'ancien fort de Noisy qui se dressait à présent, anachronique, aux côtés de plusieurs bâtiments plus modernes. Dartan, sans dire un mot, le guida jusqu'à la bâtisse qui abritait le STA[2].

Masson se demanda pourquoi Olivier l'avait emmené ici. Il était persuadé qu'ils auraient très bien pu faire ce qu'ils avaient à faire ailleurs, mais

---

1. Special Operations Executive, service secret britannique qui opéra pendant la Seconde Guerre mondiale.
2. Service technique d'appui.

sans doute l'officier de la DGSE voulait-il, une bonne fois pour toutes, inscrire le parcours de sa recrue dans une réalité physique. Après tout, sans Cercottes et Noisy, quelle preuve Marc aurait-il pu avoir que son interlocuteur n'était pas un affabulateur ? Puisque tout se faisait dans le secret, sans contrat, sans papier, sans trace, l'adhésion de Masson à cette fameuse « cause supérieure » ne reposait que sur une confiance instinctive. Olivier, malgré les risques, avait sans doute eu envie de donner quelque gage au jeune homme. Sa direction s'était d'ailleurs montrée fort réticente, tant il était risqué d'amener un agent clandestin extérieur sur site, mais Dartan avait promis que ce serait la seule et unique fois, et que son agent resterait cagoulé pendant toute la durée de sa visite.

Dans une petite pièce dépouillée, un homme leur apporta un attaché-case qu'il posa sur la table devant eux.

— Tout y est. Vous avez besoin d'explications ? demanda l'homme.

— Non. Vous pouvez nous laisser, répliqua Dartan en ouvrant l'attaché-case.

À l'intérieur se trouvaient un explosif et son système de mise à feu. Cela ressemblait bien plus à une bombe artisanale qu'à de l'armement high-tech.

— Vous comprenez ce que vous voyez, Hadès ?

Marc inspecta l'explosif.

— Oui. Pas de télécommande à distance. Juste un retardateur. C'est rudimentaire.

— La plupart du temps, vous n'aurez pas mieux à votre disposition. Vous pensez savoir vous servir de ça ?

— Bien sûr.

— Ça tombe bien, vous allez en avoir besoin.

— Pour tuer un nazi ?

— Non. Une mission Arma. C'est peut-être juste un test, qui sait ?

Marc se demanda si l'officier pouvait voir son sourire à travers la cagoule.

— Vous savez, Olivier, vous pouvez arrêter de faire du cinéma, avec moi, hein ? Si je suis là, c'est que je suis prêt à jouer le jeu. On pourrait peut-être se priver un peu du tralala, non ?

Près de six mois avaient passé depuis leur première rencontre, et Marc, même s'il ne le voyait que par intermittence lors de ses quelques séjours parisiens, commençait à bien connaître son officier traitant. À vrai dire, il commençait même à l'apprécier et croyait deviner que celui-ci l'appréciait en retour. Olivier avait la rigueur un peu froide d'un homme qui – à n'en pas douter – avait passé beaucoup de temps dans l'armée, mais il laissait parfois transparaître un discret second degré qui le rendait de plus en plus sympathique. Au fond, il était devenu la seule personne avec laquelle Masson partageait véritablement sa vie. Et puis, il était à la fois son recruteur et son guide, ce qui signifiait que Marc s'était entièrement livré à lui : il lui avait donné toute sa confiance, presque aveuglément, et ils savaient tous deux que le sort de l'un était entre les mains de l'autre. Si Marc se doutait qu'il ne connaîtrait jamais rien de la vie privée de son officier traitant, pas même son véritable nom, il avait le sentiment de le connaître mieux, sans doute, que certains des gens qu'Olivier devait fréquenter dans la vie civile.

— Le tralala, ça fait partie du jeu, Hadès. Il faut bien qu'on rigole un peu, de temps en temps.

— Si vous avez envie de rigoler, je suis votre homme.

— Pas aujourd'hui.

— Alors, c'est quoi l'histoire ? Qu'est-ce que je dois faire ?

Dartan referma l'attaché-case devant lui.

— Faire sauter une voiture en Italie.

Il sortit une chemise cartonnée de sa sacoche et la tendit à Marc.

— Voilà un compte rendu de RFA. Tout y est. Le lieu, le jour et l'heure où vous allez devoir mener l'opération. L'endroit où vous pourrez récupérer cet attaché-case sur place. La description du véhicule, la méthodologie à employer avant, pendant et après. Rien n'est laissé au hasard. Asseyez-vous. Vous avez une heure pour mémoriser ce dossier. Je viendrai le récupérer tout à l'heure.

— Et le rapport avec votre Reinhard Heydrich ?

— Eh bien, la bombe, la voiture, tout ça...

— C'est tout ?

— C'est déjà pas mal.

— Vous devriez travailler comme bonimenteur devant les Galeries Lafayette.

— Si vous foirez cette mission, c'est peut-être ce qu'on sera obligés de faire, vous et moi.


# 69

## 8 septembre 1986, Italie


L'hélicoptère se posa dans une petite clairière au pied d'une colline de la Province de Parme, au nord de Borgo Val di Taro. Depuis le décollage à Évreux, et pendant tout le trajet, Marc avait dû conserver sa cagoule pour que le pilote – qui ne lui avait pas dit un mot – ne voie pas son visage. L'impression était étrange. Celle d'appartenir à une élite dont on n'avait pas même le droit de deviner les traits ou, au contraire, d'être entré dans une caste de parias, que le commun des mortels ne voulait pas même regarder. La chose, en tout cas, nimbait ces quelques instants d'un voile de mystère qui donnait à Marc le sentiment d'avoir rejoint un espace sacré. Et il devait bien reconnaître qu'il aimait ça. Cela lui rappelait, surtout, le secret inviolable dont se drapaient, à Santa Cruz, les compagnons de la Junte qui se cachaient, le soir, dans l'arrière-cour de Papi José, tels les initiés énigmatiques d'une société secrète.

À peine eut-il posé un pied à terre, l'appareil s'éleva déjà bruyamment dans les airs au-dessus de lui et disparut dans la pénombre du soir comme une vilaine mouche.

Marc se retrouva seul au milieu de nulle part, livré à lui-même. Autour de lui, les collines arborées s'étendaient à perte de vue comme un océan de verdure. Pour toutes affaires, il n'avait sur lui que ses habits civils et un sac à dos empli de quelques accessoires essentiels : une boussole, une carte, une lampe de poche et un couteau. Les consignes étaient claires : il avait trois heures pour agir et revenir ici, pas une minute de plus. S'il n'était pas là à l'heure dite, l'hélicoptère avait pour ordre de rentrer sans lui, et Marc devrait alors retourner en France par ses propres moyens.

L'attaché-case avait été caché au préalable dans une cabane de berger, à une heure de marche d'ici, non loin de la cible. Marc, porté par l'excitation, se mit en route et commença à grimper vers le sommet de la colline, en progressant à la lumière de sa lampe de poche, au milieu de la forêt dense. Sa course d'orientation dans la forêt d'Orléans lui paraissait déjà tellement lointaine…

Après une longue marche à travers bois, il rejoignit le petit chemin de terre indiqué sur la carte, puis arriva enfin à la cabane en vieilles pierres.

Le silence plongeait la bâtisse en ruine dans une atmosphère lugubre. Alors que le faisceau de sa lampe balayait les parois, Masson eut l'impression de voyager dans un vieux film d'épouvante. Sur une poutre, il repéra enfin la gommette blanche entière. Aussitôt, il grimpa le long du mur, récupéra la valise laissée là à son attention par un membre du Service Action, et colla à son tour l'un de ces petits autocollants, mais coupé en deux.

À l'intérieur de la valise, le même explosif rudimentaire que celui qu'il avait pu examiner au fort de Noisy. Une simple boîte de raccordement électrique renfermait le mécanisme et, en guise de ventouse, la lourde base aimantée d'une antenne de CB. Marc glissa le dispositif dans son sac puis, sans attendre, se remit en route vers sa cible.

Il mesura alors combien tout reposait sur la préparation minutieuse, en amont, des officiers de la DGSE : des semaines de surveillance et de repérage, sans doute, puis un balisage de l'opération. Un long travail de l'ombre n'ayant pour seul dessein que l'action finale qui lui revenait. Marc était le dernier maillon d'une chaîne invisible. S'il échouait, il devenait le seul responsable d'un immense gâchis. Cela ne faisait qu'accroître l'importance de sa mission, et son souci de bien faire.

La voiture – une Fiat Argenta – était censée se trouver à proximité d'une petite ferme, au nord d'ici. Si Marc observait le moindre changement par rapport à ce que la Boîte avait prévu, il devait annuler la mission. Ni plus ni moins. La Cellule Alpha n'improvisait pas. Elle exécutait.

Il faisait nuit noire quand il arriva enfin à proximité de la ferme isolée, perdue au milieu de la colline. Au fort de Noisy, Marc avait mémorisé chaque détail du bâtiment sur une série de photos. Il le reconnut du premier coup d'œil.

Sans attendre, il contourna le corps de ferme par l'ouest et aperçut enfin la Fiat grise, garée à l'endroit précis qu'on lui avait indiqué.

Masson, les sens en alerte, se posta derrière un bosquet et resta quelques minutes en surveillance. Rien ne bougeait. Les seuls bruits qui lui parvenaient étaient ceux du vent qui caressait la cime des arbres et les clapotis d'un ruisseau qui coulait à quelques mètres de là.

Il regarda sa montre, puis passa à l'action.

L'heure de vérité avait enfin sonné.

Il s'allongea sur le sol et s'approcha lentement de la voiture en rampant. Régulièrement, il s'arrêtait pour s'assurer qu'il n'y avait toujours aucun mouvement alentour. Sa pire crainte était la présence imprévue d'un chien de garde, ou même d'un chien sauvage. Des aboiements auraient tout compromis. Mais la campagne resta calme et silencieuse.

Arrivé au niveau de la voiture, il se retourna sur le dos, se glissa sous le châssis et aimanta le boîtier de l'explosif au niveau du réservoir d'essence, là où il aurait le plus d'effet.

Dix minutes. C'était le temps qu'il aurait pour rejoindre son poste d'observation une fois qu'il aurait enclenché le mécanisme. Marc serra la mâchoire. Il allait devoir s'assurer que la voiture avait bien explosé avant de quitter les lieux et, surtout, qu'il n'y avait pas eu de dommage collatéral. À cet instant, il avait parfaitement conscience de franchir un cap décisif dans sa formation. À moins que l'explosif fût artificiel, il ne voyait pas comment tout ceci pouvait n'être qu'un exercice, et il savait pertinemment que cela faisait partie du jeu. De toute façon, cela ne changeait rien. Il prit une profonde inspiration puis, d'un geste sûr, enleva la goupille.

Le mécanisme s'enclencha. Marc quitta aussitôt les lieux en rampant, toujours sans faire de bruit. Quand il fut suffisamment loin pour ne craindre aucun regard, il se releva et courut vers l'est, où une butte surplombant la ferme devait lui servir de poste d'observation.

Une fois en place, son regard fit des allers et retours entre sa montre et la Fiat grise qu'il apercevait encore au loin, dans la pénombre. Les minutes s'égrenèrent, puis les secondes, dans un silence pesant, une menaçante tranquillité et, enfin, la détonation déchira l'air, grave et sonore.

La voiture explosa en se soulevant au-dessus du sol – bien plus haut que Marc ne l'aurait imaginé – dans une boule rugissante de fer et de feu.

Son cœur, aussitôt, se mit à battre à vive allure. Ce n'était donc pas un exercice. Maintenant, il devait suivre au plus vite son parcours de dégagement avant que quiconque n'arrive sur les lieux. Marc s'enfonça dans la forêt, comme porté par une ivresse inconnue. Dévalant la pente qu'il avait remontée un peu plus tôt, il passa le long de la cabane en pierres, sortit du chemin de terre et se faufila entre les arbres dans la douceur du soir, comme grisé par la course.

Courir, en prenant garde à chaque pas, traverser la forêt comme si d'invisibles poursuivants menaçaient à chaque instant de le rattraper... Il éprouva, tout au long de sa fuite, une inexplicable légèreté, un sentiment de bien-être, presque. Son élément, enfin.

Il arriva avec près de quarante-cinq minutes d'avance au point de rendez-vous et, reprenant son souffle, il partit s'asseoir sur un tronc d'arbre, au milieu d'un bosquet en retrait. Au loin, aucun bruit. Pas même celui de sirènes. Les secours, si loin de tout, n'avaient peut-être pas été alertés.

La longue attente commença.

Au son discret de la forêt endormie, Marc laissa son esprit s'évader dans le flot des souvenirs et des espoirs. Il songea à Papi José, à son père, à Pauline, à la petite Luciana dont il n'avait plus jamais eu de nouvelles, au sens que tout cela pouvait avoir, ou tout au moins à celui qu'il pouvait donner à son passage sur Terre. Il n'était qu'un passant, qu'un grain de poussière, et n'était-ce pas un brin orgueilleux que de penser ainsi pouvoir faire pencher la balance ? Et dans quel sens voulait-il d'ailleurs la faire pencher ?

*Faire ce qui est juste.* Au fond, il ne trouvait pas sa devise personnelle très éloignée de celle de la DGSE, *partout où nécessité fait loi.*

Quand Marc sortit de ses pensées et regarda de nouveau sa montre, il réalisa, surpris, que l'heure du rendez-vous était passée depuis près de cinq minutes. Cinq minutes, ce n'était rien, mais dans une opération comme celle-ci, c'était beaucoup, et l'hélicoptère n'était toujours pas là. Quelque chose ne tournait pas rond.


# 70

## 8 septembre 1986, Paris


À 18 h 36, le taxi s'arrêta à l'angle de la rue de Rivoli et de la rue du Temple. Ali, assis à l'arrière, se tourna vers le passager sur sa droite, le regard brillant.

— *Hafidak Allah*[1].

— *Allahu akbar*[2].

Celui qui se faisait appeler Bassam lui tapa sur l'épaule, prit le sac à ses pieds et sortit de la berline noire. Ali en fit autant et frappa à la vitre du chauffeur.

— Tu nous attends de l'autre côté, Aroua.

Le taxi redémarra au milieu du trafic parisien.

---

1. Que Dieu te protège.
2. Dieu est le plus grand.

D'un pas preste, les deux hommes traversèrent la rue de Rivoli et s'engagèrent sur le parvis de l'Hôtel-de-Ville. Le bureau de poste 113 était situé sur la gauche de la façade de la somptueuse mairie, à l'intérieur même du bâtiment. Ali et Bassam, d'une démarche tranquille, faisant mine d'être engagés dans une conversation anodine, passèrent près du policier, à quelques pas de la porte, et pénétrèrent à l'intérieur sans être inquiétés.

À moins d'une demi-heure de la fermeture, la grande salle était bondée. De longues files de clients agacés attendaient devant les six guichets encore ouverts.

Sans hésiter, les deux hommes se dirigèrent à gauche vers la zone d'attente. Bassam s'assit sur un banc pendant que son complice restait debout devant lui, le masquant à la vue des divers employés, et alors ils firent mine de continuer leur conversation.

Autour d'eux, des hommes, des femmes, des enfants venus apporter ou chercher leur courrier s'impatientaient dans le brouhaha ambiant.

Avec des gestes calmes et sûrs, Bassam posa son sac au sol, derrière ses talons, s'assura qu'aucun client ne le regardait, puis le fit glisser sous le banc par à-coups.

À 18 h 48, avec autant de naturel qu'ils en avaient eu pour entrer, les deux hommes ressortirent du bureau de poste puis traversèrent le parvis de l'Hôtel-de-Ville vers l'avenue Victoria, où Aroua les attendait dans son taxi en double file.

Chacun de leur côté, ils se glissèrent dans la berline.

— C'est bon ? J'y vais ? demanda le conducteur.

— Attends, mon frère.

Derrière eux, l'Hôtel de Ville semblait vaciller dans les dernières lueurs du jour. L'heure bleue.

Il était 18 h 58 quand la bombe explosa dans un vacarme immense. Les fenêtres volèrent en éclats, et la détonation sourde fut suivie par le tintement assourdissant du verre et des débris qui s'éparpillaient sur le parvis.

— Démarre ! lâcha Bassam avec un sourire satisfait.

La BMW disparut rapidement dans la circulation.

Quand les premiers secours arrivèrent devant l'Hôtel de Ville, la façade de l'édifice Renaissance semblait avoir été plongée dans une véritable scène de guerre, et une fumée noire s'échappait encore des fenêtres soufflées par l'explosion.

Les secouristes annoncèrent rapidement le terrible bilan aux autorités. Une femme avait trouvé la mort, et vingt et une personnes étaient blessées, dont quatre grièvement.

Sept mois à peine s'étaient écoulés depuis le dernier attentat, et Paris, d'un seul coup, sombrait de nouveau dans l'horreur terroriste. Et cette fois, la mort.

Le Premier ministre Jacques Chirac – dont le hasard, peut-être, avait voulu qu'il fût justement, au moment de l'attentat, en train de diriger une réunion de son tout nouveau Conseil de sécurité intérieure, consacrée à la question terroriste à l'hôtel Matignon – fit, à peine une heure plus tard, une intervention télévisée.

« Il s'agit donc bien en réalité d'une guerre, d'une guerre subversive, mais d'une guerre qui doit être menée avec tous les moyens nécessaires. Cela implique d'abord que le gouvernement mette en œuvre ces moyens, et croyez – je tiens à le dire à tous les Français – qu'il mettra en œuvre tous ces moyens, et que ce ne sera pas sans conséquences, pour tous ceux qui sont directement, ou indirectement liés au terrorisme. Cela suppose ensuite, et nous nous y employons, une coordination meilleure, plus efficace, plus permanente, entre les services de renseignement et les services d'action des différents pays concernés. »

Une meilleure coordination... En éteignant le poste de télévision, Olivier Dartan fut immédiatement convaincu que le cauchemar était loin d'être terminé.

Il regarda sa montre. Il était presque 21 heures, et il n'avait toujours aucune nouvelle de Marc Masson.

# 71

## 8 septembre 1986, Italie

Marc, la mine grave, serra les poings. C'était sa première véritable mission et quelque chose, déjà, ne tournait pas rond. Qu'était-il arrivé à l'hélicoptère ? Avait-il été repéré ? Et, si c'était le cas, la police était-elle déjà sur ses traces ?

Dix minutes avaient passé quand il décida qu'il ne devait plus attendre. Les consignes étaient claires : en cas de non-respect du timing prévu, que ce soit de son fait ou non, il fallait improviser. En l'occurrence, fuir.

Il n'avait pas mille solutions : le plus simple était de traverser la forêt pour rejoindre Borgo val di Taro, la ville la plus proche, et tenter de rallier la France au plus vite. Les souvenirs de son épopée entre le Brésil et la Guyane lui revinrent aussitôt en mémoire. Et avec eux, son issue malheureuse. Il ne devait surtout pas se laisser impressionner. L'opération, aujourd'hui, était simple. Marcher au milieu des arbres, associer vitesse et discrétion... Chassant les mauvais souvenirs, il se focalisa sur sa mission et, au pas de course, s'enfonça dans la forêt en direction du sud-ouest. La végétation, ici, était sèche et dense, ce qui rendait la marche difficile, et il fallait rester sur ses gardes. Marc n'était pas armé, et peut-être traqué. Régulièrement, il s'arrêtait et se cachait pour s'assurer que personne ne le suivait, qu'aucun bruit étrange ne s'échappait de l'obscurité des arbres.

Il lui fallut deux bonnes heures d'un pas soutenu pour arriver enfin en vue de la petite ville, nichée au cœur de la verdure d'Émilie-Romagne. Il eut à cet instant la présence d'esprit de se débarrasser de toutes les affaires qui, en cas de contrôle, auraient pu le rendre suspect aux yeux des forces de l'ordre, et il espéra que sa vraie fausse carte d'identité, au nom de Matthieu Malvaux, suffirait à le protéger...

La nuit était tombée quand il entra dans le centre-ville de *Borgotaro*, comme l'appelaient les gens du cru. Se fiant aux panneaux municipaux et s'efforçant de ne pas attirer l'attention en prenant un air assuré et détendu à la fois, il marcha jusqu'à la gare ferroviaire, un petit bâtiment situé sur une place à l'extrémité est de la commune. Il la trouva, évidemment, fermée. En vain, il chercha un éventuel affichage des horaires réguliers, puis comprit qu'il n'aurait d'autre choix que de passer la nuit ici en attendant l'ouverture.

Prendre une chambre d'hôtel, s'il était recherché, était un risque trop grand. L'air était doux, et l'idée de dormir à la belle étoile ne lui posait aucun problème. Il fallait simplement trouver un endroit discret, au cas où une patrouille de police se présenterait aux environs de la gare. Remontant vers le nord, il traversa un pont et s'extirpa rapidement de la zone résidentielle pour rejoindre la quiétude de la verte campagne. Au pied d'une colline, il trouva un bosquet en retrait, où il espérait pouvoir passer la nuit loin des regards.

Le ventre vide, couché à même la terre sèche, il chercha péniblement le sommeil sous la voûte des arbres. Les questions fusaient immanquablement dans sa tête. Avait-il vraiment failli dans sa mission ? Ou bien était-ce simplement une épreuve de plus ? Était-il recherché par la police ? L'explosion ne pouvait pas être passée inaperçue... Mais surtout, était-il sûr d'être à l'abri, dans ce petit coin de forêt ? L'idée de s'endormir et d'être réveillé en sursaut par un assaut des forces de l'ordre n'était en tout cas pas le meilleur des somnifères.

Quand les premiers rayons du soleil matinal vinrent réchauffer sa peau, il n'était pas sûr d'avoir vraiment dormi. Peut-être s'était-il assoupi ici et là, quelques minutes, tout au plus. La fatigue tirait sa peau, et son dos était endolori. Mais rien qui ne puisse abîmer son envie de quitter l'Italie au plus vite. Il regarda sa montre. 6 h 48. La gare devait déjà être ouverte. C'était sans doute le premier endroit où les forces de l'ordre viendraient chercher un fuyard. Mais avait-il seulement le choix ? Rentrer en stop, comme il l'avait un moment envisagé, était probablement encore plus risqué. Sans tarder, il se leva, essuya rapidement ses vêtements et se remit en route vers la ville.

Son sac à dos presque vide sur l'épaule, voyant que tout semblait calme, il entra dans la petite gare et acheta, en liquide, un billet pour le prochain train vers Paris, qui partait quarante-cinq minutes plus tard. L'homme au guichet ne sembla pas lui prêter grande attention. En ce début septembre, il restait sans doute encore quelques derniers touristes dans la région...

Bien conscient toutefois que sa présence ne pourrait pas passer inaperçue, il choisit de jouer la nonchalance et partit boire un café dans le bistrot qui jouxtait le bâtiment, tout en restant toujours aux aguets pour pouvoir faire face à l'éventuelle arrivée d'un quelconque uniforme.

— *Un caffè, per favore.*

— *Lungo ? Espresso ? Ristretto...*

— *Espresso.*

Le serveur lui tendit une tasse d'un café très serré.

— *Ecco ! Segafredo ! Il miglior caffè del mondo !*

— *Grazie.*

Le journal du matin, posé sur le bar, parlait bien d'une explosion, mais elle avait eu lieu à Paris, dans le bureau de poste de l'Hôtel de Ville ! Masson grimaça. Un attentat de plus, et lui ne pouvait rien faire. En revanche, il n'était nulle part fait mention d'une explosion dans la région, et les rares clients qui défilèrent près de lui ne semblèrent pas plus l'évoquer. Marc se détendit quelque peu, songeant que son action, à l'écart des villes, était peut-être encore passée inaperçue. Le bruit de l'explosion avait été si fort qu'il peinait pourtant à y croire. Mais il allait peut-être s'en sortir.

Peu avant 8 heures du matin, sans que personne ne lui ait posé la moindre question, il grimpa enfin dans le train qui, un peu plus de treize heures plus tard, devait le ramener à Paris.

L'extrême longueur du voyage n'arrangeait rien à son anxiété. À chaque minute qui passait, Marc s'attendait un peu plus encore au pire. Le train était en train de traverser les Alpes quand, enfoncé dans son fauteuil, il aperçut les uniformes d'une patrouille des douanes italiennes qui venait d'entrer dans son wagon.

Bien qu'en possession de papiers « authentiques », il ne put s'empêcher d'éprouver une pression plus grande encore du côté de la poitrine. *A priori*, il ne s'agissait que de bien ordinaires douaniers, et non pas de policiers à la recherche d'un fugitif. Mais c'était tout de même la première fois qu'il allait devoir se soumettre à un contrôle sous son identité fictive. Il devait, toutefois, ne rien laisser paraître de son appréhension.

Bien calé sur son siège, il fit semblant de ne pas les avoir vus arriver quand les agents lui demandèrent ses papiers. Il leur adressa un vague sourire en tendant sa vraie fausse carte d'identité.

L'homme qui récupéra le document l'ausculta longuement, puis regarda Marc d'un air circonspect.

— Elle est toute neuve, cette carte, fit-il dans un français impeccable.

— Je l'ai fait refaire il y a quelques mois.

Le douanier hocha lentement la tête, visiblement sceptique.

— C'est votre adresse ?

— 3 rue de l'Éperon, oui.

— Quelle est la station de métro la plus proche ?

— Odéon, répliqua Masson sans sourciller.

— D'accord. Et il y a un bon restaurant, dans le coin ?

— Eh bien... Il y a Allard, juste à côté de chez moi, qui est plutôt pas mal, pourquoi ? Vous comptez visiter Paris ?

Le douanier sourit et lui rendit sa carte.

— Bonne journée monsieur.

— Bonne journée.

Marc rangea sa pièce d'identité dans son portefeuille, se renfonça dans son fauteuil, tourna la tête vers la vitre et laissa les splendeurs des neiges éternelles, qui défilaient au-dehors sur les sommets alpins, calmer les battements de son cœur emballé...

# 72

## 9 septembre 1986, Paris

Olivier Dartan prit place à leur table habituelle dans un coin isolé du Café Laurent.

Les dernières nouvelles de l'attentat de la veille lui posaient véritablement question. Sans surprise, le CSPPA avait de nouveau revendiqué l'attaque auprès de l'AFP. Mais, plus étonnant, l'un des témoins interrogés par la police disait avoir *formellement* reconnu, au sortir du bureau de poste de l'Hôtel de Ville, Robert Abdallah, jeune frère de Georges Ibrahim Abdallah, fondateur des Farl détenu à la prison de Fleury-Mérogis, et dont le nom figurait parmi les demandes de libération des terroristes. Or, Dartan n'avait jamais cru à la piste Abdallah. S'était-il trompé, ou bien le témoignage de ce passant était-il faux, influencé peut-être par la volonté des médias de privilégier cette théorie qui avait les faveurs du gouvernement ? Depuis des mois, le chef de poste adjoint avait affirmé que c'était une fausse piste, et que le procureur comme le ministre de l'Intérieur s'y fourvoyaient. Mais, si la présence du jeune Robert Abdallah se confirmait, et que les soupçons concernant les attentats se portaient vers les Farl et non plus le Hezbollah, Dartan risquait de perdre tout son crédit, et d'entraîner avec lui la réputation de son chef de poste qui, jusqu'alors, l'avait plutôt suivi. Il s'attendait d'ailleurs à un rapide coup de fil du colonel. La chose n'était guère réjouissante mais, après tout, au regard des victimes, la vérité comptait bien plus que sa réputation. Peut-être n'y avait-il donc réellement aucun lien entre les attentats parisiens et les otages du Liban...

Il était près de 22 heures quand l'arrivée de Marc Masson dans la pénombre des lieux mit un terme à ses cogitations.

— Vous avez fait bon voyage ?

— Un peu long...

— Les voyages forment la jeunesse. En tout cas, félicitations, Hadès. Test réussi.

Masson, les traits tirés, prit place en face de l'officier et le regarda d'un air légèrement irrité.

— Comment ça, « test » ?

Dartan masqua à peine son sourire, et continua à voix basse.

— La voiture et la ferme étaient à nous. Il n'y avait personne des kilomètres à la ronde.

Même s'il avait envisagé ce scénario, Marc soupira, presque déçu. Olivier, lui, avait l'air content de lui.

— Donc, le coup de l'hélicoptère, c'était aussi un test ?

— Évidemment.

— Super ! ironisa Masson.

— Vous vous en êtes bien sorti. Un sans-faute !

— Vous faites souvent sauter des voitures italiennes pour le plaisir ?

— Échange de bons procédés avec le SISMI[1]. Pour tout vous dire, il manquait même une partie du moteur dans la bagnole !

Marc secoua la tête, commençant seulement à se détendre.

— Je me disais bien qu'elle avait volé drôlement haut...

— Un autre indice aurait dû vous faire comprendre dès le début que c'était juste un test, Hadès : je ne vous ai pas dit pourquoi nous voulions faire sauter cette voiture.

---

1. *Servizio per le Informazioni e la Sicurezza Militare*, services secrets extérieurs militaires en Italie.

Masson serra les dents. Il avait été tellement occupé par les détails de la mission, tellement heureux de passer enfin à l'acte qu'il n'avait même pas posé la question, s'imaginant que c'était une petite mission « Arma » sans grands enjeux, et alors il enragea, car ce silence le faisait passer pour une bien docile bête à laine, lui qui avait tant insisté sur le fait qu'il ne voulait pas aller contre ses convictions...

Olivier s'amusa en devinant son agacement.

— Votre dévouement inconditionnel vous honore !

— C'est malin...

— Allons ! Ne soyez pas vexé. Ça n'arrivera plus. Vous saurez toujours *pourquoi*. Et il n'empêche que vous vous en êtes très bien sorti. Buvons ! Votre formation est terminée, mon garçon.

Il fit signe au serveur de leur apporter deux bières et glissa à Marc une enveloppe d'argent liquide.

Masson glissa l'enveloppe dans sa poche et leva les yeux vers son nouveau « patron », le regard brillant.

— La formation est terminée ? Vraiment ?

— Oui. Votre recrutement comme agent clandestin vient d'être validé par mon directeur. Il n'y aura plus d'exercices, maintenant. Seulement des missions bien réelles. Mais que cela ne vous empêche pas de considérer chacune d'elles comme un nouveau test. Chez nous, vous le savez, votre aventure peut s'arrêter du jour au lendemain. Sans préavis, sans indemnité de licenciement. Et je ne vous cache pas que mon patron vous a à l'œil.

— Pourquoi ?

Dartan sourit.

— C'est un militaire de carrière. Un général. Il n'a pas une grande affection pour les déserteurs.

Marc hocha la tête sans rien dire. Il avait déjà eu l'occasion de dire qu'il acceptait les règles du jeu.

— Et mon dossier militaire ? Le Brésil ?

— Tout ça est parti à la poubelle depuis long-temps. Vous êtes... pardonné. Maintenant, vous allez devoir choisir le fusil de précision qui va devenir votre arme principale.

Marc, non sans satisfaction, en déduisit qu'il risquait de passer bientôt aux choses sérieuses.

— Dites-moi quelle arme a votre préférence, et je la ferai « préparer » par la Boîte.

— Remington BDL 700 à canon lourd, calibre 7.64, répliqua Marc sans hésiter. Avec une lunette de visée Leupold et une détente spéciale, si possible.

Le choix sembla ravir Dartan. C'était une arme et un calibre suffisamment courants pour diminuer les chances de traçabilité.

— OK. Je me charge de vous faire préparer ça.

Olivier posa alors une main sur l'avant-bras du jeune homme, avec un petit air railleur.

— Et à part ça, comment va Pauline ?

— Qui ça ?

— Pauline Sainte-Croix, votre nouvelle amoureuse.

Marc, accusant le coup, essaya de masquer sa surprise. D'un air désinvolte, il haussa les épaules, imitant à son tour le petit air railleur de son officier traitant.

— Je vois pas de qui vous voulez parler. Matthieu Malvaux n'a pas d'amoureuse.

— Bien sûr. Il n'empêche qu'elle est plutôt jolie, et de bonne famille.

— Si votre intention est seulement de me faire savoir que je suis surveillé de près, je vous rassure, ça me pose aucun problème.

— Tant mieux. Mais faites attention, Hadès. Il n'y a rien de plus délicat pour un agent clandestin que d'entretenir des rapports amoureux.

— Alors vous devriez peut-être songer à embaucher des curés.

— Qui vous dit qu'on n'en a pas ? Allons... Je vous mets seulement en garde.

— Vous faites pas de souci pour moi.

Marc lui rendit sa petite tape sur le bras, se leva et sortit du Café Laurent avec nonchalance...

Le lendemain, Olivier lui apporta l'arme préparée par l'armurerie de la DGSE. Les techniciens avaient arrangé la Remington selon ses désirs et en avaient profité pour raccourcir le canon, afin que le fusil soit plus facilement dissimulable, mais sans diminuer sa précision. La longueur idéale était celle qui permettait la combustion complète de la poudre avant la sortie de l'ogive du canon. Un travail d'orfèvre.

Non sans excitation, Marc récupéra son arme et sourit en découvrant l'autocollant que l'officier avait collé sur le boîtier : « Dites-le avec des fleurs. »

— Vous êtes vraiment hilarants, chez vous.

— On s'adapte. Pour l'instant, l'arme reste chez vous, vous pouvez vous entraîner au pas de tir. Mais quand vous partirez en mission, on la récupérera, et c'est nous qui nous chargerons de vous la mettre directement sur le lieu de l'opération. Allez, filez. Vous pouvez rentrer à Lyon.

— Je vais devoir faire un petit détour avant.

— Où ça ?

# 73

## 10 septembre 1986, Lorient

En apercevant la base sous-marine, au bout de la rade de Lorient, Marc ne put s'empêcher de laisser la mélancolie qui l'avait habité tout au long du trajet se transformer en une bien authentique tristesse. Il pouvait presque voir, comme dans les limbes d'une nuit cauchemardesque, la silhouette affaissée de son père, assis dans sa chaise roulante tout au bout de la jetée, paralysé à jamais au front de l'océan. Il y avait là, dans la pierre des récifs et dans les passes étroites qui les entouraient, l'image d'un passage obligé, le symbole d'une fatalité à laquelle lui avait toujours voulu échapper. Ce paysage qu'il connaissait si bien était comme une allégorie de sa propre vie : Lorient, son embouchure minuscule et périlleuse, semblant vouloir empêcher les rêveurs de rejoindre l'immensité de l'Atlantique, l'aventure et l'inconnu. Là-bas, son Amérique majuscule. Papi José.

Comme poussé par quelque force invisible, il refit en voiture le chemin mille fois parcouru à pied pendant son adolescence, incapable de détourner les yeux quand, en longeant le Scorff, il passa devant le petit banc où, retardant jusqu'au soir son retour à la maison, il avait jadis tourné tant de pages. Et puis, dans la rue qui conduisait à leur immeuble, enfin, il se souvint de ces trajets quotidiens avec Aline, sa sœur, quand ils rentraient de l'école sans s'adresser un mot et, étrangement, le souvenir ramena à ses lèvres quelque chose comme un tendre sourire.

Il n'y eut, au fond, aucun étonnement quand, le doigt suspendu au-dessus de la sonnette, cet homme pourtant si plein de courage hésita longuement avant de se décider à appuyer. Et quand sa mère, perplexe, apparut derrière la porte en robe de chambre, sans doute n'y avait-il rien de mieux à dire que :

— Bonjour, maman.

*C'est toujours dans les yeux que les gens sont les plus tristes.* Ceux de sa mère se mirent à briller sous leur voile lacrymal.

— Marc... Tu n'es pas en prison ?

— Faut croire que non.

Elle grimaça, luttant visiblement pour ne pas laisser paraître son émotion.

— Tu es venu voir ton père.

Ce n'était même pas une question. Le jeune homme poussa un soupir presque amusé.

— Je suis venu vous voir tous les deux.

— Au bout de quoi, huit… neuf ans ? C'est bien.

— Je peux entrer ?

La sexagénaire haussa les épaules, mimant l'indifférence, et fit demi-tour sans l'avoir embrassé.

— Ben oui, entre.

Marc, qui ne s'était pas attendu à un accueil plus chaleureux – il n'en méritait sans doute pas – pénétra enfin dans le vieil appartement.

Tout était là, au même endroit, dans la même tristesse, mais tellement plus petit à ses yeux. Il avait dix-huit ans la dernière fois qu'il avait vu cet appartement. Il en avait vingt-sept aujourd'hui. Et cela lui paraissait si lointain. Comme une autre vie.

— Tu veux un café ? proposa sa mère en se dirigeant vers la cuisine.

— Je veux bien. Il est à côté ?

— Où veux-tu qu'il soit ?

Marc, retenu par quelque coupable bienséance, s'empêcha de courir aussitôt vers la chambre de son père et se dirigea plutôt vers le canapé.

— Tes livres sont dans un carton à la cave, si tu veux les récupérer, dit sa mère en posant les deux tasses sur la table basse. J'ai pris ta chambre, il y a quelques années.

— Tu dors plus avec le *padre* ?

— C'est un reproche ?

— Non, pas du tout. C'est une question.

— C'est pas toi qui vis avec un handicapé tous les jours. Il n'arrive même plus à parler.

Marc encaissa. Il n'était pas venu pour une dispute.

— Tu… Tu as trouvé du travail ? demanda-t-il.

— Non. Je n'en cherche pas. On vit sur la pension de ton père, et ta sœur nous envoie un peu d'argent.

— Je vais pouvoir vous en envoyer moi aussi.

— Te fatigue pas. On se débrouille. Ils t'ont repris, à l'armée ?

— Non. Je… Je conduis des camions à Lyon.

Mme Masson secoua la tête avec un air de dédain.

— Chauffeur de camions. Dire que t'étais censé être le petit intellectuel de la famille…

— Ah bon ?

— Fais pas semblant. Tout le temps fourré dans tes livres…

— Il y a pas de honte à être chauffeur, maman…

— T'aurais pu faire tellement mieux. Ne le dis pas à ton père, ça va lui faire de la peine. T'as des enfants ?

Marc prit son café en essayant de garder son calme.

— Maman ! Si j'avais des enfants, tu en aurais quand même été informée !

— Je sais pas ! En neuf ans, tu n'as jamais donné le moindre signe de vie. Les seules fois où on a entendu parler de toi, c'est quand l'armée nous a appelés pour dire que t'avais déserté, et puis quand on a appris que t'avais failli mourir au Brésil…

— Arrête ! Je suis sûr que Papi José vous a donné des nouvelles de moi régulièrement.

— Ah ! Ça ! Ton papi José, à lui tu lui en donnes, des nouvelles, hein ?

— Oui, répondit-il sans la moindre honte.

Ils laissèrent alors un long silence s'installer, et Marc frissonna en entendant le cliquetis de la vieille horloge, ce bruit sinistre et envoûtant qui avait accompagné tant d'heures de ses solitudes enfantines.

— Bon. Je vais voir papa, fit-il en se levant finalement.

— T'en fais pas pour moi. J'ai des choses à faire.

La boule au ventre, Marc se dirigea vers la chambre et ouvrit lentement la porte. Dans la pénombre, volets fermés, il découvrit, le cœur serré, la silhouette du *padre*.

Il avait beau s'être préparé au pire, le spectacle qu'offrait son père aujourd'hui était plus pénible encore qu'il ne l'avait imaginé. Le vieil homme, écrasé entre les bras de sa chaise roulante, avait terriblement maigri. Les membres atrophiés, les doigts tétanisés, son visage penché semblait s'être figé dans le rictus d'une éternelle douleur, et un filet de bave coulait le long de son menton.

— Bonjour papa, murmura Marc en s'asseyant sur le lit, les mains tremblantes, luttant pour retenir ses larmes.

*Papa.* Il se demanda s'il l'avait déjà appelé « papa ».

— C'est moi, Marc.

Il n'obtint aucune réaction en retour, pas même un mouvement de paupière, mais seulement le silence accablant d'une chambre mortuaire. Marc regarda fixement son père, guettant la moindre lueur dans son regard, et il décida de croire que, derrière ce masque de pierre, le vieil homme comprenait.

La pièce était plongée dans une odeur désagréable où se mélangeaient l'humidité et le parfum âcre de quelque produit médical. Après un long moment de silence, Marc se leva et vint s'agenouiller près du fauteuil, puis posa une main sur le genou de cet homme qui avait jadis été si fort, si solide et si beau.

— Je suis venu te donner des nouvelles.

Le regard de son père resta ancré dans le vide.

— Je... Je vis à Lyon, maintenant. J'ai un chouette appartement, sur la place Bellecour. Et puis j'ai une amoureuse, là-bas. Une libraire. Évidemment ! Elle est belle, et douce, et intelligente. Et puis moi, je...

Il hésita un instant.

— Moi je travaille pour le gouvernement.

Toujours aucune interaction.

— Enfin, pour les services spéciaux, en réalité. Je suis devenu agent clandestin, pour la France.

À cet instant, le visage du *padre* fut agité par un tic nerveux. Marc s'immobilisa. Était-ce enfin une réaction à ce qu'il venait de lui dire ? Il aurait tellement aimé savoir ce que le vieil homme pensait. Tellement aimé qu'il lui dise quelque chose. Mais M. Masson resta muet, et la seule émotion que l'on pouvait lire dans ses yeux humides ressemblait salement à une profonde tristesse.

— Je crois que j'étais fait pour ça, tu sais ? Me battre, protéger les plus faibles... C'est comme un instinct chez moi. Tu sais quoi ? Je crois que je tiens ça de toi.

Dehors, il entendit les six coups des cloches de Notre-Dame-de-Victoire.

*Protéger les plus faibles.* Marc fut soudain assailli par le souvenir de ses petits orpailleurs brésiliens. Qu'étaient-ils devenus ? Les avait-il vraiment aidés, en tuant pour eux ? Et son père, aujourd'hui, que faisait-il pour le protéger ?

— Je pouvais pas rester ici toute ma vie, tu comprends ? J'avais besoin de partir. Tu te souviens, quand on se promenait tous les deux, à Santa Cruz ? Toi aussi, tu voulais partir, hein ? On pourrait y retourner, un jour. Je pourrais t'emmener voir Papi José. J'ai les moyens maintenant.

Soudain, les mains de son père se crispèrent sur les accoudoirs de sa chaise roulante et le rythme de sa respiration s'accéléra. Marc le vit s'agiter, comme s'il voulait lui dire quelque chose.

Il se redressa et l'attrapa par le bras.

— Qu'est-ce qu'il y a ?

La tête du vieil homme faisait maintenant de tout petits mouvements de haut en bas, qui semblaient lui demander un effort colossal. Marc approcha son visage de celui de son père.

— Tu veux me dire quelque chose ?

Par à-coups, la tête du *padre* se tourna vers lui. La bave s'accumulait au bord de ses lèvres et coulait, sans que rien ne puisse la retenir. Ses doigts bougeaient nerveusement. Marc attrapa sa main, la prit entre les siennes.

— Qu'est-ce qu'il y a ?

À en croire sa mère, cela faisait des mois, des années peut-être qu'il n'avait pas parlé. Le son qui sortit alors de sa bouche avait quelque chose d'animal. De guttural. Mais ce furent bien des mots, et Marc les reçut tant comme un cadeau que comme un violent coup de poignard.

— Promets-moi…

Sa respiration s'accéléra de nouveau, comme si le souffle lui manquait. Marc s'approcha encore un peu.

— Quoi ?

— Promets-moi de ne jamais laisser tomber ta mère, *Marco*.

# 74

## 11 septembre 1986, Lyon

Pauline poussa péniblement la chaise roulante sur le petit chemin de terre, dans le parc arboré de la vieille maison de retraite. Mme Salomon, que la jeune femme venait voir tous les jeudis après-midi, son jour de relâche au centre commercial, réajusta l'épaisse couverture à carreaux sur ses genoux.

— Cet endroit est épouvantable. On se croirait dans un hôpital. Vous savez que j'ai écrit mes livres de clinique en clinique, sur les conseils des médecins eux-mêmes ?

— Euh, non, répondit Pauline le souffle court, alors qu'elles venaient d'arriver à l'ombre du grand arbre, au pied duquel on pouvait profiter d'une splendide vue sur la Saône. On n'est pas si mal, ici. Regardez-moi ce paysage.

— Ils m'avaient d'abord conseillé la peinture, mais ça n'a rien donné.

Pauline hocha la tête par principe, mais elle n'était pas sûre de comprendre tout à fait ce que voulait lui dire la vieille pensionnaire, dont les paroles n'avaient pas toujours, à ses yeux du moins, une grande cohérence. Le principal, sans doute, était de l'écouter. Au fond, ces heures de bénévolat n'étaient pas que pur altruisme : la jeune libraire y trouvait aussi son compte. Le temps passé ici était comme une parenthèse de sérénité et de simplicité, et elle avait l'impression de se reconstruire une sorte de famille, elle qui vivait depuis si longtemps loin de ce qui restait de la sienne.

— Vous avez déjà lu un de mes livres, ma petite Pauline ?

Annie Salomon, qui allait bientôt fêter ses quatre-vingt-seize ans, avait écrit plusieurs romans régionalistes dans les années 1940, qui avaient eu en leur temps un honorable succès, mais étaient depuis lors retombés dans un bien impartial oubli.

— Vous m'avez déjà posé la question mille fois, Annie. Je vous ai dit que j'avais lu *Le Pain du berger*.

— Oh ! C'est mon plus mauvais livre ! Je l'ai écrit quand mon mari était malade.

— Je l'ai trouvé très bien.

— Mon mari ?

— Non, votre livre ! répondit Pauline en riant.

— Vous vendez mes bouquins, dans votre librairie ?

— Allons, Annie, vous savez bien qu'ils ne sont plus édités...

— C'est pas normal, quand même ! Mon fils m'avait promis qu'il allait les faire rééditer...

Pauline se garda de dire à la pauvre femme que son fils était un fieffé salopard qui se moquait éperdument de l'œuvre de sa mère, l'avait dépouillée de sa fortune et de ses biens immobiliers, se contentant de payer, sans jamais y mettre les pieds, les factures de la maison de retraite, pour se donner un semblant de bonne conscience tout en la tenant éloignée de son Auvergne natale. La libraire ne l'avait pas vu ici une seule fois.

— Les éditeurs sont de belles crapules, vous savez ? Ils vous pressent comme un citron, et le jour où vous n'avez plus de jus, ils vous laissent crever dans une horrible maison de retraite et passent à quelqu'un d'autre... Je les ai pourtant bien engraissés pendant des années, ces gredins !

De nouveau, la jeune libraire se résigna à ne pas rétorquer que c'était plutôt son fils qui la laissait ainsi mourir dans l'indifférence et, s'asseyant dans l'herbe en lissant sa longue jupe, elle commença à se rouler une cigarette en silence.

— C'est du haschich ? demanda la nonagénaire en la regardant soudain d'un air circonspect.

Pauline releva la tête en souriant.

— Non ! C'est du tabac !

— Ah... C'est dommage.

— Pardon ?

La vieille dame haussa les épaules avec un petit sourire espiègle.

— Eh bien, quoi ? J'aurais bien voulu essayer !

— De fumer un joint ? s'amusa la libraire. Je suis pas sûre que la maison de retraite apprécierait beaucoup que je vous ramène dans votre chambre complètement stone, Annie !

— Oh ! Vous savez. Je m'en contrefiche ! Si on ne peut pas fumer son premier joint à quatre-vingt-seize ans... Mon mari a fumé la pipe toute sa vie. C'est pas maintenant que je vais m'inquiéter d'attraper le cancer ! Ça doit être rigolo, d'être *stone*, comme vous dites...

— Eh bien ! Si j'avais su, je vous aurais ramené un peu d'herbe !

— Voilà ! La prochaine fois, Pauline, toutes les deux, on s'envoie en l'herbe !

La libraire éclata de rire.

— Ah ! Sacrée Annie ! Vous en dites, des bêtises, hein ?

— Je suis très sérieuse ! Toute ma vie, j'ai été une gentille petite fille sage, une épouse modèle, une mère irréprochable... Quel ennui ! À mon âge, il est grand temps que je m'amuse un peu ! Est-ce que vous vous amusez, vous, au moins, ma petite ?

— J'essaie. Je n'ai pas toujours le temps...

— Oh ! Il faut vous amuser, Pauline ! Il vaut mieux avoir des souvenirs que des regrets...

— Vous êtes philosophe, aujourd'hui.

— Comment va votre nouvel amoureux ?

— Oh, c'est pas vraiment mon amoureux ! Il est un peu spécial.

— C'est exactement ce qu'un amoureux devrait être !

— Je sais pas... J'ai la fâcheuse habitude de tomber amoureuse des garçons les plus compliqués. Je devrais peut-être me trouver quelqu'un de normal, pour une fois.

— Mon Dieu, quelle horreur ! Je ne vous souhaite ça pour rien au monde !

Pauline écrasa sa cigarette par terre et se releva.

— Allez, c'est bien joli, tout ça, mais il faut que je vous ramène, je vais finir par rater mon bus.

— D'accord, mais vous promettez qu'on fumera un joint toutes les deux la prochaine fois !

— On verra, Annie, on verra...

Pauline recommença à pousser la chaise roulante en songeant que cette chère Mme Salomon n'avait peut-être pas tout à fait tort. Sans doute était-elle trop sage, préoccupée par les tracas de la vie quotidienne. S'étant toujours refusée à demander de l'aide à ses parents, la jeune femme se débrouillait seule depuis ses dix-sept ans. Assumer son existence n'avait jamais laissé beaucoup de place à la fantaisie... Elle aurait aimé, parfois, tout oublier et se laisser aller.

Quand les deux femmes arrivèrent sur le perron de la maison de retraite, Pauline s'arrêta d'un coup, perplexe.

En face du bâtiment, assis sur le capot d'une voiture, Marc Masson était en train d'attendre, les mains plongées dans les poches.

La voyant arriver, le jeune homme se leva avec un sourire et s'approcha, visiblement fier de son effet.

— Tu es rentré ? Comment... Comment t'as su que j'étais ici ? balbutia-t-elle, les joues empourprées.

Marc lui adressa un clin d'œil.

— J'ai des ressources insoupçonnées. Bonjour madame, fit-il en tendant la main vers la vieille dame.

— Euh... Annie, je vous présente Marc.

— Ah ! Enchantée, jeune homme. Alors c'est vous, le nouvel amoureux ?

Pauline ferma les yeux d'un air accablé.

— Elle vous a dit que j'étais son amoureux ? s'amusa Masson.

— Elle m'a aussi dit que vous étiez un peu spécial. Je vous trouve plutôt joli garçon, moi.

— Vous êtes pas mal non plus, Annie.

— Charmeur, va !

— Bon, intervint Pauline, effondrée. Ça suffit comme ça, Annie, je vous ramène. Marc, attends-moi, j'arrive.

— Au revoir, jeune homme ! lança Mme Salomon visiblement amusée. Et décoincez-moi un peu cette grande gourde, hein ?

— Promis !

Quand Pauline revint sur le perron, quelques minutes plus tard, elle avait encore les joues un peu roses.

— Je te ramène ? proposa Marc, avec un tendre sourire.

— Mais comment t'as fait pour savoir que j'étais ici ? demanda la jeune femme de nouveau, mais c'était plutôt l'aveu d'une agréable surprise qu'une véritable question.

— Je travaille pour les services secrets, répliqua Masson, sur le ton de la plaisanterie…

— James Bond n'est pas censé rouler en Aston Martin ? demanda-t-elle en désignant la petite Renault d'occasion que Marc venait d'acheter.

— Je ne vous savais pas aussi vénale, Miss Moneypenny !

Ce soir-là, quand Marc raccompagna Pauline chez elle à Sathonay, après qu'ils eurent partagé un verre en ville, la libraire lui proposa pour la première fois de monter dans son appartement. Il ne se fit pas prier.

C'était un studio exigu, plus petit encore que celui de Marc à Lyon, empli d'un foutoir indicible où des milliers de livres s'alignaient en colonnes périlleuses le long des vieux murs fissurés. Des posters des grands festivals Be-In des années 1960, des photos de Woodstock, des vinyles de Bob Dylan, de Joan Baez, de Janis Joplin ou de Jefferson Airplane, ici et là de l'encens, des bougies, des petites statuettes en bois de Bouddha… L'appartement d'une éternelle adolescente des sixties, en somme.

— Je t'avais prévenu. Je suis bordélique. Et surtout, j'attendais pas de la visite !

Marc s'installa sur une vieille chaise de bureau et se laissa servir un délicieux verre de rouge, issu des caves paternelles.

Il était près de minuit quand, de bougies allumées en verres échangés, de caresses en baisers, ils finirent allongés sur le matelas qui reposait à même le sol, au son d'anciens morceaux de rock que la libraire avait compilés sur une cassette audio. Puis ils firent l'amour tendrement. Dans les bras de la brune, éternelle adolescente, Marc avait l'impression de retourner soudain à son année d'université, et ce n'était pas désagréable.

Après de longs et doux ébats, ils restèrent un long moment enlacés, sans parler. Pauline, appuyée sur son coude, regardait son amant fixement avec une infinie tendresse qui cachait mille paroles. Marc avait presque l'impression de l'entendre penser.

Il devait être 2 heures du matin quand il se décida à rompre leur silence complice.

— Je vais y aller…

Pauline eut un geste de surprise, presque d'offense.

— Pourquoi ? Tu peux dormir ici, si tu veux.

— Je veux pas te déranger…

— J'aimerais bien que tu restes.

Marc l'embrassa sur le front.

— J'aimerais bien rester aussi.

Allongé contre elle, il glissa ses doigts dans ses cheveux et la caressa doucement.

— Quand est-ce que tu repars ? demanda-t-elle après avoir soufflé les dernières bougies.

— Je sais pas. On s'en fout. Pour l'instant, je suis là, et je suis bien.

En entendant ces dernières paroles dans sa propre bouche, Marc se rendit compte qu'il n'en avait pas prononcé de telles depuis fort longtemps…

# 75

## 15 septembre 1986, Paris

— C'est quoi cette histoire de cache, patron ?

Le commissaire Batiza entra, agité, au quator-
zième étage, dans le bureau de Jean-François Clair,
directeur du département antiterroriste à la DST.
Son supérieur direct.

L'ambiance, rue Nélaton, était survoltée.

Quatre jours seulement après l'attentat au bureau
de poste de l'Hôtel de Ville, le 12 septembre, aux
alentours de 12 h 30, une nouvelle bombe avait
explosé dans les locaux de la cafétéria de l'hyper-
marché Casino, en plein cœur du centre commercial
des Quatre-Temps, à La Défense. L'engin, déposé au
pied du pilier nord-ouest de la zone de restauration,
au moment de sa plus grande effluence, avait fait
cinquante-quatre blessés.

Deux jours plus tard, le 14 septembre, vers
17 h 20, des employés du Pub Renault, restaurant
populaire des Champs-Élysées, avaient remarqué
un étrange paquet contenant un massif de fleurs,
sous l'une des tables de l'établissement. La police
avait été aussitôt alertée, et deux gardiens de la
paix en faction s'étaient rendus immédiatement
sur place. Constatant que le colis était effectivement suspect, ils avaient décidé de le transporter
au sous-sol. À cet instant, sans doute ignoraient-ils
qu'ils venaient de sauver la vie de plusieurs dizaines
de clients. À 17 h 37, l'explosion avait retenti au
sous-sol. Le premier gardien de la paix, Jean-Louis
Breteau, vingt-quatre ans, était mort sur le coup. Le
second, Bertrand Gautier, vingt-neuf ans, allait
décéder neuf jours plus tard, après un long coma,

alors que l'un des courageux employés du restaurant avait été grièvement blessé.

Les attentats avaient repris, portant la même signature, et la France, de nouveau, sombrait dans la terreur.

Or, en arrivant au bureau ce matin du lundi 15 septembre, Batiza avait appris que deux de ses collègues venaient de trouver une cache en forêt de Fontainebleau et étaient en train de revenir avec une valise pleine d'explosifs, de détonateurs et de grenades à main.

— Daniel a récupéré un renseignement par l'une de ses sources la semaine dernière, concernant l'existence d'une cache d'armes dans la forêt de Fontainebleau. Suite aux deux nouvelles bombes, le patron a décidé d'envoyer deux de nos gars récupérer ça sur place.

— C'est une plaisanterie ?

— Calmez-vous, Arnaud, rétorqua Clair en lui faisant signe de s'asseoir. Ça vous ressemble pas, de perdre votre calme.

Mais Batiza, qui détestait ce genre de petits arrangements, resta debout sans quitter son air courroucé.

— Ils sont allés sur place, ils ont déterré une valise, et ils rentrent avec à la maison ? Ils sont *sérieux*, là ?

— L'urgence était de retirer ces explosifs de la circulation, répondit Clair, sans grande conviction lui-même.

— Comme ça ? Sans prévenir le parquet ?

— Le directeur a estimé qu'il fallait agir vite.

— Sans prendre la moindre précaution ? Ils auraient très bien pu se faire sauter la gueule ! Et puis, surtout, il aurait quand même été nettement plus judicieux de mettre un dispositif de surveillance autour de la planque, non ? D'essayer de voir qui l'utilisait ! Excusez-moi, mais c'était une vraie piste, Jean-François ! Ils ont foutu en l'air toute chance de retrouver les enfoirés qui utilisaient cette planque ! Je n'ai jamais vu un gâchis pareil ! Tout ça pour se faire mousser en revenant avec une belle prise !

Clair poussa un long soupir en posant les deux mains sur son bureau.

— Écoutez, Arnaud, je pense un peu comme vous, évidemment. Mais vous ne mesurez sans doute pas le bordel que tout ça occasionne en haut lieu. Les ordres contradictoires n'arrêtent pas de pleuvoir, entre l'Élysée, Matignon et la place Beauvau…

— Justement ! La DST ne devrait pas se laisser embarquer dans ces querelles politiciennes ! rétorqua Batiza. On devrait faire notre boulot, point final.

— Vous voulez m'apprendre mon boulot, Arnaud ?

— Bien sûr que non. Vous comprenez ce que je veux dire…

— Nous n'avons pas toujours le choix. Si ça peut vous consoler, je pense que les armes en question n'ont rien à voir avec les attentats parisiens. Pas du tout le même explosif. Tout laisse penser qu'il s'agit plutôt d'un stock d'armes du FPLP[1]…

— Ce n'est pas une raison ! Le pire, c'est que la presse est déjà au courant ! Je ne donne pas cher de la peau de la source de Daniel ! Il y a des moments où je me demande vraiment si nous travaillons tous dans la même direction, soupira Batiza en secouant la tête.

---

1. Front populaire de libération de la Palestine, organisation marxiste-léniniste palestinienne fondée en 1967 par Georges Habache et considérée par de nombreux pays occidentaux comme une organisation terroriste.

# 76

## 17 septembre 1986, Paris

Il était 17 h 17 quand Colette Bonnivard, debout devant la vitrine de la rue Saint-Placide, décida de retourner une seconde fois vers le premier magasin qu'elle avait visité, rue de Rennes. Le matin même, sa directrice chez Havas Conseil lui avait demandé d'aller inspecter les différentes devantures du joaillier dont elle devait superviser la nouvelle décoration pour les fêtes de fin d'année. La trentenaire, consciencieuse, voulait être sûre de n'avoir rien oublié pour faire un rapport détaillé à sa supérieure, et peut-être même lui donner déjà quelques premières idées créatives.

Colette, qui s'était installée à Paris quinze ans plus tôt, prenait toujours quelque plaisir à marcher ainsi dans les rues de la capitale. Et, ce jour-là, malgré la grisaille et la tension évidente que la nouvelle vague d'attentats faisait peser sur les Parisiens, elle n'était pas mécontente de prendre l'air, de sortir un peu de son petit bureau.

À cette heure de la journée, un mercredi, il y avait beaucoup de monde dans ce quartier du 6e arrondissement. Des mères faisant leur shopping avec leurs enfants, des touristes, des badauds, des employés de bureau prêts à rentrer enfin chez eux. En remontant la rue de Rennes au milieu de cette foule agitée, Colette regarda longuement le sommet de la tour Montparnasse et, rêveuse, s'imagina que, de tout là-haut, un aigle peut-être aurait pu apercevoir les cimes blanches de sa Savoie natale. Elle songea alors à sa famille restée là-bas, pour qui elle était devenue, sans doute, une vilaine petite Parisienne, et l'idée de les retrouver tous pour les fêtes de Noël illumina son visage d'un tendre sourire mélancolique.

Arrivée devant la Fnac Montparnasse, elle eut un moment d'hésitation. Et si, justement, elle en profitait pour faire quelques premières courses de Noël ? Elle regarda sa montre. 17 h 21. Allons ! Trois mois à l'avance, c'était tout de même un peu tôt ! Et puis, si elle ne voulait pas rentrer trop tard, mieux valait se dépêcher de finir ce qu'elle avait à faire de l'autre côté de la rue de Rennes. Elle se remit en route.

À cet instant, ce que Colette Bonnivard ignorait, c'est que cette décision allait changer, à jamais, le cours de son existence.

Sa longue chevelure frisée soulevée par le vent, elle traversa la rue Blaise-Desgoffe et s'arrêta devant le feu de signalisation, à quelques pas à peine du magasin Tati.

Le feu était au vert. Les voitures se croisaient lentement sous ses yeux dans le dense trafic parisien. Du coin de l'œil, elle aperçut une luxueuse berline noire qui semblait rouler au pas. Un provincial, sans doute, qui cherchait son chemin. Non, un étranger, se ravisa-t-elle en croisant le regard du chauffeur nord-africain.

Il était 17 h 23 quand le feu passa au rouge.

Colette Bonnivard n'avait pas encore eu le temps de poser le pied sur la chaussée quand, soudain, une terrible explosion retentit dans son dos.

Un flash lumineux, éblouissant. Un souffle immense qui la souleva plusieurs mètres au-dessus du sol. Projetée en l'air, la trentenaire retomba lourdement sur une grille d'aération du métro parisien.

Et alors, les images, les odeurs et les sons lui parvinrent comme en songe : confus, embrouillés, irréels presque. Au-dessus d'elle, le ciel de la capitale s'était assombri derrière des vagues de fumée noire. Après le vacarme tonitruant de la détonation et des éclats de verre, d'un seul coup, la rue sombra dans un silence de mort. Comme si le monde lui-même avait été plongé tout entier dans une stupeur muette. Et puis les premiers cris s'élevèrent entre les façades des immeubles. Les hurlements des blessés. Les pleurs des enfants.

*Je ne peux pas mourir couchée.*

Colette, le corps anesthésié, l'esprit embrumé, se redressa lentement sur les coudes. Elle découvrit alors le spectacle d'épouvante qu'offrait le trottoir du magasin. Partout autour d'elle, des gravats, du verre pilé, des vêtements brûlés, déchirés et, parmi cet amas de débris, des corps ensanglantés, décharnés, amputés. Dénaturés. Plusieurs dizaines de personnes, sans doute. Et puis ce sang, partout où ses yeux se posaient. Sur les peaux, sur le sol, sur les murs, comme des taches de peinture écarlate qui ne cessaient de grandir.

*Ça y est. Je suis dedans*, pensa-t-elle en comprenant aussitôt l'évidence d'un nouvel attentat. *C'est mon jour*. La chose, ainsi, n'arrivait pas qu'aux autres.

Quand ses yeux se baissèrent lentement vers la partie inférieure de son corps, elle poussa un hurlement d'horreur en découvrant sa jambe droite. Le membre, affreusement mutilé, semblait se vider entièrement, dans une bouillie épaisse, jusque dans le caniveau.

Peu à peu, comme si la rue elle-même s'extirpait péniblement de sa torpeur, le bruit de la panique monta tout autour d'elle. Les gens se mirent à courir, certains pour fuir, d'autres pour venir au secours des blessés. Des crissements de pneus. Des bruits de pas. Du mouvement, partout.

Colette secoua la tête, comme pour repousser cet insupportable étourdissement qui lui comprimait le cerveau. Cette écœurante odeur de plastique, de chair et de cheveux brûlés lui retournait le cœur.

L'instant d'après, une silhouette se dessina au-dessus d'elle. Un médecin peut-être ? Enfin ! Non. L'homme tenait un appareil photo contre son œil droit. Et alors il se mit à la mitrailler. Le bruit incongru du déclencheur, au milieu des râles et des cris de douleur, terrassa la jeune femme.

— Aidez-moi, supplia-t-elle en levant laborieusement la main.

Le photographe, le visage halluciné, la regarda un instant, comme si elle était déjà morte, puis il fit volte-face et disparut de l'autre côté du trottoir.

— Salaud ! cria-t-elle, à bout de forces. Salaud !

Elle baissa de nouveau les yeux vers sa jambe. La vision de ce membre estropié était si insoutenable qu'elle n'arrivait pas à croire que ce fût vraiment le sien. Non. Ce n'était *plus* sa jambe. Et le sang qui n'en finissait plus de couler. Tout ce sang ! Bon Dieu, comment pouvait-on perdre autant de sang ?

Au loin, elle entendit les premières sirènes des secours qui s'élevaient dans le brouhaha.

Alors une main se posa sur son épaule. Colette releva la tête vers cette dame au visage bouleversé, accroupie auprès d'elle, qui lui caressait doucement le crâne, ses doigts glissant sur sa chevelure à moitié carbonisée.

— Ce n'est rien mon petit, ce n'est rien.

La trentenaire, consternée et désorientée, accablée de détresse, se mit aussitôt à hurler. *Ce n'est rien ?* Comment pouvait-on lui dire une chose pareille ?

— Vous êtes folle ? Laissez-moi !

La pauvre dame, confuse, se releva, les yeux embués de larmes.

— Oh, je suis désolée… Je… Je ne sais pas quoi vous dire…

Et puis elle s'éloigna en sanglotant, la main posée sur la bouche.

Colette vit alors les blouses blanches des premiers ambulanciers, les uniformes des pompiers qui passaient autour d'elle, comme dans un ballet savamment chorégraphié, de plus en plus vite, de plus en plus nombreux. Mais aucun ne s'arrêta.

C'était comme s'ils ne la voyaient pas.

*Suis-je vraiment morte ? Si je ne suis pas morte, c'est que je vais bientôt mourir. Je sens mes forces qui me quittent... Il faut que je trouve quelqu'un. Quelqu'un qui puisse me sauver !*

La main tendue au-dessus d'elle, telle une mendiante à l'agonie, sentant la vie s'échapper peu à peu, elle chercha désespérément de l'aide, un visage familier. Un sauveur providentiel. Et puis, soudain, au milieu de dizaines d'autres, ses yeux accrochèrent le regard d'un jeune homme qui avançait dans sa direction au pas de course. Elle écarquilla les paupières et le fixa avec l'intensité d'un hurlement désespéré, d'une dernière supplique.

Le jeune homme, comme foudroyé par le regard de Méduse, s'arrêta aussitôt et s'agenouilla auprès d'elle.

— Je vais m'occuper de vous, madame, vous inquiétez pas.

Ce visage doux, empli de compassion, redonna à Colette une lueur d'espoir. Mais, quand elle le vit froncer les sourcils en inspectant sa jambe, cette faible lueur s'évanouit aussitôt.

— Je vais mourir, n'est-ce pas ?

— Non. Je vais m'occuper de vous.

Un à un, les camions de pompiers, les ambulances arrivaient et se garaient en épis le long du trottoir dans un concert de sirènes étourdissant. Partout, on courait au secours des survivants. Au loin, Colette entendit le bruit de deux hélicoptères qui approchaient.

Avec des gestes sûrs, l'urgentiste exerça un point de compression sur l'artère tibiale de la jeune femme pour réduire l'hémorragie.

— Comment vous appelez-vous ? demanda-t-il en lui souriant tendrement.

— Colette.

— Enchanté, Colette. Moi, c'est Patrice. On va vous sortir de là.

— C'est grave ?

— C'est sérieux. Mais vous allez vous en sortir.

— Il faut que vous appeliez mon travail. Je pourrai sûrement pas aller travailler demain. Non, d'abord, vous devez prévenir mes parents.

La pauvre femme, en état de choc, semblait avoir perdu le sens des réalités. Mais l'homme à ses côtés hocha la tête, soucieux seulement de continuer à la faire parler.

— Bien sûr. Où sont-ils vos parents ?

— En Savoie. Ils vont être très inquiets s'ils me voient dans les journaux télévisés ce soir.

— On va les rassurer. Je suis sûr que vous pourrez les rassurer vous-même, d'ailleurs.

— Je vais vous donner leur numéro de téléphone.

— Tout à l'heure. On a tout notre temps, Colette. Qu'est-ce que vous faites dans la vie ?

— Je... Je travaille dans la publicité. Mais je voudrais écrire des romans.

— Vraiment ?

— Oui. Je suis en train d'en écrire un, d'ailleurs. Pour un homme que j'aime infiniment.

Tout en la laissant parler, l'urgentiste se redressa et fit un geste vers deux pompiers qui portaient un brancard. Les deux hommes approchèrent et il les aida à soulever délicatement la femme blessée pour la faire glisser sur le matelas.

— On l'emmène ?

— Non, répliqua Patrice d'une voix assurée. Il faut d'abord la mettre sous perf'.

Les pompiers acquiescèrent et revinrent avec le matériel nécessaire. Ils commencèrent la perfusion sanguine et durent utiliser plusieurs poches, en prenant garde tout de même à ne pas déclencher un nouvel afflux de saignement. Colette avait perdu tant de sang qu'ils évitèrent de peu le collapsus cardiaque.

— Ça va aller, Colette, je vous promets, la rassura Patrice en voyant qu'elle perdait peu à peu connaissance.

Et puis on l'emmena vers le centre de tri des blessés, installé à la hâte au rez-de-chaussée de la Fnac Montparnasse. On glissa sur son brancard une fiche d'évacuation, qui portait le numéro 12. Patrice, tout au long de la procédure, ne la quitta jamais, comme s'il s'était senti investi d'une mission. Sauver celle-là, au moins. Quelques secondes seulement avant de croiser le regard de Colette, un homme était mort dans ses bras.

Cela faisait dix minutes que l'urgentiste tenait la main de Colette au milieu des dizaines de blessés quand, enfin, l'une des nombreuses ambulances qui ne cessaient de se croiser sur la rue de Rennes emmena la jeune femme vers l'hôpital Boucicaut où, in extremis, on lui sauva la vie.

Quelques heures plus tard, les secours transmirent le bilan aux autorités. La bombe artisanale – la plus meurtrière depuis le début de cette macabre série – bourrée de clous, avait fait cinquante-cinq blessés et sept morts. René Bastong. Audrey Benghozi. Claudie Béral. Amil Mamadali. Linda Medioni Lajus. Micheline Peyrat. Moktar Tahirali.

## 77

## 18 septembre 1986, Beyrouth

Le lendemain de l'attentat, le colonel Christophe Gautier, chef de poste de la DGSE à Beyrouth, gara, comme chaque matin, sa voiture de fonction sur le grand parking situé derrière l'ambassade de France, dans le quartier de Mar Takla. L'officier éprouvait toujours quelque appréhension à se garer ainsi à l'extérieur de la chancellerie, exposé aux regards, mais seuls l'ambassadeur et ses plus proches collaborateurs étaient autorisés à faire entrer leur véhicule dans la petite cour intérieure. Là, derrière le mur d'enceinte, conforté par un réseau barbelé et miné, un peloton de la gendarmerie française protégeait les lieux, avec un dispositif renforcé depuis l'assassinat de l'ambassadeur Louis Delamare en 1981 et l'attentat contre le précédent bâtiment de la chancellerie en 1982. Les ambassades occidentales étaient, depuis longtemps, une cible de choix pour les différents groupes terroristes, mais les forces françaises ne pouvaient agir à l'extérieur du bâtiment, et ici la sûreté des environs était donc confiée aux Forces de sécurité intérieure de la gendarmerie libanaise.

Le colonel soupira en attrapant sur le siège passager la copie du dernier communiqué signé par le CSPPA, une lettre dactylographiée envoyée le matin même à plusieurs agences de presse, et où le groupe menaçait de multiplier ses attaques à Paris si la France ne libérait pas rapidement les trois terroristes mentionnés depuis le début de leurs revendications. Fait nouveau, le CSPPA étendait ses menaces aux États-Unis et à l'Italie, prévenant cette dernière qu'elle serait la prochaine sur la liste si elle ne procédait pas à la libération immédiate de deux prisonniers libanais, Joséphine Abdo Sarkis et Abdallah el-Mansouri, eux aussi membres des Farl.

C'était à n'y rien comprendre ! Était-ce, de la part du CSPPA, une nouvelle tentative de brouiller les pistes, la DST et la DGSE ayant clairement affirmé que les Farl de Georges Ibrahim Abdallah n'avaient aucun lien avec les poseurs de bombes à Paris ? La nouvelle, songea le chef de poste, risquait en tout cas d'agacer fortement son bras droit, Olivier Dartan.

Le colonel venait de sortir de sa voiture et avait glissé la clef dans la serrure pour la fermer quand il entendit, à quelques mètres de lui, de stridents crissements de pneus.

Tout se passa rapidement, beaucoup trop rapidement pour que le chef de poste ait le temps de se saisir du MAC 50 qu'il gardait contre sa poitrine dans un holster.

Quatre hommes armés de pistolets équipés de silencieux sortirent brusquement de la voiture et tirèrent sur le chef de poste, sans qu'il ne puisse se protéger.

De la trentaine de balles qui furent tirées par les quatre assaillants, trois atteignirent le colonel Gautier en pleine tête.

Il mourut sur le coup.

Moins d'une heure plus tard, les bureaux de l'AFP à Beyrouth reçurent l'appel anonyme d'un homme qui revendiqua l'assassinat au nom du Front de la Justice et de la Vengeance, précisant que l'attaque s'inscrivait dans la vague des attentats parisiens...

# 78

## 19 septembre 1986, Paris

Olivier Dartan entra dans le café, à quelques rues du siège de la DST, la mine grave et les traits tirés.

Cela faisait certes longtemps que l'officier de la DGSE s'était préparé à de nouvelles opérations terroristes, mais rien n'aurait pu le laisser imaginer un tel déchaînement de violence. Comme la France entière, et malgré sa longue expérience de la terreur, Dartan était encore sous le choc.

Rapatrié de toute urgence à bord d'un hélicoptère du Service Action, il était arrivé à Paris deux heures plus tôt et s'était d'abord rendu à la Centrale, où le général Émin, visiblement effondré lui aussi, lui avait annoncé qu'il était nommé chef de poste à Beyrouth en lieu et place du défunt colonel Gautier.

— Je ne sais pas, général, il est un peu tôt pour...

— J'ai besoin de vous, Olivier, l'avait coupé le directeur du Renseignement d'un air autoritaire. Je suis aussi choqué que vous, mais vous êtes fait pour ce poste, et personne mieux que vous ne pourra faire payer ces ordures. On ne plie pas dans l'adversité. On se relève.

À tous les étages du boulevard Mortier, la colère et la tristesse s'étaient affichées sur les regards des collègues, et Dartan avait dû encaisser l'épreuve pénible des condoléances et des témoignages d'amitié de ceux qui le savaient lié au colonel.

Ainsi, en venant dans ce bistrot pour discuter avec son confrère de la DST, il n'était pas mécontent de s'éloigner un peu de l'ambiance pesante qui avait envahi sa propre maison et de retrouver un vieil ami.

— Comment ça va, Olivier ?

L'officier haussa les épaules.

— J'ai la haine, comme tout le monde.

— Je suis vraiment désolé...

— Je sais.

— Je crois qu'on n'a jamais été autant dans la merde, mon vieux. C'est... C'est l'horreur absolue.

De fait, avant même l'assassinat du colonel Gautier, Paris venait de traverser l'une des périodes les plus sombres de son histoire, que les journalistes eurent tôt fait de baptiser « septembre noir ».

Après les trois attentats de l'Hôtel de Ville, de la Défense et du Pub Renault, le 15 septembre, vers 13 h 50, une quatrième explosion avait frappé la salle de délivrance des permis de conduire de la préfecture de police de Paris, quai de Gesvres. Les secours, dépêchés sur place, avaient découvert un mort et cinquante-six blessés parmi les décombres.

Deux jours plus tard, enfin, la vague d'attentats avait atteint le sommet de l'horreur rue de Rennes.

En moins d'un mois, la folie aveugle des mystérieux terroristes avait fait onze morts, sans compter l'assassinat du colonel Gautier, et près de deux cents blessés. Et, chaque fois, la même revendication, tantôt à Paris, sous le nom de CSPPA, tantôt à Beyrouth sous le nom de PDL (Partisans du droit et de la liberté), deux entités dont tout laissait penser qu'elles cachaient un seul et même groupe.

Quant aux explosifs utilisés, il s'agissait, pour certains, du même mélange de C4 retrouvé dans tous les précédents attentats et, pour l'Hôtel de Ville et le pub Renault d'un autre mélange, à base de nitrate de méthyle.

— Whisky ? proposa Batiza.

— Whisky. Vous avez quelque chose sur les attentats ?

— Des témoins de la rue de Rennes affirment avoir reconnu les deux frères Abdallah dans une

BMW noire, à proximité du magasin, expliqua Batiza.

— Évidemment... Leurs portraits sont placardés dans toute la France. Le premier Arabe qui passe, tout le monde est persuadé de reconnaître un terroriste...

En effet, au lendemain de l'attentat de l'Hôtel de Ville, le ministre de l'Intérieur, Charles Pasqua, avait fait placarder deux cent mille affiches à travers le pays, un « appel à témoins » promettant un million de francs à toute personne qui pourrait apporter des renseignements « valables » concernant les poseurs de bombes. Au milieu de l'affiche, les photos noir et blanc de Robert et Maurice Abdallah, jeunes frères du fondateur des Farl, les désignaient clairement comme les coupables idéaux.

— Le problème, confirma Batiza, c'est que le jour même de l'attentat, les deux lascars en question n'étaient pas à Paris, mais à Tripoli, où ils ont tenu le lendemain une conférence de presse pour clamer leur innocence...

— Et voilà... Je t'ai toujours dit que je ne croyais pas à la piste Abdallah, confia Dartan, presque soulagé à l'idée que, peut-être, il ne s'était finalement pas trompé.

— Il n'empêche que Castelli veut qu'on creuse quand même la piste. La revendication du prétendu Front de la Justice et de la Vengeance pour l'assassinat de ton chef de poste porte aussi la signature des Farl.

— Et elle est tout aussi bidon, affirma Olivier. Encore un nom fantaisiste pour cacher le Hezbollah et brouiller les pistes.

— Peut-être. Mais ils demandent la libération de deux Farl en Italie, et ça suffit pour que Pasqua veuille qu'on aille interroger Abdallah à la prison de la Santé.

— Il n'est plus à Fleury-Mérogis ?

— Non. Il vient d'être transféré, pour des raisons… de sécurité. Et tu vas venir avec moi.

— Sans façons !

— S'il te plaît, Olivier. Je pense que c'est toi
qui as raison. Mais on sera pas trop de deux pour
convaincre Pasqua et Castelli qu'Abdallah est une
mauvaise piste. Si nos deux services en arrivent aux
mêmes conclusions, ils nous écouteront peut-être.

— Je pense qu'ils se foutent de nos conclusions,
Arnaud. Et moi, j'ai pas vraiment la tête à ça.

— Ça vaut quand même le coup d'essayer. Te fais
pas prier. Qui sait, Abdallah a peut-être malgré tout
des informations à nous donner ?

— J'en doute.

— Mais tu vas venir quand même.

— Tu m'emmerdes.

— *J'emmerde la moitié du monde, et je chie sur
l'autre moitié, ce qui fait qu'en fin de compte…*

— *T'emmerdes le monde entier.*

# 79

## 20 septembre 1986, Paris

Dartan sursauta en entendant le bruit des verres
que Samia venait de poser sur la table basse. Perdu
dans ses sombres pensées, il n'avait même pas
entendu sa femme entrer dans le salon.

De dix ans sa cadette, la jeune assistante sociale
avait éprouvé des sentiments confus quand son
mari était revenu la veille par surprise, à la fois heureuse de le voir quand ce n'était pas prévu, mais
inquiète à l'idée que ce retour inopiné fût lié aux
terribles attentats parisiens. Il y avait eu, dans les

ébats de leurs retrouvailles, une tension évidente de lourdeur et de peine partagée.

— Allez, dit-elle en s'asseyant près de lui. Je nous ai préparé un petit remontant.

Il s'efforça de sourire. Samia était toujours, à ses yeux, la plus belle femme du monde. Indépendante, intelligente et passionnée par son engagement social, elle qui n'était arrivée en France que dix ans auparavant lui apportait un souffle de jeunesse et de sérénité. Et elle l'avait toujours soutenu, dans les moments les plus difficiles.

— Tu es un amour, ma belle.

— On a bien besoin de ça.

Dartan hocha la tête. Comme la France entière sans doute, sa femme avait été terriblement affectée par cette nouvelle vague d'attentats, cette fois-ci meurtriers. Les reportages à la télévision avaient plongé les spectateurs dans une torpeur et une angoisse sans précédent. Et, comme beaucoup d'autres musulmans vivant en France, Samia avait l'impression de payer une double peine : non seulement ces attentats l'horrifiaient, mais elle savait qu'ils nuiraient encore davantage à l'image de sa communauté qui, au fond, faisait chaque fois partie des victimes collatérales de l'islamisme.

Samia servit les deux verres de vin. Ils trinquèrent, puis elle se laissa retomber sur le canapé en soupirant.

Quand Olivier décela dans ses yeux quelque silencieuse hésitation, il lui caressa tendrement la joue.

— Qu'est-ce qu'il y a ?

Sa compagne grimaça, comme si elle s'en voulait de ne pouvoir retenir ce qu'elle s'apprêtait à dire.

— J'ai lu ce matin dans le journal qu'un attaché de l'ambassade de Beyrouth avait été assassiné… Pourquoi tu ne m'as rien dit ?

Il essaya de masquer son propre désarroi. Il avait, de fait, soigneusement évité le sujet en retrouvant son épouse la veille au soir.

— J'ai pas vraiment eu le temps...

— Tu le connaissais ?

Il hésita.

— Vaguement, mentit-il.

— Ça aurait pu être toi.

— Non... Tu sais, je suis beaucoup moins exposé, moi. Et je fais toujours très attention, Samia.

C'était évidemment un nouveau mensonge, mais cela faisait longtemps que son poste à la DGSE lui avait appris que mentir à sa propre famille était parfois le meilleur moyen de la protéger.

— C'était qui, ce type ?

Dartan se mordit les lèvres. *C'était mon chef de poste, c'était un type admirable, avec qui je bossais depuis des années, un chouette bonhomme, et je suis effondré.*

— C'était un militaire. Un colonel. Moi, là-bas, je suis en civil, tu sais. Je risque beaucoup moins.

Samia secoua la tête.

— Tu sais que je le vois dans tes yeux quand tu essaies juste de me rassurer ? Et que c'est encore pire, en fait ?

— Tu veux dire que je suis pas un bon menteur ? plaisanta l'officier. C'est très embêtant pour mon boulot...

— Je rigole pas, Olivier. Je sais bien que tu n'as sans doute pas besoin d'entendre ça aujourd'hui, mais... Tu peux pas savoir ce que c'est, pour une femme, de se demander, à chaque fois qu'il se passe quelque chose de terrible dans le monde, si son mari ne vient pas d'y laisser sa peau.

— Si, bien sûr, je me doute. Mais c'est une chose que tu as acceptée il y a longtemps, Samia.

— Oui. Et je l'accepte toujours. Mais avec tout ce qui se passe, ça devient de plus en plus dur.

— Avec tout ce qui se passe, ça devient de plus en plus important, répliqua-t-il.

— Je...

— Samia, la coupa-t-il sans méchanceté. Je croyais qu'on était là pour se détendre, boire un verre de vin et penser un peu à autre chose...

Son épouse hocha la tête en fermant les yeux, résignée. Mais ses paupières, bientôt, ne purent retenir quelques larmes, pas assez discrètes pour qu'elles échappent à l'officier. Et, sur ces joues, les larmes étaient si rares qu'elles bouleversèrent Olivier.

Reposant le verre sur la table, il prit Samia dans ses bras et la serra simplement contre lui, sans rien dire. Il n'aurait su par où commencer. Ces derniers temps, les reproches de sa femme, calmes mais tristes, s'étaient faits de plus en plus fréquents, et ils n'étaient bien sûr que l'expression de sa légitime inquiétude. Mais aucune parole n'aurait pu la rassurer, sinon la promesse de changer de métier. Une promesse que Dartan n'aurait certainement pas pu tenir.

— En vérité, murmura-t-il enfin sans vraiment y penser, je le connaissais bien.

Sa femme recula doucement la tête et prit le visage d'Olivier dans ses mains. Ses yeux brillaient bien plus qu'il n'aurait voulu l'admettre.

— Oh... Mon amour...

— C'était un chic type. Vraiment.

Une triste expression se dessina sur les lèvres de la jeune femme.

— Je... Je suis désolée. Qu'est-ce que tu vas faire ?

— Je vais traquer ces enculés, Samia. Jusqu'au dernier.

— Tu sais, ces *enculés*, comme tu dis, il y en aura toujours sur la planète.

— Oui. Et c'est pour ça que les types comme moi doivent continuer.

Elle s'efforça d'acquiescer et embrassa son mari avec toute la force de son amour. Un amour qui la poussa à ne pas lui dire qu'il était peut-être temps de laisser la place à d'autres « types comme lui ».

— Je suis désolée de t'avoir parlé de ça.

— Sois pas désolée, ma puce. Je sais que c'est dur pour toi aussi. Tu dois entendre de sacrées conneries dans la bouche de certains de nos compatriotes.

Samia haussa les épaules.

— Il y en a qui disent que nous, les musulmans, on ne dénonce pas assez les attentats, qu'on devrait les condamner publiquement, et que si on dit rien, c'est qu'on les cautionne. Mais le reste du temps, on nous demande de nous intégrer, de faire comme tout le monde, de pas faire de bruit, de pas nous faire remarquer. Du coup, moi, je me sens complètement paumée, au milieu de tout ça. J'ai l'impression qu'on m'enlève le droit d'être simplement triste et terrifiée, comme tout le monde. Comme n'importe quelle Française. Dans la rue, j'ai l'impression qu'on me regarde de plus en plus de travers, comme si j'étais complice. Comme si je devais me justifier.

— Ça fait partie du plan des terroristes, Samia. Ils veulent faire monter le racisme et le sentiment anti-islam en Europe, pour que les musulmans s'y sentent de plus en plus rejetés, incompris, détestés, et que du coup, par réaction, ils se radicalisent, qu'ils rejoignent le camp des fondamentalistes. C'est vicieusement parfait, comme stratégie.

— Je sais. Et le pire, c'est que ça marche, Olivier. L'autre jour, je suis sortie avec Fadia, et quand j'ai voulu nous commander à boire, elle m'a dit qu'elle ne prenait plus d'alcool. Et dans le métro, elle a mis un voile. Elle aurait jamais fait ça, avant. Jamais. Et j'arrive pas à lui en vouloir, même si je trouve ça super triste. Elle a peur, en fait. Elle a besoin de se sentir appartenir à quelque chose d'autre, tellement elle a l'impression que la France la rejette. Je sais pas ce qu'on peut faire.

— C'est une histoire de fric, comme toujours. Derrière tout ça, il y a juste des pays qui, pour des raisons d'argent, essaient de mettre la main sur la communauté musulmane qui s'est installée en Europe, en espérant peser à travers elle dans les choix économiques de nos pays.

— Et pourquoi les a-t-on laissés faire ?

— C'était une stratégie occidentale pendant la Guerre froide, Samia. Les Américains ont favorisé l'expansion d'un islam radical en espérant que cela empêcherait l'avancée du communisme et de l'influence soviétique dans le monde arabe. On a appelé ça la stratégie du « vert contre le rouge ». Une immense connerie...

— Et qu'est-ce qu'on peut faire, alors ?

— Toi et moi, pas grand-chose. Il faudrait que les gouvernements européens aient les couilles d'empêcher que l'islam en Europe ne soit financé depuis l'étranger. Toutes les écoles coraniques, toutes les mosquées qui ouvrent, elles sont financées depuis là-bas, et c'est ça qui fout tout en l'air. Si l'islam en Europe pouvait se financer lui-même, l'assimilation se passerait sans doute mieux...

— Et donc on peut rien faire ? insista Samia.

— Toi et moi ? Ben là, tout de suite, ce qu'on a de mieux à faire, pour lutter contre tout ce bordel, c'est sans doute de faire l'amour, ma chérie.

Un sourire illumina enfin le visage de la jeune femme.

— Ah oui ? Tu crois que ça pourrait vraiment peser dans la balance ? demanda-t-elle en commençant à déboutonner la chemise de son mari.

— Eh bien, je crois que oui.

— Alors il faut pas qu'on perde de temps, Olivier. C'est pour la France, bon sang !

— Pour la France ! Garde à vous !


# 80

## 22 septembre 1986, Paris


Il était 10 heures du matin quand Arnaud Batiza et Olivier Dartan entrèrent ensemble dans la prison de la Santé, à Paris. L'officier de la DGSE, tout fraîchement promu au rang de chef de poste, et dont on devait protéger la couverture à l'ambassade de Beyrouth, était cagoulé. Sa présence ici ne devait lui faire prendre aucun risque. Il fut surpris de voir que les agents de la DST avaient visiblement obtenu l'autorisation d'entrer armés dans la prison : on laissa à Batiza son arme de service.

Depuis trois jours, les interrogatoires d'Abdallah conduits par la DST, apparemment musclés, et qui s'étaient prolongés jusque tard dans la nuit, n'avaient rien donné. La police avait pourtant employé les grands moyens.

Castelli, conseiller du ministre de l'Intérieur, avait mis au point une manœuvre insolite mais efficace pour permettre l'audition du prisonnier : sa mise en garde à vue, à l'intérieur même de la prison ! Le procédé juridique, bien que fort inhabituel en détention, permettait l'audition libre d'un témoin, hors de la présence de tout avocat. Maître Jacques Vergès, tonitruant défenseur de l'activiste libanais, n'avait pu, malgré ses infinies ressources, trouver le moyen légal de l'empêcher.

Quand les matons conduisirent les deux officiers jusqu'au quartier d'isolement de la troisième division, Dartan fut saisi par les moyens mis en œuvre. Les vingt cellules du QHS avaient été vidées de leurs occupants, et l'on avait élevé des cloisons en aggloméré autour des grilles de celle où Georges Ibrahim Abdallah était détenu. Certains officiers de la DST avaient visiblement dormi sur place, dans des cellules mitoyennes ! Les serrures de la lourde porte blindée avaient été changées, et des « plombiers » étaient venus « sonoriser » le cachot en y plaçant deux micros.

— Eh bien, on rigole pas, chez vous, glissa Dartan en se penchant vers son confrère.

— J'ai bien peur que ça soit beaucoup de bruit pour rien, lui confia Batiza, d'un air désabusé. Mais, au moins, on ne pourra pas nous reprocher d'avoir pris la chose à la légère.

Les deux agents du RAID qui, lourdement armés, gardaient la porte de la cellule, les laissèrent immédiatement entrer.

Assis derrière une simple table, les mains menottées, Georges Ibrahim Abdallah leva ses yeux cernés vers les deux nouveaux arrivants. L'homme, qui venait d'avoir trente-cinq ans, en paraissait dix de plus. Son front, large et haut, était marqué par des rides soucieuses. Le teint mat, la barbe et la chevelure noires, il fit immédiatement penser Dartan à l'écrivain Alain Robbe-Grillet. Il avait en tout cas ce même charisme hautain, ce même regard, brillant et dur à la fois.

— Bonjour, monsieur Abdallah, fit Batiza en s'asseyant en face de lui.

Dartan, lui, préféra rester debout, en retrait, adossé dans l'ombre au mur de la cellule.

— C'est le défilé du 14 Juillet ? ironisa le détenu, avec son fort accent libanais.

— Ça doit vous changer un peu, d'avoir de la visite.

Abdallah eut un petit sourire narquois.

— J'ai eu ma dose, maintenant. J'ai peur que je suis arrivé au bout de mes sujets de conversation, dit-il dans un français plutôt respectable. Je peux savoir qui vous êtes ?

— Je suis le commissaire Batiza, de la DST, et voici… un ami, qui est, lui, à la Sécurité extérieure.

— Ah ! Les champions des services secrets de la République ! Enchanté, monsieur Zorro ! ironisa Abdallah en saluant Dartan.

Puis il se retourna vers Batiza, d'un air las.

— Qu'est-ce que je peux dire que j'ai pas déjà dit cent fois, depuis trois jours que je suis questionné ?

— Eh bien, pourquoi ne nous diriez-vous pas, justement, ce que vous n'avez *pas* dit ?

— Parce que je vous ai *tout* dit, commissaire. Je n'ai pas de lien avec les attentats parisiens. Voilà.

— Vous en avez au moins un. Votre libération fait partie des revendications des poseurs de bombes…

— Et moi je répète que j'y suis pour rien. C'est très gentil de leur part, mais moi, je leur ai rien demandé.

— Plusieurs témoins disent avoir vu vos frères à plusieurs occasions, sur différents attentats.

— Et vous savez comme moi que c'est pas possible. Mes frères, toute ma famille, elle est au Liban.

— On voyage vite, de nos jours.

— Je sais pas. Maintenant, les seuls voyages que je peux faire, moi, c'est dans les livres.

— Vous ne pouvez vous en prendre qu'à vous-même…

— Comme j'ai dit à vos collègues, vous vous trompez de cible, commissaire. Contrairement à ce qu'on essaie de faire croire, moi, je suis pas un criminel. Je suis un combattant.

— Vous avez pourtant revendiqué l'assassinat de Charles Ray, attaché militaire américain à Paris, et de Yacov Barsimentov, un diplomate israélien.

— Oui, et c'était un acte combattant, un acte de résistance. Pas un attentat.

— Un assassinat, c'est un crime, monsieur Abdallah.

— Non. Pas dans une guerre, et pas quand les victimes sont impliquées dans cette guerre. Ou alors, vous aussi, vous êtes des criminels. Ces deux hommes, c'était pas des civils. Vous savez comme moi que Ray était un agent de la CIA, et Barsimentov au Mossad. Et quand la CIA fait exploser une bombe devant une mosquée qui tue des dizaines de femmes et d'enfants ? C'est qui les terroristes, hein ?

— Tout ça ne me dit pas pourquoi votre nom figure dans les revendications des poseurs de bombes.

— J'ai dit que je sais pas pourquoi. Peut-être pour brouiller les pistes. Leurs cibles sont des mauvaises cibles. Nous, les Farl, on s'en prend jamais à des civils. D'accord, on cible des agents israéliens et américains, mais jamais d'attentat à l'aveugle.

Dartan, qui écoutait sans rien dire depuis le début, songea pour lui-même que, jusqu'à preuve du contraire, la chose était rigoureusement exacte. Rien n'indiquait que les Farl aient jamais commis d'attentat terroriste aveugle, mais plutôt des assassinats ciblés. Où était la limite morale entre ces assassinats politiques et les représailles décidées dans l'ombre par un gouvernement au nom de la raison d'État ? Dartan avait bien conscience, dans son travail quotidien, que cette frontière était, sinon floue, au moins très étroite…

— Je vais vous étonner, continua Abdallah, mais, pour moi, la France, c'est même le seul interlocuteur valable avec les pays arabes. L'État français n'a jamais été une cible, pour moi. Et son peuple encore moins.

— Il est regrettable que vous ne le disiez pas publiquement.

Abdallah lui adressa un sourire moqueur.

— Je suis pas votre agence de communication.

— Pour l'instant, vous ne me parlez que du passé. Mais le présent ? Que font les Farl, aujourd'hui ? Il est très facile d'imaginer que vos frères soient prêts à tout pour vous faire libérer, monsieur Abdallah. Votre arrestation les a peut-être rendus beaucoup moins modérés que vous ne l'étiez…

Le Libanais secoua la tête.

— Mes frères sont incapables d'être mêlés aux attentats, commissaire ! Même pour me faire libérer, ils feraient pas ça. Et même s'ils voulaient, réfléchissez ! Autant d'attentats réussis, en si peu de temps… Ça demande une organisation, une structure ! Tout ça, c'est beaucoup trop gros pour mes frères ! Alors oui, c'est vrai, ils ont participé à l'enlèvement de Peyrolles pour obtenir ma libération, mais des attentats, jamais ! Je vous rappelle, d'ailleurs, au sujet de Peyrolles, que la France n'a pas tenu sa parole, alors que mes frères avaient tenu leur promesse.

En avril de l'année précédente, les Farl avaient en effet pris en otage Gilles Sidney Peyrolles, attaché culturel français à Tripoli, dans l'espoir de l'échanger contre Georges Ibrahim Abdallah. Après négociation avec la DST, les Libanais avaient libéré Peyrolles mais, à la dernière minute, la France n'avait pas tenu son propre engagement et avait laissé Abdallah en prison, ayant découvert entretemps, dans une planque qui lui appartenait, au milieu d'un impressionnant arsenal, le pistolet tchécoslovaque qui avait servi à abattre Charles Ray et Yacov Barsimentov.

— La donne avait changé. Chez nous, monsieur Abdallah, on appelle ça l'arroseur arrosé.

Dartan, toujours plongé dans son silence, se retint de sourire.

— Et moi j'appelle ça pas d'honneur.

— Il y a de l'honneur à enlever des gens ? À en assassiner ?

— Je sais pas. Demandez à la CIA ou au Mossad. Nous, c'est notre combat. Mais le combat à Paris aujourd'hui, c'est pas le nôtre. Il n'y a pas besoin d'être un génie pour deviner que les attentats d'aujourd'hui sont faits par une grande organisation.

Batiza, qui en était arrivé précisément là où il voulait amener son interlocuteur, s'avança sur sa chaise.

— Laquelle ?

— Eh bien, réfléchissez ! Il y a sûrement un gros problème entre vous et un État étranger, non ? C'est à cet État qu'il faut vous adresser.

— Lequel ? insista le commissaire de la DST.

— Ce n'est pas à moi de vous le dire. Débrouillez-vous avec votre linge sale.

À demi-mot, il parlait bien sûr de l'Iran. Dartan constata, presque avec satisfaction, que les conclusions d'Abdallah étaient les mêmes que les siennes. À vrai dire, elles n'étaient que pure déduction logique et, comme il l'avait pensé depuis le début, s'acharner sur la piste des Farl était une totale perte de temps. Mais, à présent qu'il était là, il décida tout de même de poser une question au Libanais. Une seule.

— Dites-moi, M. Abdallah, vous êtes chrétien, n'est-ce pas ?

L'homme redressa la tête et regarda longuement celui qui était resté muet jusqu'à présent, comme s'il essayait de voir à travers sa cagoule.

— Oui. Maronite. Je sais bien que beaucoup de Français croient que tous les Arabes sont musulmans. Mais, il y a pas longtemps, les chrétiens étaient majoritaires, au Liban. Et si vous connaissiez un peu l'histoire de mon pays, vous sauriez que ça fait de moi un ami de la France, malgré tout ce qu'elle me fait.

— Je connais l'histoire de votre pays bien mieux que vous ne semblez le croire. Le Grand Liban a été créé dans les années 1920 sous les auspices de la France, justement pour protéger votre communauté.

Le visage d'Abdallah se transforma légèrement, son regard s'intensifia.

— En 1919 exactement. Et nous étions alors unis avec la Palestine. Et c'est aussi pour ça que je me bats aujourd'hui pour les Palestiniens.

— Je m'en doute. Mais ce n'était pas l'objet de ma question.

— C'est quoi, alors ?

— Vous dites que vous êtes chrétien et, pourtant, vous avez assassiné deux hommes de sang-froid. Vous n'avez aucun regret ?

Abdallah eut un geste de surprise.

— Je vois pas où est le paradoxe.

— Je ne suis pas croyant, mais « Tu ne tueras point », ça fait pas partie des dix commandements ?

— Eh bien, si vous voulez jouer au spécialiste de la Bible, est-ce qu'il y a pas écrit aussi dans les Chroniques, dans le Lévitique ou dans le *Livre des Nombres*, que Dieu ordonna plusieurs fois aux hommes de tuer d'autres hommes, parce qu'ils l'avaient abandonné ? Le commandement de Dieu est de ne pas tuer pour soi-mêmes, mais pour Sa volonté à Lui.

Dartan sourit sous sa cagoule.

— C'est un peu facile, non ?

— Combien d'assassinats, pendant les croisades ? L'histoire chrétienne est pleine de guerres, monsieur… Zorro. Pleine de morts.

— Je ne vous le fais pas dire.

— Et vous ? Vous êtes à la DGSE, n'est-ce pas ? La DGSE ne tue pas ?

— Je ne suis pas chrétien, monsieur Abdallah. Et je ne vous juge pas, d'ailleurs. Je vous demande simplement si vous avez des regrets.

— Ça changerait quelque chose ?

— Sans doute pas, mais ça pourrait m'aider, moi, à vous comprendre un peu mieux.

Abdallah resta silencieux un moment, les yeux rivés à ceux de son interlocuteur. Puis, lentement, d'une voix grave, profonde et triste, il prononça ses dernières paroles de la journée.

— Si vous voulez vraiment savoir, il y a pas un jour qui passe sans que j'aie mille regrets. Mais celui d'avoir tué n'est pas en haut de la liste. Mon plus grand regret, c'est d'avoir perdu les plus belles heures de mon pays, enseveli maintenant sous les bombes, et de pas pouvoir, chaque matin, sentir sur ma peau la douceur du vent libanais qui caresse les vignes et la cime du cèdre.

— C'est joli. Mais, depuis plusieurs semaines, notre pays aussi tremble sous les bombes, intervint Batiza.

— Alors vous avez peut-être une petite idée de ce que mon peuple vit depuis plus de dix ans ! Et j'en suis le premier désolé, car moi, je me réjouirai jamais de la mort d'un civil.

# 81

## 24 septembre 1986, Beyrouth

Quand Ahmed M. – que la DGSE surnommait le Vautour – entra, furieux, dans la petite pièce obscure où l'attendaient les hommes en armes chargés de la surveillance des otages, les conversations s'interrompirent aussitôt et tous les regards se tournèrent vers lui.

L'homme qui dirigeait l'équipe des ravisseurs était respecté, admiré, tout autant qu'il était craint. Il faisait partie des combattants qui avaient monté, en 1983, la première attaque du Hezbollah contre une patrouille militaire française, ce qui lui donnait une place toute particulière au sein de l'organisation. Coléreux, violent, il inspirait la peur même à ses plus proches amis.

— *Assalamu alaykoum*, l'accueillit l'un des ravisseurs en brandissant sa Kalachnikov.

Mais le Vautour ne répondit pas. Traversant la pièce d'un pas rapide, il dégaina le pistolet automatique à sa ceinture et ouvrit brusquement la porte de la petite chambre où les Français étaient retenus.

Les quatre miliciens le suivirent jusqu'au pas de la porte et le regardèrent, perplexes, sans oser intervenir.

La pièce étroite et sombre, dont la seule lucarne avait été murée, sentait le renfermé. Le sursaut des trois otages fit tinter les chaînes qui leur liaient encore les mains.

Le Vautour se dirigea tout droit vers Jean-Paul Kauffmann, assis sur un tabouret en train de lire. D'un coup de pied, il fit valser le tabouret, et le journaliste tomba à la renverse. Le Libanais, les yeux emplis de haine, s'approcha derrière lui et colla le canon de son pistolet sur sa nuque.

L'otage, terrorisé, leva les mains en l'air, en signe de soumission.

— Ton heure est venue, chien de Français.

Quand il entendit le cliquetis de l'armement du 9 mm, le journaliste baissa la tête en fermant les yeux. À cet instant, il pensa à Joëlle, son épouse, et, par la pensée, il lui demanda pardon, car il était résigné à mourir.

Mourir, c'était au moins une libération.

— Tu es franc-maçon ! cracha le Vautour. Tu es un fils de porc et un franc-maçon !

Kauffmann, paralysé par la peur, ne chercha même pas à se défendre. Cela n'avait aucun sens. Non, il n'était pas franc-maçon. Il aurait pu l'être, sans doute, mais il ne l'était pas. Il n'était pas juif, non plus, contrairement à ce que son nom alsacien avait souvent fait croire à ses ravisseurs. En réalité, il était catholique et breton. Mais tout cela n'avait aucune importance. Il voulait bien mourir.

Les yeux fermés, il attendit la détonation.

Dans le silence glacial qui emplissait son cachot, il ne put s'empêcher de penser à tous ces hommes, ces juifs et ces maçons justement, décimés par la folie meurtrière d'un autre temps, et songea alors que ses geôliers n'étaient finalement qu'une nouvelle incarnation de la barbarie nazie. Une autre foi, mais la même inhumanité, la même haine de l'Autre.

Le temps sembla se suspendre, et chaque seconde sonna dans sa tête comme si elle était la dernière.

Et puis, soudain, le coup sourd, violent. Le choc de la crosse sur l'arrière de son crâne. Un éclair blanc. Kauffmann s'écroula sur le sol, assommé.

Le Vautour cracha par terre dans un geste de dégoût, sortit de la cellule en envoyant un coup de pied rageur dans le tabouret renversé et claqua la porte derrière lui, sous le regard tétanisé des deux autres otages.

— Sortez ! ordonna-t-il à ses hommes en jetant son arme sur la petite table couverte des restes de leur repas.

Un par un, les ravisseurs sortirent de la pièce sans mot dire mais, à peine une minute plus tard, un nouvel homme entra, et le Vautour, en le voyant, baissa les yeux. C'était celui que tout le monde appelait Imad, et qui, visiblement, chapeautait les différentes équipes de ravisseurs, tant pour les otages français qu'américains ou britanniques. Il s'approcha du Vautour et lui posa une main sur l'épaule.

— Que se passe-t-il, Ahmed ?

— Ça va. Laisse-moi…

— Je ne laisse jamais un frère dans la peine.

Le Vautour releva la tête, le regard enflammé.

— Je suis pas dans la peine. La peine m'a quitté depuis longtemps, quand les chiens d'Israël ont tué mon fils sous leurs bombes. Aujourd'hui, c'est la colère et la haine qui m'habitent.

Imad hocha la tête et s'assit lentement à la table, en lui adressant un regard qui se voulait apaisant.

— Tu sais que j'ai vu les Iraniens, hein ?

Le Vautour poussa un profond soupir et s'assit à son tour.

— Oui.

— Et les Iraniens nous ont dit d'attendre. Mais toi, Ahmed, tu veux pas attendre…

— Les Français, ils ferment les yeux pendant que les hommes qu'ils ont élus assassinent nos frères partout sur la planète. Ils disent que nous sommes des terroristes, mais ce sont eux qui nous massacrent, qui volent nos terres et brûlent nos maisons. Ils ont tué des femmes et des enfants à Bir el-Abed, et nous, on doit nourrir ces prisonniers. Les traiter comme des invités !

— Je sais, mon frère, je sais. Tu as beaucoup souffert, comme nous tous. Mais nous résistons. Nous les avons frappés fort à Paris. Et nous gagnerons.

— Je voudrais exécuter ce chien de journaliste, ce Kauffmann ! C'est celui que les Français préfèrent. Ils manifestent à Paris par millions pour le faire libérer, mais pas un n'a levé le petit doigt quand Israël bombardait nos enfants. Kauffmann, il est avec les sionistes et les francs-maçons ! Je pourrais l'égorger de mes propres mains, Imad, car telle est la volonté de Dieu.

Il joignit le geste à la parole, faisant courir son pouce le long de son cou.

— Tu crois que tuer Kauffmann est la volonté de Dieu ? Je suis pas sûr qu'il y soit pour grand-chose, tu sais ? Ce sont les dirigeants qui les manipulent. Kauffmann, il s'est toujours montré correct avec nous. C'est un homme intelligent.

— C'est un mécréant ! Le Prophète, *salla allah alayhi wa sallam*[1], a dit : « Ne les prenez pas pour alliés tant qu'ils n'auront pas émigré pour la cause de Dieu et, s'ils se détournent, emparez-vous d'eux et tuez-les où que vous les trouviez. » Kauffmann, nous l'avons enlevé pour faire plier la France, mais au lieu de ça, il est devenu un symbole, pour eux. Il doit mourir. Il doit payer pour tous les enfants du Liban et de la Palestine.

— *Kallaa* ! C'est justement parce qu'il est le préféré des Français qu'on doit le garder. Un oiseau dans la main vaut mieux que dix sur l'arbre.

Le Vautour secoua la tête, puis il ramassa son pistolet sur la table et sortit la balle qu'il avait engagée dans la chambre.

---

1. Invocation toujours prononcée après le nom du Prophète, qui signifie « Qu'Allah protège et reconnaisse le Prophète ».

— Pour Téhéran, la libération de Naccache et le paiement de la dette passent avant tout, reprit-il. Mais la libération de nos frères à nous, emprisonnés par Israël et le Koweït ? Elle passe après ? Ce sont tous les prisonniers chiites qui doivent être libérés. Naccache ça suffit pas ! Regarde ce que ces chiens de Français ont fait avec Abdallah. Ils ont négocié son échange avec les Farl et, à la dernière minute, ils l'ont gardé en prison alors que leur diplomate avait été libéré. Ce sont des menteurs, des traîtres qui se moquent ouvertement du peuple libanais. Eux aussi, ils ont des otages !

— Abdallah n'a pas d'importance. Ce n'est pas un musulman.

— C'est un Libanais.

— Allons, mon frère ! Nous devons être patients. Tu sais que nous ne pouvons pas aller contre la volonté des Iraniens. Nous devons tout à la révolution de Khomeini. Ce sont eux qui nous ont permis de nous lever quand les chiens d'Israël ont envahi le Liban. T'étais là, Ahmed, à Baalbek, souviens-toi. On était là tous les deux. Ils nous ont donné les armes, l'argent...

— Bien sûr, répondit le Vautour en reprenant son calme. Notre fidélité à l'Ayatollah est éternelle, et nous nous battrons jusqu'à ce que nous ayons chassé les États-Unis, la France et Israël du Liban. Jusqu'à ce que nous ayons détruit Israël et propagé la révolution islamique. Mais l'Iran ne peut pas décider seul. C'est nous qui avons enlevé les otages, pas eux !

— Tu parles sous le coup de la colère, Ahmed. Nous devons rester unis. Dans les hadiths, le prophète, *salla allah alayhi wa sallam*, a dit : « Satan a désespéré d'être adoré par les orants dans la péninsule Arabique, mais il n'a pas désespéré de semer la discorde, la zizanie et les conflits entre eux. » C'est

Satan qui veut nous diviser. C'est Lui qui se sert de l'Occident pour nous désunir. Le musulman est le frère du musulman. Nous devons être comme les doigts d'une seule main. Si l'un de nous souffre, tous les autres souffrent avec lui. Tuer les otages, ce n'est pas dans l'intérêt de notre union, pas dans l'intérêt de l'islam véritable. Un jour viendra où l'Occident sera contraint de nous écouter. Le Parti de Dieu deviendra leur seul interlocuteur pour la question libanaise, et ils devront nous entendre. Nous devons faire confiance aux familles. Tu dois me faire confiance, à moi, comme je fais confiance au Cheikh.

— En attendant, on peut pas rester là sans rien faire. Il y a des hommes des services secrets français et américains dans tout Beyrouth. Je peux sentir leur présence chaque fois que je marche dans la ville. Ils vont finir par nous trouver.

— Je vais bientôt vous faire changer d'endroit.

— Ça suffit pas. On doit agir. Frapper.

— Nos frères à Paris préparent de nouvelles attaques.

— Qu'est-ce qu'ils attendent ?

— De nouveaux explosifs. Abdel doit leur en envoyer bientôt depuis l'Allemagne. Nous ferons encore payer aux Français le sang de nos martyrs.

Le Vautour haussa les épaules sans conviction.

— *Inch'Allah*.

Imad se leva et donna l'accolade à son compagnon, puis, sans autre mot, il quitta le sous-sol du vieil immeuble et repartit, sous l'escorte de sa garde, dans les rues ravagées de la banlieue sud.

# 82

## 15 octobre 1986, L'Isle-Adam

Il était à peine 23 heures quand l'homme qui se faisait appeler Daniel entra en panique dans le salon de la belle demeure bourgeoise arborée, au cœur de L'Isle-Adam.

— On dégage, lâcha-t-il d'une voix grave. La maison est encore surveillée.

Ses trois collègues, attablés autour du Palestinien avec qui ils partageaient un cognac, levèrent les yeux vers lui, perplexes.

— Par les gendarmes ? Je comprends pas, s'étonna l'un d'eux. Je croyais que le *patron* nous couvrait ?

— Je croyais aussi, mais j'ai encore vu un type à la fenêtre en face, dans la maison inoccupée. Il y a quelque chose qui cloche.

L'opération qu'on lui avait demandé de monter en toute clandestinité, baptisée « Bételgeuse », était beaucoup trop sensible pour prendre le moindre risque. Daniel se tourna vers le Palestinien qui, ne parlant pas français, semblait inquiet. Il lui expliqua brièvement la situation en anglais.

— Je suis désolé, cher ami, mais nous pensons que vous n'êtes plus en sécurité ici. Nous allons changer d'endroit.

— Je vous fais confiance, Daniel, répondit l'homme d'un air rassuré.

Le chef de la cellule clandestine fit alors signe à ses hommes de se mettre immédiatement en action.

— Videz les chambres et chargez les bagnoles discrètement. Pas de bruit. Si on est surveillés, on doit pas laisser paraître la moindre agitation.

Une heure plus tard, ils éteignirent progressivement toutes les lumières du grand pavillon et, le plus délicatement possible, poussèrent les deux voitures jusqu'au portail.

Ils attendirent une heure de plus dans l'obscurité, en espérant que les gendarmes en planque allaient relâcher leur surveillance, les croyant endormis.

Il était 2 heures du matin quand Daniel, à voix basse, donna l'ordre du départ.

— Les gars, vous rentrez chez vous tranquillement. Moi, je prends notre invité et je l'emmène sur la péniche. On s'appelle demain.

Les trois hommes obéirent, et Daniel fit monter le Palestinien dans la 604 Turbo louée pour l'occasion. Ils refermèrent le portail en silence, puis les deux voitures disparurent dans la nuit...

# 83

## 15 octobre 1986, Lyon

Comme il l'avait fait plusieurs fois au cours des quinze derniers jours, Marc vint chercher Pauline ce mercredi-là, vers 18 heures, devant le centre commercial. Mais, cette fois, plutôt que de l'emmener au cinéma ou au restaurant, il lui avait préparé une surprise.

Depuis six mois qu'il avait accepté la proposition d'Olivier, Marc – entre les versements en liquide de la Boîte et le salaire de sa couverture à Lyon – était parvenu à mettre de côté bien plus d'argent qu'il n'en dépensait. S'il avait commencé à en envoyer une partie à ses parents, il avait encore largement de quoi se faire enfin un peu plaisir.

Quand, au lieu de redescendre la départementale qui devait les ramener vers le cœur de Lyon, elle vit que Marc prenait la direction de l'ouest, la jeune libraire le regarda d'un air circonspect.

— On va où ?

— C'est une surprise.

— *Damned !*

Arrivée à la porte du Valvert, la voiture s'engagea sur l'autoroute. Pauline, de plus en plus intriguée, posa une main sur le tableau de bord.

— Euh... On va loin ?

— Assez, oui, répondit Marc en souriant.

— C'est-à-dire ?

— Eh bien, tu verras. Je t'emmène en week-end.

— En week-end, un mercredi ?

— Tu travailles pas demain.

— Mais, j'ai pas pris d'affaires ! J'ai rien !

— Et alors ? T'es une hippie, non ? L'aventure, c'est l'aventure !

La jeune femme secoua la tête d'un air amusé.

— Oh, mon petit voyou romantique ! Notre premier week-end en amoureux ! C'est tellement mignon !

En réalité, cela faisait si longtemps que Pauline n'avait pas quitté la région lyonnaise qu'elle avait l'impression de n'avoir connu qu'elle.

Encore bercés par les joies ingénues de la nouveauté, partageant leur premier long trajet, ils ne virent pas les heures passer alors que la France défilait à leurs côtés, et la nuit était tombée sur leurs fous rires et leur tendresse quand ils arrivèrent en région parisienne. Au loin, la ville des lumières brillait dans un halo d'or et de bleu.

— Tu m'emmènes voir la tour Eiffel, c'est ça ?

— Non, désolé... Le voyage est loin d'être terminé.

— Ah. Cela dit, avec tous ces attentats, je suis pas sûre d'avoir vraiment envie d'aller à Paris...

— Avec moi, tu risques rien, Pauline.

— Bien sûr… Alors, on va où ? Il est déjà 10 h 30 !

— Et alors ? T'es fatiguée ?

— De toi ? Pas encore. Mais je me demande bien où tu m'emmènes…

— Tu verras. Pour l'instant, ne voulant rien sacrifier au romantisme, je t'emmène manger un délicieux sandwich sur une aire d'autoroute.

La jeune libraire commença à comprendre quand ils bifurquèrent enfin sur l'autoroute de Normandie, pour arriver bientôt, à la lumière de la lune, dans ses verts pâturages. Écarquillant ses grands yeux illuminés, Pauline posa les mains sur sa bouche comme une petite fille à qui l'on vient de faire le cadeau dont elle rêvait depuis longtemps.

— J'ai trouvé ! Villers-sur-Mer ! Tu m'emmènes à Villers !

Marc lui retourna un sourire badin.

— Tu m'as dit qu'il fallait se promener sur ses falaises pour comprendre Marguerite Duras. Or, comme j'ai jamais vraiment compris Marguerite, je me suis dit…

— T'es un grand malade !

— Ça te fait pas plaisir ?

— Au contraire ! Si tu savais ! Mais t'es fou…

Il était plus de 1 heure du matin quand, dans la fraîcheur nouvelle d'octobre, ils arrivèrent enfin sur la digue de la station balnéaire, éclairée alors par un alignement de réverbères qui donnaient à la plage de doux reflets dorés. Au pied des barrières blanches, la longue ligne des cabines de bain évoquait à elle seule les joyeux après-midi d'été et, dans le ressac de la marée montante, on croyait entendre le rire des petits baigneurs barbotant dans les flots. Au loin, par-delà l'estuaire de la Seine, on apercevait la longue jetée du Havre, scintillant sur les eaux comme un immense paquebot prêt à prendre la Manche. Derrière eux, enfin, la ville et ses belles demeures bourgeoises, ses manoirs ornés de solives et de colombages, s'étendaient en amphithéâtre et se confondaient dans la pénombre avec les collines foisonnantes du Calvados.

— Regarde, murmura Pauline en posant sa tête sur l'épaule de Marc. C'est la plage où j'ai passé presque tous les étés de mon enfance. Tu vois ce portique ? Un jour je me suis cassé la jambe en sautant de tout en haut.

— Quelle aventurière !

Le vent dessinait quelques houles blanches à la surface de la mer agitée et soulevait la douce odeur florale des fonds marins.

— Merci, Marc. C'est idiot, mais je suis émue. J'ai de tellement beaux souvenirs ici... Je repense à ma mère, à mon frère... J'aurais tellement aimé revenir ici avec eux.

— Je suis désolé.

— Ne le sois pas. Ça me fait du bien de revoir tout ça. Le club de la plage, les châteaux de sable, les chasses au trésor, les heures passées avec mon petit frère dans la boue des falaises, mon premier baiser dans la pénombre d'un vieux blockhaus...

— C'est ici que tu as donné ton premier baiser ? s'amusa Marc.

— Pas très loin, oui.

Il prit délicatement la tête de Pauline entre ses mains et l'embrassa longuement, puis ils restèrent un instant sans parler, bercés seulement par le bruit distant des vagues.

— Mon Dieu, t'as vu l'heure ? chuchota finalement Pauline en frissonnant. Tu... Tu nous as réservé un hôtel ?

— Un hôtel ? Ça va pas, non ? Tu voulais voir la falaise, on dort sur la falaise, mademoiselle !

— À la belle étoile ?

Et, de fait, se faufilant dans les ruelles qui grimpaient vers les hauteurs arborées de la petite ville normande, ils roulèrent jusqu'à une impasse étroite où Marc gara la voiture. Puis il partit chercher dans le coffre le sac à dos où il avait soigneusement préparé tout ce qu'il leur fallait pour dormir sur la falaise.

— T'es complètement fou, ne cessait de répéter Pauline, en réalité enchantée, alors qu'ils longeaient à présent un chemin de terre, au milieu des herbes hautes, pour s'approcher du bord des célèbres Vaches Noires.

Marc aida la jeune femme à passer par-dessus une barrière de fil barbelé, puis ils traversèrent un champ en jachère et s'arrêtèrent au bout de la falaise, juste au-dessus du vide. Ils découvrirent alors, cachées dans la végétation sauvage, les ruines d'un bâtiment moderne laissé à l'abandon, ses parpaings abîmés couverts de graffiti, et qui surplombait la Grande Bleue comme un poste de surveillance oublié.

En contrebas, la longue plage de sable fin s'étendait au nord jusqu'à Deauville, et se perdait au sud dans les éboulements de rochers épars qui semblaient se détacher encore du continent.

À quelques pas de la bâtisse, Marc planta leur tente juste au bord du précipice. De là où ils étaient, ils avaient sur la mer une vue imprenable.

— T'es sûr qu'on a le droit de s'installer ici ? s'inquiéta Pauline en se glissant à l'intérieur.

— Qu'on vienne m'en empêcher ! La Terre nous appartient.

Assemblant leurs deux sacs de couchage pour n'en faire qu'un, ils s'enlacèrent pour partager un peu de chaleur contre la fraîcheur de la nuit.

Dans l'obscurité, Marc ferma les yeux en serrant la jeune femme contre sa poitrine, et alors il se sentit soudain envahi, à son tour, par un besoin de se confier. Il y avait quelque chose chez Pauline qui rendait le mensonge ridicule. Il poussa un soupir, pas assez discret pour qu'il échappe à la libraire. Lui qui était parvenu jusqu'à présent à garder ses deux vies bien séparées, il savait au fond de lui qu'elles finiraient par s'entrechoquer.

— Il faut... Il faut que je te fasse un aveu, Pauline. Tu peux me promettre de garder un secret ?

— Oui, bien sûr. Mais tu me fais peur, là...

Marc hésita encore. Si Olivier avait été là, il lui aurait sans doute hurlé de se taire. Et si l'officier apprenait qu'il avait parlé, Masson serait probablement rayé à tout jamais de ses contacts. Mais, dans sa vie privée, il n'y avait plus personne. Plus de famille, plus d'amis. Il ne restait que Pauline. Et Marc sentait au fond de lui non seulement qu'il pouvait lui faire confiance, mais aussi qu'il en avait besoin, s'il ne voulait pas perdre ses derniers repères.

— Eh bien, comment dire ? Je suis pas uniquement chauffeur poids-lourd...

— Comment ça ?

Il fit dans l'obscurité une grimace embarrassée que la libraire ne pouvait pas voir.

— Ça va sonner de manière un peu ridicule, mais voilà : je travaille pour le gouvernement.

— C'est-à-dire ?

— Je fais des missions pour le gouvernement.

— Des missions ? Tu veux dire des missions secrètes ?

— En quelque sorte.

Marc devina quelque chose comme un sourire qui se dessinait sur le visage de la brune.

— C'est une blague ?

— Non.

Un long silence s'installa, pendant lequel Pauline sembla passer à travers plusieurs émotions, entre le rire, le doute et l'inquiétude.

— Mais... T'as le droit de me le dire ?

— Pas vraiment.

— Alors pourquoi tu me le dis ?

— Je sais pas. Ça doit être le contexte. Partager tes souvenirs d'enfance... Je me sens en confiance. En fait, je regrette déjà de te l'avoir dit. Mais j'en avais besoin.

La jeune femme se tourna vers lui et attrapa sa tête entre ses mains.

— En gros, tu veux dire que je suis amoureuse d'un agent secret ?

Cette fois, ce fut au tour de Marc d'être surpris et de laisser passer un silence.

— T'es *amoureuse* ?

— Ça se voit pas ?

— Je crois que si.

Il la serra plus fort encore.

— Tu penses que ça peut te poser un problème ?

— Quoi ? D'être amoureuse ?

— Non ! Mon métier.

— Je sais pas. Je tombe un peu des nues, là. Je me disais bien que t'étais un peu spécial, comme type, et c'est vrai que ça fait un peu peur. C'est un métier dangereux, non ?

— À peine plus que chauffeur poids-lourd.

— Tu... Ton travail a un lien avec tous ces attentats terroristes ?

— Je peux vraiment pas te dire ce genre de choses...

— Qui d'autre est au courant ?

— Personne. Tu sais, Pauline, il n'y a pas grand monde dans ma vie...

Elle lui caressa tendrement la joue et, sans comprendre pourquoi, Marc éprouva à cet instant une profonde tristesse.

— Pourquoi moi ? murmura-t-elle.

— C'est une drôle de question. Je pourrais te la retourner : pourquoi moi ?

— C'est vrai que c'est une drôle de question. T'es un type... étonnant. Différent. Remarque, maintenant, je comprends mieux pourquoi. Mince alors, un putain d'agent secret !

— J'espère que ça changera rien entre nous, Pauline.

Elle sourit.

— Non. Tu seras juste *mon* petit agent secret.

— Quand je suis là-bas, je suis quelqu'un d'autre. Il n'y a qu'avec toi que je suis moi.

— Bizarrement, je crois qu'on ne m'a jamais rien dit d'aussi beau.

Leurs mains entrecroisées, ils laissèrent passer encore un long silence et Marc essaya de deviner, de comprendre ce que Pauline pouvait ressentir. Il se demanda s'il n'avait pas fait une terrible erreur en lui avouant si vite, ou bien au contraire, s'il n'aurait pas fait une erreur plus fatale encore s'il ne lui avait rien dit. Et puis, soudain, elle rit, tout simplement.

— Fais-moi l'amour.

Le lendemain, comme portés par un souffle nouveau, ils visitèrent Trouville, Deauville, et Marc, alors qu'ils passaient devant le somptueux hôtel Normandy, décida, sur un coup de tête, d'y prendre une chambre.

— T'es pas sérieux ? On est habillés comme des pouilleux !

— Et alors ? On les emmerde !

— Mais ça coûte une fortune !

— Mes parents sont très riches, plaisanta Masson.

Ainsi, tout sourire, ils pénétrèrent dans le luxueux manoir anglo-normand et, imitant l'accent d'un riche aristocrate, Marc paya en liquide une chambre avec vue sur mer, s'amusant du regard perplexe du réceptionniste.

Ils prirent possession de leur grande et belle chambre comme deux enfants émerveillés. Pauline, quelque peu gênée par le faste des lieux, dut reconnaître toutefois qu'elle était bien heureuse de pouvoir se plonger dans un bon bain chaud. Ils firent

encore l'amour, enivrés de dépaysement et de légèreté.

Le soir, ils partirent dîner aux Vapeurs, se pliant
volontiers aux rituels des plus parfaits touristes,
leurs doigts emmêlés, leurs bouches s'effleurant à
chaque minute comme le plus insouciant des jeunes
couples.

Il était près de 23 heures quand, rassasiés, ils
décidèrent de retourner à pied jusqu'au Normandy.
Main dans la main, ils longèrent les quais illuminés
jusqu'au pont des Belges et rejoignirent Deauville
pour rentrer par le front de mer.

Ils n'étaient plus qu'à une centaine de mètres de
l'hôtel quand un groupe d'adolescents, propres sur
eux – mocassins et chemises Pierre Cardin – mais
passablement éméchés, et qui semblaient revenir
du Casino, arriva à leur hauteur. L'un des jeunes
hommes, qui parlait fort et riait bêtement, bouscula
rudement Pauline en passant.

— Eh ! s'exclama la jeune femme en se tenant le
bras. Vous pourriez faire attention !

— Je t'emmerde ! répliqua l'autre aussi sec, et sa
brillante sortie sembla amuser ses trois camarades.

La réaction de Marc ne se fit pas attendre.
Lâchant la main de sa compagne, il se jeta sur le
jeune imbécile et l'attrapa par le col de sa petite
chemise à carreaux.

— Qu'est-ce que t'as dit ? fit-il, les yeux déjà
imbibés de sang.

— C'est bon, Marc, laisse tomber, intervint Pauline
en essayant de le retenir.

Mais l'importun surenchérit.

— Eh ! Lâche-moi, connard ! Retourne avec ta
pétasse, là !

Le coup de poing sembla tomber du ciel.

La bagarre commença. Elle fut de courte durée.

Sous le regard terrifié de la jeune femme, Marc
étala un par un les trois fêtards, sans doute venus

tout droit du 16e arrondissement de Paris, et il était en train de s'acharner sur le dernier avec une hargne sauvage, le matraquant au sol d'une série de crochets puissants, quand la libraire, affolée par les gerbes de sang, se jeta sur lui en hurlant pour l'obliger à arrêter.

— C'est bon ! Il a eu son compte ! cria-t-elle en le tirant par la main.

Marc, le visage encore déformé par la rage, se laissa pourtant entraîner vers l'hôtel.

— Quelle bande de petits cons, cracha-t-il en essuyant les gouttes écarlates qui avaient éclaboussé sa joue.

— T'es complètement malade ! répliqua Pauline, en le regardant d'un air consterné. Qu'est-ce qui t'a pris ?

— Je laisserai jamais personne t'insulter.

Une demi-heure plus tard, allongés l'un à côté de l'autre dans l'immense lit du palace normand, ils restèrent muets tous les deux un long moment, et Pauline, le dos tourné, avait fini par s'endormir quand, dans le silence et l'obscurité, Marc lui caressa tendrement le front en murmurant un bien tardif « je suis désolé… ».

# 84

## 16 octobre 1986, Paris

— Qu'est-ce que tu bois ? demanda Batiza en désignant l'élégante carte des boissons.

— Un soda, répondit Dartan.

— T'es sérieux ?

— Ben moi oui, justement…

— Bah... L'alcool est notre pire ennemi, certes, mais fuir son ennemi, c'est lâche.

— M'en veux pas, Arnaud, mais là, on vient de me parler de l'affaire de L'Isle-Adam et, euh... Il faut vraiment que tu m'expliques ce que vous foutez, parce que je t'avoue que, même moi, j'y comprends plus rien, demanda Dartan en se retenant de rire. Votre histoire est tellement rocambolesque qu'on dirait un mauvais roman d'espionnage...

Les deux amis étaient installés dans la pénombre cosy de l'hôtel Nikko. L'immense tour rouge de l'établissement japonais, située sur le front de Seine, entre la tour Eiffel et le pont Mirabeau, avait l'avantage d'offrir un peu de discrétion à quelques pas des bureaux de la DST. Dartan, qui était rentré de Beyrouth pour une courte semaine, espérait que son collègue allait accepter de lui donner quelque éclairage sur l'imbroglio dont les journalistes d'investigation se délectaient depuis quelques heures.

— T'es pas censé être au courant, Olivier...

— Tu veux mon poing sur la gueule ?

L'Antillais lui retourna un sourire entendu.

— Bon. OK. Eh bien, comment dire... L'un de mes collègues, qu'on appellera juste Daniel – et qui a beaucoup de contacts au Moyen-Orient – semble avoir été recruté directement par Pasqua et Castelli pour intégrer une sorte de petit cabinet noir...

— Un cabinet noir... En effet, ça pue le Castelli à plein nez ! s'amusa Dartan.

— Il faut croire que Pasqua et lui ne nous font pas autant confiance qu'ils nous l'avaient laissé entendre avant de prendre le pouvoir... Ni à nous, ni à vous. Il préfère sous-traiter.

— Le message est clair : l'Intérieur ne nous estime plus capables de résoudre l'affaire des otages, et c'est Castelli qui va s'en occuper tout seul. Le problème, c'est qu'ils ont une fascination maladive pour ces méthodes de voyous. De vieux réflexes du SAC. Bref...

— Bref, Castelli aurait demandé à Daniel de traiter en secret une source plutôt... brûlante.

— Qui ?

— Un Palestinien.

— Quel Palestinien ? insista Dartan.

— Tsss... Quelqu'un qui connaît très bien le dossier des otages, se contenta de répondre Batiza. Le type a visiblement des informations très précises sur les lieux où ils sont séquestrés. Apparemment, ce serait le patron du syndicat des chauffeurs de taxi de Beyrouth Ouest qui se chargerait de ravitailler quotidiennement les différentes planques.

— C'est fort probable, intervint Olivier. J'avais rédigé une note en ce sens, il y a quelques mois...

— Bref. Ce Palestinien aurait recueilli pas mal d'infos sur les lieux de détention de nos compatriotes et, visiblement, Pasqua envisageait sérieusement de monter une opération militaire pour libérer les otages.

— On a plusieurs fois envisagé la chose, à Beyrouth. Le SA nous affirmait qu'il pouvait extraire les otages sains et saufs, mais j'en étais pas convaincu. Sans parler des possibles dommages collatéraux, dans une opération en pleine ville...

— En tout cas, il y a quelques jours, mon collègue Daniel a tout simplement cessé de venir au bureau. Plus de son, plus d'image. Le patron a essayé de le joindre chez lui... que dalle. En réalité, Pasqua lui avait demandé en personne d'aller dans un joli pavillon de L'Isle-Adam pour recevoir la source palestinienne et la traiter à l'abri des regards.

— Et ton fameux Daniel a accepté ? Sans en parler à sa direction ?

— Il est un peu spécial, je te l'accorde... Et il est en froid avec le patron depuis l'affaire de la cache d'armes à Fontainebleau. C'est lui qui avait eu l'info, et le directeur a décidé d'aller récupérer la valise sans même lui en parler. On peut comprendre qu'il ait un peu la haine…

— De là à accepter de bosser en sous-marin pour Pasqua, c'est un peu limite, quand même…

— Il a peut-être eu du mal à dire non à son ministre de tutelle, que veux-tu ? Mais attends, le meilleur reste à venir. Pendant quelques jours, le cabinet secret de Pasqua et Castelli, sous la direction de mon collègue, a donc recueilli les informations de sa source, planquée dans la belle maison de L'Isle-Adam, aux frais de la princesse. Ils ont même baptisé leur mission « Bételgeuse », tu vois le genre ? Sauf que, manque de chance, alertés par les voisins, les gendarmes ont fini par trouver un peu suspectes toutes ces allées et venues dans le pavillon censé être inoccupé. Résultat, vendredi dernier, à l'aube, *à l'heure où blanchit la campagne*, le GIGN a fait une descente.

Dartan écarquilla les yeux, à la limite du fou rire.

— Le GIGN, carrément ?

— Oui. On est plusieurs à penser que c'est Mitterrand qui leur a donné le feu vert, sans doute pour emmerder Pasqua… Mais on le saura probablement jamais. Par chance, si je puis dire, quand le GIGN est arrivé, l'équipe de mon collègue et leur source n'y étaient plus… Ils avaient quitté les lieux la veille au soir. Ils devaient avoir repéré la surveillance. Tant mieux, d'ailleurs, parce que vu le pedigree de certaines recrues de ce fameux cabinet noir, ça aurait pu tourner à la fusillade. T'imagines le tableau ?

— Des barbouzes à la solde du ministre de l'Intérieur qui s'entre-tuent avec des gars du GIGN, oui, j'imagine très bien les gros titres…

— On a frôlé le drame, Olivier. Il n'empêche que les gendarmes sont allés perquisitionner directement chez les types que mon collègue avait recrutés, un ancien flic et un ancien militaire cambodgien, et ils les ont foutus en garde à vue !

— Ils avaient leur identité ?

— Il faut croire… Me demande pas qui les a balancés, j'en ai pas la moindre idée. Quant à Daniel, les gendarmes ne l'ont pas trouvé : il s'était planqué sur un bateau avec sa source.

— Un bateau ?

— Une péniche, juste devant l'Assemblée nationale !

— Magistral ! lâcha Dartan en secouant la tête. On se croirait dans un San Antonio… Comment ça va se finir, ce bordel ?

— Eh bien, tu te doutes qu'il y a eu panique à tous les étages. Matignon, Beauvau, chez nous… C'est parti dans tous les sens. Finalement, le juge d'instruction a classé l'affaire et relâché les types mais, évidemment, ça a fuité dans la presse, d'où le joyeux bordel dont tu as visiblement entendu parler.

— Conclusion ?

— Conclusion, je pense que Pasqua et Castelli vont oublier leur lumineuse idée d'intervention militaire, que mon collègue va se faire gentiment mettre au placard, et que tout le monde va s'efforcer d'étouffer l'affaire…

— Et le Palestinien ?

— Il est reparti en avion aujourd'hui même. Il n'est pas près de revenir.

— Mais les infos qu'il a données ?

— Elles sont entre les mains de Pasqua et Castelli. Reste à savoir s'ils vont partager…

Dartan poussa un long soupir et reprit une gorgée de soda. Ce n'était pas la première fois de sa carrière qu'il assistait à un coup tordu, mais il devait bien reconnaître que celui-ci tutoyait les sommets.

— Ton patron doit être hystérique, lâcha-t-il en pointant du pouce en direction de la rue Nélaton.

— Je l'ai déjà vu plus jovial.

— Le plus gênant, dans tout ça, c'est que ça montre que Pasqua et Castelli ne jouent pas franc jeu avec nous, et ça, tu vois, ça me casse royalement les bonbons. Quand je repense au petit *speech* de Castelli le jour où il nous a invités tous les deux à déjeuner, ça me donne envie de gerber...

— Ils sont tellement pressés de récolter les lauriers de la libération des otages qu'ils sont prêts à tout pour y arriver.

— C'est le meilleur moyen de tout faire foirer.

# 85

## 6 décembre 1986, Beyrouth

Cela faisait plus de deux mois que l'interrogatoire d'Abdallah avait confirmé la théorie de Dartan selon laquelle les Farl n'étaient pas impliqués dans les attentats et, pourtant, le ministre de l'Intérieur avait décidé de continuer à mettre cette piste-là en avant auprès du public et des médias. C'était, selon son conseiller Castelli, une stratégie pour tromper l'adversaire et rassurer l'opinion. Olivier ne pouvait toutefois s'empêcher de penser qu'il s'agissait surtout d'une façon de faire plaisir aux Israéliens et aux Américains, pour qui les Farl étaient une cible prioritaire. Quant aux choix stratégiques de Castelli et Pasqua, depuis l'affaire de L'Isle-Adam, il préférait ne pas essayer de les comprendre.

Pour ce qui était des otages, le retour accordé par la France aux deux opposants irakiens deux mois plus tôt, tel que l'avaient réclamé les ravisseurs, semblait ne pas avoir porté ses fruits. Depuis lors, les ravisseurs étaient restés muets, et l'on n'avait plus de nouvelles des otages. Les bombes, elles aussi, s'étaient tues. Silence radio.

L'officier, effondré dans son nouveau bureau à l'ambassade de Beyrouth, était en train de regarder, pour la dixième fois peut-être, la dernière cassette en date envoyée en octobre par le Djihad islamique. Il espérait encore, sans trop y croire, pouvoir y trouver un indice, une piste, un message caché.

Dans une image en noir et blanc de piètre qualité, on voyait tour à tour trois des otages lire des textes devant un mur tapissé d'un papier peint vieillot.

Marcel Fontaine, ses joues creuses disparaissant presque derrière une longue moustache noire, semblait avoir perdu ses dernières lueurs d'espoir : « Ma chère épouse et mes chers enfants, cela fera la deuxième fois en dix-huit mois qu'il m'est donné de m'adresser à vous... C'est long, très long. Je n'en puis plus. Je suis las et désespéré. Je suis au bord du gouffre. »

Les ravisseurs, sans doute, les avaient poussés à écrire ces textes sombres et alarmants, lourds de désespérance, dans le but évident d'émouvoir les spectateurs et de culpabiliser l'État français. Mais les yeux des otages ne mentaient pas. Leur épuisement et leur découragement étaient bien réels.

Marcel Carton, ses yeux baissés derrière ses grosses lunettes, le visage prostré, semblait n'avoir pas même la force de regarder la caméra. « J'éprouve de plus en plus de difficultés à me concentrer et à réfléchir. On me fournit les médicaments dont j'ai besoin mais, à mon âge, on ne subit pas sans dommages dix-huit mois d'une séquestration très rigoureuse. Pertes d'équilibre, tremblements, sans parler de mon cœur que l'angoisse et le stress perpétuel mettent à rude épreuve. Je ne crains pas de dire qu'il y a là non-assistance à personne en danger. Je croyais pourtant que, face à la logique qui est celle de nos ravisseurs, la France incarnerait encore sa tradition de générosité et d'humanité... Je tiens quand même à t'affirmer, ma chérie, que malgré cela, pas un instant ton image n'est sortie de mon esprit. » En évoquant ainsi son épouse, le diplomate, les lèvres tremblantes, peinait à masquer de déchirants sanglots. « Ma chérie, tu es toujours présente en moi, mon amour pour toi est sans bornes. »

Jean-Paul Kauffmann, enfin, paraissait le plus vindicatif des trois, et la fermeté de sa voix, malgré la fatigue, trahissait le sentiment qui devait habiter le journaliste de parler au nom de tous ses compagnons d'infortune. « Mais parler ainsi, c'est envisager qu'il y ait pour nous un avenir, alors que nos ravisseurs nous parlent de mort. Qu'on ne me parle surtout pas de principes, ces grands principes que l'on a tournés ou ignorés dès que des intérêts supérieurs étaient en jeu. Mais voilà, nous ne sommes pas des intérêts supérieurs, tout juste une épine, un peu irritante parfois, quand le problème, "l'affaire des otages" comme on dit, ressurgit. » Comme les autres, il terminait son intervention par une adresse aux siens, bouleversante de chagrin. « Tout est si sombre, Joëlle, je suis si fatigué. Embrasse maman, je t'aime tendrement et t'embrasse. Grégoire et Alexandre, soyez courageux, je vous aime. »

L'image s'arrêta et laissa la place au bruit neigeux de l'écran de télévision. Dartan poussa un soupir et croisa les mains derrière la tête, la mine grave. Il aurait tant voulu trouver quelque chose de nouveau dans cette cassette. Un indice. Une piste. À force de la lire encore et encore, il avait fini par en user la bande. Mais son désarroi, lui, restait intact.

Quelques jours plus tôt, le colonel Gautier avait été nommé général à titre posthume, une bien maigre consolation pour le prix d'une vie.

Il était encore immobile, plongé dans sa torpeur, quand Rudi Girard entra dans le bureau d'un air agité.

— On a peut-être trouvé quelque chose, annonça le jeune ingénieur d'une voix excitée.

Olivier releva la tête.

— Quoi ?

— Une planque.

Dartan sourit. Les révélations du mystérieux informateur palestinien, lors de l'imbroglio de L'Isle-Adam, avaient donc fini par remonter jusqu'à qui de droit. Le malheureux collègue de Batiza, « Daniel », devenu pour Pasqua un fusible qui risquait d'être grillé à vie dans tous les Services, venait peut-être de faire sensiblement avancer l'enquête.

Si le ministre de l'Intérieur, avec l'affaire de L'Isle-Adam, avait clairement montré qu'il faisait davantage confiance aux réseaux de Castelli qu'à la DGSE sur le dossier des otages, personne n'avait interdit à Dartan de continuer à s'en occuper. L'heure était peut-être venue de reprendre un peu la main.

— T'es prêt pour une petite randonnée, gamin ?

— Comment ça ?

# 86

## 10 décembre 1986, Beyrouth

Banlieue sud. Ceinture de misère aux allures de ghetto, brûlée par le feu incessant de la guerre civile et des actions terroristes. Au milieu des stigmates laissés par les bombardements syriens et israéliens, les combats semblaient ne jamais vouloir s'arrêter. Ici, les milices Amal, là le Hezbollah, plus loin encore, les combattants palestiniens, partout, les francs-tireurs embusqués, fossoyeurs aveugles à la solde du dernier payeur, offrant au prix de la vie une courbe plus fragile encore que celle des cours de la Bourse. Et puis, de l'autre côté de la ligne, l'armée libanaise, à bout de souffle, répliquant aux assauts par des tirs d'artillerie sporadiques. Les blessés, ramassés dans les nuages de poussière par des camions délabrés, étaient soignés en urgence dans les hôpitaux de fortune qu'abritaient les derniers parkings.

Ici et là, on voyait des groupes de jeunes hommes en civil, militants de telle ou telle milice, certains à peine majeurs, et qui, Kalachnikov sur le dos, gardaient des entrées d'immeubles placardées de portraits de Khomeini. La plupart des habitants avaient fui, pour céder la place aux hommes en armes. Les rares civils qui étaient restés se parquaient dans des abris. Ici, on ne vivait pas, on survivait. Les bruits de la ville se perdaient dans le craquement sec des AK-47, les détonations sourdes des mines antipersonnel ou des attentats suicides, perpétrés chaque semaine par de jeunes adolescents embrigadés, enveloppés de leurs fantomatiques draps blancs. Les murs éventrés ne laissaient qu'un peu de place aux portraits et slogans pro-iraniens. Entre les colonnes de fumée et les squelettes de vieux immeubles bombardés, dont il ne restait plus qu'une structure estropiée de fer et de béton, les rares bâtiments épargnés semblaient tout aussi déserts. Les rats, sept fois plus nombreux que les hommes, grouillaient autour des gravats et des immondices abandonnées ici et là sur les trottoirs. Écorchée vive, Beyrouth pleurait au rythme des obus, et le Liban, le beau Liban, s'affaissait chaque jour un peu plus sur ses genoux cagneux.

— C'est toujours calme, murmura Rudi en passant les jumelles à Olivier Dartan.

Allongés dans la poussière, derrière le petit muret qui bordait le toit de l'ancienne banque, les deux hommes surveillaient depuis plus d'une heure un immeuble de Haret Hreik, non loin du quartier général du Hezbollah. D'après les indications du Palestinien de L'Isle-Adam, une milice du Parti de Dieu avait installé une planque dans les caves de ce bâtiment en ruine. On murmurait ici et là que des otages y étaient peut-être enfermés. Ce n'était pas la première fois que la DGSE récoltait ce type d'information, mais les indications de la source s'étaient montrées bien plus précises et circonstanciées qu'à l'accoutumée, et Dartan avait tenu à se rendre lui-même sur place. Olivier avait toujours été un homme d'action, et rien ne pouvait l'empêcher de garder le contact avec le terrain, pas même sa récente promotion.

Rudi, en revanche, n'avait guère manifesté d'enthousiasme quand son patron lui avait demandé de l'accompagner. Le jeune ingénieur, malgré la formation militaire qu'il avait reçue pendant ses études à l'École polytechnique, n'était pas forcément rassuré quand il s'agissait d'aller directement sur le terrain. Bien plus à l'aise derrière les radio-émetteurs ou les algorithmes qui servaient à crypter les messages envoyés par l'ambassade, il peinait à masquer son anxiété, tapi au sommet de l'immeuble en ruine. Mais l'admiration grandissante qu'il éprouvait pour son chef de poste l'avait empêché de refuser. Au fond, Dartan prenait bien plus de risques que son grade ne l'exigeait de lui, c'eût été bien lâche de lui faire défaut.

— Ne t'inquiète pas, Rudi. À Beyrouth, il finit toujours par se passer quelque chose.

— Euh... Je ne suis pas forcément pressé qu'il se passe quelque chose.

Dartan ricana.

— Dis-moi, à part vous faire défiler avec un bicorne et une épée sur l'épaule, ils ne vous apprennent pas à vous faire pousser des couilles, à Polytechnique ?

— Mon truc, moi, c'est plutôt les télécommunications, les ordinateurs, vous voyez ?

— Si t'as envie de faire carrière dans la Boîte, tu vas avoir besoin de comprendre le terrain, gamin.

En réalité, Olivier appréciait lui aussi de plus en plus le jeune ingénieur, et s'il le forçait de temps en temps à sortir de derrière ses machines, c'était bien plus pour l'aider que pour le mettre à l'épreuve. Rudi n'était pas seulement un excellent technicien, c'était aussi un brave garçon, et Dartan espérait le voir rapidement grimper dans les échelons de la Direction technique.

— Tu vas voir : Beyrouth, c'est l'éclate.

Pourtant, aujourd'hui comme la veille, tout était calme. Depuis qu'ils avaient repris leur surveillance, les deux collègues n'avaient vu personne entrer ou sortir du bâtiment.

— Vous croyez que c'est une info bidon ? demanda Rudi dix minutes plus tard, comme il ne se passait toujours rien.

— D'après ce que je sais, répondit Olivier, la source est plutôt sûre.

— Ils nous ont peut-être repérés. Un silence pareil, c'est pas normal, si ?

— Si tu continues à jacasser toutes les deux minutes, oui, ils vont finir par nous repérer.

— Le gros chèque de Chirac a peut-être porté ses fruits, suggéra Girard.

— On pourra dire qu'il a porté ses fruits quand un otage sera libéré. Pour l'instant, ça ressemble plus au calme avant la tempête. Allez, maintenant, tais-toi, et apprends.

Ils étaient là, cachés dans leur abri misérable depuis le matin quand, soudain, peu après 15 heures, une Toyota Hilux blanche s'arrêta à quelques mètres du bâtiment en contrebas.

Dartan attrapa le téléobjectif, donna une tape sur l'épaule de Rudi et lui fit un signe de tête. L'ingénieur colla aussitôt les jumelles sur ses yeux.

L'homme qui sortit du pick-up attira immédiatement leur attention. Cagoulé et armé, il resta un long moment près de sa voiture, à observer les environs.

— Tu vois ce que je vois ? murmura Dartan en mitraillant la scène avec son appareil photo.

— Sa main gauche...

L'homme, comme ils l'avaient vu faire tant de fois à l'époque où ils l'avaient surveillé dans son propre appartement, entreprit alors un tour complet du bâtiment à pied. Le rituel d'une bien légitime paranoïa. Sa signature.

— Putain de bordel de merde, Rudi, on a retrouvé le Vautour ! lâcha Dartan avec un sourire, quand il vit le milicien réapparaître devant l'entrée de l'immeuble.


# 87

## 11 décembre 1986, Lyon


— Tu sais vraiment pas quand tu vas revenir ? demanda Pauline, la tête posée sur le torse de son compagnon.

404

Marc poussa un soupir et passa ses doigts dans la chevelure frisottante de sa belle libraire.

— Non. Je sais pas. Ça fait partie du boulot.

— Ça veut dire que tu seras pas là pour Noël ?

— Il y a peu de chances. T'aimes fêter Noël, toi ?

— Normalement, non, avoua la jeune femme. Mais là… J'avais imaginé une soirée en amoureux. Et tu peux pas non plus me dire où tu vas ?

— Non plus.

Pendant trois mois, Marc n'avait plus reçu aucune nouvelle de la DGSE. Un long silence auquel il savait qu'il devait s'habituer, mais pas une seule journée ne s'écoulait sans qu'il y pense et se languisse. Aussi, quand Olivier l'avait enfin appelé une semaine plus tôt pour lui donner rendez-vous, et malgré le désagrément de devoir quitter Pauline, il n'avait pu s'empêcher d'éprouver une profonde excitation. Les ordres de son officier de liaison avaient été clairs : Marc Masson devait se rendre le 12 décembre, à 15 heures précises, à la base aérienne 105 d'Évreux, pour une mission au Liban dont l'officier avait spécifié qu'elle pourrait durer jusqu'à trois semaines. Il ne devait emporter aucune valise, aucune arme, mais seulement le strict nécessaire, un peu de liquide et sa fausse carte d'identité au nom de Matthieu Malvaux. Détail inattendu : il devait se laisser pousser la barbe d'ici là…

La jeune femme pivota sur le lit et, posant son menton sur la poitrine de Marc, elle le regarda de ses grands yeux brillants.

— C'est en rapport avec les attentats ?

— Je t'ai déjà dit que je pouvais pas en parler.

Elle grimaça.

— J'avais pas mesuré la confiance que tout ça nécessitait…

— Mais tu me fais confiance, hein ?

— À toi, oui… Mais au monde dans lequel tu vis…

— Mon travail consiste justement à rendre le monde dans lequel on vit un peu meilleur, Pauline.

— Vraiment ? Alors t'es un héros ?

— Non. Je suis un ouvrier.

— Avec ta barbe, tu ressembles surtout à un vieux sapeur, plaisanta-t-elle.

Après l'incident de Deauville, le couple était passé à travers une longue mise au point qui, finalement, les avait rapprochés l'un et l'autre. Marc s'était confié avec la plus noble sincérité : la violence avait toujours fait partie de sa vie, elle était dans son sang, tapie dans son cœur, et elle resurgissait immanquablement quand il avait le sentiment d'assister à une injustice, un déshonneur. Quand la libraire lui avait expliqué qu'elle avait été choquée en le voyant s'acharner ainsi sur les jeunes imbéciles qui l'avaient insultée, et qu'une simple correction aurait suffi, il avait hoché la tête en répondant qu'il en était parfaitement conscient, après coup, mais que, sur l'instant, ces situations le transformaient en une simple et aveugle machine de guerre. « Je n'en suis pas fier, avait-il ajouté, mais maintenant tu sais qui je suis. Et je ne veux pas tricher. Pas avec toi. J'espère que tu pourras continuer de m'aimer comme je suis. » Et, bien sûr, elle l'aimait. Elle l'aimait si fort, même, que cela lui faisait presque peur. En plaisantant, elle avait conclu, résignée : « De toute façon, il faut toujours que je tombe sur des tordus. Et tu es le plus tordu d'entre tous, ce qui doit expliquer que je n'ai jamais aimé quelqu'un si fort. »

— Tout va bien se passer, dit-il en la serrant dans ses bras.

— Fais-moi quand même l'amour, murmura-t-elle en se hissant vers lui, et alors il y eut dans leurs ébats la passion folle, l'ardeur mélancolique d'une dernière fois.

Le lendemain, à l'heure dite, Marc Masson se présentait, cagoulé, à l'entrée de la base aérienne 105 d'Évreux-Fauville, cette ancienne base de l'Otan où l'armée de l'air américaine était restée jusqu'à la fin des années 1960, au milieu des grandes étendues verdoyantes de la plaine normande. Là, il fut conduit par deux militaires vers l'une des « marguerites » de la zone protégée, où l'attendait un avion Twin Otter du GAM-56 Vaucluse, unité de transport aérien de la DGSE.

Le trajet jusqu'à Chypre, avec une escale de ravitaillement en Italie, dura près de dix heures. À aucun moment le pilote ne put voir le visage de l'homme qu'il allait ainsi infiltrer en mission clandestine, pas plus qu'il ne connaissait son nom. Le cœur en bataille et l'esprit assailli par mille pensées, Marc se laissa bercer par le ronronnement des turbopropulseurs sous le regard inquisiteur d'une chouette, symbole de l'escadron peint à l'intérieur de la carlingue. Quand, vers 2 heures du matin, il vit se dessiner les contours de l'île à l'aplomb de l'avion, la véritable vie clandestine de Marc Masson venait enfin de commencer.

# 88

## 13 décembre 1986, Beyrouth

— T'as entendu ? chuchota Jean-Louis Normandin en faisant signe à Aurel Cornea. Ils ont arrêté les derniers membres du gang des postiches !

Sa chaîne le reliant au radiateur tendue à son maximum et l'oreille collée contre la porte de leur cellule, l'otage écoutait tant bien que mal le poste de télévision des ravisseurs, allumé dans la pièce voisine, et qui diffusait les informations francophones du troisième canal de Télé Liban.

— Hein ?

— Apparemment, le gang des postiches a été arrêté à Yerres ! On a retrouvé 300 000 francs et des montagnes de lingots dans leur baraque !

C'était la fin d'une épopée abracadabrante pour ce gang de braqueurs qui avait défrayé la chronique pendant près de dix ans. Les membres de cette équipe de malfaiteurs avaient dévalisé, à main armée, plus de vingt banques à travers toute la France, se déguisant à l'aide de perruques qui leur valurent leur célèbre surnom. Avec le temps, ces audacieux malfrats de Belleville, qui semblaient tout droit sortis d'un film d'Audiard, étaient devenus la coqueluche de la presse et des journaux télévisés, s'illustrant non seulement par leur incroyable butin, mais aussi par leurs évasions spectaculaires. S'en était suivi cinq années de course-poursuite incroyable, et pour ainsi dire romanesque, entre le gang des postiches et une police française déconfite, avec pour spectateur la presse et le public qui finirent presque par ériger ces grands bandits en héros populaires. Au total, on estimait leur butin à près de 200 millions de francs en lingots, pièces d'or et liquidités…

— Tu vas voir qu'ils vont encore s'évader, s'amusa Cornea en secouant la tête, et, forcément, en disant cela, il ne pouvait s'empêcher de rêver à leur propre évasion.

Entendant les pas d'un des ravisseurs qui approchait de la porte, Normandin se dépêcha de retourner sur son matelas, soulevant sa chaîne pour ne pas faire de bruit.

L'homme qui entra dans la pièce, Kalachnikov au poing, barbe foisonnante, avait enfilé sa cagoule sur la tête légèrement de travers, si bien qu'elle lui faisait une drôle de bosse sur le dessus du crâne.

— Tiens, ne put s'empêcher de glisser Normandin en se retenant de rire, voilà le chef du gang des postiches.

Aurel Cornea, les nerfs épuisés par deux cent soixante-dix-neuf jours de détention, ne put contenir le fou rire qui lui monta aux lèvres, bientôt rejoint par son camarade. Dans ce moment irréaliste et absurde, les deux hommes, exténués par ces longs mois d'angoisse et de terreur, se mirent à se gausser de concert en se tenant le ventre sur leur matelas.

Le ravisseur, furieux, s'approcha de Normandin, cria quelques insultes en arabe et lui assena un violent coup de crosse sur le front, avant de sortir rageusement de la pièce.

Cornea se précipita aussitôt auprès de son ami, dont le crâne saignait à présent abondamment.

— Putain... Ça va, Jean-Louis ?

Le journaliste, les yeux fermés, se redressa avec une grimace de douleur. Il essuya le sang qui coulait sur ses tempes, puis son visage se détendit lentement, et il se remit à pouffer, aussi discrètement qu'il put.

— Décidément, ils ont vraiment aucun humour, ânonna-t-il, et ils repartirent de plus belle.

# 89

## 13 décembre 1987, Chypre

Le jour ne s'était pas encore levé quand le Twin Otter se posa sur la piste de la base aérienne militaire britannique, au sud de Chypre.

Trois ans plus tôt, en 1983, le quartier général des forces américaines, installé dans l'un des bâtiments de l'aéroport international de Beyrouth, avait été victime d'un attentat suicide qui avait provoqué la mort de plus de deux cent quarante Marines, deux minutes à peine avant que la France ne perde à son tour cinquante-huit de ses soldats dans l'explosion de l'immeuble Drakkar. Ce fut l'une des premières attaques imputées au Hezbollah, que le monde entier découvrait alors, mais aussi la plus meurtrière. Puis, en juin 1985, l'aéroport avait été cette fois le théâtre d'une longue prise d'otages, à bord d'un avion détourné de la TWA, qui s'était terminée par la délivrance des trente-neuf derniers passagers américains au terme de seize journées d'angoisse, en échange de la libération de sept cents prisonniers chiites par Israël. Depuis, malgré le maintien d'une présence militaire américaine à proximité, l'aéroport international de Beyrouth était retombé sous le contrôle indirect du mouvement Amal, gardé par des soldats de la sixième brigade de l'armée libanaise, essentiellement chiites. Lors, la DGSE avait depuis longtemps renoncé à l'utiliser pour ses voyages clandestins, et il n'y avait guère plus que les diplomates, les Libanais et les journalistes étrangers pour en profiter encore pendant les rares périodes d'accalmie, quand il n'était pas fermé. Aussi, les Services utilisaient-ils régulièrement la base aérienne militaire d'Akrotiri, à l'extrémité sud de l'île de Chypre, avec la bienveillance confraternelle des forces armées britanniques.

En descendant de l'avion, Marc fut saisi par la douceur de l'air, bien éloignée des températures hivernales de l'Hexagone. La Méditerranée, sombre et paisible, s'étendait tout autour de la base militaire, presqu'île au milieu d'une île.

Au bout du tarmac, il aperçut immédiatement la silhouette d'un homme cagoulé, vêtu d'un uniforme commando noir, qui se tenait debout devant un 4×4 aux vitres fumées. Devinant que c'était forcément son contact, sans quitter sa propre cagoule, Marc traversa la longue piste pour le rejoindre.

— Présentez-vous, fit l'inconnu, la main posée sur la crosse du revolver qu'il portait à la ceinture.

— Hadès-MM-MM, répondit Masson, conformément au protocole qu'il avait soigneusement mémorisé.

L'homme hocha la tête et lui tendit enfin la main.

— T'as fait bon voyage ?

— Excellent.

— Tant mieux. C'est pas terminé. Monte.

Marc grimpa dans le large véhicule et ils traversèrent en silence le complexe militaire, longeant une route qui se terminait à l'est par une jetée. Un patrouilleur de la marine britannique, arborant pavillon du *White Ensign* – croix de Saint-Georges sur fond blanc avec *Union Jack* dans un coin supérieur – était amarré là, vacillant au rythme des agitations de la Méditerranée.

En sortant de la voiture, Marc découvrit le Zodiac semi-rigide noir, caché dans l'ombre du navire militaire, et qui ne portait lui aucun signe distinctif.

Son contact l'invita à monter à bord et lui tendit un casque et des lunettes. À l'avant du bateau, un second agent les attendait, qui lui adressa un signe de la tête sans mot dire.

Le long hors-bord, propulsé par ses deux puissants moteurs, se mit immédiatement en route et s'éloigna de la côte. Arrivé en pleine mer, le pilote de la section nautique du CPEOM[1], debout derrière la console centrale, mit enfin les gaz, et l'embarcation atteignit rapidement les quarante nœuds,

1. Centre parachutiste d'entraînement aux opérations maritimes, unité de la DGSE.

fonçant comme une fusée au-dessus des flots vers le Liban.

Assis à califourchon au milieu de la rangée de sièges, Marc se laissa enivrer par la vitesse et le vent, agrippé aux poignées pour ne pas décoller à chaque fois que le bolide des mers s'élevait au-dessus des ondes. À mesure que les côtes du Liban se dessinaient à l'horizon, il se remémora les mois qu'il avait passés à Beyrouth, en tant que militaire, lors de sa mission au sein de la Finul. Les Casques bleus, les patrouilles dans les secteurs sud de la ville, les opérations de garde ou de police, rigoureusement encadrées par l'Onu et, au final, l'impression d'être inutile, ou impuissant. L'attente, la colère, la lassitude… Les seuls moments d'action, au fond, avaient été ceux qu'il avait pu trouver le soir, en permission, quand il était sorti avec les rares autres têtes brûlées de son régiment. À cet instant, il espéra que, cette fois, il aurait au moins le sentiment de servir à quelque chose. De faire une différence.

Quand ils arrivèrent, après plus de trois heures de traversée, au large d'une crique isolée, à quelques kilomètres au nord de Beyrouth, Marc, éreinté, éprouva quelque peine à se relever sans perdre l'équilibre. Il était tout juste 6 h 30 du matin, et le soleil commençait à se lever, drapant d'un magnifique voile oranger les sommets du mont Liban.

L'agent qui l'avait accueilli à Chypre, et qui n'avait plus prononcé une seule parole depuis lors, lui tendit alors un sac étanche.

— Mets tes affaires là-dedans. Tu vas terminer à la nage. Olivier t'attend près de la paillote, au sud de la crique.

— Je… J'y vais comme ça ? demanda Marc en montrant ses vêtements civils.

Il devina le sourire de l'agent à travers l'ouverture de sa cagoule.

412

— Ben ouais. L'eau est à 22 degrés, mon pote. Fais pas ta fiotte.

Marc, après une nuit blanche et une traversée éprouvante, n'était certainement pas au meilleur de sa forme, mais en aucun cas il n'aurait voulu laisser paraître le moindre signe de découragement.

Glissant le sac étanche sur ses épaules, il se hissa sur le bord du Zodiac et se retourna une dernière fois vers les deux hommes cagoulés.

— Merci, les gars.

À l'unisson, ils lui firent un « au revoir » quelque peu moqueur de la main. Il leur répondit d'un majeur dressé et plongea sans hésiter dans la Méditerranée.

Après vingt minutes de nage, luttant contre la fatigue, Marc traversa la crique au pas de course, ses jambes alourdies par le poids de l'eau. Étrangement, il éprouva à cet instant un sentiment de plénitude, et un sourire amusé se dessina sur son visage alors que ses chaussures s'enfonçaient dans le sable libanais.

Il aperçut bientôt Olivier, qui attendait les bras croisés, adossé à une petite cahute en bois.

En voyant Marc s'approcher de lui, dégoulinant, l'officier sembla trouver le spectacle amusant.

— On vous a pas donné une combinaison ?

— Non.

— Ah ! Les petits malins ! lâcha Olivier en riant. Le bizutage est un passage obligé, que voulez-vous…

— Ça me dérange pas.

— Vous, peut-être, mais moi… Vous allez dégueulasser ma bagnole !

— Je peux me foutre à poil, si vous voulez.

— Ça ne sera pas nécessaire, Hadès. Normalement, pour ce type de missions, vous auriez dû venir par les moyens de transport traditionnels. Mais nous sommes pressés, et l'aéroport de Beyrouth est encore fermé… J'ai pas eu le choix.

— Le voyage ne m'a pas dérangé. Vos amis sont charmants.

— Tant mieux. Allez, venez.

Ils remontèrent une petite colline jusqu'à la voiture de l'officier, une Citroën BX grise dans un état plus que discutable.

— Dites donc, vous avez les moyens… C'est cette caisse pourrie que vous avez peur de salir ?

— L'idée est de se fondre dans le décor. Tenez, essayez de vous sécher un peu avec ça, dit-il en lui tendant une couverture. Et enlevez votre cagoule. Ici, ça fait très vite mauvais effet.

Ils grimpèrent dans la voiture et commencèrent le trajet vers Beyrouth, à moins d'une heure de là.

— On va où, exactement ?

— Je vous dépose chez vous.

— Chez moi ?

— Oui. Matthieu Malvaux est locataire d'un bel appartement à Beyrouth Est. Vous tâcherez de vous reposer avant que je vienne vous briefer ce soir. Pour vos déplacements, vous avez un chauffeur de taxi, dont voici le numéro, dit-il en lui tendant une petite carte de visite. N'en utilisez *jamais* aucun autre. Vous n'imaginez pas le nombre de chauffeurs de taxi qui sont des HC[1] des Services étrangers. Celui-là est sûr. Et payez-le en liquide, évidemment. Payez *tout* en liquide. Ne laissez aucune trace.

Dehors, le décor dévasté du nord de Beyrouth défilait autour d'eux, portant les stigmates de la guerre civile. Marc ne put s'empêcher d'éprouver quelque mélancolie en regardant cette terre meurtrie. Le paysage lui semblait plus désolé encore que dans son souvenir.

— Concrètement, je viens faire quoi ? s'impatienta Masson.

---

1. Honorable Correspondant, collaborateur bénévole qui aide les services secrets.

— Une ou deux missions, à Beyrouth même. Je vous détaillerai la première dès ce soir, soyez patient. Mais il va aussi falloir gérer votre couverture. Vous devez paraître ici comme un poisson dans l'eau. Officiellement, Matthieu Malvaux travaille pour une société d'expertise dans l'industrie pharmaceutique, et vous venez d'être muté à Beyrouth.

— Une société d'expertise ?

— Oui. Omnium. Une vraie fausse boîte que nous avons créée ici il y a quelques années, pour assurer la couverture de plusieurs de nos OT. Elle existe réellement, et elle a de vrais employés, dont la plupart sont « inconscients », c'est-à-dire qu'ils ne savent pas que c'est une société montée par nos Services. Vous avez un contrat d'embauche avec eux, sous le nom de Matthieu Malvaux, et vous touchez même un salaire plutôt correct.

— Eh bien...

— Vous emballez pas, ce sera déduit du liquide qu'on vous verse pour vos frais. Le comptable du Bureau d'exploitation à la Centrale est un vrai grippe-sou.

— Et je suis censé y faire quoi, dans cette boîte ? La pharmacie, c'est pas vraiment mon domaine...

— Vous êtes Expert Assurance Qualité, ce qui signifie qu'officiellement vous êtes un spécialiste du contrôle de la conformité des équipements pharmaceutiques. En pratique, vous faites rien. Vous avez un bureau là-bas, mais cloisonné des autres. Il faut juste que vous y alliez une fois par semaine, le lundi, pour assurer votre couverture.

— C'est le job idéal. Et si on me pose des questions précises sur mon boulot ?

— Ça devrait pas arriver. Mais je vous ai quand même préparé un petit dossier avec les infos principales, pour que vous ayez l'air de savoir de quoi vous parlez, au cas où. Va falloir bachoter. À vous de vous débrouiller pour noyer le poisson. On va aussi faire publier des articles dans des revues spécialisées, signés de votre main, pour crédibiliser votre fonction. Vous en faites pas, Hadès, on a l'habitude, c'est un protocole qu'on pratique depuis longtemps.

Il était à peine 8 heures du matin quand ils s'arrêtèrent au pied d'un grand immeuble blanc, dans le quartier est de la capitale.

Beyrouth conservait ici et là les signes d'une splendeur passée, et subsistait, dans son dénuement, à travers la mémoire de toutes ses identités et les traces de ses multiples reconstructions, la fierté d'une ville qui refusait simplement de mourir. Masson éprouva une sorte de bien-être en humant l'air de la ville. C'était un décor comme il les aimait. Authentique. Rude. Quelque chose qui lui faisait penser à sa belle Amérique latine.

Ils montèrent jusqu'au sixième étage, et Dartan donna les clefs de l'appartement à son jeune protégé.

Le grand deux-pièces profitait d'une magnifique vue dégagée sur le centre de Beyrouth. Visiblement refait à neuf récemment, c'était un beau meublé, au luxe quelque peu décalé au milieu d'une ville tant abîmée.

Olivier avait prévu les choses avec soin : le réfrigérateur était plein, le téléviseur jouissait d'un magnétoscope dernier cri, et une pile de vêtements neufs et de serviettes de toilette trônait sur le canapé.

— *Welcome home*. Je vous laisse vous installer et vous reposer. Et je reviens ici vers 18 heures. Essayez de dormir. Votre première mission a lieu dans deux jours. Les choses sérieuses vont commencer.

— On pourrait peut-être se tutoyer, non ?

— Non.

416

# 90

## 15 décembre 1986, Beyrouth

Troisième jour, 16 h 10. Une pluie fine adoucissait l'air de Beyrouth sous son ciel nuageux, et tout était si gris qu'on eût dit une vieille photo sans couleurs. Marc était entré à pied dans le quartier de Haret Hreik, au cœur de la banlieue sud. Comme convenu, il avait adopté le style vestimentaire de ces environs de la capitale : vieux jean usé, vieilles baskets, chemise rayée mal ajustée, suffisamment ample pour cacher son équipement, des vêtements volontairement démodés qui semblaient tout droit sortis d'un magasin de prêt-à-porter discount. Sa nouvelle barbe et ses techniques d'immersion feraient le reste. S'il ne pouvait vraiment passer pour un autochtone, il éviterait au moins de trop attirer les regards. Au mieux, on pouvait le prendre pour un expatrié, ce qu'aurait accrédité sa couverture, et, au pire, pour un chrétien libanais qui s'était un peu trop éloigné de son quartier de prédilection...

Il connaissait son itinéraire par cœur. La veille, il était venu faire les derniers repérages. À deux rues de l'objectif, il se positionna comme prévu dans le hall d'un premier immeuble abandonné. S'il devait accomplir sa mission tout seul, Marc savait qu'Olivier n'était pas loin, en surveillance, et qu'il pouvait le contacter par radio. À vrai dire, peut-être y avait-il d'autres officiers dans les parages ; il ne le saurait jamais.

— Vous attendez mon feu vert par radio pour vous engager dans la petite impasse, et ensuite pour entrer à l'arrière du bâtiment, avait répété Olivier plusieurs fois. À la moindre alerte, vous réfléchissez pas, vous dégagez.

— Je sais, Olivier, je sais.

— En mission, Hadès, vous devez toujours envisager la possibilité que vous ayez été compromis. Toujours. Tous les individus que vous croisez sont des ennemis potentiels. Ne pariez jamais sur la chance ou le hasard. Chaque détail doit être pris en compte. Partout où vos yeux se posent, ils doivent chercher l'anomalie, et à chaque nouveau pas, vous devez savoir comment réagir en cas de problème. Quelle est la meilleure issue ? Où se trouve le plus grand risque ? Quelles sont vos chances de vous en sortir si vous suivez telle ou telle direction ? Dans la moindre prise de décision, chaque millième de seconde peut vous sauver la vie.

Marc avait passé deux journées entières à étudier de très près le compte rendu de la RFA préparé par les agents de la DGSE : un ensemble d'informations indispensables concernant son objectif. Photos et plans détaillés de l'immeuble et du quartier, photos et biographie succincte réalisée par le Service de recherche sur l'un des « hostiles » identifiés – Ahmed M., dit Le Vautour – relevé de ses habitudes, photos et immatriculation de son véhicule, estimation du risque de compromission, planification des parcours d'engagement et de dégagement, etc. D'ordinaire, les RFA prenaient aux agents des semaines, voire des mois. On n'établissait pas les habitudes d'une cible ou le contexte régulier d'un objectif en quelques jours. Mais, dans ce cas précis, l'équipe d'Olivier n'avait pas eu beaucoup de temps pour conforter le dossier. Le tout nouveau chef de poste semblait avoir toutefois convaincu la Direction du renseignement que l'urgence nécessitait qu'on se contente de cela. L'utilisation d'un clandestin avait un atout, et Masson était bien conscient que c'était l'unique raison de sa présence ici : si la mission échouait, aucun lien ne pouvait être établi avec les Services. Mais personne n'avait envie d'en arriver là.

L'objectif de la mission était relativement simple : *obtention d'informations à haute valeur ajoutée*. En l'occurrence, il s'agissait de savoir si le lieu où se rendait le Vautour chaque jour depuis près d'une semaine était sa planque personnelle, une cache d'armes ou, comme beaucoup l'espéraient, un lieu de détention des otages français.

Depuis que la DGSE avait établi sa surveillance, le Vautour arrivait tous les jours dans l'immeuble vers 15 heures et en repartait avant 16 heures. Aucune autre personne ne semblait y faire d'allers-retours réguliers. Les Services en avaient donc déduit qu'il s'agissait soit d'une planque d'Ahmed M., soit du lieu de détention des otages, dont les ravisseurs ne sortaient jamais, en dehors de celui-là. L'objectif était donc d'entrer dans l'immeuble après le départ du Vautour, et de tenter de constater sur place la présence ou non d'autres ravisseurs. Ou, mieux encore, des otages. Mais surtout, sans engager le feu ennemi.

Pendant la dernière heure des préparatifs, Olivier avait bombardé le nouvel agent clandestin de questions, « que faites-vous si… », « que dites-vous si… », et lui avait fait répéter par cœur ses parcours d'engagement et de dégagement. Dans un souci de discrétion, Marc n'avait droit qu'à une seule arme de poing, le modèle non commercialisé du Glock 19 qu'il avait essayé à Cercottes, muni d'un chargeur quinze coups. Une arme légère, efficace, et fiable. Il était également équipé d'un poignard, d'un émetteur-récepteur avec oreillette, d'ustensiles pour crocheter une serrure basique, et de l'habituel appareil photo miniature Minox. Quant à sa cagoule, il avait pour instruction de ne la porter qu'une fois à l'intérieur du bâtiment.

— C'est votre première véritable mission Hadès, et c'est une mission à haut risque, en terrain hostile. C'est le moment ou jamais de faire vos preuves. Mais je suis là en soutien au cas où. Suffisamment loin pour ne pas être impliqué si vous êtes compromis, mais suffisamment près pour vous porter secours, si je le peux.

— Je vais très bien me débrouiller. Faites-moi confiance.

— Vous seriez pas là si je ne vous faisais pas confiance, mon garçon. Mais il y a une constante dans toutes les opérations clandestines. Les choses ne se passent *jamais* exactement comme on le voudrait. Jamais. Même quand la mission a été soigneusement préparée, ce qui n'est pas le cas aujourd'hui. Alors soyez prudent.

Alors qu'il attendait, dans la pénombre, le signal de son officier traitant, Marc ne pouvait s'empêcher de penser que cette opération était bien plus périlleuse, ou plutôt hasardeuse, que n'aurait dû l'être la première véritable mission d'un clandestin. De nombreux facteurs extérieurs pouvaient venir empêcher le bon déroulement de sa progression. Mais on ne l'avait pas choisi par hasard, et sans doute Olivier comptait-il sur sa capacité à improviser en cas d'imprévu. Masson était un baroudeur-né, et la clandestinité, il l'avait dans son sang.

— *Hadès, de Serpico. La voie est libre.*

Sans attendre, il s'engagea dans l'impasse, sous la douce caresse de la pluie, et remonta vers l'immeuble du Vautour. Comme souvent, dans cette partie tant abîmée de la banlieue sud, les lieux étaient déserts. Et, plutôt que de le faire entrer par la porte principale, la DGSE avait trouvé une ouverture de l'autre côté de l'édifice, par laquelle il pourrait s'infiltrer plus discrètement, à l'abri des regards. D'un pas vif, longeant les murs, il rejoignit rapidement l'arrière de l'immeuble.

— *Hadès, de Serpico. RAS. Vous pouvez entrer.*

Les sens aiguisés par la montée d'adrénaline, Marc enfila sa cagoule et se faufila entre les deux pans du mur éventré. Il avait tellement bien mémorisé le trajet planifié par la Boîte qu'il aurait pu le faire les yeux fermés.

À cet instant, dans ce moment de vérité, le jeune homme était entré, d'instinct, dans un état second. Un état d'ultraconscience, de concentration ultime, aiguisée, où chaque seconde comptait comme la dernière et où ses sens et son esprit n'étaient voués qu'à la seule réussite de sa mission. La condition d'un guerrier en chasse, une sagesse martiale.

— Je suis à l'intérieur, murmura-t-il dans le petit micro.

Dégainant son arme, il enjamba les gravats et s'engagea dans le couloir qui menait aux escaliers de l'immeuble. Le sol était couvert de débris, de déchets, de vieux objets abandonnés dans la poussière du béton. Ici et là, des blocs entiers du plafond étaient tombés par terre, qu'il devait enjamber pour continuer sa progression. Un pas précis, serré, chaque geste millimétré, calculé pour être le plus juste.

Quand il arriva devant la porte des escaliers, il se plaqua contre le mur pour s'assurer qu'il n'y avait personne de l'autre côté, avant de descendre les marches. L'immeuble entier était plongé dans un silence de mort, comme si le cœur de la ville lui-même s'était éteint. On n'entendait que les gouttes discrètes que le ciel nébuleux versait sur Beyrouth. Les deux poings fermement agrippés à la crosse de son 9 mm, il commença sa descente dans la pénombre, s'efforçant de ne faire aucun bruit.

Pour garantir sa discrétion, il ne pouvait se permettre d'utiliser une lampe de poche et, arrivé au milieu des escaliers, il dut attendre quelques secondes pour que sa vue s'habitue à la douce obscurité. À pas de loup, il rejoignit le long couloir du sous-sol. Une pause. Selon les analyses des collègues d'Olivier, la planque ne pouvait se trouver qu'à deux endroits. Soit tout au bout de la coursive, vers l'est, soit, au contraire, à l'extrémité ouest du corridor. Il opta pour la première solution.

La paume de sa main gauche effleurant la surface rugueuse du mur, il reprit sa marche dans le souterrain en redoublant de prudence. Toujours aucun bruit. Comme un félin, il passa en douceur entre les décombres qui s'amoncelaient ici et là. Se fiant aux plans fournis dans le compte rendu de la RFA, il laissa passer une première porte, puis une deuxième, et s'immobilisa à quelques pas de la troisième.

Aucune lumière ne filtrait par-dessous. Aucun son, aucun signe de vie. En position de défense, l'index de la main droite collé sur la détente de son pistolet, il actionna lentement de l'autre main la poignée de la porte. Ouverte. Délicatement, il poussa le battant de quelques centimètres à peine. Toujours rien. Un coup d'œil furtif. Dans la faible lumière, il n'aperçut qu'un amas de vieux meubles entassés au milieu d'une immense pièce. Un désordre bien trop grand pour avoir accueilli récemment la moindre activité humaine. Ce n'était pas ce qu'il cherchait.

Il était sur le point de faire demi-tour quand la voix d'Olivier grésilla dans son oreillette.

— *Un homme vient d'entrer dans l'immeuble. Sortez, Hadès.*

L'imprévu. Le coup du sort. Ce petit grain de sable dans l'engrenage. Il entendait encore les paroles de l'officier quelques heures plus tôt. *Les choses ne se passent jamais exactement comme on le voudrait.*

Sortir ? Si l'intrus descendait vers les caves, il n'y avait aucun moyen de sortir sans croiser son chemin ! Une seule solution. Marc rangea son pistolet, prit le poignard à sa ceinture et se plaça lentement derrière la porte.

Attendre. À cet instant, il n'y avait pas d'alternative. Le poing levé, la lame prête à s'abattre, il resta ainsi de longues minutes, savourant presque honteusement les salves de l'excitation, ces flambées d'hormones addictives qui entraînaient son cœur jusqu'à l'ivresse. Mais le couloir resta totalement silencieux.

— *Hadès, de Serpico. C'est bon. Il est ressorti. Sûrement un type qui est allé pisser dans le hall... Continuez.*

Se concentrer de nouveau. Retrouver le tempo. Il rangea le poignard et reprit son pistolet, sortit de la pièce obscure et repartit dans la direction opposée.

Quand il arriva dans le dernier tiers du corridor, il lui sembla soudain entendre le bruit distant d'une discussion étouffée. Les paroles étaient si faibles qu'elles semblaient venir de beaucoup plus loin que la pièce même où résidaient ses derniers espoirs de découverte. Pourtant, cela venait bien de cette direction.

Sans hésiter, il continua sa lente traversée, s'attendant à chaque pas à voir surgir un ennemi devant lui.

Plus il approchait de la porte, plus le son de cette litanie indistincte augmentait, et bientôt il reconnut les sonorités d'une langue arabe. Ce n'était pas une discussion, mais un monologue.

Une légère distorsion, des fréquences réduites dans les haut-médiums... Il n'était plus qu'à quelques mètres de l'objectif quand il fut presque certain qu'il s'agissait de la voix d'un journaliste à la radio. Et il découvrit au même instant un léger filet de lumière qui passait sous la porte. L'immeuble, pourtant abandonné, était-il donc toujours relié au réseau électrique ?

Il s'immobilisa aussitôt pour évaluer la situation et le risque de compromission. Le son d'une radio pouvait aussi bien impliquer la présence d'une ou plusieurs personnes qu'une absence totale d'individu, si l'occupant des lieux avait volontairement laissé le poste allumé en partant. Idem pour la lumière. Peut-être. C'était un risque à prendre, et rien ne permettait de jauger les probabilités.

Il hésita. Olivier lui aurait sans doute dit qu'en cas de doute, mieux valait s'abstenir. Mais remonter à la surface et n'avoir rien de mieux à dire que « j'ai entendu une radio et j'ai vu de la lumière » était pour lui une option totalement inenvisageable. Il se remit en route.

Arrivé devant la porte, il se glissa lentement le long du mur qui la jouxtait.

Il attendit quelques instants encore. Toujours aucun autre bruit que celui de la radio. Et aucun vacillement dans le rayon de lumière.

À cet instant, Marc ne pouvait ignorer que le choix qu'il ferait serait décisif. Catastrophique ou salvateur. S'il tombait nez à nez avec des ravisseurs et qu'une fusillade éclatait, sa mission serait compromise, et le sort des otages mis en péril. Mais s'il parvenait à identifier la véritable nature de cette planque, il serait peut-être l'élément décisif d'une libération tant attendue par la France entière. Et, maintenant qu'il était là, comment renoncer ?

Prenant une profonde inspiration, il posa la main sur la poignée de la porte avec la plus grande vigilance, comme s'il s'était agi d'un explosif des plus instables.

Mais cette fois, la serrure était fermée.

Les choses se compliquaient.

— *Hadès, de Serpico. Où en êtes-vous ?*

Il glissa la main sous sa chemise et appuya trois fois sur le poussoir de la radio en guise de réponse, un code qui signifiait à son interlocuteur que tout allait bien, mais qu'il ne pouvait pas parler.

Nouvelle hésitation. Une porte ouverte pouvait être poussée discrètement, mais crocheter une serrure, c'était un risque bien plus grand. Imaginer toutefois que les otages français se trouvaient peut-être derrière cette porte, et qu'il ne le saurait jamais s'il ne prenait pas ce risque lui parut être la promesse de futurs regrets insupportables. Alors sa main glissa dans sa poche arrière, en sortit picks et entraîneur et, avec les gestes sûrs d'un exercice mille fois répété, il commença à travailler délicatement le barillet, prêt à récupérer son arme dans son holster au moindre bruit.

Le bruit monocorde de l'interminable discours radiophonique continuait de résonner de l'autre côté du mur, et c'était comme une mise en garde, une voix venue des abysses pour repousser les mauvais esprits. Soudain, la dernière goupille s'ajusta sur la ligne de césure, et la serrure acheva sa rotation.

Marc rangea ses outils, reprit son arme et, le cœur battant, ouvrit doucement la porte, l'effleurant comme une fine pellicule fragile qui menaçait de rompre.

Aucun bruit, aucun mouvement. Maintenant. Il s'engagea à l'intérieur, arme en joue.

La pièce, éclairée par une simple ampoule sans abat-jour, était presque vide. Une table, quatre chaises et une étagère sur laquelle était posée la radio allumée, ainsi qu'un téléphone-fax, visiblement trafiqué, à côté d'un transformateur. Des mégots de cigarettes de différentes marques écrasés dans un cendrier, de vieux papiers d'emballage froissés sur le coin de la table... Les traces d'une occupation récente.

Toujours sur ses gardes, Marc traversa la pièce et s'approcha d'une seconde porte. Celle-ci comportait trois verrous, qui s'actionnaient depuis ce côté-ci, et il ne put s'empêcher de penser qu'il devait bien s'agir d'une cellule. D'une prison de fortune. Cependant, les trois verrous étaient ouverts, donc personne ne risquait d'être enfermé à l'intérieur. Du bout du pied, son arme en joue, il poussa délicatement la porte.

Quand il découvrit, dans la pénombre, la petite chambre carrée, un élément lui sauta immédiatement aux yeux.

Le papier peint. Fort de sa mémoire photographique, aiguisée par les exercices des derniers mois, il fut certain de reconnaître ce vieux motif : c'était celui que l'on voyait derrière Jean-Paul Kauffmann sur le dernier extrait de la vidéo du Djihad islamique diffusée par Antenne 2. Il inspecta rapidement les lieux. La seule lucarne avait été obstruée par un panneau de bois. Au sol, trois vieux matelas et une chaise. Sur l'un des radiateurs, une chaîne qui traînait jusqu'au milieu de la pièce.

Marc ne put s'empêcher d'éprouver quelque émotion en comprenant qu'il se tenait à l'endroit précis où certains otages français avaient dû être enfermés pendant des semaines, des mois peut-être. Il saisit son appareil photo miniature et commença à mitrailler ce sinistre cachot.

Faire vite. De retour dans la première pièce, Masson s'approcha de l'appareil téléphonique. Le câble qui en sortait était relié à deux fils de l'ancien réseau par des pinces crocodiles, et un transformateur avait été ajouté au système. Comment les ravisseurs avaient-ils pu réactiver tant l'électricité que le réseau téléphonique de cet immeuble abandonné restait pour lui un mystère, mais ce serait sans doute une piste intéressante pour la Boîte. Deux feuilles de papier thermique imprimées étaient glissées sous le téléphone-fax. Du bout des doigts, il les dégagea, les prit en photo et les repositionna délicatement.

Il termina par une dernière série de clichés de la première salle, puis sortit pour suivre, au plus vite, son parcours de dégagement. Quand il retrouva l'air doux de Beyrouth glissant sur sa peau, il porta le petit micro à sa bouche. *Mission accomplie.*


# 91

## 16 décembre 1986, Paris


La réunion avait été organisée dans l'urgence, et en toute confidentialité, dans les bureaux du général René Imbot, directeur de la DGSE. À ses côtés, Jean-Christophe Castelli, conseiller du ministre de l'Intérieur, et le général Roger Émin, directeur du Renseignement, supérieur hiérarchique de Dartan.

— Olivier a encore fait du bon boulot, affirma fièrement ce dernier. Du très bon boulot.

— C'est l'œuvre de son petit protégé ? demanda le directeur général.

— Je ne vois pas de qui vous voulez parler, mon général, répondit Émin avec malice.

Imbot sourit à son tour. C'était, d'une certaine manière, une élégante confirmation.

— Le ministre m'a demandé de vous transmettre ses félicitations, intervint Castelli.

— C'est toujours un plaisir de lui rappeler qu'il est préférable de faire confiance aux professionnels, sur les sujets sensibles, répliqua le général Imbot, narquois.

Castelli fit mine de ne pas avoir saisi la référence au sulfureux cabinet noir de L'Isle-Adam... Imbot, qui avait été mis à la tête de la DGSE par le président Mitterrand pour y remettre de l'ordre après le scandale du *Rainbow Warrior*, était un homme loyal. Sa reconnaissance allait plus volontiers du côté de l'Élysée que de la place Beauvau. On le lui faisait d'ailleurs payer.

— Selon vous, qu'est-ce qu'on peut déduire de tout ça ? demanda Castelli en continuant de feuilleter le *Bulletin quotidien* transmis la veille au soir à l'Élysée, à Matignon et aux Affaires étrangères.

— Beaucoup de choses, répondit le général Émin. On peut d'abord en déduire que les otages ont été détenus dans le quartier de Haret Hreik, siège du Hezbollah, et non pas dans la vallée de la Bekaa comme on l'a longtemps cru, et qu'ils le sont probablement encore, mais dans un autre lieu. Qu'Ahmed M., alias le Vautour, est donc bien lié aux enlèvements, ce qui renforce nos soupçons sur la cellule parisienne arrêtée en février dernier et malheureusement relâchée...

— Marsaud a vraiment déconné, sur ce coup.

— Il n'avait pas le choix, intervint le général Imbot, qui avait une grande estime pour le procureur.

— Nous avons également pu établir que la planque servait maintenant exclusivement à la communication. Il semblerait que le Vautour y vienne chaque jour, entre 15 heures et 16 heures, pour utiliser une ligne pirate, installée sur l'ancien réseau téléphonique de l'immeuble. Ce qui signifie que le Hezbollah a forcément des complicités au sein de l'Administration des télécommunications libanaise, quelqu'un qui a accès aux commutateurs et qui a pu réactiver la ligne. Selon nos premières investigations, elle est réactivée un court instant chaque jour, entre 15 heures et 16 heures, pour éviter sans doute que la manœuvre ne puisse être trop facilement repérée. Tout nous laisse penser que le Vautour s'en sert pour communiquer avec Téhéran, car il n'aurait pas besoin de cette ligne si c'était pour communiquer avec les siens. Il semblerait aussi qu'ils aient détourné une ligne électrique de l'immeuble voisin.

— C'est toute une organisation…

— Cela va de soi, Jean-Christophe. Nous n'avons pas affaire à des amateurs.

— La question qui se pose maintenant c'est : qu'est-ce que le Président veut faire de tout ça ? intervint le directeur général.

— Vous lui avez demandé ?

— Oui. Il m'a dit de voir avec Matignon. Vous ne seriez pas là, sinon…

— Depuis la libération de Rochot et Hansen en juin dernier, répondit Castelli, les ravisseurs n'ont plus donné la moindre preuve de bonne volonté, malgré un début substantiel du remboursement de la dette Eurodif, et malgré l'intervention des autorités syriennes et algériennes, qui nous prêtent main-forte sur ce dossier. Les Iraniens font encore la fine bouche. Le Premier ministre aimerait que l'on durcisse le ton.

— Une opération sur le Vautour ? demanda Imbot.

Émin fronça les sourcils en voyant le hochement de tête de Castelli.

— Sauf votre respect, mon général, cela ne me semble pas être la meilleure option, risqua-t-il. Je veux bien croire que tout le monde se féliciterait que cette ordure soit mise hors d'état de nuire, sachant qu'il semble être l'un des pires tortionnaires de nos compatriotes, mais cela ne nous avancerait à rien. Nous avons, au contraire, besoin de lui : il est notre seule piste vers les ravisseurs, il serait bien plus bénéfique de le filocher.

— Filocher un terroriste en plein Beyrouth, si la chose était facile, cela ferait longtemps qu'on aurait neutralisé les responsables du Drakkar, Roger.

— Le Premier ministre tient à envoyer un message clair, surenchérit Castelli.

— Le Premier ministre ou le ministre de l'Intérieur ? répliqua Émin, d'un ton provocateur.

— Les deux, mon général.

Un bref silence s'installa.

— On peut y aller progressivement, concéda finalement le directeur général. Nous pourrions peut-être envisager une opération Arma ? Une façon de faire comprendre à nos interlocuteurs que nous savons qui ils sont, où ils sont, et que nous pourrions leur tomber sur le coin de la figure à tout moment.

— Cela servirait à quoi ? répondit Émin.

— À leur dire qu'il serait peut-être temps de faire preuve de bonne volonté, répliqua Castelli.

— C'est un jeu dangereux. Cela pourrait au contraire les crisper. La vie des otages est en jeu, Jean-Christophe.

— Dans une mission Arma, le message est clair : Nous pourrions vous neutraliser, mais nous ne le faisons pas. Si vous voulez que notre indulgence se prolonge, faites ce qu'il faut.

Le général Émin secoua la tête. C'était, il le savait, la ligne officielle du ministre de l'Intérieur, qui avait répété maintes fois devant la presse sa célèbre réplique « Nous allons terroriser les terroristes ». Avant qu'il n'ait pu exposer ses réticences, le directeur général de la DGSE vint clore le débat.

— Demandez à Dartan de monter une opération, Roger. Nous prendrons la décision ensuite…

Le visage du directeur du Renseignement s'assombrit. Il n'aimait pas quand un *politique* venait si directement mettre son grain de sel dans les tactiques des Services. Ce type d'opération aurait dû être « suggérée » plutôt par l'Élysée. Mais il allait falloir s'y habituer : c'était, à n'en pas douter, la marque de fabrique de la nouvelle équipe en place au gouvernement, et le prix à payer pour la cohabitation. Il regarda longuement Castelli, puis le directeur général, et finit par hocher la tête, à regret.

— Bien, mon général.


# 92

## 23 décembre 1986, Beyrouth


Huit jours avaient passé depuis sa première mission, son premier succès. Marc, serein, arriva comme prévu, peu avant 15 heures, devant la « boîte aux lettres » du premier immeuble, en plein cœur du quartier de Haret Hreik, où un agent avait préalablement déposé le colis à son attention.

Une nouvelle fois, la planification de l'opération avait dû se faire dans une urgence peu habituelle pour la Boîte. Dans le regard de son officier traitant, Marc avait compris qu'Olivier détestait ça, et qu'il agissait probablement à contrecœur, sur ordre du gouvernement.

— Vous inquiétez pas, avait dit Masson en souriant, je suis là pour ça. Quand la mission a des chances de foirer, c'est normal d'envoyer un agent extérieur. Un type comme moi.

— C'est pas tout à fait ma façon de voir les choses, Hadès.

— C'est celle de vos supérieurs, et je vous ai dit que j'acceptais les règles du jeu. On n'est pas là pour tortiller du cul. Ça me va.

— Je serai derrière vous, en soutien.

Comme la première fois, Marc avait eu quarante-huit heures pour compulser attentivement, dans son bel appartement de Beyrouth, le compte rendu de la RFA. Malgré le peu de temps qui leur avait été imparti, les Services avaient tout de même préparé un dossier solide. L'opération était assez proche de la précédente, à la différence près qu'il s'agissait, cette fois, ni plus ni moins que de poser un explosif sous une voiture, en pleine rue et en plein jour ! Une belle carte de Noël à l'attention des ravisseurs.

Au bout du couloir, Marc repéra rapidement dans la pénombre la petite gommette blanche qui indiquait la dalle derrière laquelle était caché l'explosif. Il souleva la plaque de polystyrène au plafond et récupéra sans peine l'engin artisanal emballé dans du papier kraft.

— Serpico, de Hadès. J'ai récupéré le bébé.

— *Mettez-vous en place et attendez le feu vert, terminé.*

Marc glissa délicatement l'explosif dans son sac à dos – une bombe suffisamment rudimentaire pour ne pas laisser la signature directe de la DGSE – et traversa de nouveau le long corridor pour aller se placer sur son point d'observation, dans une ancienne loge de gardiens, entrée de son parcours d'engagement.

Les minutes s'égrenèrent alors avec une lenteur pesante. Dehors, la grisaille plongeait la rue déserte dans un brouillard vaporeux, comme si la ville tout entière, de peur, s'était enveloppée dans une atmosphère froide et menaçante. À cet instant, Marc ne put s'empêcher de se remémorer son premier test en grandeur nature, en Italie. Une répétition, en somme. Aujourd'hui, il le savait, la mission était bien réelle, et les risques d'échec ou de compromission beaucoup plus grands. Mais l'objectif, concret et légitime, semblait en valoir la peine, et le jeune homme, malgré l'inévitable tension, en retirait une certaine sérénité.

À 15 h 06 exactement, avec la ponctualité d'une horloge genevoise, la voiture du Vautour arriva dans la rue et se gara, comme chaque jour, devant l'immeuble de la planque. À cinquante mètres à peine de la cible, Marc, tapi dans l'ombre, reconnut sans peine les traits du sinistre Ahmed M., qui entreprit son tour rituel du pâté de maisons avant de s'engouffrer enfin à l'intérieur du bâtiment. Tout se passait comme prévu.

L'ordre tant attendu tomba à 15 h 17.

— *Hadès, de Serpico. Procédez.*

Marc, grisé par l'adrénaline, passa immédiatement à l'action. Totalement investi dans l'instant présent, il combina calme et célérité. Répétant peu ou prou les mêmes gestes qu'en Italie, il rejoignit discrètement le devant de l'immeuble, alors que le Vautour devait être occupé à l'intérieur, à envoyer son rapport journalier en Iran.

— *La voie est libre.*

Dernier coup d'œil alentour. Personne. Les lieux ressemblaient presque à la grande rue d'un vieux western, dans ces minutes en suspens qui précèdent le grand duel, et on se serait presque attendu à voir rouler sur le sol une boule d'amarante. Sans hésiter, le jeune homme se glissa derrière le véhicule puis rampa sous le châssis. Avec des gestes sûrs et précis, il aimanta sous le réservoir la boîte de raccordement électrique où était dissimulé l'explosif. L'aimant lui-même – la base ronde d'une vulgaire antenne de radio-émetteur – était conçu pour conforter l'image d'amateurisme de l'engin.

Sa montre indiquait 15 h 20. En enlevant la goupille métallique du mécanisme de mise à feu, il savait qu'il restait précisément quinze minutes avant la détonation. Pas de commande à distance, pas de moyen d'annuler à la dernière minute. Mais c'était largement assez de temps pour retourner à son poste de surveillance et assister à l'explosion avant que le Vautour ne ressorte et ne découvre l'aimable message laissé par ces messieurs des Services français.

Le cœur battant, Marc s'extirpa de sous la carrosserie, longea la voiture le dos courbé puis suivit en hâte son parcours de dégagement afin de retourner à l'intérieur du premier immeuble, en visu.

— Le bébé est dans le berceau, annonça-t-il sur sa radio.

— *Beau travail, Hadès. Restez en position, terminé.*

Olivier venait à peine de finir sa phrase quand Masson éprouva soudain un violent pincement dans la poitrine. La silhouette d'Ahmed M. venait d'apparaître à la sortie de l'immeuble, bien plus tôt que prévu !

Le jeune homme sentit tout son corps se raidir.

Depuis plusieurs semaines que durait la surveillance, le Vautour n'était *jamais* ressorti de l'immeuble aussi vite. Alors pourquoi aujourd'hui ? Un hasard incroyable ? Ou bien avait-il été prévenu ?

— Serpico, de Hadès. Le Vautour est ressorti !

— *J'ai vu. Restez en position.*

Marc, la mâchoire serrée, regarda sa montre. Il restait moins de douze minutes avant l'explosion. Il imagina alors le scénario catastrophe : et si Ahmed M. repartait aussitôt en voiture et que la bombe explosait en pleine ville, tuant plusieurs passants alentour ?

*Pas de dommage collatéral*, avait exigé Masson le jour même où il avait accepté de suivre sa formation.

Il se frotta le visage, luttant contre la panique. C'était seulement sa deuxième mission, et il se retrouvait déjà au-devant d'une possible catastrophe. Son pire cauchemar menaçait de se réaliser devant ses yeux.

Mais que faire ? Retourner sous la voiture et couper le système de mise à feu ? C'était absolument impossible sans se compromettre.

— Serpico, de Hadès. Je peux neutraliser l'objectif avant qu'il...

— *Silence radio !*

Au même moment, Ahmed M. entra prestement dans la voiture et démarra. Marc, désemparé, resta caché dans l'ombre de la petite loge et observa la scène, impuissant. Les poings serrés, il regarda la voiture passer lentement devant lui, alors que s'écoulaient les secondes avant l'irréparable. Et puis, soudain, contre toute attente, le véhicule s'arrêta un peu plus loin, sur le même trottoir, et le Vautour en sortit, l'air suspicieux.

Marc le vit inspecter la rue autour de lui, une main plongée à l'intérieur de sa veste, puis retourner d'un pas rapide vers l'immeuble de la planque.

Le jeune homme, perplexe, essaya d'analyser la situation. Selon toute vraisemblance, Ahmed M. avait dû se sentir surveillé et avait décidé de déplacer sa voiture, soit pour inspecter les environs, soit pour éviter qu'elle ne trahisse sa position. La chose était *possible*...

Il regarda sa montre.

Il ne restait que sept minutes.

Les sept minutes les plus longues de sa vie.

À 15 h 35, enfin, alors que le Vautour avait de nouveau disparu dans le sous-sol de l'immeuble, l'explosion déchira l'air dans une gerbe de métal et de feu, résonnant au milieu des vieux immeubles de Beyrouth.

— *Hadès, de Serpico. Mission réussie. Entamez votre parcours de dégagement. Terminé.*

# 93

## 24 décembre 1986, Beyrouth

C'était le jour de Noël. Quand Jean-Louis Normandin vit entrer dans leur cellule le fameux Imad – le seul ravisseur dont ils connaissaient le prénom – il se surprit à penser qu'on allait peut-être leur offrir quelque faveur en ce jour de fête. Une lettre de leur famille ? Et pourquoi pas une dinde fourrée aux marrons, pendant qu'il y était ?

Le milicien libanais vint lui détacher les mains.

— Suis-moi.

Normandin jeta un coup d'œil à Aurel Cornea, allongé sur son matelas. Son collègue lui fit un signe de tête encourageant, comme pour lui dire de ne pas s'inquiéter.

Le ravisseur conduisit le journaliste dans une petite cuisine, de l'autre côté du sous-sol de la maison où ils étaient détenus. Il y avait là deux autres geôliers cagoulés qui, Kalachnikov au poing, semblaient garder la porte d'entrée.

— Assieds-toi.

Le Français, qui avait fini par arracher à ses ravisseurs une certaine forme de respect, essaya de masquer l'angoisse qui, malgré tout, l'habitait encore à chaque instant, et prit place à la table de la cuisine en frottant ses poignets endoloris.

— C'est Noël aujourd'hui, expliqua Imad en s'installant en face de lui d'un air affable.

— Je sais.

— C'est une fête chrétienne. Nous ne fêtons pas Noël, nous, mais nous respectons ça.

À cet instant, le journaliste songea que Nazareth, lieu supposé de la naissance de l'Enfant Jésus, était à une centaine de kilomètres seulement, et l'ironie le fit presque sourire.

— Vous voulez nous faire des cadeaux ? plaisanta-t-il.

— À toi, oui. Tu vas être libéré ce soir à 17 heures.

Normandin haussa les sourcils, incrédule. Depuis plus d'un an qu'ils étaient détenus, les ravisseurs leur avaient plusieurs fois parlé d'une « possible » libération, mais jamais d'une façon aussi précise. Et chaque fausse promesse s'était transformée en une torture mentale qui semblait amuser leurs bourreaux.

— Vraiment ?

— Vraiment. Pour Noël.

— Et Aurel ?

— Non. Seulement toi.

Normandin sentit les battements de son cœur s'accélérer, envahi par une foule de sentiments contradictoires. La liberté, il en rêvait depuis si longtemps ! Mais qu'allait-il dire à Cornea ? Pourquoi les ravisseurs lui vendaient-ils ainsi la mèche, à lui ? Devoir retourner dans la cellule et annoncer à son ami qu'il allait le laisser seul ici… c'était presque pire que de ne pas être libéré du tout.

— Je préférerais que ce soit lui, dans ce cas.

Imad secoua la tête d'un air amusé.

— C'est toi qu'on a choisi, tu devrais être heureux.

— Je ne veux pas laisser Aurel derrière moi.

— C'est comme ça. Lui, il reste. Quand tu seras libéré, le Premier ministre français voudra te voir. Il aime bien passer à la télévision avec les otages. Tu lui porteras un message de ma part.

Normandin soupira.

— Lequel ?

— Tu lui diras que la prochaine fois que ses services secrets s'amusent à faire des feux d'artifice dans la ville, nous tuons un otage.

## 94

## 24 décembre 1986, Beyrouth

La pluie, depuis le matin, n'avait cessé de tomber sur Beyrouth. L'hôtel Beau Rivage, à quelques rues de la plage, était plongé dans la grisaille, et les torrents que le ciel déversait sur le long bâtiment blanc ressemblaient davantage à une humiliation qu'à une bénédiction.

— Ça fait trente minutes qu'il aurait dû être libéré, s'impatienta le premier secrétaire de l'ambassade de France.

Il y avait là, fourmillant dans le lobby de l'un de ces derniers hôtels de luxe de la capitale, bien plus de monde qu'à l'accoutumée. Services de sécurité, journalistes, délégation de l'ambassade de France... La libération avait été annoncée pour 17 heures, et la tension se lisait sur tous les visages.

Olivier Dartan, sous sa couverture diplomatique, avait accompagné le premier secrétaire dans le véhicule blindé prêté par le peloton français, et cette foule assemblée dans le hall du Beau Rivage ne lui disait rien qui vaille. Mais la France, tout comme les pays qui avaient officiellement participé aux négociations, espérait sans doute un beau retentissement médiatique en ce jour de Noël, et les autorités libanaises, pour ne pas « contrarier les ravisseurs », avaient refusé qu'un véritable dispositif de sécurité soit installé dans l'hôtel. Le résultat se traduisait par un désordre fort mal à propos.

— Ne vous inquiétez pas, dit l'officier en tapotant l'épaule du diplomate. Encore un peu de patience. Les ravisseurs sont très rarement ponctuels, quand il s'agit de libérer un otage... C'était pareil avec Rochot et Hansen. Tout va bien se passer.

De fait, il était presque 18 heures quand, enfin, deux militaires libanais apparurent devant l'hôtel, escortant l'otage qu'ils venaient de récupérer deux rues plus loin, où ses geôliers l'avaient abandonné en voiture.

Les flashs des photographes se mirent aussitôt à crépiter alors que les curieux se précipitaient vers l'entrée du Beau Rivage. Dartan et le premier secrétaire d'ambassade se frayèrent péniblement un chemin puis accueillirent l'otage français chaleureusement.

L'officier de la DGSE reconnut aussitôt Aurel Cornea, malgré les nombreux kilos qu'il avait perdus. L'ingénieur du son d'Antenne 2, les joues creuses, le regard abattu, semblait ne pas vraiment comprendre ce qui lui arrivait. Après plus d'un an de captivité, sans doute avait-il perdu l'habitude de la foule et des lumières.

— Comment allez-vous ? demanda le secrétaire d'ambassade en serrant chaleureusement le bras du journaliste alors que les gardes essayaient d'écarter un peu la foule qui se pressait autour d'eux.

— Je vais bien, je vais bien, murmura-t-il. Ils devaient libérer Normandin et puis, à la dernière minute, c'est moi qu'ils ont choisi... Je... Je m'y attendais pas du tout. Ils ont joué avec nos nerfs jusqu'au dernier instant !

— Le calvaire est fini, intervint Dartan en lui adressant un sourire réconfortant. Nous allons vous emmener tout de suite à l'ambassade, Aurel. Et demain, vous serez rentré en France, auprès de votre famille. C'est fini, mon garçon. Vous êtes libre.

— Je n'arrive pas trop à réaliser...

— C'est normal, le rassura le diplomate. Il va vous falloir un peu de temps. Suivez-nous.

Protégés par les gardes libanais, alors que les journalistes alentour criaient le nom de Cornea pour obtenir qui une interview, qui une photo, ils le conduisirent jusqu'au véhicule blindé garé dans le parking de l'hôtel et filèrent vers l'ambassade, au sud-est de Beyrouth, sous haute escorte.

Alors que le paysage du quartier chrétien défilait sous ses yeux, Aurel Cornea, le visage collé à la vitre, semblait tétanisé, en état de choc, et le secrétaire d'ambassade eut bien de la peine à lui tirer quelques mots.

À peine arrivé dans les locaux de la chancellerie, le journaliste français put immédiatement appeler son épouse, Aurora, avec laquelle il parla longuement, et alors seulement il sembla commencer à se détendre.

Peu après 20 heures, devant des millions de téléspectateurs soulagés, Aurel Cornea passa en direct, par téléphone, au journal d'Antenne 2, sur le plateau duquel ses deux anciens compagnons d'infortune, Philippe Rochot et Georges Hansen, avaient été conviés. Les yeux rougis de larmes, Hansen adressa quelques mots à celui qui avait partagé sa cellule pendant de si longs mois.

— Je suis très ému, Aurel, j'ai hâte de te tenir dans mes bras et de t'embrasser, et qu'on fête ça ensemble... Mon seul regret, c'est qu'on le fasse sans Jean-Louis, mais j'espère que, d'ici peu, on sera enfin tous les quatre réunis, pour qu'on fasse une grande fête...

— Écoute, Georges, on a justement parlé cet après-midi avec Jean-Louis, et nous, on pense que c'est une question de jours. On l'espère...

L'instant avait quelque chose d'irréaliste, et personne, sans doute, ne pouvait imaginer l'immense confusion qui devait accabler l'otage français.

Puis, en milieu de soirée, malgré son évidente fatigue après deux cent quatre-vingt-douze jours de détention, il accepta l'invitation à un dîner de Noël très privé avec l'ambassadeur et ses plus proches collaborateurs. Dartan, qui l'observa silencieusement pendant tout le repas, ne put s'empêcher de penser que ce devait être un bien étrange et soudain retour à la réalité pour l'ingénieur du son. Cornea, que ses compagnons de cellule avaient surnommé « l'homme tranquille », resta fort silencieux pendant tout le repas lui aussi, rencontrant sans doute quelque peine à manifester sa joie alors que son ami Normandin était toujours enchaîné quelque part dans la banlieue sud de Beyrouth.

Le lendemain matin, l'ex-otage devait être emmené à Chypre en hélicoptère pour rejoindre enfin la France à bord d'un avion du Glam.

De retour dans son bureau, Dartan se laissa tomber sur son fauteuil en soupirant. Il aurait dû, ce jour-là, se trouver à Paris auprès de Samia. Mais son épouse devait sans doute comprendre. Une fois de plus.

— Vous pensez que l'opération Arma y est pour quelque chose ? demanda Rudi Girard en tendant la note à son supérieur.

Le chef de poste haussa les épaules.

— J'en suis pas sûr. Je pense que les tractations de l'Algérie et de la Syrie, et le gros chèque de Chirac ont bien plus pesé dans la balance. À mon avis, c'est l'Iran qui a ordonné la libération, mais ça m'étonnerait que le Hezbollah soit très content. Sinon, ils auraient pu relâcher Normandin aussi...

Une heure plus tôt, Hachemi Rafsandjani, président du parlement iranien, avait déclaré, dans un communiqué de presse que « la France se [comportait] mieux »...

## 95

## 25 décembre 1986, Lyon

Pauline avait passé la journée dans la maison de retraite pour tenir compagnie à Mme Salomon. En ce jour de Noël, le propre fils de la pauvre dame n'avait visiblement pas jugé bon de faire le déplacement... Elles avaient donc parlé littérature en mangeant des petits gâteaux, participé à un tournoi de tarot avec d'autres résidents esseulés, puis la jeune libraire était repartie en fin d'après-midi vers son studio de Sathonay, constatant à regret que ses activités de la journée n'avaient pas suffi à tromper sa mélancolie.

La veille, elle avait passé le réveillon de Noël seule dans son appartement et, quand son père l'avait appelée pour lui souhaiter de bonnes fêtes, elle avait fait mine d'être la plus heureuse du monde, se refusant à lui montrer le moindre signe de faiblesse. Pourtant, c'était, d'aussi loin qu'elle pût s'en souvenir, le pire Noël qu'elle ait jamais passé, affalée dans son canapé en grignotant des biscuits apéritifs, les yeux rivés au petit écran, à regarder les programmes navrants du 24 décembre en se demandant ce que Marc était en train de faire, et dans quel satané pays il pouvait bien être.

À quelques jours du Nouvel An, l'inévitable bilan qu'elle avait dressé de sa propre vie n'était guère réjouissant... Son poste de responsable du rayon librairie du centre commercial était profondément déprimant, son compte en banque se noyait continuellement dans le rouge, limitant drastiquement le nombre de ses sorties, et aucune des librairies auxquelles elle avait envoyé son CV n'avait daigné lui répondre. Le seul point positif dans sa vie récente semblait avoir été la rencontre de Marc Masson mais, plus le temps passait, plus elle se demandait si elle allait pouvoir supporter longtemps les contraintes qu'imposaient les activités officieuses de celui-ci. En somme, et comme elle le disait elle-même, c'était « un peu la merde ».

Il était près de 18 heures quand, emmitouflée dans son anorak d'hiver, elle entra dans son immeuble, tremblant à l'idée de devoir passer une nouvelle soirée à s'auto-apitoyer dans une étouffante solitude. Et alors, soudain, elle n'en crut pas ses yeux quand, assis sur les marches de l'escalier, elle découvrit le visage de son amoureux, ses yeux illuminés d'espièglerie.

— Surprise ! s'écria Marc en se levant d'un bond.

Pauline, submergée de joie, se jeta à son cou et resta un long moment enlacée contre lui pour masquer les discrètes larmes qui avaient coulé sur ses joues. Marc finit par prendre sa tête dans ses mains et l'embrassa avec une infinie tendresse. Puis il montra le sac en plastique posé à ses pieds.

— Trouver un magasin ouvert à Lyon un 25 décembre, tu peux me croire, c'est sans doute la mission la plus difficile que j'aie jamais eu à accomplir. Et j'ai même déniché du champagne !

Ils montèrent main dans la main vers le studio de Pauline, où ils passèrent l'un et l'autre l'un des plus beaux Noëls de leur vie, dénué des fastes inutiles, eux qui connaissaient si bien, chacun à leur manière, le prix de la solitude, comme la valeur d'une douce compagnie.

## 13 janvier 1987, Beyrouth

Les fêtes avaient passé, et avec elles ce court instant de grâce, ce répit d'apparat. Beyrouth, déjà, avait repris le rythme harassant de la « guerre des camps ».

Debout derrière la grille de son immeuble, Roger Auque jeta un prudent coup d'œil dans la petite rue, baignée d'un doux soleil matinal. Après les nombreux enlèvements, comme tous les journalistes français travaillant à Beyrouth, le correspondant de RTL avait pris l'habitude de se méfier lors de chacun de ses déplacements, même dans ce quartier sunnite de la capitale, où les milices chiites s'aventuraient rarement. En outre, ses officieuses accointances avec la DGSE, dont il se murmurait ici et là qu'il en était un « honorable correspondant », faisaient de lui une cible de choix.

Sur le trottoir, il aperçut son confrère, Paul Marchand, qui attendait à côté de leur taxi en fumant un cigare.

Roger Auque venait d'ouvrir la grille de son immeuble lorsqu'une Volvo blanche arriva dans la rue sur les chapeaux de roues et s'arrêta d'un violent coup de frein juste en face de lui. Deux hommes armés de Kalachnikov en sortirent. Le journaliste fronça les sourcils. Ils ne ressemblaient pas à des miliciens ou à des chiites intégristes, mais portaient le cheveu court, la barbe rasée et des vêtements de ville. Il crut d'abord à la police libanaise. Mais, quand il vit Paul Marchand reculer, les mains en l'air, et lui lancer des regards terrifiés, il comprit que les choses allaient être bien plus compliquées qu'un simple contrôle. Au même instant, un troisième homme sembla surgir de nulle part et pointa un revolver vers Auque.

— Suis-moi, et ne fais pas le malin, lança-t-il d'un air menaçant.

Le journaliste hésita. Peut-être aurait-il pu retourner à l'intérieur de l'immeuble, mais il aurait alors dû abandonner son confrère. Quand il sentit le canon du revolver se poser sur sa tempe, il était déjà trop tard.

Roger Auque, mains sur le crâne, se laissa guider jusqu'à la Volvo, où on le força à s'allonger au pied de la banquette arrière.

Les trois hommes entrèrent dans la voiture après lui, l'un à l'avant et les deux autres à l'arrière, écrasant sans vergogne son corps de leurs larges chaussures, puis la voiture démarra en trombe, abandonnant Paul Marchand, perplexe, au beau milieu du trottoir.

Le journaliste, le cœur battant, comprit que c'était donc bien après lui seul que ces hommes en avaient. Se redressant tant bien que mal, il essaya de voir le visage des deux hommes au-dessus de lui. Il reçut aussitôt un violent coup de crosse sur le front, puis on lui passa un sac en papier sur la tête.

*Ils ont recommencé.*

Le calvaire débuta.

De nombreuses heures plus tard, après avoir changé plusieurs fois de véhicule, après avoir attendu, dans l'angoisse, assis sur des banquettes arrière sans plus savoir où il était, après avoir été porté comme un vulgaire sac de riz par les mains et par les pieds, le journaliste se retrouva enfin dans une cave insalubre, attaché à une chaîne.

Une cellule obscure, non loin de la mer. Un mètre cinquante sur un mètre cinquante et, au sol, un unique matelas en mousse. Des fers à ses chevilles.

Quand, quelques heures plus tard, la nouvelle tomba à l'ambassade, Dartan comprit aussitôt que la France s'était, une fois de plus, réjouie beaucoup trop tôt. Les portes de l'enfer ne s'étaient toujours pas refermées.

# LIVRE TROISIÈME

# Le soutier de la gloire

« À côté de vous, parmi vous, sans que vous le sachiez toujours, luttent et meurent des hommes, les hommes du combat souterrain pour la libération. Tués, blessés, fusillés, arrêtés, torturés… Saluez-les, Français ! Ce sont les soutiers de la gloire. »

Pierre BROSSOLETTE, Discours à la BBC,
22 septembre 1942.

# 97

## 5 février 1987, Paris

Le général Émin, le front soucieux, reposa l'édifiante note du chef de poste sur son bureau. Il se frotta longuement les joues d'un air préoccupé, puis regarda Dartan droit dans les yeux.

— C'est… une bombe, Olivier.

— C'est le cas de le dire, général.

— Quel crédit accordez-vous à ce renseignement ?

Le compte rendu de Dartan était aussi surprenant qu'il était accablant, et le directeur du Renseignement ne pouvait cacher son trouble. Ainsi, plusieurs sources avaient désigné formellement trois hommes comme étant membres du commando responsable de l'attentat contre l'immeuble Drakkar, survenu près de quatre ans plus tôt à Beyrouth.

Dans la version officielle, retenue jusqu'à ce jour par les autorités françaises, ce fameux 23 octobre 1983, quelques minutes après l'attentat suicide qui avait causé la mort de deux cent quarante et un US Marines près de l'aéroport, un camion bourré d'explosifs avait percuté l'immeuble du Drakkar, où était installé le 1er régiment de chasseurs parachutistes français. L'immeuble de huit étages, situé entre la zone chrétienne et la zone musulmane, s'était littéralement effondré, entraînant la mort de cinquante-huit soldats français, broyés sous les tonnes de gravats. Le double attentat, terriblement meurtrier, avait été revendiqué par le Djihad islamique. Rapidement, toutefois, cette version officielle avait été mise à mal par de nombreux témoignages des rescapés, affirmant qu'aucun camion n'avait percuté le poste Drakkar ce jour-là. La carcasse du véhicule, en outre, n'avait jamais été retrouvée dans les décombres. Plusieurs analystes avaient finalement avancé une autre thèse, plus sulfureuse : l'immeuble ayant été précédemment occupé par les services secrets syriens, certains soupçonnaient ceux-ci d'avoir piégé les lieux avant de céder la place aux Français. D'aucuns accusaient donc la France de vouloir étouffer l'affaire pour maintenir de bonnes relations avec la Syrie qui, depuis lors, semblait vouloir apporter son aide sur le dossier des otages.

Selon les sources croisées d'Olivier Dartan, la vérité était encore différente : l'attaque avait bien été menée par un commando du Djihad islamique, mais non pas, effectivement, dans un camion. Une charge de plus d'une tonne d'explosifs aurait été placée sous l'immeuble dans une galerie secrète creusée au préalable par les Services syriens. Ceux-ci avaient-ils collaboré à l'attaque en révélant l'existence de ce tunnel ? Dartan ne pouvait l'affirmer. Mais ses sources étaient formelles : les trois hommes dont il venait de dresser le profil étaient bien les poseurs de bombes, et leur pedigree les liait autant au Liban qu'à la Syrie... Militants chiites libanais, proches du Hezbollah, ils avaient suivi un entraînement commando au début des années 1980 dans des camps syriens.

— Selon moi, c'est du solide, général. Du très solide. J'ai récupéré les sources du colonel Gautier, qui avait fait du Drakkar son cheval de bataille. Le dossier est très documenté. Et les sources particulièrement fiables.

— Fichtre. Ça va faire du bruit en haut lieu. Et vous avez logé ces trois énergumènes ?

— Pas encore. Mais on y travaille.

Le général Émin hocha lentement la tête.

— Parfait. Tenez-moi au courant si vous les logez. C'est un dossier… particulièrement brûlant. Je vais devoir en parler avec le directeur général, qui voudra sûrement l'avis direct du président de la République.

— C'est entendu.

— C'est, encore une fois, du sacré bon boulot, Dartan. Nos Services auraient bien besoin d'un peu de réussite, pour faire taire certaines mauvaises langues… Et votre Vautour ? Vous avez retrouvé sa trace ?

— Pas depuis qu'on a redécoré sa voiture.

— Je vois.

Le général resta silencieux un moment, dévisageant Dartan d'un air songeur, puis il se leva et vint s'asseoir sur le bord de son bureau, juste devant lui.

— Comment se porte votre petit protégé ?

— Plutôt bien, répondit Dartan, non sans éprouver quelque satisfaction.

Il n'était pas mécontent que les deux premières missions d'Hadès se fussent bien passées, lui qui avait engagé sa responsabilité dans ce choix considéré comme hasardeux par ses supérieurs… La réussite de la mission Arma à Beyrouth justifiait à elle seule ce recrutement d'un homme d'action qu'il avait si longtemps demandé.

— J'aurais peut-être très bientôt besoin de ses services, annonça le général, à la grande surprise de Dartan.

— Vous ?

— Oui. Si ça ne vous dérange pas de me prêter votre poulain, bien sûr…

— Du renseignement ?

— Une petite mission Arma sur laquelle nous préférons ne pas utiliser le SA.

Olivier fronça les sourcils.

— Territoire national ?

— Vous comprenez vite, s'amusa Émin. Dites-lui de se tenir prêt.

Un sourire se dessina sur le visage de Dartan.

— Il est toujours prêt, général.

# 98

## 19 février 1987, Lyon

— Embrasse-moi pour me souhaiter bonne chance.

C'était un grand jour pour Pauline. Le début d'une vie nouvelle, pour ainsi dire. Et elle le devait à son compagnon.

Client régulier de la librairie Decitre – qui était à quelques pas seulement de son appartement de la place Bellecour – Marc avait fini par sympathiser avec son directeur. L'élégant patron de la librairie, intrigué sans doute par ce client peu ordinaire, s'était laissé facilement aborder par lui quelques mois auparavant et, après plusieurs rencontres fortuites, les deux hommes avaient fini par nouer les liens d'une amitié cordiale, fondée sur leur amour commun pour la littérature... et le bon vin. Un soir qu'ils avaient partagé un verre dans un bouchon lyonnais, Marc avait raconté les mésaventures professionnelles de Pauline à son nouvel ami, et celui-ci avait promis qu'il étudierait le CV de la jeune femme dès qu'une place se libérerait.

Quelques semaines plus tard, le directeur avait tenu parole, et Mlle Sainte-Croix allait débuter ce jour-là une période d'essai au rayon « romans francophones » de la célèbre librairie. Une opportunité miraculeuse, à laquelle elle avait cessé de croire depuis bien longtemps.

— Tu vas leur en mettre plein la vue, murmura le jeune homme en la serrant contre lui.

Pauline sourit. Elle ne pouvait s'empêcher de penser que Marc avait tout de même changé, depuis les six mois qu'ils sortaient ensemble. Petit à petit, en apprenant à le connaître, elle avait deviné, dans certains silences, une partie de son passé, et notamment l'existence d'aventures inavouables en Amérique du Sud. Elle devinait même que, jusqu'à elle, son compagnon – qui venait tout juste de fêter ses vingt-huit ans – n'avait jamais connu de véritable relation amoureuse. Elle n'était pas dupe : il avait été ce qu'on appelait « un homme à femmes ». C'était un baroudeur, un bagarreur, un guerrier, même, et qui avait probablement goûté à tous les vices que la vie pouvait offrir aux aventuriers. Endurci par l'existence, habitué à recevoir les coups comme à les donner, il avait l'écorce d'un arbre centenaire. Et pourtant, avec elle, il était capable de se montrer d'une infinie tendresse, parfois même enfantine, comme si deux personnages que tout opposait cohabitaient en lui. Et Pauline le savait : si elle voulait que cette histoire dure, elle allait devoir apprendre à aimer les deux.

— Je me disais : si t'es embauchée à la fin de ta période d'essai, pourquoi tu viendrais pas t'installer définitivement chez moi ?

— T'es sérieux ? s'exclama Pauline, prise de court.

Marc haussa les épaules.

— J'habite à deux cents mètres de la librairie, et toi t'es au bout du monde. Ce serait un peu con de rester là-bas, non ?

— Bien sûr. Mais, je veux dire : t'es prêt à vivre avec moi ?

— Pas toi ?

Elle hocha la tête en souriant. Oui, elle était prête. La chose lui faisait un peu peur, bien sûr, mais elle était prête. Il était grand temps, pour elle, de prendre un nouveau départ.

— Marché conclu, alors ! Allez, va ! File, jeune hippie ! Les lecteurs ont besoin de toi !

La jeune femme l'embrassa encore, puis elle partit vers la grande librairie.


# 99

## 19 février 1987, Lyon


Marc regarda sa compagne disparaître derrière la vitrine, puis, les mains dans les poches et le cœur léger, il se mit à marcher lentement sur la place Bellecour, ébloui par le soleil bas de l'hiver. Son rendez-vous n'était fixé que pour la fin de l'après-midi et, malgré le froid, il songea que cette journée grande ouverte était l'occasion idéale pour passer quelques heures à flâner dans les rues de Lyon.

Ainsi, mesurant le bonheur simple de pouvoir déambuler librement au milieu du théâtre des siècles, il marcha tout le jour, sans vraiment s'en rendre compte, se laissant bercer par les splendeurs du Vieux Lyon, se faufilant de venelles en traboules, foulant les pavés pour grimper à Notre-Dame-de-Fourvière, avant de redescendre encore à travers la verdure de la montée Nicolas-de-Lange. Passant d'un fleuve à l'autre, il goûta les ambiances si diverses de ces villages au cœur de la ville, des façades colorées des quais de Saône jusqu'aux allées de la rive ouest, évoquant ici et là le Paris haussmannien. De vieilles demeures en hauts gratte-ciel, il eut l'impression de faire un voyage à travers le temps, et termina son périple entre les roseraies du parc de la Tête-d'Or. Sur l'île du Souvenir, où se dressait un monument à la mémoire des victimes de la Première Guerre mondiale, du bout des doigts, il effleura, marchant lentement, les noms des dix mille soldats gravés dans les murs. Ceux-là, au moins, avaient échappé à l'anonymat.

Il faisait déjà nuit quand, vers 18 heures, il retrouva Olivier dans le bar de l'hôtel Méridien, au trente-deuxième étage de la tour Part-Dieu. L'immeuble moderne, qui culminait au-dessus des toits de la ville, avait été surnommé le « crayon » par ses habitants, en raison de la pyramide qui achevait ce haut cylindre de cent soixante mètres. D'ici, la vue sur la capitale des Gaules, illuminée de milliers de lampadaires, de phares, d'enseignes colorées et de fenêtres allumées, était splendide. On avait l'impression de voler au-dessus d'elle.

— Je ne serai pas avec vous sur ce coup-là, expliqua Olivier en glissant le compte rendu de RFA sur la table. Vous serez tout seul. *In and out*, comme on dit.

— Ça me pose pas de problème.

— Je sais. Mais vous allez devoir faire particulièrement attention, Hadès. L'objectif est en région parisienne. Paradoxalement, les missions sont bien plus risquées à Paris qu'à Beyrouth. Au Liban, c'est normal de se promener avec une arme sous le bras...

— En région parisienne ? Je croyais que la Boîte ne travaillait qu'à l'étranger...

— Il y a des exceptions, je vous l'ai déjà dit.

Marc n'insista pas. Près de deux mois s'étaient écoulés depuis sa dernière mission à Beyrouth, et il était impatient de passer de nouveau à l'action. À vrai dire, il n'attendait que ça.

Olivier lui expliqua les détails de la mission. La cible était l'un des dirigeants de V-Scott, une grosse société chimique et pharmaceutique franco-allemande. La DGSE avait découvert que celle-ci, sous la houlette de ce dirigeant peu scrupuleux, produisait en secret des gaz de combat pour plusieurs pays du Moyen-Orient. La France avait donc décidé de faire comprendre à ce monsieur qu'il serait judicieux de mettre un terme à ce juteux mais coupable commerce.

— Vous allez devoir tirer une balle dans l'appuie-tête du siège passager de sa voiture, quand il sera dedans. S'il est pas trop con, il devrait comprendre le message. Tout est dans le dossier, affirma Olivier, visiblement pressé de passer à autre chose. Vous apprenez ça par cœur, et vous le détruisez, comme d'habitude.

Le mot « habitude » était sans doute un peu prématuré, mais il était agréable à entendre. Marc ne s'était jamais autant senti à sa place.

— Comment va Pauline ?

Masson leva les yeux au ciel d'un air blasé.

— Je vous aime bien Olivier, mais vous êtes un peu lourd, avec ça…

— C'était une vraie question.

— Elle va bien. Je lui ai trouvé une place de libraire chez Decitre.

— J'ai vu. Alors c'est du sérieux, vous deux ?

— On dirait. Ça vous dérange ?

— Pas si vous arrivez à gérer. C'est dur de vivre en couple, dans nos métiers, vous savez ? Les rares qui y arrivent sont maqués avec une collègue. Ça simplifie beaucoup les choses.

— Vous êtes marié, Olivier ?

Dartan sourit. Il avait déjà plusieurs fois rappelé à son petit protégé qu'il ne lui dirait jamais rien de sa vie privée. Ce jour-là, pourtant, il décida visiblement de faire une entorse à son propre règlement.

— Oui.

— Avec une collègue ?

— Non. Pas vraiment…

— Mais ça tient quand même ?

— C'est pas facile tous les jours, mais ça tient.

— Vous vous souvenez du coup de fil que vous m'avez laissé passer, l'année dernière, quand vous m'interrogiez au camp de Sathonay ?

— Bien sûr.

Marc fronça les sourcils.

— Vous l'avez écouté ?

— Bien sûr.

— Évidemment. Bref… Vous vous rappelez à qui j'ai parlé ? Et vous vous souvenez de ce qu'il m'a dit ?

— À votre grand-père, en Bolivie. Mais le contenu de la discussion, vaguement.

— Il m'a dit que les hommes comme nous avaient besoin d'une femme pour ne pas devenir cons.

Olivier hocha la tête.

— Il n'a pas tort, votre grand-père. Parfois, pour tenir le coup, certains d'entre nous ont même besoin d'en avoir plusieurs !

# 100

## 20 février 1987, Tours

Arnaud Batiza, qui peinait encore à y croire, entra peu avant midi dans l'appartement loué à Tours par l'antenne locale de la DST.

Trois heures plus tôt, Jean-François Clair, directeur du département antiterroriste, lui avait demandé de se rendre au plus vite auprès de la cellule tourangelle pour une affaire... peu ordinaire.

Quand il pénétra dans la pièce où l'attendaient ses deux collègues, Batiza reconnut sans peine l'homme chétif qui était assis en face d'eux, au bout de la table. Ce visage, il ne risquait pas de l'avoir oublié : un an plus tôt, il avait ordonné à la cellule de Tours de procéder à son arrestation. Lotfi Ben Kahla, en personne. Le Tunisien de trente-deux ans faisait partie des cinq suspects interpellés suite aux informations de Dartan. Ces cinq hommes que le procureur Marsaud avait été obligé de relâcher, faute de preuves...

Batiza n'essaya même pas de masquer son amusement en s'asseyant à côté de lui.

— Ça alors, monsieur Ben Kahla ! Je croyais que vous étiez reparti en Iran, à l'université de Qom...

— Je suis revenu.

— Vous m'en voyez ravi ! Et que nous vaut donc le bonheur de votre visite ?

Le Tunisien jeta un regard embarrassé vers les deux officiers tourangeaux de la DST.

— Vous pouvez lui répéter ce que vous nous avez dit, il est en charge du dossier, l'invita l'un d'eux, visiblement plongé dans un état de joyeuse perplexité.

— Je voulais voir vos collègues, commissaire, expliqua Ben Kahla d'une voix mal assurée.

— Et pourquoi ?

— Parce que j'ai des informations à vous donner. En relisant le Coran, j'ai compris qu'il fallait, pour la cause de l'Islam, que j'aide la police.

Le visage de Batiza se figea.

— Pardon ?

— M. Ben Kahla a pris connaissance de l'appel à témoins lancé par l'État français concernant les poseurs de bombes, expliqua l'un des deux collègues avec un sourire entendu.

— Et de la récompense de 1 million de francs, précisa le Tunisien.

— Bien entendu…

— Ah ! Je vois ! s'exclama Batiza. Et donc, vous espérez avoir gagné au Loto ?

Le Tunisien semblait très sérieux.

— Il est de mon devoir de musulman de vous dire qui sont les responsables des attentats à Paris. Je les connais.

— Mais, de grâce, ne vous gênez surtout pas !

— Déjà, je peux vous dire que c'est pas les frères Abdallah, contrairement à ce qui est marqué sur les affiches ! Les Farl n'ont rien à voir avec tout ça…

— Ah ! Ça, c'est du solide ! ironisa Batiza. Si vous n'avez rien de mieux…

— J'ai beaucoup mieux. Mais je veux des garanties avant.

— Je vois. Quoi comme garanties ?

— Je vous livrerai le réseau qui a organisé les attentats en échange de 5 millions de francs, de la nationalité française et d'un refuge provisoire aux États-Unis, ainsi que d'un statut de réfugié politique pour l'un de mes professeurs de l'université de Qom, énuméra Ben Kahla d'une voix soudain beaucoup plus ferme, comme si ce petit homme fragile s'était soudain ragaillardi.

— La récompense a été fixée à 1 million de francs. L'État français n'ira pas au-delà. Pour le reste, je peux voir. Mais il va falloir me donner un gage de votre bonne foi, si vous voulez que je puisse convaincre mes supérieurs.

— Qu'est-ce que vous voulez, comme preuve ?

— Donnez-moi un nom, par exemple…

Ben Kahla dévisagea longuement le commissaire de la DST, comme s'il hésitait encore. Et puis, enfin, s'approchant doucement de la table, il se décida.

— Le chef du réseau, c'est Ali le Tunisien.

— Ali le Tunisien ? répéta Batiza, circonspect.

— Oui. Son vrai nom, c'est Fouad Ali Saleh. Je le connais très bien. Quand je l'ai rencontré, il vivait chez le libraire, Mohamed Mouhajer.

Le commissaire de la DST n'en crut pas ses oreilles.

Fouad Ali Saleh était le nom qui était apparu sur une carte d'identité retrouvée dans l'appartement de Mouhajer, lors des perquisitions chez les suspects du Kremlin-Bicêtre ! L'homme n'avait jamais été entendu.

De plus, les écoutes du Vautour réalisées par Dartan avaient suggéré l'existence d'un certain « Ali » comme dirigeant une équipe parisienne... En somme, si l'informateur disait vrai, Olivier Dartan avait vu juste depuis le début en soupçonnant les hommes relâchés un an plus tôt par le procureur Marsaud !

Batiza s'efforça de masquer son excitation.

— Comment vous le connaissez ?

— Il est tunisien, comme moi. Je l'ai rencontré plusieurs fois au foyer Ahl el-Beit du Kremlin-Bicêtre, quand il vivait chez Mouhajer. Et puis on s'est retrouvés à Qom. Il était gentil avec moi, il connaissait du monde et il leur disait du bien de moi. C'est grâce à lui que j'ai pu monter mon école coranique à Tours. Et puis, un jour, quand je suis revenu à Qom, j'ai vu plusieurs documents qui détaillaient la stratégie de l'Iran pour déstabiliser la société française, par la lutte armée. Les bombes, les assassinats... Ça m'a fait très peur. Moi, je suis pas d'accord avec ça.

— C'est tout à votre honneur...

— L'Iran et le Hezbollah, ils se croient tout permis. J'y ai cru, au début, j'ai cru à la révolution islamique. À la défense des opprimés. Mais les Iraniens... Il faut se méfier des Perses, vous savez ? Ils ont toujours voulu écraser tout le monde. Nous, les Maghrébins, ils nous prennent pour des minables. Le Coran, la Sunna, l'islam véritable... tout ça, ils l'oublient bien vite quand il s'agit de prendre le pouvoir ! Ils sont corrompus ! En vérité, leur Dieu, c'est pas Allah, c'est l'argent ! Ils se servent de la religion pour gagner toujours plus d'argent, toujours plus de pouvoir ! Et ils manipulent les petites gens. Les bons musulmans. Les gens comme moi. Sauf que moi, j'ai compris !

— Tant mieux pour vous, monsieur Ben Kahla. Mais alors, ce Fouad Ali Saleh ?

— Lui, c'est un dur ! Un excité ! Il travaille directement pour le Hezbollah et pour l'Iran. Il leur lèche les pieds. Il recrute des Maghrébins comme moi, des croyants, pour les mettre au service du Hezbollah, mais il leur dit pas tout ! Il les manipule !

Batiza échangea un regard perplexe avec ses collègues. Puis il regarda de nouveau cet informateur en se demandant s'il était providentiel ou totalement farfelu.

— Nous donner un nom, M. Ben Kahla, c'est bien, mais ça ne suffit pas. Il va nous falloir des preuves concrètes.

— Je pourrai vous les donner. J'ai un plan.

— C'est-à-dire ?

— Louez-moi un appartement à Paris pour que je puisse y installer ma famille et une école coranique. Vous mettrez des micros dans l'appartement, et moi je ferai venir Fouad et ses complices. Vous aurez vos preuves. Toutes les preuves !

# 101

## 23 février 1987, Neuilly-sur-Seine

6 h 45, banlieue de l'Ouest parisien. Marc gara la voiture maquillée près de l'île de la Jatte, à quelques pas du pont qui enjambait la Seine. Autour de lui, les maisons de maître et les beaux immeubles de ce paradis bourgeois étaient encore plongés dans la nuit hivernale. Il remonta le boulevard d'un air nonchalant. À cette heure fort matinale, il n'y avait encore personne dans les ruelles arborées de l'île. Les braves habitants de Neuilly-sur-Seine dormaient encore, pour la plupart.

Cette fois, en dehors du fait qu'elle devait se tenir sur le territoire national, les conditions de la mission étaient bien plus « classiques ». Tout avait été soigneusement préparé par la Boîte. Des semaines de surveillance, de reconnaissance, un relevé précis des habitudes de la cible, un rapport complet sur l'objectif et sur le contexte de l'opération, équipements, environnement, une mise en place millimétrée des parcours d'engagement et de dégagement, une planification rigoureuse de l'action... Rien n'avait été laissé au hasard. Ce qui, bien sûr, n'empêchait pas, comme l'avait rappelé Olivier une énième fois, l'irruption de l'imprévu.

Au bout de la petite rue de la Marine, Marc entra dans la résidence avec autant d'aisance que s'il y avait vécu depuis de nombreuses années. Il connaissait les plans par cœur. Il tapa le code à l'entrée, traversa l'allée de pierres, puis glissa le double des clefs, fourni par la Boîte, dans la porte de cet immeuble de haut standing. D'un pas calme et déterminé, il dépassa les ascenseurs et se glissa dans la cage d'escalier pour monter les sept étages à pied. La configuration de la résidence, scrupuleusement choisie, était idéale : elle permettait d'entrer par un immeuble pour en ressortir par l'autre, en traversant les toits.

Arrivé au septième étage, au niveau de la machinerie des ascenseurs, Marc trouva rapidement le placard technique où devait l'attendre son arme. Sur la porte, une gommette blanche coupée en deux. Il sortit la clef carrée de sa poche, ouvrit le boîtier et récupéra la mallette de la Remington.

Après avoir soigneusement refermé le placard technique, il se dirigea vers l'échelle de secours qui menait jusqu'au toit. Là encore, la Boîte avait tout prévu : la petite clef plate glissa sans accroc dans la serrure, et Marc put se hisser sur le sommet de l'immeuble.

6 h 57. Encore vingt-huit minutes avant le lever du soleil. Neuilly était toujours plongé dans le noir.

Comme convenu, Marc Masson était vêtu en gris clair de la tête aux pieds. La même couleur que les dalles qui recouvraient la plateforme. Le dos courbé, il traversa le toit du premier immeuble, longeant les larges tuyaux d'aération qui quadrillaient l'espace, puis il gravit rapidement l'échelle qui menait au second bâtiment. Là, il partit poser la mallette à l'endroit précis de son poste de tir, au coin nord-est. Sur le plus haut building de l'île, il était maintenant à l'abri des regards.

Respectant scrupuleusement chaque étape de son plan d'opération, il se dirigea vers le local technique qui s'érigeait au milieu du toit et ouvrit la porte métallique qui, plus tard, lui permettrait de quitter rapidement les lieux.

Il était 7 h 06 quand Marc Masson put s'installer enfin à son poste. Le placement choisi par la Boîte était idéal. Abrité et en hauteur, il offrait une distance et un angle de tir excellents. Le geste assuré, le jeune homme monta son fusil de précision, puis il se plaça dans la position dite de Hawkins : couché, l'arme calée dans la main ferme, poignet et coude bloqués, crosse collée sous l'aisselle et poignée posée au sol. La situation permettait les meilleures conditions de tir : un appui stable et confortable, un bon relâchement musculaire et, en contrebas, un point de visée naturel. Marc, immobile, semblait caché derrière sa Remington.

La longue attente commença.

# 102

## 23 février 1987, Paris

Le commissaire Batiza avait l'impression d'être revenu à l'époque des grands oraux de l'École nationale supérieure de police. De l'autre côté de la table, ses deux chefs, Jean-François Clair, directeur du département antiterroriste, et le préfet Bernard Gérard, grand patron de la DST, le dévisageaient comme un étudiant passant un examen.

— Votre Lotfi a signé le procès-verbal ?

L'informateur tunisien avait, bien sûr, été ramené d'urgence à Paris, et Batiza avait procédé, au deuxième sous-sol de la rue Nélaton, à une audition beaucoup plus officielle. M. Ben Kahla avait répété peu ou prou la même chose qu'à Tours, ce qui témoignait de la potentielle cohérence de ses informations, et avait accepté de signer la retranscription sans hésitation.

— Oui. Tout est là.

— Dites-nous ce que vous savez de ce type.

Batiza n'eut même pas besoin de sortir la note. Il l'avait rédigée lui-même et connaissait son dossier sur le bout des doigts. Si Clair semblait le soutenir, il savait toutefois que le patron, lui, était beaucoup moins convaincu par le sérieux de ce soudain rebondissement. Il allait falloir éveiller son intérêt.

— Lotfi Ben Kahla, trente-deux ans, tunisien, marié à une Française, deux enfants, avec lesquels il vit à Tours. Élevé dans une famille sunnite, il a pourtant été attiré très tôt par les prêches intégristes venus des chiites d'Iran. En 1979, il part donc pour Qom, centre intellectuel de la révolution islamique, façon Khomeini. Là, il fait cinq ans d'études au sein de l'école Hojjatieh. À noter qu'il a eu parmi ses professeurs un Irakien qui semblait avoir pris quelques distances avec l'intégrisme iranien. On peut supposer que ce professeur a fait naître des premiers doutes dans la tête de Lotfi quant à la ligne dure des mollahs.

— Ce n'est qu'une supposition ? demanda le préfet Gérard.

— Oui. Mais elle est accréditée par le fait que, parmi ses exigences, Lotfi nous a demandé d'obtenir l'asile politique pour ce fameux professeur irakien.

— D'accord. Continuez...

— En 1984, Lotfi s'installe en France, à Tours. Là, il reçoit une bourse substantielle de l'Iran, environ 30 000 dollars, pour monter une école coranique. L'objectif : recruter ses compatriotes maghrébins et les inciter à rejoindre Qom à leur tour. C'est dans ce cadre qu'il fréquente de temps en temps le foyer Ahl el-Beit du Kremlin-Bicêtre, lors de ses séjours parisiens... Il va y faire ses courses.

— Et pourquoi son nom figurait-il dans les écoutes effectuées par la DGSE chez le Vautour ? demanda Clair. Parce que je vous rappelle que, à la base, c'est pour ça que nous l'avions interpellé...

Batiza comprit qu'en posant cette question, le directeur de la Division T, loin de vouloir le déstabiliser, voulait au contraire apporter de l'eau à son moulin : c'était une manière habile de rappeler au préfet que Ben Kahla avait déjà fait sonner l'alerte des Services par le passé.

— Il se peut qu'à l'époque on lui ait demandé de participer au recrutement, sans qu'il sache que ça avait un lien direct avec les attentats…

— Supposons, répliqua Clair, faussement sceptique.

C'était, de nouveau, une manière détournée de donner de l'importance à Lotfi aux yeux de leur directeur. Lui suggérer que c'était un gros poisson qui méritait leur intérêt.

— Toujours est-il qu'une fois relâché par le procureur Marsaud, il fait un court séjour à Tours, puis il retourne avec sa famille à Qom en avril 1986, où on lui propose de diriger le département d'études islamiques pour les ressortissants du Maghreb. Là, il affirme être tombé sur des documents secrets détaillant la stratégie de l'Iran pour déstabiliser la France, notamment par le biais d'actions terroristes…

— Ce qui impliquerait directement Téhéran dans l'organisation des attentats parisiens, intervint Clair.

— Potentiellement, répliqua prudemment le préfet Gérard. Mais nous n'avons que la parole de votre Lotfi. Et, pour moi, elle ne vaut pour l'instant pas grand-chose. Je l'aurais cru plus volontiers s'il avait pu produire ces fameux documents.

— C'est en tout cas après les avoir vus que Lotfi aurait perdu sa foi en la révolution islamique de Khomeini. Il aurait également découvert là-bas que Fouad Ali Saleh, ancien élève de Qom et tunisien lui aussi, dirigeait la cellule parisienne responsable des attentats. Sous l'influence de son ancien professeur irakien, peut-être, mais plus probablement attiré par la récompense promise par l'État français, il a donc décidé de revenir à Tours pour se confier à nos collègues…

— L'un de nos analystes avance deux autres motifs possibles pour le retournement de Lotfi, ajouta Clair. Il pourrait agir pour le compte des Services algériens, ou, plus vicieux, pour celui d'une faction iranienne.

— Pourquoi des Iraniens impliqueraient-ils eux-mêmes leur propre pays ? demanda Gérard en fronçant les sourcils.

— Pour que la France durcisse le ton avec l'Iran. Certains proches de Khomeini, dont son propre fils, s'opposent à l'adoucissement des relations entre Paris et Téhéran. Ils veulent un véritable affrontement.

— Et donc ils accuseraient leur propre régime, pour mettre de l'huile sur le feu ? Ce serait quand même un peu tordu…

— On a déjà vu pire, monsieur le préfet.

— Certes.

— Au fond, ça ne fait pas une grande différence, intervint Batiza. Quelles que soient ses motivations, les informations de Lotfi me semblent crédibles, et sa détermination solide.

— C'est vous qui le dites…

— Ça fait deux ans qu'on cherche les poseurs de bombes, et cet homme propose de nous les livrer sur un plateau d'argent…

— Raison de plus pour se méfier. Les miracles comme ça, ça n'existe pas ! Pour l'instant, votre Lotfi ne vous a donné que le nom de ce fameux Fouad Ali Saleh. Ça ne constitue pas une preuve, et il manque du monde sur la liste…

— Il a proposé de nous les fournir, si nous sommes prêts à suivre son plan, monsieur le préfet.

— Oui, je suis au courant de son « plan », comme vous dites. Et ça ne me plaît pas du tout. Votre

Lotfi, il peut dire ce qu'il veut, il n'est quand même pas blanc comme neige, hein ? Imaginez que ce soit un coup fourré ? La DST qui loue un appartement à un terroriste, ça la fout mal...

— Je pense que Lotfi ne ment pas. Il sait très bien qu'il ne touchera pas la récompense si ses informations ne donnent rien.

— Mais son plan nécessite déjà que nous sortions une jolie somme ! riposta le préfet. Et les chances de réussite ? Qui nous dit que le fameux Saleh va tomber dans le panneau d'une école coranique qui ouvre à Paris du jour au lendemain ?

— Lotfi Ben Kahla a une solide réputation. Sa première école coranique, à Tours, était directement financée par l'Iran. Je pense qu'il a une véritable crédibilité aux yeux des intégristes parisiens. Il a l'air sûr de lui, en tout cas, et il affirme que Saleh lui fait confiance.

— Donc, vous pensez qu'on devrait prendre le risque ? demanda Jean-François Clair, une façon quelque peu hardie de couper l'herbe sous les pieds du patron.

— Je pense que nous aurions tort de laisser passer une opportunité pareille, confirma Batiza.

Le directeur regarda ses deux collègues d'un air suspicieux, comme s'il voyait tout à fait clair dans leur jeu.

— Ne vous emballez pas. Je n'y suis pas du tout favorable, trancha-t-il. Commencez par lui demander de nous prouver qu'il a l'oreille attentive du fameux Fouad Ali Saleh, et de nous donner des premières preuves de l'implication de celui-ci dans les attentats. Après, on verra...

Batiza grimaça. La partie allait être plus difficile à remporter qu'il ne l'avait espéré. Mais, pour l'instant, il était inutile d'insister.

— Donnez-lui un numéro où vous joindre, Arnaud, proposa Clair. Vous faites semblant de le relâcher dans la nature, vous lui demandez de vous apporter des choses plus concrètes, et vous le faites filocher. On verra bien.

Batiza hocha la tête, comprenant aussitôt que ses prochaines nuits allaient être bien courtes.


# 103

## 23 février 1987, Paris

Marc resserra le poing sur la Remington.

En bas, l'axe de la sortie du petit garage privé, au pied de la luxueuse maison, était à moins de 10 degrés de son angle de tir. Distance : un peu moins de 75 mètres. Une amplitude qui garantissait largement 100 % de réussite à un tireur de son acabit.

À 7 h 25, comme prévu, les premiers rayons du soleil apparurent à l'horizon, dans un ciel dégagé, déposant leur voile oranger sur les toits de Paris.

À 7 h 43, la porte du parking s'ouvrit lentement, et la cible de Marc Masson apparut dans l'ombre du petit garage.

Le dirigeant de V-Scott, vêtu d'un élégant complet noir, grimpa dans son Audi.

Le tireur commença à ajuster sa visée. En appui, la crosse fermement collée dans le creux de l'épaule, il approcha son œil droit de la lunette, laissant l'autre ouvert pour garder une vue d'ensemble sur les environs. S'il ne pouvait pas rater son coup à une si courte distance, Marc pouvait toutefois être surpris par l'arrivée inattendue d'un véhicule ou d'une tierce personne.

La voiture démarra.

Aucune ombre dans la lunette, le champ était clair. Dans le réticule, il identifia sa cible sans erreur possible. Pivotant délicatement vers la gauche, il visa l'appuie-tête passager.

Calme et serein, son doigt ne bougea pas d'un cheveu sur la détente, prêt à appuyer, sans perturber la visée. Quand la voiture commença à sortir du petit garage, Marc relâcha son corps. La saisie devait être ferme, mais pas rigide. Il assura le point de soudure entre sa joue et la crosse, puis il attendit.

Les roues avant de l'Audi arrivèrent sur le trottoir. À cette distance, le coussin de l'appuie-tête emplissait une bonne partie du réticule. Mais le temps d'exposition ne serait que de quelques secondes. S'il attendait trop et que la voiture s'engouffrait dans la rue, il risquait de perdre sa fenêtre de tir.

*Vas-y, mon garçon.*

Marc inspira doucement, puis relâcha une partie de l'air avant de retenir sa respiration. Il exerça alors une pression progressive, ferme mais délicate, sur la queue de détente. Et puis, enfin, la détonation claqua dans le petit matin.

La balle de 7.64 traversa sans peine le pare-brise, et l'appuie-tête passager s'éventra comme sous le souffle d'une micro-explosion. Marc resta en position quelques secondes encore. La voiture cala et le chauffeur, terrorisé, se cacha maladroitement derrière ses coudes relevés.

Mission accomplie.

# 104

## 24 février 1987, Paris

Le lendemain matin, Marc rejoignit Olivier tout au fond du bar tamisé de la Closerie des Lilas. À cette heure, il n'y avait presque personne dans la célèbre brasserie du quartier de Montparnasse. La foule arriverait plus tard, pour voir ou être vu, dans cette institution si chère aux artistes de la capitale. De nombreux créateurs avaient passé de belles heures sur la moleskine rouge de ces banquettes légendaires, Rimbaud, Apollinaire, Picasso, Breton, Hemingway... À présent, on y croisait souvent la bande joyeuse du parolier Étienne Roda-Gil et on y humait parfois les Gitanes de Serge Gainsbourg... Malgré lui, Marc devait bien reconnaître qu'il éprouvait quelque plaisir à pouvoir fréquenter pareil endroit. Si la célébrité le laissait indifférent, imaginer frôler le fantôme de l'homme qui avait écrit *Le Vieil Homme et la Mer* ou *L'Adieu aux armes* réveillait en lui les plus beaux souvenirs de ses lectures adolescentes. Et cela suffisait à son bonheur.

Dartan, la tête posée sur son poing fermé, avait l'air lui aussi absorbé par ses pensées, mais bien plus sombres, visiblement.

— Vous n'avez pas l'air dans votre assiette. Ma mission a posé problème ?

— Pas du tout, Hadès. Vous avez fait ce qu'il fallait, et je suis sûr que ça va porter ses fruits.

— Alors ? Qu'est-ce qui va pas ?

— Rien...

Marc ne masqua pas sa déception. Il avait cru un instant que son officier traitant allait lâcher un peu de lest. Sans doute était-il encore trop tôt pour briser la glace.

— Votre argent vous attend dans votre boîte aux lettres habituelle. Vous pouvez rentrer à Lyon cet après-midi et jouer un peu au chauffeur routier. Mais restez en alerte. On risque d'avoir besoin de vous bientôt.

— Pas besoin de me le dire, Olivier. Vous savez que je suis toujours prêt.

Dartan esquissa un sourire.

— On dirait vraiment que vous avez trouvé votre voie, mon garçon.

— Je me sens utile.

— Vous l'êtes. Mais n'oubliez jamais non plus que nul n'est irremplaçable.

Marc hocha lentement la tête. Cela faisait précisément un an qu'il « travaillait » pour Olivier. Un an que l'officier était devenu, au fond, la seule personne avec qui il avait une relation qui pouvait s'apparenter à de l'amitié. Il devinait chez son officier traitant, au-delà de la réserve qu'imposait sa fonction, non seulement une grande probité, mais aussi le cœur d'un juste. Cet homme à l'apparence distante était devenu pour lui une sorte de figure paternelle, sans doute, comme l'avait été Richard, le patron du bordel de Belém, avant lui. Marc éprouva alors – lui – le besoin de se confier un peu.

— Ce que j'essaie de vous dire, Olivier... Je sais pas trop formuler ces sentiments-là... J'éprouve un peu de honte à vous dire que tout ça, c'est grâce à vous, à vous dire que je vous estime, mais... voilà, ça tourne un peu autour de ça quand même.

Dartan sourit devant la gêne maladroite de cette petite boule de muscles au regard si profond.

— Vous devenez sentimental, Marc. Il est temps que vous retrouviez Pauline.

— Et vous... Vous voulez vraiment pas me dire ce qui va pas ?

Dartan fit un geste évasif de la main.

— Oh... Rien de grave. J'ai appris que l'une des personnes qui a abattu mon ancien patron venait d'être arrêtée au Liban.

Le matin même, le président de la République libanaise, Amine Gemayel, avait en effet informé l'ambassade de France que l'un des trois assassins du colonel Christophe Gautier avait été arrêté et se trouvait aux mains de la police libanaise, à Beyrouth Est. L'homme, un chiite affilié au Hezbollah, avait été interpellé par hasard suite à un accident de la circulation, alors qu'il se trouvait au volant d'un camion bourré d'explosifs. Visiblement, la police était parvenue rapidement à le faire passer aux aveux...

— Et c'est pas une bonne chose ? s'étonna Masson.

— Disons que j'aurais préféré que nous l'attrapions nous-mêmes. Je vous l'aurais bien confié, si vous voyez ce que je veux dire.

— Je vois.

— C'était un chic type, Gautier. Ça devient rare, les chics types.

Marc leva son verre à son tour pour proposer un toast.

— Aux derniers chics types, alors !

— Aux derniers chics types, répondit Dartan en trinquant.

Le soir même, Marc rentrait dans son appartement de la place Bellecour, à Lyon. Quand il trouva sa compagne, assise sur le canapé dans la pénombre, au milieu du salon, il s'attendit à quelque mauvaise nouvelle. Pauline avait les yeux dans le vide, et elle semblait ne même pas l'avoir entendu entrer.

— Qu'est-ce qui se passe ? Ils t'ont pas prise à la librairie ?

La jeune femme fronça les sourcils, comme si elle n'avait pas compris la question.

— Euh... Non, non, tout se passe bien à la librairie.

Marc s'assit à côté d'elle et l'embrassa.

— Eh bien alors ? Tu fais une drôle de tête. Il y a un problème ?

— Non... Enfin, je ne crois pas.

— Mais qu'est-ce qu'il y a, enfin ?

Pauline le regarda droit dans les yeux.

— Je suis enceinte.


# 105

## 3 mars 1987, Paris


— *Térence, de Boèce.*

— Térence, j'écoute.

— *L'objectif ressort. Il est seul.*

À travers la vitre fumée de la voiture banalisée, Batiza aperçut la silhouette de Lotfi Ben Kahla qui sortait du petit restaurant oriental, au cœur du quartier de la Goutte d'Or.

Une semaine avait passé et le commissaire n'avait encore rien pu fournir de concret au grand patron pour le convaincre d'accepter le « plan » de Lotfi. Pourtant, au fond de lui, Batiza était persuadé que l'informateur avait vraiment quelque chose de conséquent à leur offrir.

Le mystérieux Fouad Ali Saleh, malheureusement, restait introuvable. En dehors de sa photo sur la carte d'identité découverte chez Mouhajer lors des perquisitions de février 1986 – dont la Division T avait évidemment gardé une copie – les Services n'avaient quasiment rien sur lui. Un visage seulement. Certes, on avait retrouvé la trace de ses passages à l'université de Qom et, certes, on savait qu'il avait fréquenté mosquées et foyers intégristes à Paris, mais rien de plus. Pourtant, le fait que, pour l'instant, personne ne soit parvenu à le « loger » était un indice de plus qui aurait dû éveiller l'intérêt : n'avoir aucune adresse et laisser si peu de traces était déjà, en soi, quelque peu suspect.

— *Il se dirige vers Vitruve.*

— Vitruve, de Térence.

— *Vitruve, j'écoute.*

— Tu le lâches pas d'une semelle et tu restes en renfort. Je vais le toper vers le boulevard.

— *Entendu.*

— Cornelius, tu restes sur le restaurant. Je veux une photo de tous les clients qui entrent et sortent, terminé.

— *Cornelius, bien reçu.*

Batiza sortit de la voiture et descendit la rue Fleury en espérant pouvoir prendre Lotfi à revers, sur le boulevard de la Chapelle. Écoutant avec attention les indications de son collègue dans son oreillette, il tourna vers l'ouest, à l'angle de la grande artère, et marcha d'un pas preste jusqu'à ce qu'il aperçoive enfin, quelques mètres devant lui, la frêle silhouette de Lotfi Ben Kahla qui venait de traverser pour passer sous le métro aérien. Quelques pas en amont, *Vitruve* avait déjà entamé la filature.

Arrivé à la hauteur de la rue de Maubeuge, Batiza attendit le moment opportun, doubla son collègue en lui faisant signe de rester en retrait, et rattrapa le Tunisien.

Quand il arriva près de lui, Ben Kahla sursauta, puis sembla se détendre en reconnaissant le visage du commissaire de la DST.

— Suivez-moi, ordonna ce dernier, sans rien dire de plus.

Longeant les voies ferrées de la gare du Nord, ils obliquèrent sur la première rue à droite jusqu'à un petit bistrot où le policier invita l'informateur à entrer.

Ils prirent place au fond du café, à une table isolée.

— J'allais justement vous appeler, affirma Lotfi avant même que Batiza ne puisse lui demander pourquoi il n'avait plus de nouvelles.

— Bien sûr…

— Si, si, je vous jure ! J'ai beaucoup d'informations pour vous, fit le Tunisien à voix basse.

— J'espère. Mes chefs ne sont pas très convaincus… Vous buvez quelque chose ?

— Pas d'alcool.

— Ah, oui… Chacun son Dieu.

— Vous croyez en Dieu ?

— Oui, oui. Le mien s'appelle Glen. Glen Livet.

— Je connais pas.

— Laissez tomber.

Lotfi sortit un stylo de sa poche, arracha un coin de la nappe en papier et se mit à écrire.

— J'ai vu Fouad Ali Saleh. Tenez, pour vous prouver que c'est vrai, voilà un numéro de téléphone où on peut le joindre, dit-il fièrement, et une adresse où il se rend régulièrement.

Batiza déchiffra l'adresse à Malakoff, dans la banlieue parisienne. Rue Gabriel-Péri. Cela ne lui évoquait rien.

— Et puis il va aussi voir sa femme régulièrement, à Montmartre, rue des Trois-Frères, chez ses beaux-parents.

— D'accord. Mais vous l'avez vu où, votre Fouad ?

— Ben, là, chez Aïssa, au restaurant !

— Celui dont vous sortez, rue de Chartres ? s'étonna Batiza.

— Ben oui ! Il était avec moi. C'est son QG.

Le commissaire serra les dents. Il espéra que son collègue en planque devant le restaurant avait pris un maximum de photos.

— On doit faire vite, reprit Ben Kahla. Fouad m'a dit qu'ils allaient bientôt recommencer. Il m'a dit qu'il avait reçu des nouveaux pétards et qu'il avait toujours son équipe parisienne. Des jeunes musulmans au-dessus de tout soupçon, chez qui il cache tout son matériel...

— Il vous a dit tout ça, comme ça ? demanda Batiza d'un air dubitatif.

— Mais oui, bien sûr ! s'emporta Lotfi. Il me fait confiance ! Nous étions très proches, à Qom ! Pourquoi vous me croyez pas ?

— Et vous, vous lui avez dit quoi ?

— Je lui ai dit que j'allais recevoir un financement de l'Iran pour monter une école coranique à Paris. Comme je vous ai dit, pareil.

— Et il vous a cru ?

— Évidemment ! Il a même dit qu'il allait m'aider ! Il faut que vous me louiez un appartement dans Paris, avec trois pièces au moins.

— Rien que ça !

— Et il me faut rapidement 90 000 francs. C'est ce que m'aurait donné l'Iran pour monter l'école. Comme ça, je peux le payer pour qu'il m'aide. Et il me faut aussi une machine à écrire, à caractères arabes.

— Ça en fait, des choses...

Lotfi haussa les épaules.

— Il faut ce qu'il faut. Et pour ma récompense ? Vous avez vu, pour mon argent ? C'est le ministère qui va me payer ?

— Du calme... Ça va prendre du temps, Lotfi. Il faut d'abord qu'on ait des preuves concrètes.

Le Tunisien tapa du poing sur la table.

— Je me mouille pour vous, moi ! Je risque ma peau ! Si vous pouvez pas me promettre l'argent et un refuge aux États-Unis, je laisse tomber ! Je vais pas me faire tuer pour vous, moi !

— Calmez-vous, monsieur Ben Kahla ! Je vous l'ai dit, si vos informations nous permettent d'arrêter les poseurs de bombes, vous serez payé, comme promis. Mais, pour l'instant, on n'a aucune preuve.

— Alors dépêchez-vous de louer l'appartement, que je puisse vous les donner, vos preuves !

Batiza soupira. Il savait que la partie, avec sa direction, était loin d'être gagnée.

— Je vais voir ce que je peux faire.


# 106

## 4 mars 1987, Karak Nouh


Rudi Girard entra en début d'après-midi, au volant de sa camionnette, dans la ville de Karak Nouh. La bourgade était un lieu de passage obligatoire, à mi-chemin entre Beyrouth et Baalbek, fief du Hezbollah.

Une fois par mois, Rudi avait rendez-vous dans ce restaurant réputé sur la route de Baalbek. Cela faisait partie des quelques trajets qu'il devait effectuer régulièrement pour crédibiliser sa couverture de représentant d'une fabrique d'arak. Petit à petit, il avait sympathisé avec le patron de l'établissement et, quand bien même le jeune ingénieur n'était pas obligé de jouer les officiers traitants, il avait pris l'habitude – à la grande joie de Dartan – de venir glaner quelque information auprès du restaurateur, une source qui s'était révélée plusieurs fois de haute valeur.

Comme à son habitude, le jeune homme aux courts cheveux blonds gara sa camionnette à l'arrière du bâtiment et entra dans le restaurant en traînant derrière lui sa valise à roulettes, pleine d'échantillons qu'il disposa un par un sur le comptoir.

À quelques centaines de mètres de l'université Saint-Esprit de Kaslik, célèbre institution chrétienne maronite, Bilal el-Lakkis, le patron du restaurant, épargné par les prescriptions islamiques sur l'alcool, était réputé pour servir d'excellents araks en apéritif ou en accompagnement de ses délicieux mezzés. Les touristes, les étudiants et les chrétiens de la ville se pressaient chez lui pour goûter son arak sans vergogne, d'autres le buvaient plus discrètement...

— Ah ! Mon ami ! l'accueillit le maronite en ouvrant grand les bras. Qu'est-ce que tu m'as apporté de bon, aujourd'hui ?

— Un arak distillé avec le meilleur anis vert que tu aies jamais goûté, Bilal ! Tu vas m'en donner des nouvelles !

Le patron du restaurant ne se fit pas prier. Il était près de 15 heures, et les clients étaient tous partis. Il ne restait que sa femme, qui terminait de ranger la grande salle.

Les deux hommes burent ensemble quelques gorgées, échangeant très doctement sur la qualité de la distillation de cette eau-de-vie anisée, comme deux authentiques œnologues, puis M. El-Lakkis invita finalement Rudi à le suivre dans son bureau, pour remplir un bon de commande.

— Alors, mon ami, tu as trouvé ce que je t'ai demandé ? demanda Rudi en prenant place sur le fauteuil en face du Libanais.

Bilal écarta les mains en prenant un air soucieux.

— Eh... Ce n'est pas une chose facile à trouver, Rudi. Pas facile du tout.

— C'est pour ça qu'elle vaut cher, Bilal, répliqua le jeune ingénieur de la DGSE en tapotant sur la poche de sa veste.

— Tu sais comment c'est ! Avec les combats, les affaires sont dures.

— Allons, vieux filou ! Les gens ne consomment jamais autant d'alcool que dans les périodes difficiles...

— Mais ils ont moins d'argent.

— Tu ne seras pas déçu, si tu m'as trouvé ce que je cherchais.

Le patron du restaurant fit un signe de tête vers une enveloppe posée sur son bureau.

— Je vais refaire ma carte, bientôt. Ma femme n'arrête pas de trouver de nouvelles idées.

— C'est une excellente cuisinière, répondit Rudi tout en ouvrant l'enveloppe.

Il déplia le papier glissé à l'intérieur, lut le texte puis le rangea aussitôt dans sa poche avec un sourire. L'information du restaurateur était plus précieuse encore qu'il ne l'avait espéré.

— C'est bien de se développer comme ça, Bilal, tu vas avoir encore plus de clients avec une nouvelle carte, dit-il en posant à son tour une enveloppe sur le bureau.

Les yeux de M. El-Lakkis se mirent à briller quand il jaugea de l'épaisseur du cadeau.

— Et je pourrai te commander encore plus d'arak ! Tiens, tu peux me signer ma commande pour le mois prochain, dit Rudi en lui tendant une nouvelle feuille.

C'était, en réalité, un reçu pour la somme qu'il venait de lui donner. La comptabilité de la DGSE était stricte à ce sujet. Les officiers devaient toujours fournir un reçu quand ils payaient une source en liquide.

L'ingénieur venait de se lever quand on frappa à la porte.

— Qu'est-ce que c'est ?

La femme du patron passa la tête par l'ouverture.

— Il y a des clients qui viennent d'arriver, expliqua la petite femme.

— Oh ! Dis-leur qu'on ne sert plus avant ce soir ! s'agaça Bilal en se levant.

— Ce sont des musulmans, insista son épouse d'un air entendu.

— Et alors ?

— Ils ont l'air Hizbu-llah, murmura-t-elle.

Le restaurateur échangea aussitôt un regard inquiet avec l'officier de la DGSE.

— Qu'est-ce que je fais, Rudi ?

Le jeune homme s'efforça de sourire. En vérité, il n'était pas plus rassuré que son informateur. Mais il ne devait pas le montrer. À cet instant, il pensa à Dartan, son mentor, et il se demanda comment celui-là aurait réagi.

— Va les recevoir, ne t'occupe pas de moi.

M. El-Lakkis grimaça, puis il acquiesça et sortit de son bureau.

Rudi lui emboîta le pas mais, plutôt que de se diriger comme lui vers la salle du restaurant, il obliqua à gauche vers la réserve et, le cœur battant, essaya d'entendre ce qui se disait dans la pièce à côté. Sa couverture pouvait-elle avoir été compromise ? Ou bien les miliciens venaient-ils mettre la pression sur ce commerçant chrétien, comme cela se faisait de plus en plus souvent sur la route de Baalbek ?

— *Messieurs*, entendit-il en arabe à travers le mur, *je suis désolé, la cuisine est fermée. Mais je peux vous servir du thé, si vous voulez. Ou autre chose ?*

— *Tu sers de l'alcool, ici ?*

Girard serra les dents et regarda la fenêtre de la réserve. S'il devait fuir, sa camionnette était juste de l'autre côté.

— *Bien sûr ! Depuis 1967, la maison a toujours servi de l'alcool, messieurs. Nous avons les meilleurs vins libanais.*

La conversation sembla s'arrêter. Aucun bruit.

Pour Rudi, il était impossible d'être certain qu'il avait été compromis. Mais c'était une éventualité. Il connaissait le protocole.

Le plus discrètement possible, il se dirigea vers la sortie arrière du restaurant et se précipita vers sa camionnette. Il ouvrit la portière, se pencha pour desserrer le frein à main et poussa le véhicule de toutes ses forces pour l'éloigner le plus possible du restaurant sans avoir à démarrer le moteur.

Le bruit des pneus sur la terre, la chaleur étouffante... Tous les deux pas, Rudi se retournait, en nage, pour vérifier que les intrus ne l'avaient pas repéré. Seul contre eux, sans soutien, il n'avait aucune chance. On avait beau avoir imaginé mille fois ce genre de scénarios, le vivre vraiment était tout autre chose. Les dents serrées, il pouvait sentir le sang battre contre ses tempes comme un tambour funèbre.

Arrivé enfin au bout du parking, il grimpa dans l'estafette, démarra, s'engagea dans un chemin de terre et rejoignit la grande route en contournant le quartier par l'ouest. Quand le restaurant disparut au loin dans le miroir de son rétroviseur, il poussa un cri dans l'habitacle de la camionnette, comme pour relâcher la pression.

Arrivé sur la grande route, il retrouva peu à peu son calme, mais se demanda bientôt si Dartan n'allait pas lui demander d'abandonner, pendant un temps au moins, cette source fidèle, qui venait de lui livrer une information de la plus haute valeur.

Il espérait seulement que, si sa couverture avait effectivement été compromise, M. El-Lakkis n'en payerait pas les frais.

# 107

## 5 mars 1987, Paris

— Asseyez-vous, Arnaud.

Au regard de Jean-François Clair, Batiza comprit immédiatement que le dossier Ben Kahla venait enfin de prendre un tournant décisif.

— Les analystes ont fait un boulot remarquable, expliqua le directeur de la Division T avec un large sourire. Vous allez être content, Arnaud.

— Je vous écoute, patron.

— Vous vous souvenez de l'arrestation des frères Hamade, il y a deux mois, en Allemagne ?

— Oui, bien sûr.

Le 13 janvier, le Libanais Mohammed Hamade – un terroriste soupçonné d'avoir participé au détournement du Boeing de la TWA en 1985, et qui faisait donc l'objet d'un mandat d'arrêt international lancé par les Américains – avait été arrêté par la police allemande, sous une fausse identité, lors d'un contrôle de routine à l'aéroport de Francfort, alors qu'il s'en revenait de Beyrouth. Dans ses valises, les douanes étaient tombées sur trois bouteilles d'arak, marchandise étonnante pour un musulman de son acabit. Sauf qu'à l'intérieur de ces trois récipients, au lieu du fameux alcool libanais, ils avaient découvert du nitrate de méthyle, un liquide hautement volatil et explosif ! Mohammed Hamade avait aussitôt été arrêté. Moins de dix jours plus tard, la police allemande interpellait aussi son frère, Abbas Hamade, qui était venu du Liban en croyant pouvoir négocier sa libération !

Les deux frères faisaient partie du clan Hamade, dont l'aîné, Abdelhadi – introuvable lui – était considéré par de nombreux Services comme étant l'un des principaux cerveaux des services secrets du Hezbollah. Une cible de Haute Valeur, comme on disait.

— Eh bien, continua Clair, figurez-vous que nos analystes ont comparé le rapport des Services allemands avec le compte rendu d'entretien que vous nous avez remis après votre dernière entrevue avec Lotfi, et que les coïncidences sont… plus que troublantes.

— Mais encore ?

— D'abord, le numéro de téléphone et l'adresse de Fouad Ali Ben Saleh, à Malakoff, que Ben Kahla vous a fournis, apparaissent comme par hasard sur un répertoire confisqué aux frères Hamade ! Ils étaient inscrits sous le nom d'Ali « le Tunisien ».

— C'est le surnom de Fouad !

— Oui. Ce qui signifie donc que deux terroristes en possession d'un explosif liquide étaient en contact avec votre bonhomme, Arnaud !

— Bingo.

— Mais ce n'est pas tout : les frères Hamade ont fini par avouer à la police allemande l'identité de la personne qui leur avait remis ces explosifs au Liban. Il s'agit d'un certain Ibrahim Akil, alias Tashin. Ça vous dit quelque chose ?

Un sourire se dessina sur le visage du commissaire.

— Bien sûr ! C'est l'un des cinq noms qui figuraient sur le papier récupéré par Dartan dans l'appartement du Vautour ! On pensait ne pas l'avoir logé lors de la rafle, mais Olivier est persuadé que c'est celui qui a utilisé la carte d'identité d'Ali Ghosn, le frère handicapé de Hassan Ghosn. Si c'est bien lui, ça veut dire qu'il faisait partie des lascars que le procureur Marsaud a renvoyés au Liban sans les inquiéter…

— Exactement.

— Dartan avait donc raison depuis le début ! Et Lotfi ne nous a pas menti. L'implication de Fouad Ali Saleh est plus que crédible !

Le directeur sourit en voyant l'excitation de son subalterne. Le vent commençait enfin à tourner !

— Plus que crédible, acquiesça-t-il. Vous l'avez logé ?

— Oui. On a pris des photos de lui dans le restaurant Spécialités Orientales de la Goutte d'Or, lors des surveillances de Lotfi. Et les collègues l'ont vu plusieurs fois à Malakoff et à Montmartre, chez ses beaux-parents. J'ai des clichés de lui sous tous les angles !

— Vous savez ce que ça veut dire, Arnaud ?

— Qu'on va pouvoir suivre le plan de Lotfi ?

— Le patron est d'accord pour que vous louiez à M. Ben Kahla un trois-pièces et que vous lui donniez 30 000 francs pour lancer son école coranique. On va les ferrer, ces ordures !

# 108

## 5 mars 1987, Ampuis

— Quand est-ce qu'on va savoir si c'est une fille ou un garçon ?

Pauline secoua la tête en souriant alors que le paysage de la campagne lyonnaise défilait autour d'eux sur la petite départementale.

— Vous faisiez quoi, à l'école, pendant les cours de biologie, *monsieur Masson* ? On ne le saura qu'à la deuxième échographie, au quatrième mois ! Pourquoi ? T'as envie de savoir ?

— Évidemment ! répliqua Marc sans quitter les yeux de la route.

Cela faisait plus d'un mois qu'il n'avait pas eu de nouvelles d'Olivier, et le jeune homme avait bien du mal à s'habituer au rythme que sa double vie lui imposait. Mener ainsi deux existences parallèles – dont l'une, il fallait bien le reconnaître, était plus excitante mais plus rare que l'autre – entraînait inévitablement de nombreux questionnements. Où était sa vraie vie ? Était-elle dans les bras de cette douce compagne qui attendait leur enfant, ou bien dans l'exaltation des missions secrètes qu'on lui confiait ponctuellement ? Et s'il n'avait dû en choisir qu'une ? L'amour ou le feu ? La lumière d'une vie sociale, ou l'ombre de l'action clandestine ? Dans l'une de ces existences, il était un tireur d'élite, un combattant extraordinaire qui risquait sa vie pour sa patrie. Dans l'autre, il n'était qu'un chauffeur de camions ordinaire, mais aussi, bientôt, un père... Pauline avait terminé sa période d'essai à la librairie et avait été embauchée. Ils vivaient à présent ensemble et tout se mettait en place peu à peu. En acceptant d'aller rencontrer ce jour-là le père de Pauline, Marc avait l'impression de prendre enfin véritablement conscience qu'il était sur le point de « fonder une famille ». Et l'idée lui procurait autant de joie que de peur.

— Et tu voudrais quoi ? Une fille, ou un garçon ?

— Je serais heureux dans les deux cas, répondit Marc prudemment. Mais, si je devais vraiment choisir, eh bien... une fille !

— Pourquoi ?

— Les garçons, c'est nul.

— On est arrivés, lâcha Pauline en riant.

Le domaine familial de la famille Sainte-Croix, basé à Ampuis, s'étendait sur près de douze hectares, dont la plupart des vignes étaient en Côte Rôtie. C'était l'un des plus prestigieux de l'appellation contrôlée, ce dont Pauline ne s'était jamais vantée, elle qui avait décidé de faire sa propre vie loin de l'aventure familiale, et qui s'était toujours refusée à demander à son père la moindre aide financière.

Sans être glacial, l'accueil du patriarche fut d'une chaleur bien plus modeste que la maison de maître à la porte de laquelle il apparut ce dimanche matin-là.

— Papa, je te présente Marc, fit Pauline après une bien sobre bise.

— Édouard, enchanté.

Marc, que cette visite de courtoisie mettait mal à l'aise, serra vigoureusement la main tendue. M. Sainte-Croix avait cette élégante allure de l'aristocrate de campagne, un corps et des mains de travailleur, des habits chics mais crottés. Un gentleman-farmer. Au fond, le jeune homme songea qu'il n'était pas mécontent de pouvoir découvrir les racines de sa compagne, quand bien même elle s'en était volontairement éloignée le plus possible.

— Vous avez là un domaine magnifique.

— Merci. Il est chez les Sainte-Croix depuis sept générations. Quand mes neveux reprendront la main, cela fera huit. J'aurais aimé que mon fils puisse continuer l'aventure, mais... la vie en a décidé autrement. Vous êtes dans quel secteur, vous ?

Marc se pinça les lèvres pour ne pas rire.

*Je suis assassin pour la République, depuis une seule génération.*

— Oh, j'ai touché un peu à tout. L'armée, le voyage, l'aventure... En ce moment, je suis chauffeur poids-lourd.

Le viticulteur s'efforça maladroitement de masquer une évidente déception.

— Ah ! À l'autre bout de la chaîne, alors ! C'est vous qui livrez nos bouteilles...

— Ah, pardon, mais je vais beaucoup plus loin que ça dans la chaîne : c'est moi qui les bois !

Le père de Pauline lâcha enfin son premier sourire.

— À la bonne heure ! Nous allons vous en faire déguster une ou deux, dans ce cas ! Je nous ai préparé un bon déjeuner.

Il les invita à entrer dans la belle demeure bourgeoise, dont l'intérieur était, à vrai dire, plutôt chichement décoré.

— Asseyez-vous, dit-il tout en allant chercher une bouteille.

Marc et Pauline prirent place dans le salon, autour de la table basse où le paternel avait disposé quelques petites tartines de foie gras. Contrairement à ce que la jeune femme avait craint, visiblement, son père avait fait des efforts pour les recevoir.

En regardant autour de lui, Marc découvrit les nombreuses photos où l'on voyait le portrait d'une femme et d'un jeune homme. La mère de Pauline et son frère. Décédés dans un accident de voiture, ils étaient présents partout où se posait le regard, comme deux fantômes familiers.

— Je vais vous faire goûter notre condrieu. Il est un peu épicé et se marie très bien avec le foie gras…

— Tu as sorti le grand jeu, papa !

— Ce n'est pas tous les jours que ma fille daigne venir me voir ! J'ai bien l'intention de te donner envie de le faire plus souvent. C'était le vin préféré de ta maman.

Décidément, le viticulteur semblait bien plus sympathique que ne l'avait laissé imaginer le tableau que Pauline avait dressé de lui. L'homme servit trois grands verres de vin blanc, prit place en face du jeune couple et trinqua avec eux.

— Alors ! Cette nouvelle ? dit-il. Je m'attends forcément à une grande nouvelle !

# 109

## 5 mars 1987, Beyrouth

Olivier Dartan arriva en fin de soirée dans le petit appartement de la DGSE situé à la périphérie du quartier de l'ambassade. Le message de Rudi Girard ne laissait aucun doute. *Nous avons de bonnes bouteilles pour l'ambassadeur.* En langage décodé, cela signifiait que l'ingénieur avait récupéré un renseignement de haute valeur.

— J'ai logé Abou K., l'un des trois poseurs de bombes du Drakkar, annonça fièrement le jeune homme avant même de saluer son chef de poste.

Un sourire illumina le visage de Dartan. Depuis un mois, il avait lui-même désespérément cherché à trouver la trace des trois terroristes du Djihad islamique révélés par les sources du colonel Gautier. Le fait que ce soit son petit protégé qui lui apporte l'information sur un plateau d'argent l'emplissait de joie. Il ne s'était donc pas trompé en plaçant tant d'espoirs dans cette petite tête blonde. Girard n'était pas seulement un excellent technicien.

— Bien joué, Rudi. Bien joué ! Il est où ?

— Il *serait* à Bad Oeynhausen, une ville allemande en Rhénanie-du-Nord-Westphalie. J'ai jeté un coup d'œil, ça tient la route : il y a une forte communauté de chiites intégristes libanais là-bas.

— Tu as une adresse précise ?

Girard hocha la tête en posant son compte rendu d'entretien sur la table.

— C'est du bon boulot, Rudi. Du très bon boulot pour un petit ingénieur qui n'est pas censé aimer sortir de son bureau. On va envoyer ça à Paris.

— Merci, patron. Malheureusement, il y a peut-être un petit problème, lâcha Girard avec un sourire triste, bien malgré lui.

Dartan fronça les sourcils.

— Lequel ?

— Eh bien… Il y a un risque, léger mais bien réel, que moi ou ma source aient été compromis, soupira Rudi d'un air gêné, comme s'il avait honte.

La mine grave, il raconta à son chef de poste, par le détail, l'irruption des Hezbollah dans le restaurant de Bilal el-Lakkis, au moment même où il traitait sa source.

— Tu n'y es pour rien, Rudi… C'est juste un foutu manque de bol. Tu as fait ce qu'il fallait.

— J'ai surtout peur pour mon informateur, Olivier.

— Il va falloir vérifier. Mais pas toi. Tu n'y mets plus les pieds jusqu'à nouvel ordre, OK ? Tant qu'on n'est pas sûrs que ce n'était qu'une coïncidence, tu restes derrière tes foutus ordinateurs.

Girard acquiesça d'un air embarrassé. Il savait qu'une simple suspicion de compromission pouvait, au mieux, l'obliger à quitter Beyrouth pour un autre poste, au pire, le mettre sur la liste noire d'un nombre considérable d'organisations terroristes.


# 110

## 5 mars 1987, Ampuis

Pauline échangea un regard avec son compagnon.

— Alors ? Mariage, ou naissance ? insista son père, le verre dans la main.

490

— Naissance, répondit enfin la jeune femme en posant la paume sur son ventre. Mais je n'en suis qu'au premier mois, il faut rester prudent...

— Eh bien, félicitations !

— Merci papa.

M. Sainte-Croix poussa un discret soupir mélancolique.

— Qu'est-ce qu'il y a ?

— Rien. Je dois être un peu ému, c'est tout...

Pauline hocha la tête avec un sourire triste. Elle devinait aisément que son père, à cet instant, devait penser à sa femme et à son fils.

— Tu ne devrais peut-être pas boire d'alcool, du coup, reprit le père, comme pour changer de sujet.

— Un petit verre ne fait pas de mal.

Le père hocha la tête et en profita pour boire une gorgée en se calant dans son fauteuil.

— J'espère ne pas vous heurter en posant la question, mais... vous êtes ensemble depuis combien de temps ?

— Presque huit mois, répondit Marc. Les choses sont allées un peu vite, mais nous sommes ravis.

— Et... vous vivez ensemble ?

— Oui. Nous sommes dans un petit studio, place Bellecour, mais nous allons bientôt déménager pour avoir plus de place.

— Si tu as besoin d'aide, ma chérie...

— Non, non, papa, on se débrouille très bien, merci.

— Tu as du travail ?

Elle poussa un soupir amusé.

— Oui, papa, je suis libraire, à Lyon, chez Decitre.

— Vraiment ? Chez Decitre ? Mais c'est formidable ! Formidable ! Ta mère aurait été fière de toi. Elle aimait beaucoup les livres. Ma fille vous a parlé de sa maman, Marc ?

— Oui, bien sûr...

En vérité, Pauline ne s'était jamais montrée bien bavarde au sujet de sa mère et de son frère. Le sujet ne faisait que très rarement irruption, et Marc n'avait jamais insisté, se doutant que le souvenir était trop douloureux.

Quelques instants plus tard, ils finirent leur apéritif et passèrent à table, pour déguster le délicieux repas que M. Sainte-Croix avait préparé. En plus d'un excellent viticulteur, l'homme s'avéra être un fameux cuisinier et l'alcool chassa rapidement la petite gêne des retrouvailles. Petit à petit, tout le monde se mit à parler avec plus de naturel, moins de retenue.

— Je crois que je te dois des excuses, Pauline. Quand ta mère et ton frère nous ont quittés, je n'ai pas été tout à fait à la hauteur...

— Ça va papa... Ne parlons pas de ça.

— Si, si. Je comprends très bien que tu sois partie. Ça m'a fait beaucoup de peine, bien sûr, parce que j'aurais aimé que tu travailles ici avec moi, mais j'ai fini par accepter, par comprendre. Et tu as l'air heureuse aujourd'hui, dans ce que tu fais.

— Très.

— Bon... J'aurais bien aimé que tu me donnes un peu plus de nouvelles, bien sûr...

— Tu ne m'en as jamais donné non plus.

— C'est vrai. Mais un homme doit d'abord assurer son travail, tu comprends ?

Marc, de son côté de la table, grimaça en sentant venir les complications.

— Un homme ? s'offusqua Pauline. Ah, parce qu'une femme, elle n'a pas à assurer son travail ?

— Si, bien sûr... Mais tu comprends ce que je veux dire.

— Non.

— Eh bien, moi, j'ai le domaine à gérer, c'est un travail monumental, un héritage très lourd, qui me donne du souci tous les jours, surtout depuis ce qui est arrivé... Je n'ai pas une seconde à moi.

— Et c'est ma faute ?

Marc serra la cuisse de sa compagne sous la table, comme pour l'inciter à laisser tomber ce sujet glissant...

— Non, ce n'est pas ce que je veux dire, mais c'est normal que je m'attende à ce que ce soit toi qui me donnes des nouvelles. Tu es ma fille, quand même...

— J'ai moi aussi un travail *monumental*, et c'est normal que je m'attende à ce que ce soit toi qui me donnes des nouvelles. Tu es mon père, quand même...

Édouard secoua la tête.

— Allons ! Je suis sûr que tu te fous complètement d'avoir de mes nouvelles !

Marc sourit intérieurement en songeant que ce n'était pas tout à fait faux. Pauline n'avait jamais manifesté la moindre envie d'avoir des nouvelles de son père. Il espéra toutefois que la conversation allait pouvoir rapidement dévier vers quelque sujet plus léger.

— Alors nous sommes quittes, dit Pauline d'un air provocateur.

— Ah ! Les femmes ! lança M. Sainte-Croix en tournant les yeux vers Marc, espérant y trouver un regard complice.

Marc se contenta d'un sourire gêné...

— J'espère qu'elle est plus facile avec vous qu'elle ne l'a été avec moi, mon pauvre ami !

— Votre fille est délicieuse, Édouard. Elle a beaucoup de patience avec moi. Vous avez vraiment de bien jolis jardins, dites-moi...

Marc pointa du doigt en direction de la fenêtre, mais la diversion sembla ne pas fonctionner. Leur hôte commençait visiblement à être un peu éméché... Ses yeux brillaient davantage, ses gestes étaient plus amples, et ses paroles de moins en moins mesurées. Marc se mit à espérer que le repas ne durerait pas suffisamment longtemps pour que cela devienne véritablement problématique.

— Oh ! Pour l'instant, je ne doute pas qu'elle soit délicieuse, mais, vous allez voir, elle a du caractère, ma fille, elle n'est pas rigolote tous les jours...

— Et si vous me parliez plutôt de votre domaine, Édouard ?

— Elle ne vous en a pas parlé ?

— *Elle* a un prénom, s'emporta Pauline.

— Ah, non, bien sûr, suis-je bête ! Elle s'en fout complètement, du domaine familial.

— Papa...

— Quoi ? C'est vrai ! Tu t'en fous et tu t'en es toujours foutu. T'as eu la belle vie, toi. On t'a élevée, nourrie, logée, on a payé tes études, et le jour où il s'est passé ce qui s'est passé, au lieu d'assumer, basta ! Plus de nouvelles !

— La belle vie ? J'ai payé mes études toute seule, papa. J'ai *assumé*, comme tu dis.

Marc baissa la tête en se pinçant le haut du nez. Le père et la fille avaient visiblement atteint le point de non-retour, et il fut convaincu à cet instant que venir ici avait été, au fond, une fort mauvaise idée...

— Tu n'as pas tout assumé, non ! Et si tu avais eu la moindre reconnaissance, et un soupçon de culpabilité, tu serais au moins revenue l'été pour m'aider. Tu serais venue faire les vendanges !

— De *culpabilité* ? répliqua Pauline, furieuse, en tapant du poing sur la table. Qu'est-ce que tu veux dire, exactement ?

La jeune femme dévisagea son père avec un regard empli de colère.

— Euh... Et donc, dans le Côte-Rôtie, il y a de la syrah et du viognier, c'est bien ça ? intervint Marc, avec une sorte de sourire tendu.

— Qu'est-ce que ça peut vous foutre ? grogna Sainte-Croix, comme si sa véritable nature se libérait enfin après s'être trop longtemps retenue. Allez conduire vos camions et m'emmerdez pas avec vos questions !

— Papa !

Pauline adressa à son compagnon un regard désolé, suppliant, presque.

— Elle vous a dit, ma fille ? Elle vous a dit comment ils sont morts ?

— Tais-toi ! hurla Pauline, avant d'éclater en sanglots.

Marc prit une profonde inspiration, attrapa la serviette sur ses genoux et la déposa lentement sur la table.

— Écoutez, Édouard, vraiment, je vous remercie pour votre accueil, pour ce repas délicieux, mais je crois que nous allons devoir vous laisser, maintenant.

Il se leva et partit derrière Pauline en lui faisant signe de se lever elle aussi.

— Oui, c'est ça, rentrez chez vous, tous les deux ! Ça ne sert à rien de faire semblant ! C'est trop facile de débarquer comme ça chez moi au bout de dix ans, comme par hasard quand vous allez avoir besoin de pognon pour élever un gosse !

— Ce n'est pas du tout pour ça que nous sommes venus ! s'exclama Pauline, qui venait de se lever.

— Prends-moi pour un con, en plus !

— Il faut dire que vous faites pas mal d'efforts pour en avoir l'air, intervint Marc en le regardant droit dans les yeux.

Le père de Pauline poussa sa chaise en arrière et se leva d'un bond.

— Il me traite de con, le routier ? C'est ça ? Je rêve pas, il vient de me traiter de con, chez moi, là ?

À cet instant, Marc lutta de toutes ses forces contre sa nature, tout au fond de son esprit, les voix de la raison le suppliaient de prendre Pauline par l'épaule, de tourner les talons et de partir. Mais, cette fois, la raison ne parvint pas à l'emporter.

— Le routier il vous emmerde !

À ces mots, le père de Pauline se jeta sur lui, la bave aux lèvres, comme électrifié par la haine, mais avant même qu'il n'ait pu attraper Marc par le col, il fut reçu par un puissant crochet qui lui dévissa la mâchoire en le renvoyant instantanément là d'où il était venu, dans un vol plané magistral. Le viticulteur s'étala de tout son long au milieu de la salle à manger, emportant avec lui la chaise où il était assis.

— Marc ! hurla Pauline alors que son compagnon, possédé à son tour par une indomptable fureur, se précipitait sur M. Sainte-Croix.

Il en était au quatrième coup de poing quand la jeune femme parvint enfin à le tirer en arrière et à l'arrêter.

Pauline, les joues trempées de larmes, resta un moment, le souffle court, horrifiée, à regarder Marc qui, les yeux injectés de sang, comme désincarné, la mâchoire serrée et les poings encore fermés, semblait ne plus pouvoir sortir de son état de rage pure. Le front baissé, le visage déformé par la colère, il ressemblait à un animal sauvage prêt à achever sa proie.

Quand il releva lentement les yeux vers elle, Pauline secoua la tête d'un air écœuré et courut hors de la pièce en sanglots.

Marc adressa un dernier regard au viticulteur allongé sur le sol qui, les yeux emplis de peur et le front maculé de sang, semblait le supplier de l'épargner.

— Vous êtes vraiment un sacré connard, Édouard.

Puis il sortit pour rejoindre Pauline.

Mais quand il arriva dans la cour du domaine, la jeune femme n'y était pas. Il la chercha partout autour de la maison, à l'intérieur, dans les dépendances, mais elle n'était nulle part, et il était déjà bien tard quand il comprit que Pauline avait dû rejoindre à pied la station de bus.

Quand il ouvrit la portière de sa voiture, il vit apparaître M. Sainte-Croix sur le pas de sa maison, le visage tuméfié, tenant dans ses mains un mouchoir taché de sang.

— Elle est partie, lâcha le viticulteur en le regardant d'un air sardonique. Comme avec moi. Comme elle le fait toujours. Vous ne la reverrez pas.

— Allez vous faire foutre.

# 111

## 12 mars 1987, Paris

Il était 9 heures du matin quand la camionnette maquillée se gara devant le 44 bis de la rue de la Voûte, dans le 12e arrondissement de Paris. C'était un bel immeuble de cinq étages, typique de la fin du XIXe siècle, avec une façade à briques rouges. La ruelle discrète, qui longeait la ligne du métro aérien, à quelques pas du cours de Vincennes et des boulevards extérieurs, était peu fréquentée à cette heure-là. Le vieux café, juste en bas de l'immeuble, ne comptait que deux clients, des habitués.

Comme convenu, la DST avait loué l'appartement au nom de M. Ben Kahla, à l'aide de trois fausses fiches de paie soigneusement concoctées par les Services. Lotfi s'était rendu dans l'agence immobilière d'un Honorable Correspondant des Services et avait fourni lui-même les justificatifs et la caution que lui avait remis Batiza. La couverture était en règle.

Les deux techniciens de la DST, déguisés en employés du gaz, sortirent de l'estafette et montèrent tranquillement au troisième étage, dans l'appartement où Ben Kahla allait bientôt pouvoir installer sa vraie fausse école coranique. D'ordinaire, « sonoriser » le domicile d'un suspect demandait une préparation et des précautions considérables, pour ne pas être pris. Mais, ce jour-là, le contexte était bien plus aisé : le locataire de l'appartement étant au courant et n'ayant pas encore investi les lieux. Ce fut une véritable partie de plaisir, et les deux collègues purent travailler tranquillement, méticuleusement. Détournement de la ligne téléphonique directement vers le service d'écoute de la rue Nélaton, installation de plusieurs micros dans toutes les pièces, ils ne lésinèrent pas sur les moyens : une taupinière de luxe ! Ils eurent même le temps de procéder en direct à plusieurs tests avec les Services.

Il était à peine midi quand Batiza reçut dans son bureau le coup de fil qu'il attendait avec impatience.

— C'est bon. C'est branché, chef.

Il raccrocha avec un sourire satisfait.

Le piège était enfin amorcé.


# 112

## 12 mars 1987, Lyon


Quand il était rentré à Lyon le soir de leur dispute, Marc avait trouvé le studio de la place

Bellecour tel qu'il l'avait redouté : Pauline, arrivée avant lui, était passée prendre quelques affaires et s'en était allée.

Ayant abandonné depuis longtemps son ancien appartement de Sathonay, la jeune femme n'avait pu trouver refuge qu'en deux endroits : à l'hôtel ou chez une amie. En cherchant un peu, Marc savait pertinemment qu'il aurait pu la retrouver sans peine. Mais, malgré l'envie dévorante de la serrer dans ses bras, de lui dire qu'il était désolé, il avait fini par se résoudre à l'idée que ce n'était pas la meilleure solution. S'il voulait avoir une chance de recoller les morceaux, sans doute fallait-il laisser à Pauline un peu d'air.

Pendant une longue semaine, il avait tourné en rond dans son appartement pour ne pas s'éloigner du téléphone. Mais celui-ci était resté cruellement silencieux et Marc, le regard hébété, passait ses journées à vider des bouteilles de rhum sans pouvoir trouver la paix. Avait-il tout gâché ? Dartan l'avait plusieurs fois mis en garde sur la difficulté de préserver son couple quand on embrassait une carrière clandestine. Mais ce n'était pas cela, le problème. Le problème, c'était *lui*. Son caractère, son incapacité à contrôler sa colère. Et cette violence, furibonde, qui ne le quittait jamais, qui était toujours là, dans ses veines, prête à exploser. Cette violence qui ne faisait pas seulement partie de lui : elle le définissait.

Rongé par l'inquiétude tout autant que par la colère – contre lui-même – il finit par décider de se rendre, fébrile, à la sortie de la librairie ce jeudi soir-là. Il espérait être capable de trouver les mots justes pour que sa compagne accepte de lui donner une nouvelle chance. Car si les sept derniers jours lui avaient apporté une seule certitude, c'était qu'il ne pouvait pas vivre sans elle.

Quand Pauline apparut enfin devant chez Decitre et qu'elle croisa son regard depuis le trottoir, elle secoua la tête d'un air dédaigneux, détourna les yeux et fila d'un pas preste.

— Pauline ! cria Marc en la rattrapant.

— Fous-moi la paix !

— On peut quand même parler, non ?

— Je n'ai rien à te dire ! lâcha-t-elle en repoussant sa main comme il essayait de la retenir par le bras.

— Mais moi, si !

— Je m'en fous !

— Non, tu t'en fous pas ! T'as besoin d'entendre ce que j'ai à te dire !

La jeune femme s'immobilisa et fit volte-face pour le regarder droit dans les yeux. Elle avait, comme lui, les traits tirés, la mine sombre.

— Je n'ai pas envie de t'écouter. T'écouter me dire que tu es désolé. Je m'en fous, Marc. C'est fini ! Et maintenant, fous-moi la paix. S'il te reste encore un tout petit peu de respect pour moi, laisse-moi tranquille, j'ai besoin d'être seule. Tu as tout gâché !

— Mais t'es pas seule, justement ! répliqua-t-il. Tu portes notre enfant ! Et moi… je peux pas vivre sans vous.

— Et nous, on ne peut pas vivre *avec* toi. Alors fous-moi la paix !

Elle se débattit de nouveau quand il tenta de la reprendre par le bras.

— C'est parce que tu peux pas taper sur ton père que tu concentres toute ta colère sur moi ? Je paye pour lui, c'est ça ?

— Va te faire foutre !

— J'aurais jamais dû en venir aux mains, je le sais, et je m'en veux terriblement, mais reconnais que ton père s'est vraiment comporté comme un sale con ! Tu étais…

500

— Que mon père soit un sale con, je le sais depuis toujours, Marc ! Et je suis obligée de faire avec, parce que c'est mon père. Mais que mon mec soit un sale con, c'est pas une fatalité : c'est moi qui l'ai choisi ! Et maintenant, je choisis de ne plus être avec toi. Parce que tu ne changeras jamais !

— J'ai déjà beaucoup changé, Pauline !

— Non ! C'est plus fort que toi ! T'es violent, extrêmement violent ! T'as ça dans ton putain de sang. Quand tu deviens comme ça, tes yeux… Putain, tes yeux ! Ils font peur, Marc ! Et c'est les tiens. C'est *tes* yeux ! C'est toi ! C'est qui tu es *vraiment*. Et un jour, ça sera plus sur des petits cons dans la rue ou sur mon salaud de père que tu taperas, ça sera sur moi. Ou sur mon enfant !

— Tu sais très bien que je ferais jamais ça…

— Je ne sais rien du tout, et je ne veux plus de toi dans ma vie. Tu as de magnifiques qualités, tu es un homme exceptionnel, et je t'ai vraiment aimé de toutes mes forces, mais il est grand temps que j'ouvre les yeux : tu ne changeras jamais. Ni pour moi, ni pour personne. Il y a une brute en toi, qui me fera souffrir toute ma vie. Et j'en ai marre de souffrir. J'ai assez donné comme ça. Maintenant, fous-moi la paix !

— Je peux pas, Pauline, je t'aime trop pour te foutre la paix, dit-il en l'attrapant par les épaules.

La jeune femme le repoussa violemment.

— Dégage ! hurla-t-elle d'une voix hystérique. C'est fini, je te dis ! Dégage !

Elle se retourna et partit vers le métro en trottant au milieu des passants pétrifiés.

# 113

## 15 mars 1987, Paris

Lotfi était entré dans l'appartement depuis trois jours seulement, et l'appât avait déjà fonctionné au-delà de toute espérance. Batiza, impatient, s'installa derrière son bureau de la rue Nélaton, déboucha sa bouteille de Caol Ila, vingt ans d'âge, et commença à lire les transcriptions des écoutes que le traducteur avait fait remonter dans les étages, jusqu'à la Division T. L'analyste de la section qui les avait lues juste avant lui avait pris la peine de marquer d'une croix rouge les extraits qui méritaient d'être lus en premier.

```
No. de transcription : 06-DT-87-03-01A
Date : 14 mars 1987
Heure début : 23 h 12
Heure fin : 23 h 16
Langue : Arabe
Identification : Lotfi BEN KAHLA - Fouad
ALI SALEH
```

LBK : Bienvenue, mon frère. Que Dieu te préserve !
FAS : Que la miséricorde te soit offerte.
LBK : Entre, mon frère.
FAS : C'est grand !
LBK : Oui, regarde, ici on pourra faire les réunions dans le salon. Je vais mettre d'autres chaises. Et il y a deux chambres là, et la cuisine qui est bien aussi.
FAS : Ça vaut le coup. Et tout ça avec l'argent de Qom. T'es un malin, Lotfi. Tu vas faire venir ta famille ?
LBK : Oui, dans quelques jours.
FAS : Je peux dormir ici, ce soir ?
LBK : Bien sûr. Tu ne dors pas à Malakoff ?

FAS : Non. Et je n'aime pas être chez mes beaux-parents, à Montmartre. Ils ne sont pas assez croyants, j'aime pas ça. Je suis content que tu sois revenu de Qom, mon frère. J'avais peur que tu restes là-bas pour toujours. Le vrai travail, c'est ici. On va bien travailler, tous les deux.

LBK : Si Dieu le veut.

Batiza survola avec satisfaction la fin de la première transcription annotée par son collègue, puis passa rapidement à une autre, où presque tout le texte était entouré de rouge. Visiblement, c'était une pépite.

No. de transcription : 06-DT-87-03-05A
Date : 15 mars 1987
Heure début : 10 h 37
Heure fin : 10 h 45
Langue : Arabe
Identification : Lotfi BEN KAHLA – Fouad ALI SALEH

FAS : Coupe la musique, s'il te plaît. [...] Je vais cacher du matériel ici avec Aroua. Je ne peux pas tout mettre chez les autres.

LBK : Quel matériel ?

FAS : Les explosifs. Mais sans les détonateurs. Je préfère séparer les choses, tu comprends ?

LBK : Oui, bien sûr. Mais où as-tu récupéré des explosifs ?

FAS : Ça vient du Liban. Ils ont un système infaillible pour me les envoyer, ça passe comme dans du beurre.

LBK : Ils font toujours comme ça ?

FAS : Non, la dernière fois, pour septembre, c'est moi qui avais ramené le matériel.

LBK : Toi ? Tu es fou ?

FAS : Je n'avais pas le choix. Les Hezbollah, ils m'avaient dit de ramener les pétards, je les ai ramenés. J'obéis aux ordres. Mais j'ai ma technique, moi aussi, t'en fais pas.

LBK : Mais t'aurais pu te faire prendre, comme les frères Hamade !

FAS : T'inquiète ! Je suis malin, moi. Je prends pas l'avion direct de Beyrouth à Paris. J'ai les bons itinéraires. Mes petites astuces.

LBK : Et tu avais tout ramené avec toi ?

FAS : Oui. Mais maintenant, c'est différent. C'est du liquide, c'est plus dangereux. Hypersensible. C'est les Libanais qui ont tout fait venir, avec leur système à eux. Ça marche bien aussi. Là, j'ai tout planqué chez mes beaux-parents, mais ce n'est pas sûr. C'est mieux ici. Après, j'irai tout enterrer dans la forêt, quand on commencera à recevoir du monde ici pour l'école. On en a déjà planqué pas mal dans la forêt.

LBK : Et comment tu vas amener les explosifs de chez tes beaux-parents jusqu'ici ? C'est très risqué !

FAS : Dans le taxi d'Aroua. Il a l'habitude. Il est bien, Aroua. Que Dieu le protège. C'est toujours lui qui s'occupe du transport, quand on peut pas le faire à pied. Sinon, je préfère tout faire à pied, moi. C'est plus facile de semer les flics. Il faut que tu mettes des meubles là, et là. Et un coffre avec un code, dans la chambre.

LBK : Mais, ton Aroua, là, il conduit aussi sur les opérations ?

FAS : Presque toujours ! Déjà quand c'était Mazbouh, et après avec Bassam. Il nous emmenait directement avec le matériel sur les lieux. Ça, on pouvait pas le faire à pied, tu vois…

LBK : Vous alliez faire les attentats en taxi ?

FAS : C'est pas des attentats. C'est des actes de résistance, Lotfi…

LBK : Oui, bien sûr. Mais c'est pas louche, un taxi ?

FAS : Non, au contraire ! Tu me fais rire, mon frère. Tu n'y connais rien. C'est pas ton truc, ça. Toi t'es un bon recruteur. C'est mieux si tu ne sais pas tout. Si je me fais arrêter, ou même si toi tu te fais arrêter, il faut jamais rien dire. Rien.

LBK : Bien sûr.

FAS : Donne-moi du thé.

LBK : Tiens. Mais Aroua, il est pas libanais ?

FAS : Non. Il est tunisien, comme nous. Pour la logistique, c'est mieux de prendre des Maghrébins.

LBK : Pourquoi ? On est plus fiables ?

FAS : Haha ! Mais non ! Pour pas qu'il y ait trop de liens avec les Libanais !

LBK : Mais, c'est les Libanais qui décident ?

FAS : Non, c'est les Iraniens. Mais c'est les Hezbollah qui nous transmettent les ordres, tu comprends ? Tu te doutes bien que c'est pas l'Imam directement qui m'appelle ! Mais c'est lui qui ordonne au départ. Après, les Libanais ils nous envoient l'artificier, et moi je m'occupe de la logistique. À Paris, c'est moi qui chapeaute tout, tu vois ?

LBK : Oui, je vois. Mais pourquoi c'est pas les Iraniens qui te donnent l'ordre directement ?

FAS : Tu en poses, des questions !

LBK : Si je veux t'aider, il faut que je comprenne un peu comment ça marche.

FAS : T'inquiète pas. Tu vas m'aider.

LBK : Alors pourquoi c'est pas les Iraniens ?

FAS : Parce que c'est mieux si les attaques sont revendiquées par un groupe.

LBK : Comme le CSPPA...

FAS : Oui, ou un autre. Le nom, on s'en fout. Ce qui compte, c'est que les médias ne puissent pas dire directement que c'est l'Iran. Sinon il pourrait y avoir une guerre. Tu as rien appris, à Qom, ou quoi ?

LBK : Je m'occupais pas trop des actions.

FAS : T'es un théologien, toi, mon frère, pas un guerrier. Moi, je suis un guerrier. Chacun son truc. Mais on sert tous les deux le Prophète.

LBK : Qu'Allah protège et reconnaisse le Prophète.

FAS : Allez, je te laisse, je vais aller manger chez Aïssa. Demain, j'amènerai le matériel avec Aroua. Après, on parlera de ce qu'on va faire ici. Tu as commencé à recruter, pour ton école ?

LBK : Non, pas encore. Je vais d'abord faire des tracts.

FAS : C'est bien. À tout à l'heure.

Batiza n'en croyait pas ses yeux. Une par une, les pièces du puzzle s'assemblaient enfin sous ses yeux. Un véritable miracle. Il allait commencer la lecture d'une troisième transcription quand Jean-François Clair entra dans son bureau, plus jovial que jamais.

— Vous avez tout lu ? demanda le directeur, le regard brillant.

— Pas encore.

— Il est bon, ce con, hein ? s'amusa Clair en montrant les feuilles étalées sur le bureau du commissaire.

— Incroyable. On dirait un collègue ! Il arrive à tout lui faire dire ! Un vrai accoucheur !

— Il faut dire que l'autre, il est bavard ! Au début, je me suis même demandé s'il n'était pas complètement mythomane... Mais je crois plutôt qu'il aime se vanter devant Lotfi.

— C'est aussi une façon de l'impliquer de force, en lui confiant des informations secrètes.

— En tout cas il balance des choses très précises. On va se régaler en vérifiant tout ça.

Batiza acquiesça. Les analystes allaient s'en donner à cœur joie. En à peine trois jours, les écoutes donnaient déjà des indications précises sur les donneurs d'ordre, l'Iran, sur ceux qui les transmettaient, le Hezbollah, sur ceux qui posaient les bombes, des artificiers libanais, et sur ceux qui géraient la logistique, des Parisiens dirigés par Fouad Ali Saleh. Tout l'organigramme des attentats parisiens commençait enfin à se dessiner.

— On a envoyé notre *Bulletin quotidien* à l'Élysée, à Matignon et à l'Intérieur. Ils sont sur le cul, Arnaud. Sur le cul !

À cet instant, le commissaire ne put s'empêcher de penser à Dartan, sans qui tout ceci n'aurait sans doute pas pu avoir lieu : c'était lui qui avait trouvé, en fouillant l'appartement du Vautour, la liste de noms par laquelle tout avait commencé. Une fois de plus, l'instinct d'Olivier avait été le plus juste.

— Je me doute. Qu'est-ce qu'on fait pour les explosifs que Fouad va apporter demain ?

— Pour l'instant, on laisse faire. On constate. Vous allez monter une opération pour le suivre de chez ses beaux-parents jusqu'à la rue de la Voûte. Mettez des cadors. Top discrétion. Il nous faut des photos, des preuves, des constats. Les écoutes, c'est déjà très bien, mais ça ne suffit pas. Le ministre va en vouloir plus.

— Entendu.

— Et rangez-moi ça, Batiza, dit-il en faisant un geste de la tête en direction de la bouteille de whisky. Je vous ai déjà dit que je ne voulais plus vous voir picoler en service, bordel ! Je vous aime bien, mais vous cherchez vraiment la merde.

— Je suis plus en service, patron. Je fais des heures sup, là. Comme vous. Vous voulez pas un verre, plutôt ?

— Jouez pas au con, mon garçon. Je vous rappelle que c'est moi qui rédige vos notes administratives.

Le directeur secoua la tête et sortit du bureau.

Batiza regarda la bouteille ambrée, soupira, puis versa quelques gouttes dans son verre avant de la remettre à regret dans son placard. À cet instant, il aurait vraiment aimé pouvoir partager ce single malt avec son ami Dartan. L'officier de la DGSE était le seul qui avait vu juste depuis le début, depuis le premier jour même, et, comme souvent, il ne récolterait sans doute jamais les lauriers qui lui revenaient de droit. Le commissaire se souvenait encore du jour où, plus d'un an auparavant, au lendemain des attentats du Printemps et des Galeries Lafayette, Dartan avait affirmé place Beauvau que l'opération portait la signature combinée de l'Iran et du Hezbollah, sous le regard sceptique du parterre d'éminents spécialistes du Cilat.

Malheureusement, à cette heure-là, Dartan n'était pas à Paris. D'après ce que Batiza savait, il ne rentrerait pas de Beyrouth avant quelques jours encore.

Ce n'était pas une raison pour rester la gorge sèche.

# 114

## 19 mars 1987, Paris

Quand Olivier Dartan arriva, quatre jours plus tard, boulevard Mortier, il était impatient d'en apprendre un peu plus sur les rumeurs qui couraient au sujet d'une grande avancée dans l'enquête de la DST sur les attentats parisiens. Il lui fallut toutefois attendre deux longues heures avant que le général Imbot puisse le recevoir dans son bureau.

Assis sur le rebord de sa fenêtre, il regardait, éreinté par le voyage, la cour centrale de la Piscine, au milieu du grand U que formaient les bâtiments de l'ancienne caserne, l'un des édifices les plus secrets de la capitale. La vue des arbres lui donna des envies de vacances avec Samia, à la campagne... Au milieu de la cour se dressait le petit pavillon qui abritait le bureau du directeur général, construit quelques années plus tôt par Pierre Marion. À l'époque, tout le monde à la Centrale s'était discrètement moqué de cette volonté quelque peu orgueilleuse du patron de se faire construire son petit palais personnel, mais il fallait bien reconnaître que Marion avait initié la transformation positive de la DGSE que le général Imbot poursuivait aujourd'hui. Il restait néanmoins tant de choses à faire...

Quand il fut enfin invité à se présenter dans le bureau du directeur, au milieu de la cour de Mortier, Dartan peina à masquer la fatigue qui lui coupait les jambes.

— La France est en train de reprendre la main, se félicita très sérieusement le saint-cyrien en lui faisant signe de prendre place.

— Vous en savez plus sur l'enquête de la DST, général ?

— Pas beaucoup, non. Vous savez comment ils sont...

Oui, guère mieux que nous, songea Dartan en se gardant bien de le dire à haute voix.

— Apparemment, ils ont trouvé une source en or, et le ministre a l'air de penser que les auteurs des attentats vont bientôt être démasqués. Mais je n'en sais pas plus.

*Batiza sera sans doute un peu plus loquace...*

— Mais ce n'est pas pour parler de la rue Nélaton que je vous ai fait venir, Olivier.

— Je vous écoute.

— Les exploitants ont bien bossé ici, avec l'aide de notre chef de poste à Berlin, de nos agents à Bonn et du BfV[1]. Abou K. a bien été logé à Bad Oeynhausen, sur la base de vos renseignements.

— Ce ne sont pas les miens, mais ceux de Rudi Girard, le jeune ingénieur qui bosse pour nous à Beyrouth.

— Vous pouvez le féliciter de ma part. Les collègues ont déjà rempli un solide dossier de RAF sur Abou K. Cette ordure mène une vie pépère dans un beau petit pavillon allemand.

— Ça ne m'étonne pas.

— Nous songeons à une opération. Il faut bien sûr que j'en parle d'abord à qui de droit, mais j'aimerais tout de même qu'on commence à la préparer.

Dartan fronça les sourcils.

— Et pourquoi vous m'en parlez ?

— Ce type est l'un des responsables de la mort de cinquante-huit de nos compatriotes à Beyrouth, Olivier. On est nombreux à rêver de s'occuper de lui. Mais c'est grâce à vous qu'on l'a retrouvé. Je me suis dit que vous voudriez peut-être... suivre l'affaire jusqu'au bout.

C'était bien aimable de la part du général, mais Dartan se doutait que la proposition ne relevait pas que de la pure gratitude.

— À ce stade, si je pense à la même chose que vous, ça relèverait plutôt du SA, non ?

— Bien sûr. Mais il me faut un officier qui connaît bien le dossier, pour superviser. Et puis... J'ai cru comprendre que vous aviez quelqu'un de très efficace sous le coude. Quelqu'un qui ne vient pas de chez nous. Ce ne serait pas une opération bien compliquée, mais plus l'exécutant est éloigné des Services, mieux c'est. Le petit incident d'Auckland a laissé ici de mauvais souvenirs...

---

1. *Bundesamt für Verfassungsschutz*, service de renseignement intérieur allemand.

Le « petit accident d'Auckland », c'était une bien pudique façon de parler du *Rainbow Warrior*...

— Je vois, répondit Dartan, sans se forcer à masquer son amusement. En gros, si ça tourne mal, vous préférez me refiler le bébé...

— Je pensais vous faire plaisir, lâcha le général. Mais je peux en effet confier ça au SA.

— Non, non, général, je plaisante. Je peux prendre le dossier en charge. Le colonel Gautier l'aurait certainement voulu.

— Nous le voulons tous. Nous le devons aux familles de nos cinquante-huit soldats, Olivier.

— Certes. J'aurais quand même préféré qu'on loge le Vautour, car les otages, eux, sont toujours détenus. Abou K., il est retiré des affaires. Il ne nous apportera rien de neuf.

— Ça tombe bien, il ne s'agit pas d'aller lui parler... Montez-moi une opération, et je vous dirai très vite si on a le feu vert.

# 115

## 21 mars 1987, Paris

No. de transcription : 06-DT-87-03-29A
Date : 20 mars 1987
Heure début : 21 h 17
Heure fin : 21 h 22
Langue : Arabe
Identification : Lotfi BEN KAHLA - Fouad ALI SALEH

FAS : Demain en fin d'après-midi, il faut qu'il n'y ait personne ici, mon frère.
LBK : Pourquoi ?

FAS : Je vais venir chercher les explosifs avec Aroua pour aller les enterrer à Fontainebleau. Il faut qu'on fasse un peu le ménage. On va recommencer dans quelques jours. On va faire fort cette fois-ci.

LBK : Je peux vous accompagner ?

FAS : Certainement pas ! C'est trop tôt encore pour toi. Tu n'y connais rien. Je vais faire ça avec Aroua et Aïssa. Eux, ils ont l'habitude. Toi, tu dois même pas être dans l'appartement. C'est plus sûr.

LBK : Tu veux que je parte vers quelle heure ?

FAS : Vers 18 heures.

Robert Pandraud, le ministre délégué chargé de la Sécurité, reposa la dernière transcription, tira sur sa pipe et leva les yeux vers le procureur Marsaud, Jean-François Clair et le commissaire Batiza, qu'il avait convoqués en urgence dans son bureau.

— Bien. Vous avez un plan d'arrestation ? demanda le ministre.

— Oui, répondit Jean-François Clair en agitant la chemise cartonnée qu'il avait dans la main.

— Et vous êtes sûrs que vous ne voulez pas les gars du Raid ?

— Sûrs, affirma le directeur de la Division T.

Batiza, lui, aurait préféré pouvoir s'appuyer sur l'équipe d'intervention, mais sa direction tenait à garder la main sur l'opération, sans doute pour que la gloire revienne tout entière au service. La veille au soir, rue Nélaton, Jean-François Clair avait chargé le groupe de protection de la DST de mettre en place le plan d'arrestation, certain que l'Intérieur ne tarderait pas à donner l'ordre. En tout, une vingtaine de policiers allaient participer à l'interpellation, si possible au moment où Fouad Ali Saleh et ses complices seraient en possession des explosifs, afin de caractériser le flagrant délit.

Le procureur Marsaud, resté en retrait, poussa un long soupir.

— Vous êtes certain de ne pas vouloir continuer les écoutes, monsieur le ministre ? demanda-t-il une nouvelle fois. On a encore beaucoup de choses à apprendre. On n'en est qu'au tout début, là. Il nous manque le nom des commanditaires, les Libanais, les Iraniens…

— Non. Le ministre de l'Intérieur et moi-même sommes catégoriques. Il faut les arrêter maintenant, mettre un terme à tout ça. Vous avez lu la transcription ? Ils vont repasser à l'acte !

— Ils ne vont pas monter ça en moins d'une semaine. À la vitesse où il parle, on pourrait élargir très largement la liste des coupables en continuant de surveiller Fouad Ali Saleh quelques jours de plus.

— La sécurité publique, c'est mon problème, pas le vôtre, monsieur le procureur. Ces types vont se balader dans la capitale avec du nitrate de méthyle. Si ça explose en plein Paris, ce n'est pas vous qui l'assumez, c'est moi.

— Je pense que vous avez parfaitement raison, intervint Clair en tapotant sur son dossier.

— En revanche, on pourrait peut-être les interpeller à Fontainebleau, non ? suggéra Batiza. En plein Paris, arrêter des types avec des explosifs, ce n'est sans doute pas idéal pour la sécurité publique, comme vous dites…

Jean-François Clair adressa un regard crispé à son subalterne, espérant lui faire comprendre que questionner ainsi les décisions du ministre délégué était fort déplacé.

— Je ne veux pas prendre le risque que vous les perdiez en route, répondit Pandraud. S'ils vous sèment, on perd l'occasion d'un beau flagrant délit. La décision est prise, n'en parlons plus.

Batiza hocha lentement la tête. Il ne pouvait pas insister davantage. La perspective d'arrêter Fouad Ali Saleh n'était, au fond, pas si désagréable que ça.

— L'opération sera mise en place en milieu d'après-midi, monsieur le ministre, affirma Jean-François Clair d'une voix rassurante.

De fait, il était 17 h 10 quand, dans le froid mordant de ce triste printemps, le dispositif de la DST s'installa tout autour du 44 bis de la rue de la Voûte.

Le groupe de protection, qui devait se charger directement de l'interpellation, était caché dans une camionnette banalisée, équipée de caméras et garée à quelques mètres à peine de l'entrée de l'immeuble. D'autres collègues étaient disséminés d'un bout à l'autre de la rue et dans les artères adjacentes, qui dans un bar, qui dans une voiture, qui dans la rue, respectant scrupuleusement le positionnement indiqué sur les grandes feuilles du plan d'arrestation. Batiza, quant à lui, était garé avec son équipe dans une berline aux vitres fumées, tout au bout de la rue en sens unique, à l'angle des boulevards extérieurs. Tout ce petit monde était relié par radio. Au top départ, l'étau devait se refermer, ne laissant aucune échappatoire possible aux terroristes.

Selon les écoutes, les policiers s'étaient attendus à voir débarquer le taxi du fameux Aroua, une Peugeot 505 grise, entre 18 heures et 19 heures. À 20 heures, Batiza poussa ses premiers soupirs. À 21 heures, il commença à se demander si l'opération prévue par Fouad Ali Saleh n'avait pas été annulée ou reportée. À 22 heures, il se demanda même s'ils n'étaient pas tombés eux-mêmes dans un piège. Et si Ben Kahla avait joué double jeu et prévenu Ali

Saleh ? Près de cinq heures qu'il attendait avec ses collègues dans la voiture, et toujours rien ! Il imaginait aisément le désespoir de ceux qui planquaient dehors, dans le froid, obligés de changer régulièrement de place et d'apparence pour ne pas attirer l'attention.

Il était 22 h 10 quand l'annonce de la radio les fit tous sursauter.

— *Métabo à toutes les stations. Le Casier vient d'entrer dans la rue, je répète, le Casier vient d'entrer dans la rue.*

Un silence de plomb s'abattit sur la berline. Batiza se redressa immédiatement sur son siège et monta le volume du récepteur. Une minute passa, qui sembla une éternité.

— *Bouclier... Le Général est sorti du Casier. Il monte.*

En d'autres termes, Fouad Ali Saleh venait donc de sortir du taxi pour aller dans l'appartement.

Batiza se sentit submergé par des vagues d'adrénaline. Son cœur se mit à battre et il ouvrit et referma plusieurs fois ses poings comme pour se débarrasser de la tension qui raidissait tout son corps.

Quelques minutes encore. Si longues ! Il était 22 h 17 quand le groupe de protection envoya enfin l'information que tout le monde attendait.

— *Térence de Bouclier. Le Général ressort avec un sergent. Ils sont chargés.*

Le commissaire attrapa le micro de la radio.

— Térence bien reçu. Tenez-vous prêts.

— *Ils viennent de mettre le cadeau dans la hotte, ils montent dans le Casier.*

C'était le moment. Batiza appuya nerveusement sur le commutateur.

— Top action ! cria-t-il d'une voix autoritaire.

Puis il sortit immédiatement de la voiture et se mit à courir en direction du 44 bis.

En bas de l'immeuble, les cinq hommes du groupe de protection surgirent de la camionnette, comme autant de diables sortis de leur boîte. En quelques secondes à peine, ils avaient brisé les vitres du taxi et sorti les trois suspects pour les coucher sur la chaussée, alors que la vingtaine de policiers les rejoignaient en courant, chacun depuis son poste.

Quand Batiza arriva, essoufflé, sur les lieux de l'arrestation, il reconnut sans peine les trois hommes allongés sur le ventre, menottes dans le dos. Fouad Ali Saleh, Hassan Aroua, le chauffeur de taxi, et Mohamed Aïssa, le restaurateur de la rue de Chartres. Une dizaine de pistolets étaient pointés sur eux, comme une étrange haie d'honneur. Petit à petit, alors que les voitures de police arrivaient en renfort, la rue obscure se teinta du bleu clignotant des gyrophares.

— Ouvrez le coffre ! ordonna le commissaire en se frottant les mains.

À l'intérieur, soigneusement alignées dans deux poubelles en plastique, dix-huit bouteilles d'arak. Pour Batiza comme pour les autres, cela ne faisait aucun doute : le laboratoire déterminerait bien vite qu'elles ne contenaient pas de l'alcool, mais du nitrate de méthyle. L'un des explosifs les plus dangereux du marché.

La garde à vue allait pouvoir commencer. Et le lendemain matin, dès l'aube, la DST pourrait procéder à de nouvelles interpellations et perquisitions, basées sur une semaine d'écoutes. Le filet était enfin tombé.

# 116

## 23 mars 1987, Paris

— Tu t'encroûtes, mon vieux, lâcha Dartan en comparant sa cible en carton à celle de Batiza. T'en as mis la moitié dans le blanc, à vingt-cinq mètres ! C'est plus des lunettes qu'il te faut, c'est un chien.

Les deux hommes s'étaient retrouvés sur le stand de tir de l'avenue Foch. L'Antillais enleva ses lunettes de protection et grimaça en regardant le tir parfaitement groupé de son ami.

— Ça t'excite, hein, de tirer dans du « noir » ?

— C'est pas dans le noir, mon pote. C'est dans le mille.

— Que veux-tu ? fit Batiza en haussant les épaules. Chacun son truc. Toi, c'est le tir, moi, le tire-bouchon.

— Ceci explique cela, s'amusa Dartan en glissant son 9 mm dans son holster. Alors, vous en êtes où ?

Les deux hommes se dirigèrent côte à côte vers la sortie.

— En plus du restaurateur et du chauffeur de taxi, on a aussi arrêté la femme de Fouad Ali Saleh, Karima Fehari, le libraire, Mouhajer, et Fetih Bourguiba, un autre complice de Saleh. Tout ce petit monde charge allègrement Ali Saleh. Ils le chargent *tous* à bloc, en expliquant qu'il a dirigé toutes les opérations parisiennes, directement sur ordre du Hezbollah, pour le compte de l'Iran. Ce qui correspond bien à ce qu'on a pu entendre sur les écoutes.

— Et lui, il assume ?

— Lui, il se contente de nous insulter, de proférer des menaces avec de grandes tirades complètement paranoïaques sur l'Occident chrétien. Mais il ne balance aucun nom, ni le lieu exact où sont encore planqués les derniers explosifs, à Fontainebleau. Pourtant, les collègues n'y sont pas allés de main morte, pour le faire parler... Je ne vais pas rentrer dans les détails, mais disons que l'interrogatoire n'a pas toujours été conduit avec la plus grande finesse.

— Et votre informateur, Lotfi, il a touché son million de francs ?

— Tu penses bien que non ! Le ministre lui a fait verser 250 000, pour le moment, et on espère qu'il va nous donner d'autres noms... Il vient de nous refiler deux nouveaux suspects, Badaoui et Agnaou. On les tope dans les prochaines heures.

— En gros, vous allez coffrer toute la cellule logistique parisienne, essentiellement des Maghrébins, mais les artificiers, les Libanais, et les commanditaires, les Iraniens, ils se la coulent douce au soleil.

— Je ne perds pas espoir qu'on puisse un jour remonter jusqu'à eux.

— Tu rêves, Arnaud. Vous les aurez jamais, et d'ailleurs ça arrange tout le monde. On va charger les Maghrébins parisiens, pour satisfaire le public, mais les commanditaires, eux, vont vite tomber dans l'oubli, comme d'habitude. Et diplomatiquement, pas de vague, tout le monde est content. Surtout qu'avec nos otages, qui pourrissent toujours à Beyrouth, on marche encore sur des œufs.

— T'es bien placé pour savoir que la France a la mémoire longue. Les types finissent toujours par payer un jour ou l'autre. J'ai entendu dire que vous aviez logé l'un des poseurs de bombes du Drakkar...

— C'est possible, répondit Olivier avec un petit sourire.

— Vous allez le rebâtir convenablement, hein ? C'est pour ça que t'es à Paris ?

— *No comment*.

Ils arrivèrent devant la voiture de Batiza.

— Bon, et sinon, comment va ta douce et belle femme ?

Dartan soupira.

— Comme beaucoup de musulmans de France en ce moment, mon pote. Elle encaisse pour ces ordures de terroristes. Et moi, je dois déjà repartir à Beyrouth...

— Dis-toi que le meilleur moyen d'aider ta femme, c'est qu'on fasse notre boulot, conclut Batiza d'un air compatissant.


# 117

## 10 avril 1987, Beyrouth


— Je suis désolé, Rudi.

Dartan donna une chaleureuse et bien inhabituelle accolade au jeune ingénieur sur le parking de l'ambassade. Après étude des différents rapports, les ordres du Bureau R., à Paris, avaient été formels : les chances que Rudi Girard ait été compromis étaient trop grandes pour le laisser en poste à Beyrouth. Il devait rentrer sur-le-champ. Dartan, qui avait pris le jeune homme en affection, avait tenu à venir lui annoncer la mauvaise nouvelle en personne.

— Je connais les règles du jeu, patron, et je m'y attendais.

Le chef de poste lui adressa un sourire mélancolique en lui serrant l'épaule. Devoir annoncer ce genre de décisions venues d'en haut était toujours un moment pénible. La chose était forcément vécue comme un échec, mais il y avait une limite aux risques que la Boîte acceptait de faire prendre à ses serviteurs, et Dartan devait bien reconnaître que c'était la plus sage décision, aussi injuste qu'elle pût paraître.

— T'as fait un putain de bon boulot, ici. Tu peux être fier de toi, gamin.

— Oui, enfin j'ai encore beaucoup à apprendre.

— Sans doute, mais je suis sûr qu'une belle carrière t'attend à la Direction technique. J'ai dit tout le bien que je pensais de toi au patron. Allez ! Ton parcours de diversion est prêt. Tu changes deux fois de voiture, et puis tu files. Une équipe t'attend à Damas pour t'exfiltrer. Je me doute que tu aurais préféré rentrer par l'avion, pour arracher le pansement plus vite, mais je pouvais pas prendre le risque que ton IF apparaisse sur les listings de l'aéroport.

— Je sais, Olivier, je sais. Et vous en faites pas. Je suis pas mécontent de rouler une dernière fois dans la région. Le Liban va me manquer.

— T'es au tout début de ta carrière. Tu vas encore voir du pays, Rudi. On finira peut-être par se recroiser...

— Ce serait un grand plaisir.

— Pour moi aussi. Allez, file, conclut Dartan en donnant une tape sur le toit de la voiture, pressé d'abréger cette scène qui lui tordait le cœur.

Rudi grimpa dans la Simca et adressa un clin d'œil au chef de poste avant de quitter le parking. L'ambassade, bientôt, disparut derrière lui dans les vapeurs vacillantes de la banlieue sud. Consciencieusement, il suivit le parcours de diversion préparé par la Boîte, de parkings souterrains en parkings souterrains, et le regard du dernier collègue avec qui il échangea son véhicule lui donna autant de tristesse que de réconfort.

Sorti de la ville, la gorge nouée, il s'engagea sur la vieille route de Damas au volant d'une Renault banalisée, et laissa son regard se perdre entre les plaines arides et les monts verdoyants qui défilaient autour de lui.

Fouillant dans son sac de sport sur le siège passager, il attrapa l'une des rares cassettes audio qu'il avait ramenées de France au tout début de sa mission et glissa l'album de Deep Purple dans le petit autoradio brinqueballant de la R18.

Les paroles qui résonnèrent alors dans les haut-parleurs, comme par un cruel hasard – ou sous l'effet, peut-être, d'une surinterprétation – vinrent grossir encore un peu la boule qui lui coinçait la gorge.

> *And if you hear me talking on the wind,*
> *You've got to understand*
> *We must remain perfect strangers...*
> *I know I must remain inside this silent well of*
> *sorrow*[1] !

C'était un étrange écho aux contraintes implicites de son métier. Devenir un fantôme, anonyme, et tenter de ne s'attacher à rien ni personne.

Rudi ne pouvait s'empêcher d'éprouver quelque angoisse à l'idée de rentrer en France, ce pays qu'il avait quitté volontiers pour sa première mission à l'étranger, et où plus rien ne l'attendait vraiment. Ses parents n'étaient plus de ce monde depuis longtemps, sa petite amie l'avait quitté deux ans plus tôt, alors qu'il était tout entier dévoué à ses études à l'École polytechnique, et son choix de carrière l'avait peu à peu éloigné de ses derniers amis

---

1. *Et si tu viens à entendre mes paroles portées par le vent,*

*Il faut que tu comprennes*

*Que nous devons rester de parfaits étrangers.*

*Je sais que je dois rester au fond de ce puits silencieux des regrets !*

d'enfance. Au fil des mois, sans s'y être préparé, il s'était tellement attaché au Liban qu'il avait presque fini par s'y sentir chez lui. Il était tombé amoureux de cette terre de contrastes, chargée d'histoire, et de son peuple aussi meurtri que généreux. Quant à ses collègues, ils étaient devenus sa nouvelle famille. Le plus dur était de savoir qu'il n'allait plus travailler avec Dartan.

Tout reprendre à zéro. La Centrale accepterait-elle au moins de l'envoyer dans un autre pays, ou faudrait-il attendre plusieurs années afin de s'assurer qu'il n'était pas, ou plus compromis ? L'idée de se retrouver enfermé dans un bureau boulevard Mortier le terrifiait. Dartan lui avait donné le goût du terrain, et il ne s'imaginait plus survivre entre les quatre murs d'une pièce obscure de la « Piscine ».

Quand il arriva, perdu dans ses pensées, à proximité de la ville de Chtoura, au pied des chaînes du mont Liban, ses yeux se hissèrent vers les panneaux qui surplombaient l'autoroute. À gauche, la signalisation indiquait la bifurcation pour la route de Baalbek, qui traversait la longue plaine de la Bekaa.

Karak Nouh, la petite bourgade où se nichait le restaurant de Bilal el-Lakkis, était à moins de dix minutes. Dix petites minutes. Ses poings se crispèrent sur le volant. Il avait promis à Olivier de ne plus jamais reprendre contact avec son informateur. Depuis sa possible compromission, il n'avait plus eu la moindre nouvelle du maronite et de son épouse, avec qui il avait tant partagé. Le couple s'en était-il au moins sorti, ou étaient-ils tombés entre les mains du Hezbollah ? Comment aurait-il pu ne pas éprouver quelque culpabilité s'il leur était arrivé quelque chose ?

Alors, l'idée de passer discrètement devant le restaurant lui traversa irrémédiablement l'esprit. C'était, sans doute, une fort mauvaise idée. Mais qu'avait-il à perdre, maintenant ? Dans quelques heures, il serait de retour en France, et plus personne n'entendrait jamais parler de Rudi Girard. Le but n'était certainement pas d'entrer en contact avec son informateur, mais seulement de s'assurer de visu qu'il était encore dans son restaurant. Vivant. À cette heure de la journée, l'établissement était toujours ouvert.

Rudi grimaça et regarda la montre à son poignet. Il était largement dans les temps pour le rendez-vous avec ses collègues à Damas. Sans plus y réfléchir, il actionna le clignotant et prit la bretelle d'autoroute vers la route de Baalbek.

Au sortir du petit bourg de Haouch-el-Oumaraa, il éprouva un frisson de mélancolie en apercevant au loin la terre rouge, les petites bâtisses et les antiques ruines ocre qui se détachaient sur les flancs pentus du village de Karak Nouh, où il était venu si souvent.

Lors, il ne put s'empêcher de voir un vibrant symbole dans l'étymologie des lieux. Karak Nouh tenait son nom du fait que, selon les croyances locales, elle abritait le tombeau de Noé, dont l'Arche aurait échoué là après le déluge, quand la grande plaine de la Bekaa n'aurait été qu'un immense lac. De fait, la mosquée du village renfermait un incroyable cénotaphe, aussi long qu'il était étroit, bordé d'une chapelle aux murs couverts d'inscriptions arabes. L'étrange sépulture était devenue depuis des siècles un lieu de pèlerinage tant pour les musulmans que pour les chrétiens, et Rudi ne pouvait s'empêcher d'éprouver une vive émotion en songeant à la symbolique de ces traditions croisées, cet espoir de rédemption où Orient et Occident se retrouvaient enfin. Après le déluge, l'Alliance.

En arrivant à la hauteur du restaurant de M. El-Lakkis, Rudi avait beau s'être préparé au pire, ce qu'il vit lui glaça le sang.

# 118

## 10 avril 1987, Lyon

— Merde alors ! T'es vraiment le roi des apparitions surprises ! s'exclama Diouf en voyant son ami entrer dans le bar de nuit du vieux Lyon. Ça fait deux fois que je te crois mort ou en prison et, à chaque fois, paf, tu réapparais comme par miracle !

La salle, plongée dans une pénombre quadrillée par les rayons diffus de quelques spots colorés, était tout en longueur, et une colonne d'alcôves – dont chacune pouvait accueillir jusqu'à quatre clients – s'étendait parallèlement au bar jusque dans l'obscurité, tout au fond, là où s'élevait un escalier en colimaçon. On distinguait ici et là, derrière le dossier des banquettes, les silhouettes floues de quelques couples émergeant dans la fumée des cigares et des cigarettes, et l'accoutrement des dames laissait aisément songer que la plupart étaient des professionnelles.

— Faut croire que j'arrive pas à me passer de toi, répondit Marc avec un sourire triste en s'asseyant à la table de son ancien compagnon de chambrée.

Un mois avait passé, et Pauline n'était pas revenue sur sa décision. Pire, elle était venue un matin chercher le reste de ses affaires, quand Marc n'était pas là, et avait laissé son double des clefs dans la boîte aux lettres, en guise d'adieu. Masson, dévasté, avait fini par se résoudre à l'idée que tout était donc vraiment terminé, et il devait bien reconnaître qu'il ne s'était jamais senti aussi mal.

— Putain, t'as une sale tête, ma parole. Tu veux un verre, mon pote ? demanda le Sénégalais en lui tapant sur l'épaule.

— Une bouteille.

— À ce point ? Oh, ça, c'est une histoire de gonzesse !

Masson se contenta de grimacer.

Le grand Noir fit un signe en direction du comptoir, au bout duquel une femme d'une quarantaine d'années, d'une blondeur artificielle, était accoudée en fumant, sans qu'on puisse dire de quel côté du bar elle travaillait vraiment. Short en jean aux bords déchirés, ample chemise à carreaux nouée vers le bas, et suffisamment ouverte en haut pour laisser apparaître la naissance d'une abondante poitrine, elle rappela irrémédiablement à Marc les filles de Richard, au Massilia, et le souvenir ne fit qu'accroître son humeur mélancolique.

— Maria ! Apporte-nous une bouteille de Jack !

La belle blonde écrasa sa cigarette dans un cendrier, attrapa une bouteille sous le comptoir et leur apporta en dodelinant savamment du postérieur.

— Tiens, mon chéri.

Diouf, d'un geste ample qu'il devait sans doute imaginer plein de classe, donna une grande claque sur les fesses de la patronne.

— Sainte Maria, priez pour nous, pauvres pécheurs !

— Tu me présentes pas à ton ami ? Pour une fois que t'es bien accompagné !

— Mais si, bien sûr ! Marc, je te présente Maria, la plus grande reine des nuits lyonnaises, archiduchesse des allumettes ! C'est comme une sœur pour moi.

— Ça se devine à vos gestes fraternels... Enchanté, fit Masson en inclinant la tête.

— Le plaisir est pour moi, mon garçon. Et la bouteille aussi. Les amis de mes amants sont mes amis, et vous avez l'air d'en avoir besoin !

— Non, non, répliqua Marc d'un air faussement contrarié, et il sortit un billet de 500 francs qu'il glissa dans la poche de la blonde. Au contraire, c'est moi qui vous offre un verre, Maria.

Elle imita les courbettes d'une jeune fille confuse et lui déposa un baiser sur le front avant de retourner vers le bar.

— Alors ? questionna Diouf tout en versant deux grands verres du breuvage américain. C'est quoi, l'histoire, cette fois ? Tu reviens de quel pays ? Tu t'es enfui de quelle prison, avec la femme de qui ?

— Pas de prison, pas de pays…

— Donc, c'est bien une femme. Me dis pas que tu es tombé amoureux ?

— Comme jamais, mon bon Diouf. Comme jamais.

— Merde. C'est grave, alors ! Raconte.

— Tu te souviens de Pauline ? La fille que tu m'avais présentée dans la discothèque ?

À sa propre surprise, Marc se laissa peu à peu aller à raconter toute son histoire, ou presque, ne laissant de côté que sa vie clandestine. Verre après verre, il se confia à son ami comme il ne l'avait jamais fait et, loin de minimiser la chose, Diouf lui offrit une oreille attentive et amicale.

Ils avaient entamé leur deuxième bouteille de Jack Daniel's quand les derniers clients et les filles elles-mêmes quittèrent l'établissement et que Maria, après avoir verrouillé la porte et baissé le rideau, vint les rejoindre à leur table.

— Quelle journée ! soupira-t-elle en vidant sur la table un petit pochon de cocaïne. Mon Dieu, j'ai plus l'âge…

— Allons ! intervint Marc, à qui l'alcool avait redonné sourire et couleurs. Vous êtes fraîche comme la rosée du matin, Maria !

— C'est ça, ouais ! s'amusa-t-elle en attrapant la carte de crédit que Diouf lui tendait. Je pourrais presque être votre mère, jeune homme !

Elle écrasa consciencieusement les petits cailloux de coke sur la table et répartit la poudre en trois longs traits qu'elle disposa au milieu, puis elle sortit une paille de la poche de sa chemise et la tendit à Marc.

Le jeune homme eut un moment d'hésitation. Cela faisait bien longtemps qu'il n'avait pas touché à la cocaïne, et il s'était promis à lui-même, en décidant de travailler pour Olivier, de ne plus y mettre le nez. Mais l'alcool et la mélancolie firent tomber bien vite ses maigres résistances et, sans plus y penser, il prisa d'un seul coup la petite ligne blanche au centre de la table, avant de passer la paille à son voisin.

— Il me plaît, ton copain, fit Maria en adressant un clin d'œil au Sénégalais.

Diouf sniffa une trace à son tour, laissa Maria terminer, puis, contre toute attente, il se leva d'un bond en exhalant bruyamment.

— Je vais vous laisser, mes amours ! fit-il tout sourire. Pour moi la nuit va commencer !

— Tu... Tu t'en vas ? demanda Marc, avec la stupéfaction molle de l'ivresse.

— Tu es entre de bonnes mains. Je m'en vais comme un prince ! répliqua son ami en se dirigeant vers la sortie de secours.

— C'est pas cool, balbutia Masson d'une voix enfantine.

La grande blonde lui prit la main par-dessus la table et l'obligea à sortir de l'alcôve à son tour.

— T'en fais pas, je vais m'occuper de toi, moi.

Le jeune homme, dans un état second, ne résista pas longtemps et se laissa guider en titubant vers le fond du bar, où il gravit maladroitement les marches du colimaçon, derrière Maria. Elle le conduisit à travers les ténèbres dans une petite pièce à l'étage où les attendait une grande banquette en cuir rouge.

Marc se laissa tomber sur le matelas puis regarda, interdit, avec quelle expertise son hôte lui enlevait ses vêtements, et alors ils firent l'amour avec une fougue et un abandon qu'il n'avait pas connus depuis le Brésil… La quadragénaire, qui n'était pas née de la dernière pluie, se laissa volontiers et délicieusement malmener par ce jeune homme dont elle devinait que chaque coup de reins n'était autre qu'une gifle qu'il administrait à sa propre tristesse.

Après quinze jours de douleur et d'apitoiement, il s'oublia dans l'extase et la luxure. Une deuxième tournée de poudre blanche lui donna la force de rester éveillé, mais eut finalement raison de ses ardeurs sexuelles, et il était près de 4 heures du matin quand ces deux corps dénudés se retrouvèrent étendus côte à côte, le dos collé à la moiteur du cuir, à fumer des cigarettes en inspectant consciencieusement le néant.

— Elle va revenir.

— Pardon ? fit Marc, perplexe, en tournant lentement la tête.

— Ta femme, ou ta copine, je sais pas… Elle va revenir.

— Je ne crois pas, non.

— Tu as l'air trop amoureux pour qu'elle ne revienne pas.

— S'il suffisait d'être amoureux d'une femme pour qu'elle revienne…

— Non, bien sûr, mais t'es pas un type banal. Ça se voit dans tes yeux. Elle va revenir. Ou alors, elle est idiote.

— C'est moi qui suis idiot. Le prends pas mal, mais je ne serais pas là, dans les bras d'une frangine, si j'étais intelligent…

— Tous les hommes sont idiots. Mais il y a des idiots adorables. Laisse-moi deviner : tu fais un métier dangereux. Très dangereux.

Marc fronça les sourcils. Il connaissait la légendaire clairvoyance des filles de joie, leur déroutante lucidité, mais celle de Maria ne manqua pas de le troubler.

— On peut dire ça.

— Elle te demande de choisir entre elle et ton métier.

Pour le coup, ce n'était pas tout à fait exact.

— Ce n'est pas mon métier qui la dérange, c'est ce que je suis vraiment. Ce qu'il y a au fond de moi qui fait, d'ailleurs, que j'ai choisi ce métier.

— Elle a peur de te perdre. Elle a si peur de te perdre un jour qu'elle préfère abréger sa souffrance en te quittant elle-même, et elle te dit que c'est à cause de toi. Paradoxe du syndrome de l'abandon. En vérité, elle t'aime justement pour qui tu es. Mais ça lui fait peur. Elle n'a que toi dans sa vie, c'est ça ?

Marc, impressionné, se releva sur le coude et regarda la blonde avec admiration.

— T'es forte, dis donc.

— Je connais les hommes et leurs femmes par cœur, mon chéri. On ne se tape pas une pute sans une bonne raison. Et je les connais toutes.

— Qu'est-ce que je dois faire, alors, si je veux la garder ?

— T'es prêt à abandonner ce métier ?

— Non.

Maria grimaça.

— Alors t'es dans la merde ! lâcha-t-elle en éclatant de rire.

— C'est malin !

La blonde se tourna sur le côté à son tour et caressa tendrement le visage du jeune homme.

— Elle va revenir. Après, ce qui suivra dépendra beaucoup de toi. Un jour ou l'autre, il faudra que tu choisisses. À moins que tu lui fasses un gosse et qu'elle fasse un transfert sur lui...

— Euh...

— Quoi ? Elle est déjà enceinte ?

Marc hocha la tête en souriant d'un air embarrassé.

— Alors tout va bien. Elle va revenir.

— Je te dois combien ?

— Pour le sexe, ou pour la psychanalyse ?

— C'est un peu la même chose, non ?

# 119

## 10 avril 1987, Karak Nouh

Rudi leva le pied de l'accélérateur en découvrant le spectacle terrifiant qu'offrait le restaurant de son informateur. Abasourdi, la scène lui apparut alors comme une série de clichés qu'il fallait déchiffrer, assembler, chacun produisant un nouveau choc dans son champ de vision. Les vitres cassées. Le pick-up Toyota garé de travers sur le trottoir. L'enseigne qui s'était décrochée et pendait dans le vide, percée de trous noirs. Le nuage de poussière autour d'un groupe de spectateurs pétrifiés. Du sang par terre. Beaucoup de sang. Cette ambiance lourde et silencieuse du drame. Et puis, enfin, deux hommes armés de Kalachnikov. Ils semblaient être tout juste sortis du restaurant et, derrière eux, ils traînaient deux corps ensanglantés, leurs bras inertes, étendus sur le sol. Les cadavres des époux El-Lakkis.

Rudi éprouva aussitôt la douleur d'un coup de poignard qu'on lui aurait porté en plein cœur. Et quand il croisa, bien malgré lui, le regard des hommes armés, il comprit, mais trop tard, qu'il avait commis une impardonnable faute en laissant sa voiture ralentir.

Les cris en arabe et le crépitement soudain des fusils d'assaut le sortirent de la torpeur où l'effroi l'avait plongé. Les balles cognèrent contre la carrosserie de la R18 dans un tintement de métal assourdissant. Ainsi vint le déluge.

Rudi donna un brusque coup de volant et la voiture fit volte-face dans le crissement strident de ses pneus. L'arrière de la Renault glissa sur l'asphalte comme sur une plaque de verglas. Une nouvelle rafale. La vitre passager vola en éclats au milieu d'une gerbe d'étincelles. Le jeune ingénieur se baissa instinctivement, comme s'il avait pu éviter les balles, puis il enfonça le pied au plancher en poussant un hurlement de rage.

Les mains crispées sur le volant, quand il redressa la tête, il constata avec horreur dans son rétroviseur que le pick-up avait déjà démarré et se lançait à sa poursuite.

Rudi jeta un coup d'œil vers son sac de sport, au fond duquel se trouvait un pistolet, mais il se ravisa aussitôt. Il ne pouvait prendre le risque de perdre le contrôle du véhicule en se retournant pour tirer. Fuir était sa meilleure chance. Son *unique* chance.

Les un litre six de la R18 peinèrent à lui faire prendre la moindre avance et, bientôt, il vit le Toyota jaune apparaître à quelques mètres à peine de sa lunette arrière. S'il changeait de trajectoire pour tenter de les semer sur les pistes de terre, il courait à la catastrophe : sur un terrain glissant et cahoteux, la R18 ne ferait jamais le poids. Son seul espoir était de tenir jusqu'à l'autoroute, où ses poursuivants n'auraient peut-être pas le culot de le pourchasser au grand jour.

Ils ne lui en laissèrent pas le loisir.

Au premier coup de boutoir sur le pare-chocs arrière, la berline perdit son adhérence et partit de travers dans une longue glissade. Quand les roues quittèrent la surface lisse de la route, le châssis fut aussitôt ébranlé par les secousses brutales que lui imprimait la terre rude du bas-côté. Rudi, dont les tentatives désespérées de reprendre le contrôle du véhicule avaient toutes échoué, poussa un hurlement de terreur et lâcha le volant pour se protéger le visage, alors que le monde tournait autour de lui.

Un bruit violent de casse, de déchirement, un choc soudain, la R18 se souleva dans les airs et bascula d'un coup sur le côté. La tête du jeune officier heurta brusquement le toit, et la voiture fut projetée dans une série de tonneaux qui parurent ne jamais vouloir s'arrêter, comme si l'énergie cinétique du véhicule s'était offerte, résignée, au mouvement perpétuel.

Les flashs lumineux se mêlèrent au scintillement des débris de verre qui semblaient flotter dans l'air imbibé d'essence. Le temps parut s'allonger, et l'esprit de Rudi ne fut habité que d'une seule pensée : quand donc cela s'arrêterait-il enfin ? Il avait l'impression que des milliers de poings invisibles lui labouraient le corps et le crâne dans un combat dont il ne pouvait parer les coups.

Quand cette infernale virevolte s'arrêta enfin et que ne subsista plus que le grincement surréaliste d'une roue qui tournait encore, le jeune ingénieur, sonné, se demanda s'il était en vie.

Un clignement d'œil. Des gouttes de sang semblèrent s'envoler lentement dans son champ de vision, du bas vers le haut. Petit à petit, son cerveau embrouillé par les chocs successifs retrouva ses repères. Il était à l'envers. Sur le toit. Et cette douleur à la poitrine, c'était la ceinture de sécurité qui lui déchirait la peau. Il bougea une main, tremblante, puis l'autre. L'annulaire et l'auriculaire de la seconde ne répondaient plus, broyés dans l'accident. Il essaya, par des gestes maladroits, de détacher la ceinture. Quand le clic salvateur résonna, son corps entier s'écroula sous le poids de la pesanteur.

Combien de ses os avait-il pu briser ? Il pouvait sentir sur son front et ses joues les brûlures piquantes des pointes de verre qui avaient glissé sous sa peau. Il respirait vite, trop vite, et le bruit de succion humide dans ses poumons ne laissait présager rien de bon.

Quand il essaya de soulever ses épaules pour s'extraire du véhicule, ses efforts furent interrompus par un claquement sec. Celui d'une portière, à quelques pas à peine. Il tourna les yeux vers la vitre et aperçut les épaisses bottes militaires de l'homme qui approchait.

Rudi, puisant dans ses dernières forces, chercha frénétiquement autour de lui son pistolet. Le sac et son contenu s'étaient sûrement éparpillés dans l'habitacle.

Il venait d'apercevoir la crosse en bois de son arme, gisant au milieu des débris, quand une main large et ferme l'attrapa par le col et le sortit violemment à travers le montant de la portière éventrée. Incapable de se défendre, Rudi se laissa traîner sur le sol poussiéreux. L'homme le relâcha deux mètres plus loin dans un geste rageur.

— C'est lui. C'est l'espion français.

Girard, le cœur vide, cligna des yeux pour tenter de voir à travers les rayons éblouissants du soleil. La silhouette des deux hommes qui le dévisageaient de haut se dessina peu à peu, leurs armes pointées sur lui.

— Pour qui tu travailles ?

L'homme qui venait de parler se pencha en avant pour s'approcher de lui. Ces traits, ce regard… Rudi n'en crut pas ses yeux quand il lui sembla le reconnaître. Lentement, il porta son regard vers le bas, vers la crosse de la Kalachnikov. Il y trouva la plus terrible confirmation : une main atrophiée. Celle du Vautour.

C'était Ahmed M., l'un des ravisseurs, celui que les otages libérés avaient décrit comme le plus cruel de tous, et dont la DGSE avait fait sauter le véhicule, avant de le perdre de vue. Le jeune officier peinait à y croire, au point même qu'il se demanda s'il ne rêvait pas, si son état de choc ne lui infligeait pas quelque sadique hallucination.

— Pour qui tu travailles ? répéta le Vautour d'une voix plus forte, avant de lui asséner un coup de crosse dans le ventre.

— Je… Je suis représentant pour une fabrique d'arak ! balbutia Rudi d'une voix rauque, à bout de forces.

Il entendit les deux miliciens éclater de rire.

— Alors c'est bien toi. Bilal nous a tout dit, pauvre imbécile ! On sait que tu travailles pour le gouvernement français ! Tu es mort.

Rudi vit le visage du Vautour s'approcher juste au-dessus de lui, puis il sentit la chaleur visqueuse d'un crachat se répandre sur ses joues.

— Je vous en supplie…

— Tu vas payer, le Français, lâcha Ahmed M. en pointant le canon de son arme sur le front du jeune ingénieur.

— Je vous en supplie…

— Tu sais qui je suis, n'est-ce pas ?

Rudi pouvait sentir sa poitrine se soulever de plus en plus vite, et le souffle lui manquer. À cet instant précis, l'évidence, inéluctable, le frappa d'un seul coup, et la peur, la terreur se transformèrent en une rage et une rancœur qu'il n'avait jusqu'ici jamais éprouvées. Il allait mourir. Il allait mourir ici, sur la route de Baalbek, le jour même où il devait quitter le Liban, achevé comme un chien sauvage qu'on vient de renverser sur la chaussée. Alors il pensa à Dartan, et l'envie de supplier son bourreau, de s'accrocher vainement aux derniers espoirs de survie fit place à la plus terrible résignation, et il n'éprouva plus que le besoin d'adresser au Vautour un dernier affront.

— Oui, balbutia-t-il, alors qu'un improbable sourire narquois se dessinait sur son visage tuméfié. Oui, Ahmed, je sais qui tu es. Tu es une petite pute, une petite pute bien soumise de l'Iran, qui suce la bite de Khomeini pour pas cher. Tu peux me tuer, Ahmed, mais tu vas payer. Toi et tous les tiens, vous allez payer. On vous crèvera un par un. Et moi, je t'encule et j'encule ton père.

— Vous me crèverez peut-être, mais aujourd'hui, c'est toi qui meurs. Que Dieu vous maudisse, toi et ta famille.

La détonation retentit sèchement dans la plaine aride, comme un seul coup de fouet. Le visage de Rudi Girard, fendu en deux, explosa dans une gerbe de sang.

# 120

## 10 avril 1987, Paris

Cela faisait plus d'un mois que la cellule de Bonn travaillait à Bad Oeynhausen sur le fameux Abou K., grâce aux informations de Rudi. Surveillances, reconnaissances, écoutes, le dossier de RAF commençait à être conséquent.

Il était 9 heures du matin quand le général Imbot grimpa les marches du grand escalier Murat pour être reçu au Salon doré, bureau officiel du président de la République, au palais de l'Élysée.

Quand le général pénétra dans la somptueuse et vaste pièce aux murs ornés de dorures et de tapisseries, le directeur de cabinet se retira poliment, comme il le faisait chaque fois afin de laisser le directeur de la DGSE en tête à tête avec François Mitterrand.

Le Président, assis à son bureau Louis XV, fit signe au général de prendre place, sans relever la tête, absorbé par sa lecture.

Imbot s'installa en silence dans l'une des deux chaises capitonnées, sous l'imposant lustre du Second Empire. À chaque fois, les fastes de la République lui rappelaient l'héritage incroyable du pays qu'il s'était juré de défendre, et le plongeaient dans une ambiance presque sacrée. Le centre du pouvoir, si loin du monde profane.

Après quelques minutes de lecture attentive, Mitterrand referma le dossier d'Abou K. sur son bureau et se leva pour aller vers l'une des hautes fenêtres, d'où il aimait admirer le parc de l'Élysée. À aucun moment il n'avait adressé un regard au directeur de la DGSE. La méfiance que le Président nourrissait déjà à l'égard des Services s'était considérablement accrue après l'affaire du *Rainbow Warrior* et, quand bien même il avait une estime réelle pour le général Imbot, il ne cachait jamais le déplaisir qu'il avait à devoir travailler avec eux.

— Vos oreilles n'ont pas trop sifflé, général ? demanda Mitterrand, les mains croisées derrière le dos.

— J'étais bien trop occupé à travailler pour me laisser distraire par les bruits du dehors, monsieur le Président.

— Chirac voulait votre peau, à vous et au général Émin. Il pense que la DGSE est en perte de vitesse, que vous avez perdu la main. Le Liban vous a fait beaucoup de mal.

— Le Liban a bon dos.

— Il fournit un bon prétexte à mes adversaires pour me jouer des vilains tours. J'ai réussi à sauver votre poste, mais pas celui de votre collègue. Il restait trop de Nouvelle-Zélande en lui...

De fait, le général Émin venait d'être remercié et remplacé par Jean Pons, un autre général qui, lui, avait une longue expérience du terrain libanais, pour y avoir travaillé au sein de l'état-major de la Finul.

— Le départ de Roger m'attriste beaucoup, mais je vous suis infiniment reconnaissant d'avoir pris ma défense, monsieur le Président. Le Renseignement a besoin de temps pour être efficace. Notre *temps* n'est pas celui de la politique…

— La véritable politique vise bien plus le long terme que vous ne semblez le croire. Voltaire disait que l'on juge les hommes politiques comme le parterre juge un opéra : sans savoir la musique.

— Vous pensez que je devrais prendre des cours de solfège ?

— On ne demande pas à un cheval de pondre un œuf, général. Vous êtes sûr de votre dossier ? demanda le Président en pointant du doigt vers son bureau.

— Absolument. La cible est clairement identifiée. Nous n'attendons que votre feu vert pour lancer une opération à la mesure des exactions de cette ordure.

Mitterrand s'approcha encore de la haute fenêtre et contempla la vue en silence, comme s'il n'avait pas entendu la question implicite.

— Monsieur le Président ? le relança Imbot après un long moment.

— On est maître des paroles que l'on n'a pas dites, esclave de celles que l'on a prononcées. La liberté n'est peut-être, en fin de compte, pour chacun, que la simple possession du silence.

— Il est des silences éloquents.

Mitterrand sourit.

— Vous voyez que vous n'êtes pas si mauvais en solfège ! Regardez dehors. Le mois d'avril est certainement l'un des mois les plus fascinants, dans le grand cycle de la nature. Toutes ces floraisons, ces journées qui s'allongent... C'est rassurant, n'est-ce pas ? Quoi qu'il se passe dans le monde, rien ne peut empêcher la venue du printemps.

La tirade, visiblement hors sujet, eût sans doute pu étonner quelque observateur extérieur. Mais pour le général Imbot, qui avait l'habitude, elle était plutôt claire : si Mitterrand ne disait rien pour s'opposer à une opération, c'est qu'il l'autorisait implicitement, sans vouloir le faire officiellement. Sans ordre direct, la responsabilité du sommet de l'État ne pouvait être engagée. En parlant ainsi du printemps, le président de la République venait tout simplement de donner son accord pour une opération Homo.

# 121

## 11 avril 1987, Lyon

Quand Maria vint le réveiller en lui caressant les joues, Marc eut, un instant, l'impression d'être revenu au Brésil et, l'esprit embrouillé, il crut voir au-dessus de lui le doux visage d'Angelica, sa petite protégée du Massilia.

— Ton copain Diouf t'attend dehors pour le petit déjeuner.

— Hein ? fit Marc en se redressant, comme il reprenait lentement ses esprits.

Il était nu comme un ver, dans l'arrière-chambre aux murs tapissés de miroirs, et les stigmates de la nuit étaient encore éparpillés autour de lui sur la banquette de cuir. Pailles éventrées, cendrier débordant de mégots, bouteille d'alcool vide, boîte de préservatifs, et cette odeur mêlée de plastique et de transpiration…

— File de là, mon chou, la femme de ménage va bientôt arriver, et moi, je dois préparer ma journée. Y en a qui bossent, ici.

La grande blonde lui déposa un baiser sur le front, et Marc s'habilla en vitesse, la tête lourde et la mâchoire courbaturée.

Arrivé en bas, il embrassa Maria avec un sourire triste avant de retrouver Diouf dans la rue. Adossé au rideau de fer, le Sénégalais regardait passer, hagard, le camion des éboueurs, comme si c'était un spectacle inédit. Le bruit métallique du broyeur et de l'élévateur lui tirait des grimaces de douleur. Plus loin, les commerçants ouvraient déjà leurs étals.

— T'as pas dormi ? demanda Marc en lui tendant une cigarette.

— Une veille de perm ? T'es fou ? Je sors tout juste de boîte. T'as du café chez toi ? J'ai les croissants, dit-il en exhibant fièrement un petit sac en papier maculé de taches grasses.

Marc hocha la tête et, se tenant l'un et l'autre par l'épaule pour tenter de ne pas trop vaciller, ils traversèrent le pont Bonaparte pour rejoindre la place Bellecour. De part et d'autre, la Saône brillait de mille feux argentés sous la caresse du soleil levant.

— Demain j'arrête de boire.

Quand, après avoir péniblement monté les marches de l'immeuble, ils arrivèrent enfin dans le studio, Marc s'empressa de faire du café, puis rejoignit son ami et s'affala à son tour sur le canapé.

Les deux compères, les yeux dans le vide, avaient l'air aussi hallucinés l'un que l'autre.

— T'as passé une bonne nuit ?

— J'ai parlé avec Maria jusqu'à 4 heures du mat.

— Parlé ? Tu te fous de ma gueule ?

— Non, non, on n'a pas fait que parler... Mais on a parlé. Elle est chouette, Maria.

— C'est une duchesse. Elle t'a tiré les cartes ?

— Presque. Elle m'a dit que Pauline allait revenir.

Par un hasard incroyable, le téléphone, qui était resté désespérément silencieux depuis un mois, se mit à sonner précisément à cet instant précis.

Marc se tourna vers son ami, les yeux écarquillés.

— Quoi ? lui demanda Diouf. Tu crois que c'est elle ?

— Qui veux-tu que ce soit, à cette heure-là ?

— Elle est vraiment forte, Maria...

Marc sourit et décrocha le téléphone, la main tremblante. C'était un appel qu'il attendait depuis si longtemps... Mais, au bout du fil, ce n'était pas Pauline.

Quand le jeune homme reconnut la voix de sa mère, il comprit aussitôt ce qui se passait. Et le monde sembla s'écrouler sous ses pieds.

# 122

## Carnet de Marc Masson, extrait n° 12

*Avril 1987. J'entends encore la voix de ma mère qui m'annonce que mon père ne s'est pas réveillé. Au fond de moi, je ne peux m'empêcher de penser que cela fait bien longtemps qu'il s'est endormi. Mais on n'est jamais prêt pour ces choses-là, et alors viennent les regrets. Ces maudits regrets.*

*Quand j'ai raccroché le combiné, mes yeux sont restés grands ouverts, fixés sur le monde vide devant moi. Diouf n'a rien dit. Il a compris, lui aussi. Il m'a regardé, simplement.*

*Les larmes que j'attendais n'ont pas voulu venir. Je sentais bien cette douleur immense qui me déchirait tout l'intérieur, mais mes yeux ne voulaient pas la libérer. Elle est restée à l'intérieur, muette. Même triste, ça ne pleure pas, une pierre. Un Masson.*

*Diouf a proposé de m'accompagner, mais je lui ai dit que je préférais être seul. J'ai prévenu Olivier et j'ai appelé le patron de la société de transport pour lui dire que je ne serais pas là le lendemain. Et puis je suis parti à Lorient.*

*Le long trajet ne me semble durer qu'une seule minute. C'est comme si ma voiture connaissait le chemin. La douleur est une hypnose.*

*Lorient est si petite, si sombre.*

*Au cimetière, je revois ma sœur Aline pour la première fois depuis neuf ans. Un instant, je vois briller dans ses yeux la peur qui les habitait déjà quand nous étions adolescents. Je sais ce que l'on fait d'un animal blessé. Pour elle, l'animal, c'était moi. Et puis maintenant, elle me prend dans ses bras, elle me serre de toutes ses forces, et il y a tant de mots dans ce geste, tellement de sous-entendus que nous pleurons, enfin.*

*— Tu lui ressembles tellement, sanglote-t-elle.*

*Ma mère nous regarde. J'essaie de lui sourire, et je lui dis seulement que je serai toujours là pour elle.*

*Avec l'âge, ses amants se sont faits de plus en plus rares, et puis ils sont partis. Il n'y a guère plus que des fantômes qui viennent la visiter, dans son petit appartement. Je me surprends finalement à plaindre cette femme que la vie a tant flétrie.*

*Promets-moi de ne jamais laisser tomber ta mère.*

*Sans fleurs ni couronnes. Je regarde les mots gravés sur le marbre. « Au padre », gravé en lettres d'or, et je crois entendre au loin le chant triste d'un grand-duc américain qui s'élève depuis les cimes des forêts boliviennes.*

*J'ai si mal au cœur que je pourrais vomir.*

De la dizaine de personnes venues au cimetière, six seulement montent chez nous, pour une petite collation. Ma mère, ma sœur et son mari, les Lazare et moi. Et ce dépouillement me laboure le ventre. Il est des hommes tout petits dont les tombes fleurissent de milliers de bouquets, et de grands hommes qui partent dans un silence terrifiant. Mon père était un géant assis.

Papi José n'a pas pu venir dans un délai aussi court. À cet instant, il me manque plus que jamais. Il me manque plus que tout.

Le pot que ma mère a préparé est à l'image de l'ambiance qui règne dans son salon. Des vieux biscuits salés, ramollis par le temps, un bol empli de petits dés de fromage et quelques olives pimentées. Une misère. La bouteille de Southern Comfort posée sur la table, à côté d'un cubitainer de vin blanc, je jurerais qu'elle était déjà là quand j'habitais ici. Mon père est mort lentement dans une odeur de mort.

Le mari d'Aline vient me voir. Ma sœur, dit-il, lui a beaucoup parlé de moi. Il ressemble à un petit comptable venu remettre, penaud, un bilan négatif à ses clients. Il essaie de briser la glace avec un « alors comme ça, vous êtes chauffeur poids-lourd ? », mais je n'ai pas vraiment envie de faire d'effort. J'acquiesce poliment et, les mains enfoncées au fond des poches, je pars dans l'ancienne chambre du padre.

La pièce est plongée dans l'obscurité et dans une odeur âcre de renfermé. J'allume la lumière. Tout est resté en l'état. Tout est là. Les meubles, les tableaux, la photo du général de Gaulle, le grand buste en bois de Cicéron, posé en haut de l'armoire, la vieille couverture à carreaux, étendue sur le lit...

Et sur ce lit, il ne reste qu'un souvenir.

Je soupire. Mes yeux se posent sur son fauteuil roulant. Pourquoi ma mère l'a-t-elle gardé ? Les mots Dupont Médical gravés sur la barre en aluminium du

*dossier me replongent aussitôt dans un passé dégueu-*
*lasse. Je m'avance vers le fauteuil, je relève machina-*
*lement les repose-pieds puis je tire sur la toile de siège*
*pour replier l'ensemble. Le fauteuil résiste un peu,*
*rouillé, usé, puis les deux flancs se collent l'un contre*
*l'autre dans un grincement. Sans réfléchir vraiment,*
*j'ouvre en grand la fenêtre et les volets à la peinture*
*écaillée de la chambre de mon père. Dehors, la nuit*
*est tombée sur Lorient. Les réverbères dessinent de*
*grands halos orangés dans le voile de la pluie. Il pleut*
*toujours aux enterrements. Je prends le fauteuil des*
*deux mains, le soulève au-dessus de ma tête, puis je*
*le jette dans la rue, six étages plus bas. Le Dupont*
*rebondit au milieu de la chaussée dans un vacarme*
*métallique libérateur. Une lumière s'allume dans l'im-*
*meuble en face.*

*Je referme la fenêtre et je retourne dans le salon.*
*Tout le monde me regarde avec des yeux écarquillés.*
*Les fauteuils roulants, ça ne vole pas très bien.*

# 123

## 12 avril 1987, Beyrouth

Au petit matin, avant même le lever du soleil,
Jean-Paul Kauffmann fut réveillé en sursaut par les
geôliers. Trois des ravisseurs venaient d'entrer dans
la cellule, visiblement agités, Kalachnikov en ban-
doulière.

Se redressant d'un bond sur son matelas, il vit
le Vautour – celui qu'ils avaient eux-mêmes surnommé « la Teigne » s'avancer lentement vers lui.
L'homme tenait une grenade.

— Levez-vous !

Fontaine et Carton se réveillèrent à leur tour.

Kauffmann, épuisé, les yeux encore collés par le manque de sommeil, se leva péniblement. La Teigne l'attrapa par les épaules, sans ménagement, et le força à se retourner. Il lui enleva les chaînes qui le reliaient au mur et lui attacha les mains avec un long collier de serrage en plastique. Le gardien accompagnait chacun de ses gestes de jurons incompréhensibles ou de grognements rageurs, comme s'il en voulait personnellement au journaliste. On avait l'impression qu'il le tenait pour responsable de tous les malheurs qui s'abattaient sur le Liban depuis dix ans. Régulièrement, il exhibait sa grenade d'un air menaçant, l'agitant sous les yeux des trois Français, pour leur rappeler qu'à la moindre surprise, il était prêt à se faire sauter avec eux. Un jour, il avait dit à Kauffmann que si quelqu'un essayait de venir les sauver, il ferait tout sauter.

La Teigne serra les colliers bien plus fort qu'il n'eût été nécessaire, adressa un regard haineux au journaliste, puis répéta l'opération avec les deux autres otages.

Marcel Carton était si fatigué, à présent, qu'il semblait même avoir du mal à tenir debout. La tête baissée, le regard rasant le sol, il avait l'air plus abattu que jamais. Il grimaça de douleur quand le geôlier cagoulé lui lia les poignets.

On les poussa ensuite vers la pièce voisine, où les premiers rayons du soleil, qui se glissaient à travers une haute lucarne, éclairaient trois longues boîtes de bois brut. Des cercueils rudimentaires.

Kauffmann avait beau savoir que c'était sans doute le signe qu'ils allaient être de nouveau transférés vers un autre immeuble – les ravisseurs ayant plusieurs fois utilisé cette technique – il ne put s'empêcher d'éprouver un frisson glacial en découvrant ces sarcophages. Un jour ou l'autre, l'un d'eux finirait par y être abandonné pour de bon. Comme Seurat.

— Oh mon Dieu, sanglota Carton derrière lui.

— Ne t'inquiète pas, murmura Jean-Paul, comme pour se rassurer lui-même. Ils vont juste nous déplacer.

— Silence !

Il y avait maintenant cinq ravisseurs dans la petite pièce, lourdement armés. L'atmosphère tendue était palpable dans chacun de leurs gestes brusques, chacun de leurs sombres regards. Quelque mauvaise nouvelle, sans doute, venait de leur tomber dessus. De force, ils firent boire aux otages une sorte de calmant, une drogue écœurante qui entraînait une diminution des réflexes et une vague somnolence, sans les endormir vraiment. Ils les bâillonnèrent ensuite avec de larges bandes de sparadrap, puis les obligèrent à s'allonger dans les boîtes, une opération rendue difficile et douloureuse par les premiers effets rapides de la drogue et par les menottes en plastique qui entravaient leurs mains.

Allongé dans son cercueil, Kauffmann eut l'impression qu'il pouvait entendre l'affolement de son propre cœur, que le sédatif lui-même ne parvenait pas à apaiser. Les pulsations sourdes semblaient résonner entre les planches de bois, avant même que les ravisseurs ne viennent y poser le couvercle.

Et puis ce fut le noir absolu. Le gouffre.

C'était comme basculer soudain dans une autre dimension. Un avant-goût de la mort, terriblement bien imitée. Le brouhaha étouffé des hommes en armes qui s'affairaient autour d'eux, le bruit des planches, les coups secs, les claquements métalliques... Plongé dans l'obscurité, la bouche maintenue fermée par la bande adhésive, le journaliste lutta pour garder le contrôle de son esprit, apaiser le rythme de sa respiration. Il avait envie de hurler, de se débattre. De mourir, peut-être. Libéré.

Depuis leur enlèvement, presque deux ans, ce n'était pas la première fois que les otages devaient passer de longues heures enfermés dans ces boîtes lugubres, mais c'était une expérience barbare à laquelle on ne s'habituait jamais. Le transfert lui-même était terrifiant. À chaque instant, le camion dans lequel on les transportait pouvait être bombardé ou attaqué par une milice ennemie. Et même une tentative de libération par la France pouvait tourner à la catastrophe. Enfermés dans les plus angoissantes ténèbres, comme naviguant dans les eaux du fleuve des enfers, les otages vivaient alors les pires heures de leur détention, les plus pénibles et les plus éprouvantes sans doute ; il n'y avait guère que les simulacres d'exécution pour mettre leur santé mentale à si rude épreuve.

Quand Kauffmann sentit son cercueil se soulever, les yeux embués de larme, il laissa son esprit se faufiler dans le refuge apaisant des belles lettres, et récita de mémoire les premières pages du *Guerre et paix* de Tolstoï, qu'il pouvait encore sentir dans la poche arrière de son pantalon.

« *Assis, par un beau soleil de printemps, dans le fond de sa calèche, la pensée flottant dans l'espace, il regardait vaguement à droite et à gauche, et sentait s'épanouir tout son être, sous le charme de la première verdure des jeunes bourgeons des bouleaux, et des nuées printanières, qui couraient sur l'azur foncé du ciel...* »

# 124

## Carnet de Marc Masson, extrait n° 13

La lecture, immanquablement, ramène à mon esprit les parfums du printemps, comme le goût de cette madeleine replonge Proust dans les images si distinctes de son enfance à Combray. Je ne sais pas vraiment pourquoi, mais tous mes souvenirs de lectures adolescentes sont inscrits dans les couleurs du printemps. J'ai toujours aimé les livres, et j'ai toujours aimé le printemps. À Lorient, jadis, il apportait lentement ses premières grâces de douceur, comme une promesse de vacances, et réveillait les saveurs de l'Atlantique. Tout reprenait vie. Les jours s'allongeaient enfin et la nature tout entière semblait s'étirer après une longue torpeur. Je tardais pour rentrer du lycée, je m'arrêtais au bord du Scorff, sur ce petit banc public où se superposaient les couches épaisses de peinture verte écaillée, et je lisais jusqu'à en oublier le temps, les bruits de la rue, la lumière du jour, la douleur que les planches de bois rude infligeaient à mon dos. Quand enfin il faisait trop sombre pour poursuivre les aventures d'un Arsène Lupin, d'un Hercule Poirot ou d'un aventureux Biggles, alors je plongeais l'ouvrage tout au fond de mon sac comme un trésor inestimable et repartais tout penaud vers l'ennui, notre maison. Je traversais la ville comme un initié, le seul à savoir ce qui venait de se passer au fil des pages tournées, riche de cette intimité avec une histoire que personne ne pouvait partager.

En grandissant, au milieu des tumultes, la lecture ne m'a jamais quitté. J'ai toujours chéri les livres comme la plus grande richesse que les hommes puissent m'offrir. Je n'ai jamais possédé d'autre *trésor que ma bibliothèque, jamais voulu m'entourer d'autres décors que celui de ces milliers de vies, de pensées, de paysages à portée de main, offerts à chaque ligne à celui qui les lit, pour le prix d'une bouchée de secondes.*

*On dit que la lecture est un plaisir solitaire, mais celui qui ne lit pas est bien plus seul encore. Il lui manque le monde entier.*

# 125

## 13 avril 1987, Lyon

Le soir commençait à tomber quand Marc Masson gara sa vieille Renault dans le garage de l'immeuble, au coin de la petite rue qui partait de la place Bellecour. Comme à l'aller, le trajet lui avait paru ne durer qu'une seule minute. Ses mains, crispées sur le volant, avaient suivi la route toutes seules et l'avaient ramené, indemne, à travers un long tunnel noir et vide. Ses dents lui faisaient mal, d'être restées serrées si longtemps.

En repartant de Lorient, il avait pris une décision. Demain, il expliquerait à Olivier qu'il devait s'absenter une dizaine de jours. Il prendrait un billet d'avion pour la Bolivie et il irait voir Papi José. Il irait peut-être même chercher la petite Luciana, où qu'elle soit…

Mais, quand il arriva sur le palier, Marc s'immobilisa, perplexe, et les images de l'Amérique latine s'évaporèrent.

Assise par terre, la tête entre les mains, Pauline était là, qui l'attendait comme une adolescente qui a perdu ses clefs attend le retour de ses parents.

La jeune femme leva lentement la tête vers lui, et il y avait tellement de gêne et de tristesse dans son visage que Marc se précipita auprès d'elle, s'accroupit et la serra dans ses bras, si bien qu'il eût été difficile de dire lequel réconfortait vraiment l'autre.

— Pauline…, murmura-t-il à son oreille.

— Je suis tellement désolée, bredouilla-t-elle, accrochée à son cou. Tellement désolée. C'est Diouf qui m'a prévenue.

Ils restèrent un long moment enlacés, au pied de la porte du studio, puis Marc se releva et lui tendit la main. Quand il découvrit le sac à dos posé par terre, il éprouva un nouveau pincement au cœur, mais d'une autre nature, cette fois.

— Tu… Tu reviens vivre ici ?

Pauline se releva et haussa les épaules d'un air embarrassé.

— Je sais pas. Ce soir au moins. Si tu veux bien…

Il sourit, comme pour signifier que sa réponse était évidente, puis il ouvrit la porte et ils entrèrent ensemble dans le studio.

En faisant leurs premiers pas dans le petit appartement, ils étaient aussi mal à l'aise l'un que l'autre, gauches dans leurs déplacements, intimidés presque, et Marc s'empressa de ranger les quelques affaires qui traînaient, bouteilles vides, paquets de cigarettes…

— C'est le bordel, désolé…

Pauline s'assit silencieusement sur le bord du canapé et Marc, qui ne savait s'il devait s'installer auprès d'elle, décida finalement de s'asseoir par terre, de l'autre côté de la table basse.

— Je suis désolée, répéta la jeune femme. Si j'avais su plus tôt, je serais venue avec toi. Je suis tellement désolée…

— T'en fais pas. C'était pas plus mal que je sois seul, en fait. Ça a été. Ça va. Enfin… Autant que possible, quoi. C'est la vie, comme on dit. Je suis tellement content de te voir…

Pauline soupira. Elle savait pertinemment que non, ça n'allait pas, que c'était pour lui une épreuve terrible, les douleurs profondes d'un passé qui lui explosaient au visage, mais elle savait aussi que Marc était bien plus pudique qu'il ne l'admettrait lui-même, et elle ne voulait pas le mettre plus mal à l'aise qu'il ne devait déjà l'être.

— Ouais… Elle est bizarre, la vie, hein ? lança-t-elle finalement en penchant la tête. On s'engueule à cause de mon père, et le tien disparaît…

— C'est nul. Je n'aurais jamais dû m'emporter comme ça. Je m'en veux terriblement. Je sais bien que c'est plus fort que moi, j'aimerais tellement réussir… Mais cette chose est ancrée en moi. Elle fait partie de moi. Peut-être qu'à nous deux, on peut trouver un moyen d'avancer. À toi de me supporter, d'apprendre à ne pas avoir peur de ça, et moi… Il faudra bien un jour que je me décide à aller voir un psy.

Pauline s'avança et tendit la main par-dessus la table basse pour prendre la sienne. Ils restèrent un long moment sans rien dire, main dans la main, à se regarder dans les yeux avec une profonde tendresse.

— C'est… C'est moi qui conduisais, murmura soudain la jeune femme.

— Pardon ?

— C'est moi qui conduisais la voiture, quand c'est arrivé. L'accident. Mon frère et ma mère…

Marc serra sa main plus fort encore.

— Oui, j'ai cru comprendre, à travers les paroles dégueulasses de ton père. Tu aurais dû me le dire avant. Le poids doit être bien lourd à porter. Mais c'était un accident, Pauline. Tu n'y es pour rien.

— Je venais d'avoir mon permis. J'étais… J'étais tellement fière de conduire… J'ai jamais pu me pardonner. Mon père non plus. Quand il me regarde, j'ai l'impression qu'il aurait… qu'il aurait préféré que ce soit moi plutôt qu'elle.

— C'est un sale con.

— Il est malheureux, c'est tout…

— Ça n'autorise pas la méchanceté. Il n'y a que les cons qui deviennent méchants quand ils sont tristes. Comme moi. Je suis un con aussi. Il aurait dû remercier le ciel que sa fille, au moins, s'en soit sortie vivante, et te chérir plus que jamais. Tu as bien fait de partir. Et tu peux être fière de ce que tu es devenue.

— Je ne m'en remettrai jamais.

— Ce serait bien égoïste que de ne plus éprouver de douleur. Ces douleurs-là ne disparaissent jamais. On apprend à vivre avec. Hier, j'ai jeté la chaise roulante de mon père par la fenêtre.

— Quoi ?

— Du sixième étage. Ça m'a fait un bien fou.

— Viens là, murmura Pauline en tapotant sur la place vide à côté d'elle.

Ils passèrent la soirée à s'embrasser, à se serrer dans les bras, à rire un peu, même, à se réconforter l'un l'autre.

— Je veux pas que tu repartes. Ni demain, ni jamais.

— Moi non plus. De toute façon, plaisanta Pauline, j'ai plus les moyens de continuer à payer l'hôtel…

Marc sursauta quand le téléphone se mit à sonner, une nouvelle fois au moment le plus inattendu. Il fronça les sourcils en regardant le combiné et vérifia l'heure sur sa montre : 22 heures.

— Tu réponds pas ?

Marc soupira. Non, il n'avait vraiment pas envie de répondre. Mais c'était peut-être sa mère ou sa sœur, qui s'inquiétaient de savoir s'il était bien rentré.

Il décrocha et reconnut la voix d'Olivier.

L'officier de la DGSE lui demandait de rejoindre Paris dès le lendemain et, à demi-mot, lui fit comprendre qu'il allait devoir effectuer une mission particulière.

Marc sut aussitôt ce que cela voulait dire.

Il allait devoir tuer. Tuer pour son pays.

# LIVRE QUATRIÈME

# Un petit grain de sel

« Je sais que la vie vaut la peine d'être vécue, que le bonheur est accessible, qu'il suffit simplement de trouver sa vocation profonde et de se donner à ce qu'on aime avec un abandon total de soi. »

Romain GARY, *La Promesse de l'aube*.

# 126

## Beyrouth, 20 avril 1987

Roger Auque, le correspondant de RTL, regarda sur le mur les petits traits qu'il gravait chaque jour, avec le bout pointu de son tube de dentifrice, sur la bande de joint qui séparait deux rangées de carrelage blanc. Chaque fois qu'on le changeait de cellule, il reprenait le compte. Il n'avait pas besoin de réfléchir longtemps, il connaissait le chiffre. Quatre-vingt-quatorze jours de détention. Quatre-vingt-quatorze jours dans des cellules minuscules. Celle-ci, souterraine, faisait un mètre soixante-dix sur un mètre soixante-dix, pour un mètre quatre-vingts de hauteur, si bien que, debout, il touchait le plafond et, couché, il devait plier ses jambes. Il ne s'était pas passé une seule de ces sombres journées sans qu'il ne songeât à s'évader. C'était presque une question de survie, car dans la solitude terrible et l'angoisse étouffante de son minuscule cachot, quel autre dessein aurait-il pu se fixer, pour ne pas perdre la raison ?

La première semaine, il avait cru que cela ne durerait pas : ses ravisseurs lui avaient promis une libération rapide. Et puis le temps avait passé, et il avait fini par comprendre, se résigner à l'idée que sa captivité pourrait durer des années. Tous les jours, il pensait à ceux qui subissaient le même sort que lui, depuis plus longtemps encore. Il pensait à Kauffmann et aux autres. Étaient-ils seuls, eux aussi ? Comment survivaient-ils ? Pendant des mois, avant son enlèvement, comme des millions de

Français, il avait imaginé l'enfer de leur captivité. À présent, il le partageait...

De l'autre côté du mur, il entendait encore le bruit de la mer, la rumeur du ressac... Ces avions qui décollaient plusieurs fois par jour avaient fini de le convaincre : il était détenu dans une cave à Ouzaï, un quartier de la banlieue sud, à quelques pas de Green Beach, la plage par laquelle étaient arrivés les Marines en 1983. Les Services français songeraient-ils à le chercher ici ?

Du bout des doigts, il essuya les gouttes d'humidité qui perlaient à la surface du carrelage blanc, et il écrivit le nom de sa femme. Marlène. Avait-elle reçu les deux lettres que ses ravisseurs l'avaient laissé lui écrire ? « Elle est arabe, vous savez ? Je suis marié à une Arabe. Je n'ai jamais été un ennemi des Arabes. »

Il récita alors dans sa tête l'un des poèmes de Victor Hugo qu'il avait appris par cœur. Chaque jour, il en mémorisait un nouveau, en feuilletant, les yeux fatigués par la pénombre, les pages jaunies de l'unique livre qu'on avait daigné lui apporter.

> L'amour fait comprendre à l'âme
> L'univers, sombre et béni ;
> Et cette petite flamme
> Seule éclaire l'infini
>
> Sans toi, toute la nature
> N'est plus qu'un cachot fermé,
> Où je vais à l'aventure,
> Pâle et n'étant plus aimé[1].

Ses yeux glissèrent vers le bas du mur, sur cette petite ouverture par laquelle un rat venait parfois

---

1. Victor Hugo, « Je respire où tu palpites », *Les Contemplations*.

le visiter. La première nuit qu'il l'avait vu, il avait hurlé de peur. Un gardien était venu et lui avait demandé ce qui se passait. Auque avait hésité à lui demander de boucher le trou, et puis, finalement, il n'avait rien dit. Un rat, c'était toujours un peu de visite.

Mais aujourd'hui, cela faisait longtemps que son compagnon secret n'était pas venu.

Quand il entendit les deux hommes approcher dans le couloir, il attrapa en soupirant le bandeau sur son matelas et le serra de nouveau autour de son crâne. C'était la règle : quand ils arrivaient, il devait se bander les yeux. S'il voyait leur visage, il mourrait.

En baissant le regard, il pouvait voir seulement le sol. Quand les deux gardes entrèrent, il reconnut les sandales de celui qu'il appelait « Philippe ». Celui qui disait aimer la France. *Les gens sont très libres, en France. C'est vrai qu'on peut vivre avec une femme sans être marié avec elle ?* Philippe était le seul qui ne l'ait jamais brusqué, qui ne lui ait jamais mal parlé.

— Tiens. Dépêche-toi de manger, et quand tu as fini, on t'emmène pour la douche.

L'homme déposa un sandwich au labné et deux mandarines sur le sol. Roger Auque les attrapa du bout des doigts. Depuis qu'ils l'avaient enlevé, ses geôliers ne lui avaient presque jamais donné de viande. Du poulet, une ou deux fois seulement. Il avait terriblement maigri et, malgré les exercices qu'il s'attachait à faire chaque matin, il avait perdu beaucoup de muscle. Avec le temps, la faim elle-même avait fini par disparaître. Comme d'habitude, il se força à manger, luttant contre l'écœurement. *Pas le droit de se laisser mourir.*

Quand il eut terminé, à leur ordre, il suivit à tâtons les deux hommes dans le couloir. À chaque pas, il pouvait entendre le tintement de leurs

Kalachnikov. La tête baissée, il regardait le béton usé sous ses pieds. Il connaissait le chemin par cœur. C'était celui qu'il faisait trois fois par jour pour aller aux w.-c., et deux fois par semaine pour la douche. Cinq pas à droite, quatre pas à gauche, et puis la porte.

À l'intérieur de la minuscule salle de bains, il ôta son bandeau d'un geste empli de lassitude. Pas de miroir, ici. Sans doute avaient-ils peur qu'il n'en fasse une arme, ou bien qu'il ne voie lui-même à quel point son visage était devenu cadavérique. Ne pas pouvoir se regarder en face, c'est être empêché de constater qu'on est vivant. Les otages sont invisibles, même à leurs propres yeux.

Il monta lentement sur le bac blanchâtre des toilettes à la turque, qui servaient à la fois de douche et de w.-c. Il attrapa le vieux tuyau en plastique et commença à se laver. L'eau était à peine tiède, mais ces deux douches par semaine étaient l'un des rares moments agréable que lui accordait sa captivité. L'impression de se laver de toute cette crasse, de toutes ces mauvaises pensées. Les siennes comme celles des hommes qui le maintenaient là.

Quand il eut terminé sa toilette, les deux gardiens le ramenèrent dans sa cellule.

— Nettoie par terre ! C'est sale !

Auque reconnut immédiatement cette voix. C'était le pire de tous, celui qu'il appelait Frankenstein. Un sadique de la pire espèce.

Les épaules de l'otage s'affaissèrent. Sa cellule était aussi propre qu'elle pouvait l'être. Il l'avait déjà lavée la veille. Mais il savait pertinemment que Frankenstein se moquait de la propreté du sol. Il voulait seulement l'humilier, le regarder à quatre pattes frotter en vain les vieilles dalles de carrelage. Bon sang, il se demandait même si le geôlier n'y prenait pas quelque plaisir sexuel. Un jour, il avait cru le voir du coin de l'œil, par l'ouverture de son bandeau, glisser la main dans son pantalon en le regardant nettoyer le sol.

— J'ai déjà nettoyé hier...

— C'est encore sale ! Lave !

Le gardien cracha par terre.

Auque serra les dents, attrapa la serpillière et commença à frotter. Un jour qu'il avait tenté de lui tenir tête, il avait reçu plusieurs coups de crosse dans le dos. Le souvenir de la douleur était encore présent entre ses omoplates.

> *De quoi puis-je avoir envie,*
> *De quoi puis-je avoir effroi,*
> *Que ferai-je de la vie*
> *Si tu n'es plus près de moi[1] ?*

Après quelques minutes, le gardien finit par s'en aller. Il claqua la porte derrière lui et verrouilla la serrure.

Aussitôt, Roger Auque se redressa, enleva le bandeau et fronça les sourcils. Avait-il rêvé ? Il tendit l'oreille. Son cœur se mit à battre. Fébrilement, il se mit debout et s'approcha de la porte pour jeter un œil dans le trou de la serrure. Non : il ne s'était pas trompé. La lumière ne passait pas. Son gardien venait de laisser la clef à l'intérieur, au lieu de l'accrocher à un clou sur le mur du couloir, comme il le faisait d'ordinaire !

Sans faire de bruit, il attendit que le rituel habituel se déroule de l'autre côté de la porte. Les deux hommes s'éloignaient, vers la droite, du côté opposé à la salle de bains, ils ouvraient une porte, puis plus rien. Ils ne revenaient qu'une ou deux heures plus tard.

Quand il fut bien certain qu'ils n'étaient plus dans les lieux, Roger Auque, les doigts tremblants, enleva

---

1. *Ibid.*

son T-shirt, l'aplatit sur le sol et le poussa lentement pour le faire passer sous la porte. Malheureusement, le tissu n'était pas assez rigide pour rester à plat. Il réfléchit, chercha autour de lui et arracha une tige de fer à la grille d'aération de sa cellule, afin de pouvoir pousser le t-shirt suffisamment loin, bien à plat, de l'autre côté. Comme la position lui semblait bonne, il introduisit la tige dans la serrure et poussa délicatement la clef.

Lorsqu'elle tomba sur le sol, il serra les dents en espérant qu'elle avait atterri au bon endroit. Surtout, il espérait que ses geôliers étaient bel et bien partis. Le cœur battant, il tira lentement sur son T-shirt. À chaque nouveau centimètre, il savait qu'il risquait de perdre la clef, et alors non seulement il ne pourrait s'évader, mais sa tentative serait découverte. Il relâcha un instant le tissu et se frotta les mains, comme pour chasser leur tremblement, puis il recommença.

Millimètre par millimètre. Quand la clef apparut enfin sous ses yeux, il se retint de pousser un cri de joie.

Fuir, enfin.

# 127

## Paris, 20 avril 1987

La gifle claqua entre les quatre murs de la salle d'interrogatoire, au sous-sol de la rue Nélaton. Assis nu sur la chaise où on l'avait attaché, Fouad Ali Saleh releva lentement la tête, un filet de sang coulant le long de son menton. Depuis son arrestation, il n'avait toujours pas quitté cet air de défi, ce sourire narquois, et il fallait bien reconnaître qu'il faisait preuve d'un mental extraordinaire. Dans la pénombre des sous-sols de la DST, les policiers n'y étaient pourtant pas allés de main morte. Intimidation, humiliation, passage à tabac... Avec un terroriste, la maison ne faisait pas dans la dentelle.

Quand, vers 3 heures du matin, le commissaire Batiza entra dans la pièce, le visage fermé, il fit un signe de tête à ses collègues. Depuis l'assassinat de Girard au Liban, tous les Services français étaient sur les nerfs, pas seulement la DGSE.

— Rhabillez-le, dit-il d'un air agacé.

Un Coran ouvert traînait par terre, à côté des pieds nus d'Ali Saleh. Batiza préféra ne pas imaginer à quoi il avait servi.

— Cette petite pute ne veut toujours pas nous dire où se trouve la cache de Fontainebleau.

— Rhabillez-le, répéta le commissaire. Je m'en occupe.

Depuis l'arrestation de Fouad Ali Saleh et de ses complices – Hassan Aroua, le chauffeur de taxi, et Mohamed Aïssa, le restaurateur de la rue de Chartres – les pièces du puzzle n'avaient cessé de se mettre en place une à une. D'abord, les aveux de deux sous-fifres avaient permis l'arrestation de deux autres complices, Omar Agnaou et Abdelhamid Badaoui, des Marocains qui avaient participé eux aussi au soutien logistique d'Ali Saleh. En dehors de ce dernier, tous s'étaient mis à parler et à confirmer ce que les écoutes de la rue de la Voûte avaient révélé. D'interrogatoires en perquisitions, la DST était parvenue rapidement à ajouter de solides éléments au dossier. Petit à petit, la lumière se faisait sur le déroulement exact des attentats parisiens. Ils avaient même à présent le nom des artificiers libanais. Le premier n'était autre que Hussein Mazbouh, l'une des personnes arrêtées lors de l'opération Ardoise et relâchées par le juge Marsaud un an plus tôt. Et le second n'était connu que par son nom de code : Bassam. Les chances de les retrouver un jour l'un et l'autre n'étaient pas bien grandes. Et Batiza était de plus en plus convaincu que les véritables commanditaires, probablement iraniens, ne seraient, eux, jamais connus. Officiellement.

Tous avaient néanmoins confirmé qu'une nouvelle série d'attentats avait été prévue avant le coup de filet rue de la Voûte, et qu'il subsistait une importante cache d'explosifs en forêt de Fontainebleau. Mais le seul qui aurait pu en donner l'exacte localisation, Fouad Ali Saleh, refusait toujours de parler.

— Passez-lui les menottes et descendez-le au parking. On va aller faire un tour sur place avec lui et Aïssa. Ça va peut-être leur rafraîchir la mémoire.

# 128

## 20 avril 1987, Beyrouth

Roger Auque glissa lentement la clef dans la serrure. Avant de la tourner, il s'immobilisa. Et s'il s'était trompé ? Si les gardiens n'étaient pas partis et qu'il tombait nez à nez avec eux ? Devait-il vraiment risquer sa vie pour tenter de s'évader ? Il ne put s'empêcher alors de penser à Marlène. Et d'autres vers de Hugo s'imposèrent aussitôt à lui.

*Dis, qu'as-tu fait pendant tout ce temps-là ? Seigneur,*
*Qu'a-t-elle fait ? Vois-tu la vie en vos demeures ?*

*À quelle horloge d'ombre as-tu compté les heures ?*
*As-tu sans bruit parfois poussé l'autre endormi ?*
*Et t'es-tu, m'attendant, réveillée à demi ?*
*T'es-tu, pâle, accoudée à l'obscure fenêtre*
*De l'infini, cherchant dans l'ombre à reconnaître*
*Un passant, à travers le noir cercueil mal joint,*
*Attentive, écoutant si tu n'entendais point*
*Quelqu'un marcher vers toi dans l'éternité sombre ?*

Il lui devait. À elle qui l'attendait.

Il tourna la clef.

La porte s'ouvrit lentement. Roger Auque jeta un coup d'œil sur la cellule derrière lui. Qu'aurait-il pu emporter ? Ici, il n'avait rien, sinon de mauvais souvenirs.

Sans faire de bruit, il s'avança d'un pas lent dans le couloir. Libre. Au bout, la porte par laquelle il entendait ses gardiens partir chaque soir. Son cœur se mit à battre. Ils pouvaient revenir à tout moment. Que ferait-il alors ? Il revint rapidement sur ses pas pour voir s'il ne pouvait trouver une arme. Il fouilla la pièce qui faisait face à sa cellule, et qui devait servir de cuisine et de lieu de vie à ses ravisseurs. Rien, bien sûr. Pas même un couteau.

Il retourna vers la porte. Quand il tendit la main vers la poignée, soudain, l'évidence lui apparut : cette porte blindée était forcément fermée ! Comment avait-il pu espérer un seul instant qu'elle fût ouverte ? Il essaya malgré tout. En vain.

Quel imbécile !

Et en sous-sol, pas d'ouverture, pas de fenêtre. Un cachot dans un cachot. Alors, que faire ? Se cacher derrière la porte, attendre qu'ils reviennent et leur sauter dessus ? Affaibli, à mains nues, il n'avait aucune chance contre ses deux gardiens.

La douleur de la colère et de la frustration monta lentement dans sa gorge, jusqu'à l'obstruer totalement. Abattu, Auque se laissa glisser lentement le long du mur et fondit en larmes. Y avoir cru, un seul instant, c'était encore pire que tout.

Il n'aurait su dire depuis combien de temps il était là à sangloter dans le couloir quand il entendit des bruits derrière la porte.

Le journaliste, paniqué, se leva d'un bond et courut vers sa cellule. Et maintenant ? Comment faire ? Quelle chance avait-il que sa tentative d'évasion ne fût pas découverte ?

Il entra dans son cachot, verrouilla la porte, puis fit glisser la clef sur le sol en direction du couloir. Avec un peu de chance, les gardiens croiraient l'avoir fait tomber eux-mêmes.

Il n'en fut rien.

Ce soir-là, Roger Auque fut roué de coups, jusqu'à en perdre connaissance.

# 129

## 20 avril 1987, Bad Oeynhausen

La petite ville thermale, nichée sur la rive ouest du Weser, au cœur de la Rhénanie-du-Nord, était plongée dans la grisaille d'un triste printemps. Au petit matin, Marc, une casquette vissée sur la tête et les mains plongées dans les poches de son blouson de cuir, longea dans la brume le long parc où l'eau des fontaines et des bains se mêlait docilement à la bruine. Autour de lui, les façades endormies des petites maisons ouest-allemandes semblaient vaciller derrière le voile frémissant de la pluie.

La veille, il était venu en repérage, et il suivait maintenant son parcours avec les automatismes d'un habitué, comme un simple habitant de la ville en route pour son travail matinal. Deuxième rue à gauche, puis cette allée de terre qui coupait à travers le quartier résidentiel, à quelques pas seulement de la zone d'activités. Un endroit calme, serein, en apparence au moins.

Il reconnut sans peine le petit pavillon. Lors, ce fut comme si tous les chemins de sa vie, toutes les routes parcourues jusqu'ici n'avaient eu d'autre destination que celle-ci, d'autre dessein que celui-là.

Il le savait, Pauline, dans ses yeux, avait compris qu'il partait pour une mission... particulière. Et si celle-ci était tombée au plus mauvais moment, la jeune femme avait eu l'élégance, ou l'intelligence, de prendre sur elle et de le soutenir plutôt que de laisser apparaître une bien légitime appréhension. Marc, néanmoins, n'avait pu s'empêcher, pendant le trajet, de penser à tout ce que leur dispute avait soulevé comme questionnements, comme doutes et comme peurs.

Ce matin-là, en pénétrant tout doucement dans la cour du hangar abandonné, il n'éprouva aucune satisfaction, aucun sentiment d'accomplissement, mais seulement cette conscience aiguë qu'il était précisément là où il devait être, en cet instant. Ni gloire ni fierté, mais le sentiment de se résigner à faire ce pourquoi il était né. Ce pour quoi il s'entraînait depuis si longtemps. Son devoir. Aussi singulier fût-il, aussi dur à supporter pour la femme qui l'aimait, c'était le sens qu'il avait donné à sa vie.

*Je suis la balle dans votre fusil. C'est vous qui tirez, c'est moi qui tue.*

Furtivement, il se glissa entre les vieilles carcasses de camions rouillées et fila vers le bâtiment en ruine. Quand les premières montées d'adrénaline se mirent à bourdonner dans sa tête, le souffle court, les mains moites, il se refusa à éprouver la moindre culpabilité, ni quelque jouissance malsaine, mais se laissa plutôt envahir par la fièvre, l'énergie naturelle et instinctive qui lui permettait de ne pas faillir face à l'urgence et à la gravité.

La chaîne qui maintenait fermée la double porte de fer, depuis plusieurs années sans doute, avait été soigneusement coupée quelques heures plus tôt par l'un des agents de la Boîte. Marc se faufila à l'intérieur et monta à l'étage.

Les murs de ciment délabrés ramenèrent immanquablement à son souvenir les images de Beyrouth. Un autre pays, mais le même ennemi. Il avança prudemment sur le palier et s'arrêta enfin devant sa « boîte aux lettres ». Dans la pénombre, sa main effleura la petite gommette collée sur le bord d'un placard électrique.

6 h 50. Le quartier était encore désert. Pas un bruit alentour. Dans sa poitrine, Marc tenta de contenir les coups de boutoir de son cœur qui s'emballait. Il reprit sa respiration, récupéra la clef métallique scotchée sous le placard et ouvrit la porte. À l'intérieur, le long du vieux tableau électrique, il trouva sa Remington BDL 700 partiellement démontée et ficelée, avec sa lunette et son bipied, dans un vulgaire sac en plastique. « Dites-le avec des fleurs. » Avec des gestes assurés, il se saisit de son arme et rejoignit, de l'autre côté du couloir, un bureau abandonné, au sol jonché de débris. Sur un mur, la dernière page d'un vieux calendrier de l'année 1979 figurait une blonde permanentée, aux seins dénudés.

Au cours de ces longs mois, de tests en formations, il était lentement devenu un autre homme : Matthieu Malvaux. Et aujourd'hui, en plein cœur de l'Allemagne, cet homme allait devoir tuer.

Le sentiment qu'il éprouva alors était étrange. La mission avait été préparée pendant de longues semaines par des gens qu'il ne connaîtrait jamais, et à qui il devait pourtant faire une confiance aveugle. Quant à la cible, il ne la connaissait que par son dossier. Quelques lignes de plus dans le détail de son mandat officieux.

Il s'installa devant la fenêtre à la vitre cassée, et repéra en ligne de mire le petit pavillon où vivait Abou K., l'un des trois hommes liés à l'attentat du Drakkar, qui avait entraîné la mort de cinquante-huit soldats français.

Marc, avec des gestes sûrs et calmes, commença à réassembler sa carabine. Culasse à verrou, lunette, bipied, les pièces glissèrent avec douceur dans un tintement métallique, et il serra délicatement les vis pour finir l'assemblage. Un rituel qui l'aidait à entrer dans un état d'hyperconscience. Bientôt, son arme et lui ne feraient plus qu'un.

La mine grave, sourcils froncés, il se mit en position et cala la carabine. La situation était idéale. Un premier coup d'œil dans la lunette : la porte d'entrée du pavillon était en mire, en pleine façade, avec un angle réduit.

Il pencha la tête de droite et de gauche pour aider ses muscles à se relâcher. À quelques centaines de mètres à peine, Olivier attendait dans la rue, à l'arrière d'une camionnette aux vitres teintées. Marc, enfin prêt, glissa dans son oreille l'écouteur de sa radio courte distance.

À mi-voix, il lança son appel.

— Serpico de Hadès.

— *Transmettez.*

— En position.

— *Bien reçu.*

La longue attente commença. Dehors, tout était calme, et seul le bruit d'une pluie fine venait rompre le silence du petit matin.

Pendant tout le trajet jusqu'en Allemagne, même si l'officier de la DGSE avait tenté de n'en rien montrer, Marc avait senti dans son regard un mélange d'inquiétude et d'empathie, comme si lui donner sa première mission Homo représentait pour Olivier non seulement une source de stress, mais aussi de culpabilité. Quelle que fût la cible, il ne devait jamais être simple de demander à un subalterne de donner froidement la mort.

Marc ne ressentait rien de cela. Une appréhension, peut-être ; la conscience évidente qu'il ne s'agissait pas d'un acte gratuit ou léger. Mais, en réalité, sa plus grande crainte était de voir la mission annulée à la dernière seconde, comme cela pouvait arriver à tout moment. Les images des attentats à Paris comme des otages au Liban lui étaient revenues sans cesse en mémoire, tout au long du voyage. Le sang sur les trottoirs. Les regards suppliants. On lui confiait aujourd'hui la responsabilité de venger de profondes blessures dans la chair du peuple français, et de mettre un terroriste hors d'état de nuire ; ses mains ne tremblaient pas.

À 7 h 10, une lumière s'alluma au rez-de-chaussée du petit pavillon. Les poings de Marc se refermèrent sur son arme. Quelques secondes plus tard, la voix d'Olivier grésilla de nouveau dans l'oreillette.

— *Hadès de Serpico.*

— Transmettez.

— *Le Renard est dans son terrier. Tenez-vous prêt.*

— Bien reçu.

En appui, la crosse fermement collée dans le creux de l'épaule, Marc approcha son œil de la lunette. Le champ était clair, et la porte principale du pavillon remplissait à elle seule tout le réticule.

Marc chassa de sa tête les images du Brésil et de ses petits orpailleurs, dont le souvenir venait de l'assaillir. L'instant ne pouvait souffrir la moindre émotion. Il maîtrisa le rythme de sa respiration.

7 h 13, de l'autre côté de la rue, la poignée s'abaissa, et la porte s'ouvrit lentement.

Ce fut comme si le monde entier disparaissait soudain pour ne plus laisser la place qu'à cette seule porte.

Un homme apparut dans l'ouverture.

Trentenaire, cheveux bruns, courte barbe, costume noir. Dans le réticule de sa lunette, Marc reconnut sa cible, sans erreur possible.

— Serpico de Hadès. Renard identifié.

— *Affirmatif.*

Les secondes, alors, semblèrent s'égrener en cliquetant comme au son d'une horloge universelle. Son doigt ne bougea pas d'un millimètre sur la détente, prêt à appuyer, sans perturber la visée. Marc relâcha son corps, tout en maintenant sa saisie ferme de la crosse. Contrôler les battements de son cœur, et attendre.

Abou K. sortit de la maison, jeta des coups d'œil alentour, comme s'il était perpétuellement sur ses gardes, et commença à descendre les marches qui menaient dans sa cour. Depuis le premier étage de l'entrepôt, juste en face, l'angle de tir était idéal. Mais l'homme marchait d'un pas vif. Si l'ordre ne venait pas tout de suite, Marc allait perdre l'avantage d'une exposition frontale.

— *Hadès de Serpico. Supprimez la cible.*

Sans répondre pour ne pas bouger, Marc exerça une pression progressive et assurée sur la queue de détente. Un geste si infime, pour une si grande conséquence.

La détonation claqua dans le petit matin, au moment où le front d'Abou K. explosa dans une gerbe écarlate.

Marc resta en position, l'œil accroché à sa lunette. Il regarda le terroriste s'écrouler sur le sol, maculé de sang, comme les dizaines de victimes dans l'immeuble du Drakkar.

— Cible supprimée, confirma-t-il d'une voix neutre.

Il resta encore un instant immobile.

De l'autre côté de la rue, Abou K. ne bougeait plus et des petites rivières sombres se frayaient un chemin le long de sa terrasse.

Marc constata alors qu'il n'éprouvait rien, sinon le sentiment d'un accomplissement. Rien de plus que le jour où il avait tiré, en banlieue parisienne, dans un appuie-tête. Il avait pourtant parfaitement conscience qu'il venait d'ôter une vie. Ce n'était pas la Remington qui avait tiré, c'était lui. Abou K. était mort. Il n'en retirait ni plaisir, ni honte. La mission qu'il avait acceptée était simplement achevée.

Il ne put s'empêcher alors de penser de nouveau à Pauline. Qu'aurait-elle pensé de lui si elle avait su que le geste qu'il venait d'accomplir ne lui posait aucun cas de conscience ? L'aurait-elle jugé ? Aurait-elle fini par renoncer définitivement à l'amour qu'elle avait pour lui ? Aurait-elle eu raison, alors ? Car cette absence de sentiment ne faisait-elle pas de lui un monstre ? Un animal ?

La voix d'Olivier dans son oreillette le ramena aussitôt à la réalité de l'instant.

— *On plie bagage. Cheminement de sortie. Terminé.*

Marc était sur le point de ranger son fusil quand, soudain, son regard fut accroché par un mouvement à une fenêtre du pavillon.

Quand il colla son œil à la lunette, ce qu'il vit dans le réticule lui procura immédiatement une nouvelle décharge d'adrénaline.

# 130

## 20 avril 1987, Fontainebleau

Ils avaient garé la voiture en pleine forêt, sur le parking des Gorges d'Apremont, au sud-est de Barbizon. Hassan, le chauffeur de taxi, avait expliqué à la DST que la cache d'explosifs se trouvait quelque part dans cette partie de Fontainebleau, mais il n'en savait pas plus.

Guettant la moindre réaction de Fouad Ali Saleh, Batiza et ses hommes avaient poussé les deux terroristes à travers les pins sylvestres, aux couleurs du printemps, plantés comme un défi sur une terre aride. Ils étaient passés au milieu des blocs de grès, au bord des gouffres, le long des stèles levées et avaient franchi des bancs de sable sans que le chef de la petite cellule terroriste ne manifestât le moindre signe d'inquiétude.

Ils étaient à présent arrêtés au fond d'une gorge noyée de bouleaux et de pins. Le soleil commençait à peine à percer le voile des nuages et illuminait péniblement ce coin reculé de la forêt.

Batiza passa derrière les deux hommes menottés et les obligea à s'agenouiller, dos à dos, à deux mètres l'un de l'autre, puis il les observa un instant.

Hassan, terrifié, tremblait, tête baissée, alors qu'Ali Saleh n'avait rien perdu de son air fier et arrogant.

— On vous a laissé votre chance de parler, commença le commissaire en sortant son revolver de son holster. Ma patience a des limites. Vous les avez franchies depuis longtemps.

L'un de ses collègues à sa gauche lui adressa un regard inquiet.

— Qu'est-ce que tu fous, Arnaud ?

— J'en ai plein le cul de ces deux rigolos, répondit l'Antillais en approchant de Hassan et en lui posant le canon de son arme sur l'arrière du crâne.

— Pitié, pitié, murmura le chauffeur de taxi en fermant les yeux.

— Fais pas le con, Arnaud, intervint l'un des policiers.

— Ta gueule. Ça s'arrête ici et maintenant, ces conneries.

Tout en gardant Hassan en joue, Batiza se tourna vers Ali Saleh.

— Dernière chance. Où est la planque, Fouad ?

Le terroriste ne bougea pas d'un millimètre, aussi droit que les arbres immenses qui les entouraient.

— Dis-moi où est la planque, ou je descends ton petit copain.

— Faites ce que vous voulez, je parlerai pas.

Le commissaire arma le chien de son revolver.

— Je compte jusqu'à trois et je le descends.

— Arnaud…

— Un, deux, trois…

Fouad Ali Saleh, les yeux plantés dans le sol, resta silencieux. Il sursauta à peine quand la détonation éclata derrière lui et qu'il entendit le corps du chauffeur de taxi s'écrouler sur le parterre de feuilles.

Batiza s'approcha de lui et lui colla le canon de son arme sur la nuque.

— Maintenant, c'est ton tour. Dis-moi où est la planque, ou tu es mort.

De nouveau, il arma lentement le chien du revolver.

— Je compte jusqu'à trois.

— Je dirai rien.

— Un, deux, trois…

Fouad Ali Saleh ferma les yeux et attendit la mort.

Dans son dos, le commissaire Batiza poussa un hurlement de rage et tira une balle dans le sol, comme il l'avait fait un instant plus tôt.

Son plan n'avait pas marché. Il envoya un coup de pied rageur dans le dos du terroriste pendant que ses compagnons aidaient Hassan, qui avait joué le jeu comme prévu, à se relever, indemne.

# 131

## 20 avril 1987, Bad Oeynhausen

— Serpico de Hadès.

— *Qu'est-ce que vous foutez ?* répondit Olivier d'une voix agacée. *Pliez bagage, bordel !*

Marc, l'œil collé sur sa lunette, ne bougea pas d'un centimètre.

— Je viens de voir le Vautour derrière la fenêtre de l'étage.

— *Pardon ?*

— Le Vautour. Il est là.

Un instant de silence. De l'autre côté de l'émetteur, Olivier, sans doute, devait avoir du mal à croire à ce qu'il venait d'entendre. Ahmed M., alias Le Vautour ! Le ravisseur des otages français qui avait disparu des radars à Beyrouth depuis de si nombreuses semaines. L'un des cerveaux présumés de la prise d'otages. Et, depuis peu, le suspect numéro un dans l'assassinat de Rudi Girard.

— *Vous êtes sûr Hadès ?*

— Affirmatif.

Le rideau s'était rabattu, et Marc n'avait plus de visibilité sur l'intérieur du pavillon, mais il était catégorique. L'homme qui avait jeté un coup d'œil par la fenêtre était bel et bien le Vautour. L'homme dont il avait fait exploser la voiture. Il ne pouvait pas oublier son visage.

— *Vous l'avez en ligne de mire ?*

— Négatif. Il s'est éloigné de la fenêtre. Vous voulez que j'y aille ?

Moment de silence. L'ordre de mission transmis par Olivier était clair : supprimer Abou K. et rentrer en France aussitôt. Mais le Vautour était une cible de haute valeur, recherchée depuis des mois par la DGSE. Une prise immense. Encore plus prioritaire même, depuis que plusieurs témoignages concordants l'avaient incriminé dans l'assassinat de Rudi. Le fait que sa présence ait visiblement échappé aux nombreuses surveillances de la Boîte sur le pavillon allemand laissait songer que, se sachant recherché, il était venu s'y terrer à son tour, et qu'il n'en était plus sorti depuis lors.

— *Attendez-moi à votre point d'entrée.*

Marc ne perdit pas une seule seconde. Il remballa à la hâte son fusil de précision et courut vers les escaliers pour rejoindre la grande porte du hangar.

Il attendit à peine une minute avant qu'Olivier apparaisse et se glisse dans l'ouverture du portail.

— Tenez, mettez ça, dit l'officier en lui tendant une cagoule.

Marc enfila le bout de tissu noir.

— Donnez-moi votre fusil, ordonna Olivier, et il lui confia en échange un pistolet automatique équipé d'un silencieux.

Masson vérifia le chargeur et tira sur la culasse pour engager la première cartouche.

— Vous êtes sûr de vouloir faire ça, mon garçon ?

Marc hocha la tête, ses yeux emplis d'une froide détermination. L'officier l'attrapa par l'épaule.

— Butez-moi cette sous-merde, Marc. Je ne devrais pas vous dire ça, mais cette fois-ci, j'en fais une affaire personnelle.

Masson, qui avait suivi par la presse l'affaire de l'exécution de Rudi Girard, se doutait qu'il y avait un lien direct, même si Olivier n'en avait rien dit. Il adressa un clin d'œil à l'officier.

— On va se le faire, cette fois-ci, Olivier.

— Vous avez trois minutes. Pas plus. On reste en contact. Vous faites le tour, vous essayez d'entrer, de localiser cette ordure, et vous finissez le travail. Je vous récupère en sortie. Trois minutes maximum. Si vous ne l'avez pas localisé d'ici là, vous dégagez. Faites attention, Hadès. On est en totale improvisation.

Marc se contenta de lui adresser un signe de tête et se glissa furtivement à l'extérieur. Il n'avait pas une seconde à perdre.

Le coup de feu, visiblement, n'avait pour l'instant alerté personne dans le quartier et, dans la faible lumière du matin, le corps immobile d'Abou K., étendu sur la terrasse du pavillon, passait encore inaperçu. La rue était toujours déserte. D'un pas preste, l'arme pointée vers le sol, Marc traversa en biais jusqu'à la haie qui clôturait le jardin et passa rapidement de l'autre côté.

Accroupi, il fit une courte pause, à l'abri derrière un buisson, inspecta les environs, jeta un dernier coup d'œil à la fenêtre de l'étage, puis courut vers l'arrière du pavillon, le dos courbé. Le bruit des battements de son cœur semblait plus fort que celui de ses pas. Les nombreuses formations que Vulcain lui avait prodiguées à Cercottes avaient porté leurs fruits : les automatismes étaient là, instinctifs, naturels. Sa progression par étapes respectait scrupuleusement les règles d'or des techniques d'infiltration. Avancer, observer, avancer, toujours garder une voie de repli. Limiter son exposition. *Nul ne verra, nul ne saura.*

Quand il arriva dans le petit jardin à l'arrière du bâtiment, il constata aussitôt que tous les volets étaient fermés. Un seul point d'entrée possible : la porte qui donnait sur le jardin. Exposition maximale. C'était risqué.

Marc fit une rapide analyse de la situation. Il ne savait pas combien de personnes étaient à l'intérieur. Le Vautour était-il seul ? Était-il resté à l'étage, en embuscade ? Alerté par le coup de feu qui avait éliminé Abou K., il était forcément sur ses gardes, et très probablement armé.

Masson regarda sa montre. Plus le temps de faire dans la dentelle. S'il voulait garder quelques miettes de l'effet de surprise, il fallait agir maintenant. Le Vautour était – il en avait parfaitement conscience – une cible hautement prioritaire pour la France. Ne serait-ce qu'en mémoire de Michel Seurat.

Il se précipita vers la porte et l'enfonça d'un violent coup de pied avant de se plaquer contre le mur. Un rapide coup d'œil à l'intérieur. Il eut tout juste le temps de se remettre à l'abri quand l'homme debout au milieu de la pièce tira au pistolet dans sa direction. La balle fit voler la vitre de la porte-fenêtre en éclats.

Ce n'était pas le Vautour, il en était certain. Un deuxième homme. Pas le temps de faire le tour. Seule la vitesse et la justesse de son tir pourraient faire la différence. Marc posa un genou à terre, prit sa respiration, et s'engagea de nouveau. Mais l'homme n'était déjà plus là.

Masson bondit à l'intérieur, vers un fauteuil derrière lequel il pouvait se protéger. Aucun mouvement de l'autre côté de la pièce. À gauche, les escaliers qui menaient à l'étage. À droite, une porte entrouverte.

— *Hadès de Serpico. Qu'est-ce qui se passe ?*
— Je suis dedans. Il n'est pas tout seul.
— *Sortez !*
Un instant d'hésitation.
— Négatif. Je termine le boulot.

Il se leva d'un bond et se précipita vers la porte de droite. De l'autre côté, un escalier descendait vers le sous-sol. L'arme en joue, Masson commença à descendre les marches lentement, à l'affût du moindre bruit.

Il venait d'arriver en bas quand, soudain, il entendit le vrombissement d'un moteur. Un pas de plus et il vit l'arrière d'une voiture filer devant lui. Marc fit aussitôt feu sur la Mercedes alors qu'elle sortait du garage sur les chapeaux de roues.

— *Ils s'échappent* ! cria vainement la voix d'Olivier dans l'oreillette.

Masson, les deux bras tendus devant lui, vida hargneusement son chargeur, et la lunette arrière de la berline explosa en mille morceaux, mais le véhicule continua sa course et arriva bientôt au niveau de la rue, tourna dans un crissement de pneus et disparut rapidement à l'horizon.

— *Parcours de dégagement. La police ne va pas tarder. Je vous ramasse derrière.*

Masson poussa un grognement de colère et de frustration en tapant du poing contre un mur.

Dans un soupir, il fit volte-face, remonta vers le rez-de-chaussée pour sortir discrètement par le jardin, d'un pas preste mais sans courir.

*Nul ne verra, nul ne saura.*

Quand il grimpa dans la voiture d'Olivier, il enleva sa cagoule d'un geste rageur.

— Putain, j'ai failli l'avoir ! Je suis désolé…

— Ne soyez pas désolé. Vous étiez venu ici pour une autre mission, et vous l'avez réussie. On finira par l'avoir. Maintenant, je vais pas le lâcher.

# 132

## 26 mai 1987, Fontainebleau

Le commissaire Arnaud Batiza sortit péniblement de sa Peugeot et s'avança de sa lente et lourde démarche au milieu des camionnettes et des voitures garées en pagaille sur le parking des gorges d'Apremont. Il y avait tant de monde sur le terrain qu'on se serait cru un dimanche d'été, avec la foule des marcheurs et des pique-niqueurs. À quelques pas de là, Batiza reconnut le procureur Marsaud, accompagné de son ami le juge Gilles Boulouque, en charge du dossier terroriste au sein de la 14e section du Parquet de Paris, dont Marsaud avait justement pris la direction. Mais il y avait là aussi une équipe de la DST, des démineurs du Laboratoire central, quatre policiers entourant un Fouad Ali Saleh menotté, et deux conseillers techniques aimablement dépêchés par la CIA.

Après plus d'un mois de recherches infructueuses, la France avait obtenu l'aide des Américains. Quelques mois plus tôt, la DST avait fourni à la CIA des informations qui avaient permis aux États-Unis de détruire des imprimeries clandestines dans la plaine de la Bekaa, où les Iraniens fabriquaient de faux dollars. En guise de remerciement, l'oncle Sam avait proposé de prêter à la France une providentielle machine high-tech.

— Alors c'est bon ? demanda le commissaire de la DST en rejoignant le procureur et le juge.

Ils étaient à quelques dizaines de mètres à peine de l'endroit où Batiza avait essayé, en vain, de faire parler Fouad Ali Saleh un mois plus tôt en simulant l'exécution de son complice. Depuis lors, on avait retrouvé plusieurs marques sur les arbres alentour, des entailles faites au couteau, comme pour y laisser des repères. Mais Ali Saleh s'était terré dans son mutisme, et les fouilles n'avaient rien donné, ni les chiens renifleurs, ni les recherches par vue aérienne.

— Ils ont trouvé quelque chose, mais on n'est pas encore sûrs que c'est ça, expliqua Marsaud sans quitter la scène des yeux.

Le robot téléguidé de la CIA, qui ressemblait vaguement à une tondeuse à gazon, équipé d'une antenne et d'un bras articulé, balayait le terrain devant eux pour analyser les anfractuosités du sol. Plusieurs hommes s'étaient rassemblés autour de l'opérateur de l'appareil et, à distance, on devinait leur excitation.

— Ça fait trois fois qu'ils repassent là, il y a quelque chose d'enterré, affirma le juge Boulouque.

— Ça ne peut être que ça, marmonna Marsaud. Toutes les écoutes, tous les interrogatoires le confirment. Faut vraiment qu'on mette la main dessus ! C'est une pièce à conviction capitale pour le dossier.

Devant eux, l'opérateur de la CIA venait de faire signe aux démineurs et leur avait désigné un minuscule périmètre au milieu de la clairière, avant de remballer sa machine. Les hommes du Laboratoire central se mirent en action.

Le commissaire de la DST jeta un coup d'œil en direction de Fouad Ali Saleh. La découverte ne changerait sans doute rien pour lui, il était déjà mouillé jusqu'au cou, et il savait sans doute pertinemment que rien ne pouvait l'attendre d'autre que la perpétuité. Pourtant, Batiza fut certain de déceler une lueur de colère dans les yeux du terroriste. Comme si cette nouvelle victoire des services de police lui assenait un nouveau coup.

Il ne fallut guère longtemps aux démineurs pour faire apparaître, sous quarante centimètres de terre, une large poubelle en plastique scellée avec du goudron.

À 15 h 12, après les précautions d'usage, ils parvinrent à l'ouvrir sous les yeux impatients des policiers, du juge et du procureur. À l'intérieur, plus de huit kilos d'explosifs et autant d'héroïne, cachée dans des sacs de café.

— Vous êtes accro à l'héro, Fouad ? demanda ironiquement Batiza en tapotant l'épaule du terroriste.

Il savait pertinemment que la drogue avait été livrée à la cellule parisienne pour lui permettre de se financer.

— Allez vous faire foutre.

— Le Prophète doit vraiment être fier de vous.

# 133

## 29 mai 1987, Lyon

Marc, les yeux brillants, regarda le ventre légèrement arrondi de sa compagne, allongée sur le lit du cabinet médical, alors qu'on lui appliquait un gel tout autour du nombril. La promesse qui se nichait dans ses entrailles la rendait plus belle que jamais.

— Est-ce qu'on a quand même une petite chance de savoir si c'est un garçon ou une fille ? demanda Masson en se tournant vers la sage-femme, d'une voix presque enfantine.

Pauline, qui lui tenait fermement la main, secoua la tête d'un air amusé. Le cabinet ayant pris beaucoup de retard, ils avaient patienté ensemble plus d'une heure dans la salle d'attente, fébriles, au milieu des posters et des tracts médicaux, et le jeune homme, incorrigible, n'avait cessé d'affirmer à sa compagne qu'il avait lu quelque part qu'il était parfois possible de découvrir le sexe de l'enfant dès la première échographie.

— Bon, écoutez, monsieur, le but de votre rendez-vous d'aujourd'hui est uniquement de savoir combien il y a d'embryons, d'estimer le terme et de s'assurer qu'il n'y a aucune malformation. Donc : non. Poussez un peu votre bras, s'il vous plaît, j'ai déjà pris beaucoup de retard.

Masson regarda la sage-femme, perplexe. Le ton sec et froid de cette quadragénaire en blouse blanche le désarçonna complètement, lui qui – comme Pauline, sans doute – s'était préparé à vivre ce jour-là un moment de douce et tendre émotion. Depuis que Pauline était revenue vivre avec lui, la perspective de devenir parents les plongeait dans une béatitude qui effaçait peu à peu les souvenirs fâcheux. Cette sage-femme de fort mauvaise humeur n'allait certainement pas leur gâcher le plaisir !

Marc se tourna vers sa compagne, sidéré, et comprit dans les yeux de celle-ci qu'elle le suppliait de ne pas s'énerver. Il lui adressa un sourire rassurant.

La sage-femme, le visage tourné vers son écran, commença à promener la sonde sur le ventre de Pauline. Ses gestes eux-mêmes étaient d'une froideur terrible, secs et mécaniques. On eût dit qu'elle faisait son travail sans le moindre plaisir, et qu'elle aurait préféré être ailleurs plutôt que de s'occuper de ce couple dont elle semblait se ficher totalement.

— Euh... Sans vouloir vous déranger, risqua Marc, vous voudriez bien tourner un peu l'écran, s'il vous plaît ?

De là où ils étaient, les deux futurs parents ne pouvaient voir les images qui apparaissaient sur le moniteur relié à la sonde.

La sage-femme répondit d'un petit claquement de langue agacé.

— Ce n'est pas un spectacle, monsieur... Mon boulot consiste à m'assurer que tout va bien, qu'il ne va pas y avoir de fausse couche et de grossesse extra-utérine...

La main de Marc – retenant de toutes ses forces une grandissante envie de se lever pour coller une gifle médiévale à cette insupportable pimbêche – se resserra sur celle de sa compagne. Il ferma les yeux pour s'efforcer de rester impassible et silencieux jusqu'à la fin de ce qui s'avéra être bien plus une épreuve qu'un instant de grâce.

Une fois l'examen terminé, toujours sans rien dire, la sage-femme tendit du papier tissu pour que sa patiente puisse essuyer elle-même le gel sur son ventre, imprima plusieurs clichés de l'échographie, se leva et partit les étudier sur une petite table de l'autre côté de la pièce.

Pauline se redressa et adressa un geste discret de la main à son compagnon, que Marc put aisément traduire en un « c'est quoi, cette connasse ? ». Il haussa les épaules dans un sourire désabusé. Ils étaient simplement tombés sur une professionnelle antipathique. Ce n'était pas si grave.

Quand la sage-femme revint vers eux, elle avait toujours cette mine déplaisante.

— Bon, eh bien voilà, comme je vous l'avais dit, ce n'est pas du spectacle, une échographie. Ce n'est pas un acte à prendre à la légère : je suis désolée, mais pour moi, votre enfant entre dans le cas des nuques épaisses.

Marc fronça les sourcils.

— Pardon ?

— La mesure de la clarté nucale n'est pas bonne. On est au-delà des trois millimètres, là.

— Ça veut dire quoi ? la pressa-t-il, les traits de plus en plus tendus.

— Qu'il y a un risque sérieux d'anomalie chromosomique.

Le visage de Pauline se mit aussitôt à blanchir.

— C'est-à-dire ?

— Principalement un risque de trisomie 21.

— Mais...

— Il est possible de faire une amniocentèse, pour confirmer, mais on est tout juste dans les temps pour une IVG, donc il va pas falloir traîner. Il va falloir que vous preniez une décision dans les prochains jours...

L'indifférence et la dureté qui se dégageaient de ses propos étaient totalement intolérables. On aurait dit que la sage-femme prenait quelque odieux plaisir à leur parler si sèchement dans un moment aussi délicat. Le jeune couple s'en trouva comme assommé. Incapable de réagir.

La trisomie était un mot qui faisait terriblement peur, et qu'ils ne s'étaient pas du tout préparés à entendre ce jour-là.

— Une... Une décision, mais... Comment ?

— Écoutez, c'est à vous de voir, vous n'avez qu'à aller voir votre gynéco et lui montrer ça, elle vous fera sûrement faire une amniocentèse. Je suis désolée... Vous pouvez vous rhabiller s'il vous plaît ? J'ai d'autres patientes qui attendent.

Cette fois-ci, malgré la promesse qu'il s'était faite à lui-même, Marc ne put se retenir. Il lui avait déjà fallu des efforts surhumains pour garder son calme. Il se leva d'un bond, arracha les feuilles imprimées des mains de la sage-femme et lui adressa un regard enragé.

— Vous êtes toujours aussi conne, ou c'est un traitement de faveur, là ?

La quadragénaire écarquilla les yeux, interdite.

— Pardon ?

— On parle pas comme ça aux gens dans un moment pareil ! Faut changer de métier, espèce de malade !

Marc avait l'air si menaçant qu'elle fit quelques pas en arrière, s'attendant sans doute – et elle n'avait pas tout à fait tort – à un soudain accès de violence.

— Vous n'êtes pas bien ?

— C'est vous qui n'êtes pas bien !

Pauline, blafarde, venait de terminer de se rhabiller quand Marc l'aida à se relever, l'attrapa tendrement par les épaules pour la guider vers la sortie.

— Pauvre conne, va ! lâcha-t-il en claquant la porte derrière eux.

Ils sortirent du cabinet sous les yeux médusés des autres couples qui s'amoncelaient dans la salle d'attente.


# 134

## 2 juin 1987, Paris


Quand le commissaire Batiza entra dans le bureau du juge Boulouque au Palais de Justice de Paris, sur l'île de la Cité, il savait pertinemment qu'il n'allait pas passer un moment des plus reposants. Il espérait seulement que sa toute récente découverte lui permettrait de regagner quelques points.

— Vous avez vu ça ? demanda le juge, en brandissant d'un air furieux le dernier numéro du *Canard enchaîné*, qui venait d'arriver dans les kiosques.

L'Antillais hocha la tête en grimaçant. En effet, un article du journal détaillait avec fort peu d'erreurs la manière dont la DST avait pu démanteler le réseau de terroristes grâce à l'aide d'un précieux indicateur dont le nom, heureusement, avait été modifié. Lotfi Ben Kahla – que l'État avait trop longtemps tardé à payer pour le remercier de ses services – avait donc fini par aller se confier à la presse dans l'espoir de faire avancer les choses. Un plan quelque peu suicidaire, mais efficace, puisque la veille il avait enfin reçu un gros chèque de 750 000 francs – bien loin toutefois, des millions supposés par les journalistes.

— Vous pouviez pas lui faire fermer sa gueule, à ce trou du cul ? s'emporta le juge en jetant ses petites lunettes rondes sur son bureau.

— On a fait ce qu'on a pu... Mais les lenteurs administratives ne nous ont pas facilité la tâche. Ça faisait des mois qu'on lui promettait une récompense qui ne venait pas, il avait le sentiment que l'État se moquait de lui... Et la DST n'a pas vocation à jouer les gardes-chiourmes.

Assis à côté du bureau du juge Boulouque, le procureur Marsaud, qui dirigeait à présent la 14ᵉ section du Parquet, fronça les sourcils en regardant Batiza à son tour.

— Ils disent dans l'article que Lotfi a été transféré à l'étranger ? C'est vrai ? Je croyais qu'il était encore à Paris !

— Non, non, il est toujours là, confirma Batiza. Il ne part que demain. C'est moi qui ai balancé ça aux journalistes, histoire de le protéger un peu. Cet idiot s'est grillé tout seul en allant fanfaronner dans tout Paris, tout le monde doit le chercher...

— C'est son problème. Vous n'aviez pas à le couvrir.

Le grand Noir haussa les épaules d'un air compatissant.

— Il me fait un peu pitié. Faut pas oublier qu'au final, on lui doit presque tout.

— Vous lui devez surtout de passer pour des nuls dans *Le Canard*, Batiza. Et à travers la DST, c'est tout l'appareil d'État et la Justice qui passent pour une équipe de bras cassés.

— Bah, du moment que les criminels sont derrière les verrous, la presse peut bien dire ce qu'elle veut...

— On est loin du compte, intervint Marsaud d'un air sceptique. Vous savez très bien que Fouad Ali Saleh et son réseau de Maghrébins, ce ne sont que les exécutants. C'est déjà une belle prise, certes, mais il nous manque les commanditaires. Et vous savez comme nous que ce ne sont pas vraiment les Libanais, mais les Iraniens. Et dans la liste des inculpés, il n'y a pas un seul Iranien.

— Ça tombe bien, répliqua Batiza tout sourire, je suis venu avec une bonne nouvelle...

Batiza prit place à côté du procureur et déposa un dossier sur le bureau du juge.

— Nous avons du neuf sur Wahid Gordji, officiellement traducteur et responsable des relations presse de l'ambassade d'Iran. Vous vous souvenez de lui, n'est-ce pas ? Son nom était déjà apparu dans notre enquête en février de l'année dernière, lors de l'opération sur le foyer Ahl el-Beit, au Kremlin-Bicêtre. On avait découvert qu'il était lié au libraire Mouhajer, qui fait justement partie du réseau Saleh. On avait même retrouvé chez ce dernier une lettre manuscrite de Gordji qui mentionnait Jean-Paul Kauffmann...

— Je me souviens très bien, répondit Marsaud. Je l'avais entendu moi-même à l'époque, et ça n'avait rien donné, à part que le Quai d'Orsay m'était tombé dessus, criant à l'incident diplomatique.

— Voilà. Il y a six ans, Gordji s'était fait expulser de France parce qu'il dirigeait un groupe d'étudiants pro-Khomeini à la Cité universitaire. Quelques mois plus tard, il avait fini par revenir à Paris miraculeusement, comme traducteur à l'ambassade d'Iran, où il travaille toujours... Au troisième étage. L'étage réservé à l'ambassadeur. Un bien joli bureau pour un simple traducteur, non ?

— En gros, la DST soupçonne Gordji d'être un barbouze, résuma le juge Boulouque en allumant sa quinzième cigarette de la journée.

— Un barbouze en chef, oui. Et on n'est pas les seuls à le penser... La CIA et le MI6 sont sur la même longueur d'onde. C'est aussi lui qui a obtenu une bourse d'études à Fouad Ali Saleh pour son séjour à Qom. Gordji, Mouhajer, Saleh, les liens de ce trio sont nombreux, tant avec le Hezbollah qu'avec l'Iran. C'est sans doute la pièce manquante qui fait le lien entre les attentats et les otages du Liban.

— Vous soupçonnez donc Gordji d'être l'intermédiaire entre l'Iran, donneur d'ordre, le Hezbollah, organisateur, et la cellule parisienne, exécutrice ?

Batiza hocha lentement la tête.

— Mais rien de tout ce que vous nous avez dit n'implique directement Gordji dans les attentats, intervint le juge Boulouque. Je n'ai rien de solide contre lui.

— Il y a une piste. L'un de mes collègues, à qui j'avais demandé d'enquêter discrètement sur Gordji, vient de faire une drôle de découverte. Quelques semaines avant l'attentat de la rue de Rennes, le libraire Mouhajer est allé en RFA pour acheter une BMW 520 d'occasion, qu'il a revendue... à Wahid Gordji. Or, quelques jours seulement après l'attentat de la rue de Rennes, Gordji a fait repeindre sa BMW en gris clair...

— Et alors ?

— Dans leurs auditions, plusieurs témoins de l'attentat de la rue de Rennes affirmaient avoir vu trois ou quatre individus « de type nord-africain » dans une BMW noire qui avait ralenti devant le magasin Tati, quelques instants à peine avant l'explosion. À l'époque, plusieurs avaient cru reconnaître les frères Abdallah dans cette voiture, vous vous souvenez ?

— Que trop bien.

— On sait à présent que c'était Saleh et ses complices.

— Vous pensez que Gordji aurait prêté sa voiture à Fouad Ali Saleh ?

— Je ne sais pas, mais je pense qu'il nous faudrait au minimum savoir pourquoi il a fait repeindre sa BMW en gris quelques jours après l'attentat... non ?

Le juge et le procureur échangèrent un regard intéressé. L'un comme l'autre brûlaient d'envie de pouvoir prouver l'implication de l'Iran dans les attentats. Batiza leur donnait enfin une piste sérieuse.

— Bien. Je peux au moins l'entendre comme témoin, affirma Boulouque en reposant son exemplaire du *Canard enchaîné* sur son bureau. La DST peut l'interpeller ?

# 135

## 2 juin 1987, sud de Munich

Cela faisait un peu plus d'une heure que la filature avait commencé quand la Simca rouge s'engagea soudainement sur la route qui menait à la frontière autrichienne.

Patrice de Bourges, l'un des officiers de la cellule de la DGSE à Munich, poussa un soupir avant de lancer son annonce radio :

— Éole à toutes les stations : pas le choix, je dois passer le poste frontière en amont. Je me positionne à l'entrée d'Achenwald, vous me dites si la Fourmi traverse aussi et vous lâchez.

— *Vous êtes sûr, hein ?*

— Affirmatif. Je me débrouille tout seul.

L'officier de la DGSE devina la gêne de ses collègues dans le silence qui suivit. Le système de filature, bien rodé, était simple : deux voitures se postaient en amont sur le trajet, la troisième effectuait la poursuite en variant ses distances pour ne pas éveiller les soupçons, puis se faisait relayer et prenait à son tour de l'avance pour assurer la prochaine alternance. Un seul individu par voiture, aucun signe distinctif dans l'habitacle. Les trois véhicules étaient reliés par un système radio discret. Tout élément qui pouvait laisser penser que le dispositif avait été repéré devait entraîner une suspension immédiate de l'opération : le but n'était pas d'interpeller la cible, mais seulement de savoir précisément où elle se rendait. Malheureusement, dans le cas d'un passage de frontière, les ordres étaient stricts : réduction des effectifs pour limiter les risques avec les douanes. L'idéal eût été d'avoir une cellule autrichienne pour prendre le relais, mais le poste d'Innsbruck, visiblement débordé, avait poliment décliné.

Patrice de Bourges attendait depuis près de dix minutes sur le parking d'une station-service autrichienne quand le haut-parleur de sa petite radio se mit enfin à grésiller.

— *La Fourmi vient de passer la frontière. À vous de jouer, Éole.*

Il attendit de voir apparaître la Simca dans son rétroviseur pour démarrer et reprendre la filature. Mais au lieu de passer à côté de lui, la petite berline bifurqua vers l'est, sur une petite route qui s'enfonçait dans la forêt.

L'officier grimaça et fit demi-tour. Il avait espéré que la cible resterait sur la nationale. Sur une plus petite route, les choses allaient se compliquer : les risques de compromission étaient bien plus grands. Par chance, l'opération avait lieu de jour, ce qui supprimait déjà le danger des phares allumés. Mais l'absence totale de trafic sur une voie aussi peu fréquentée rendait la filature plus que délicate.

Les poings serrés sur le volant, il s'enfonça à son tour dans la forêt qui montait vers les Alpes de Brandenberg. S'efforçant de conserver une distance de sécurité, il ralentissait prudemment dès qu'il voyait réapparaître la Simca rouge devant lui, à la sortie d'un virage ou au sommet d'une pente. À chaque intersection, l'officier devait lever le pied pour s'assurer que la cible n'avait pas changé de direction et, à chaque fois, les chances de réussite de l'opération s'amenuisaient. Dans le silence de l'habitacle, Bourges enrageait. Le manque de moyens lui faisait prendre des risques qui pouvaient, au mieux, lui faire perdre sa proie, au pire l'exposer.

Cela faisait près d'une demi-heure qu'il grimpait à travers bois quand, soudain, il aperçut, au loin sur sa droite, un nuage de poussière sur un chemin de terre.

Patrice de Bourges serra les dents. Surtout, ne pas ralentir. Il continua sa route et trouva plus loin un endroit où cacher sa voiture sur le bas-côté, puis il sortit précipitamment et partit chercher une paire de jumelles dans le coffre.

Le cœur battant, il courut à travers les arbres jusqu'à une petite butte d'où il espérait pouvoir observer sa cible. Si elle s'éloignait trop, c'était fini. Mais arrivé au sommet, il repéra immédiatement la Simca rouge, qui venait de s'arrêter près d'un ensemble de bâtiments en vieilles pierres, perdu au milieu de nulle part.

Il s'accroupit, colla ses yeux contre les oculaires et fit le point à temps pour voir la cible sortir de la voiture.

Malgré la distance, il l'aurait reconnue entre mille. Arifa al-Azem, d'un pas preste, marcha jusqu'au coffre, tira ses longs cheveux bruns vers l'arrière et enfila son hijab gris sur la tête. La jeune

Libanaise de vingt-six ans, installée à Munich depuis 1985, était liée à un groupe de fondamentalistes chiites que la DGSE observait activement en Bavière. Depuis près de deux mois, les surveillances avaient permis d'établir que cette jeune activiste – sous la couverture d'une représentante de commerce dans l'industrie textile – effectuait le même trajet une fois par semaine jusqu'à la frontière autrichienne. Parfois le lundi, parfois le mardi ou le mercredi, toujours à des heures différentes, et en changeant souvent de chemin. Comme une personne qui craint d'être surveillée.

Quand la jeune femme attrapa deux grands sacs en plastique à l'intérieur du coffre, l'officier poussa un petit soupir de satisfaction : après plusieurs semaines de filature, les Services allaient enfin savoir ce que Mlle Al-Azem trafiquait là.


# 136

## 2 juin 1987, Paris


Le rendez-vous avait été donné dans un bar de la Madeleine, à l'écart de la place Beauvau, ce qui laissait entendre qu'il avait un caractère officieux.

Quand le commissaire Batiza s'assit à la table où l'attendait Robert Pandraud, il fit semblant de s'étonner d'y voir Jean-Christophe Castelli, officiellement conseiller du ministre de l'Intérieur Charles Pasqua, et bien plus officieusement directeur de son « cabinet noir », dont le financement restait un grand mystère pour tout le monde, y compris à la DST, et sur lequel chacun jetait un voile pudique… Tout cela relevait de la petite cuisine interne de

Pasqua, et tant que cela fonctionnait, on évitait de poser des questions.

La présence de Castelli démontrait en tout cas que la connivence entre Pandraud et Pasqua était, à l'évidence, toujours d'actualité. À vrai dire, les deux hommes étaient même inséparables, sans doute parce que Pasqua était heureux de pouvoir s'appuyer sur l'un des plus anciens flics de France. Du poste de directeur du service actif de la police nationale à celui de ministre délégué à la Sécurité, en passant par ceux de directeur de la Police nationale et de directeur général de l'Administration au ministère de l'Intérieur, Pandraud avait passé tellement de temps place Beauvau qu'il ne faisait pas seulement partie des meubles : il savait ce qui était caché sous chacun d'eux.

— C'est gentil de vouloir m'offrir un verre dans votre quartier, glissa Batiza d'un air faussement naïf.

— Désolé pour le déplacement, répliqua Pandraud, mais je vous respecte trop pour vous faire passer mes messages par une simple note de service, commissaire.

— Oh, une petite marche à travers Paris au mois de juin, ça n'a fait jamais de mal à personne, répondit l'Antillais en souriant. Un peu de sport, à nos âges, ça fait toujours du bien.

Puis il se tourna vers Castelli.

— N'est-ce pas Jean-Christophe ? Il paraît que vous, vous aimez courir dans les bois.

Faisant semblant de ne pas comprendre, le Corse haussa un sourcil circonspect.

— Ah oui ? Qui vous a dit ça ?

— Quoi ? On m'aurait menti ? Mince alors ! Plusieurs de mes amis m'ont pourtant certifié vous avoir vu courir assez vite, du côté de la forêt de L'Isle-Adam, l'automne dernier !

— Bon, intervint Pandraud d'un air las. On n'est pas là pour rigoler, commissaire. Je tenais simplement à vous faire savoir que plusieurs personnes au sein du gouvernement ne sont pas particulièrement favorables à l'idée que vous alliez interpeller un employé de l'ambassade d'Iran...

À l'inverse du Parquet de Paris, l'entourage de Chirac – et probablement le ministère des Affaires étrangères en première ligne – n'était sans doute pas pressé d'impliquer directement l'Iran dans les attentats de 1985 et 1986, alors qu'il restait à négocier la libération des otages français au Liban.

— Le juge Boulouque a de sérieuses questions à lui poser, expliqua Batiza.

— Que je sache, la DST dépend de l'Intérieur, pas du Parquet...

L'Antillais plongea la main dans la poche de sa veste et en sortit un document qu'il posa sur la petite table ronde devant lui.

— Le problème, monsieur le ministre délégué, c'est que le juge a ouvert une commission rogatoire et que j'ai là un mandat d'amener signé de sa main... Et même si je dépends de l'Intérieur, je peux difficilement lui désobéir. Vous me mettez là dans une situation délicate. C'est un cas d'école : dois-je obéir au juge ou à ma hiérarchie ? demanda-t-il d'un air faussement embêté.

Pandraud poussa un soupir.

— Je ne vous ai pas *interdit* de le faire. Pour tout vous dire, si ça ne tenait qu'à moi, je viendrais volontiers vous prêter main-forte pour aller chercher cette ordure. Simplement, je vous explique que plusieurs personnes au sein du gouvernement n'y sont pas très favorables, dans l'état actuel des choses. Vous saisissez ? Gordji ne bénéficie certes pas de l'immunité diplomatique, mais enfin, vous savez comme moi qu'il a un rôle important à l'ambassade... C'est très délicat.

— J'entends bien, mais le juge a réuni des indices concordants qui permettent de penser sérieusement que M. Gordji a pu participer de près ou de loin aux attentats...

— Des indices qui lui ont été fournis par vos Services, n'est-ce pas ? intervint Castelli.

— Absolument, sourit le commissaire. Vous pouvez donc être rassuré : c'est du solide.

— Du solide ? Une histoire de BMW noire qui devient grise ?

Comme toujours, Castelli était bien informé.

— C'est une façon un peu hâtive de résumer la chose, répliqua Batiza. La BMW n'a pas seulement été achetée par Mouhajer, l'un des complices de Fouad Ali Saleh, avant d'être vendue à Gordji, elle a aussi été repeinte, quelques jours seulement après les attentats de la rue de Rennes, par le neveu de Hussein Moussaoui, ancien chef du mouvement Amal au Liban, soupçonné, lui, d'avoir participé de près ou de loin à l'attentat du Drakkar... Reconnaissez que ces drôles de coïncidences méritent au moins que le juge pose une ou deux petites questions à notre bon Wahid Gordji, tout de même !

Pandraud et Castelli échangèrent un regard embarrassé. Ils pouvaient difficilement trouver une parade sans déclencher un scandale avec la section antiterroriste du Parquet de Paris. Sans doute avaient-ils espéré que Batiza les entende et fasse preuve d'un certain laxisme dans l'exécution de son mandat d'amener. Qu'il prenne son temps... C'était peine perdue.

— Bon. Dans ce cas, procédez, mon vieux, procédez, soupira Pandraud. Mais ça risque d'entraîner un joyeux bordel.

Quelque chose dans le ton du ministre délégué, la rapidité avec laquelle il avait cédé laissa le commissaire penser qu'en réalité, l'Intérieur était plutôt favorable à cette interpellation, mais devait subir des pressions du Quai d'Orsay, ou de la Présidence.

— Oh, vous savez, moi, les bordels, j'ai jamais été contre…, conclut Batiza avant de saluer ses interlocuteurs et de quitter le bar de sa démarche tranquille.

# 137

## 3 juin 1987, Lyon

Cette fois-ci, Marc et Pauline, collés l'un à l'autre, n'étaient plus du tout dans les mêmes dispositions que lors de leur première arrivée dans le précédent cabinet médical. La gorge serrée, ils regardaient les images sur le petit écran, et semblaient presque prier.

Pendant quatre jours, ils avaient vécu ensemble dans l'angoisse, attendant de savoir s'ils allaient devoir prendre la plus terrible et difficile décision de leur vie, quand la joie habituelle d'une grossesse s'était brutalement transformée en une épreuve accablante.

Leur cœur se mit à battre quand la gynécologue, qui avait accepté de les recevoir le plus vite possible, se retourna enfin vers eux avec dans les yeux une tendresse et une bienveillance à l'exact opposé de la froideur de son horrible consœur.

— Vous êtes juste mal tombés. Vraiment très mal tombés.

— Comment ça ?

— Votre bébé va très bien, affirma-t-elle en ouvrant un large sourire.

— Vous êtes sûre ?

— Mais oui ! L'épaisseur de la nuque est peut-être très légèrement dans la courbe haute, et encore ! Étant donné le nombre de semaines de grossesse, il n'y a absolument rien d'anormal. Pas même de quoi justifier la moindre amniocentèse pour se rassurer. Vous êtes simplement tombés sur une collègue très mal lunée, ou simplement incompétente. Je suis vraiment désolée que vous soyez tombés sur elle, et vous avez bien fait de venir me voir. Ce bébé a tout ce qu'il faut au bon endroit !

— Sûre ? insista Marc, encore fébrile.

— Mais oui !

Il attrapa Pauline par les épaules et l'embrassa vigoureusement sur la joue. Après plusieurs jours de cauchemar, les larmes qui coulaient à présent sur les pommettes de la jeune femme étaient de soulagement.

— Alors ? reprit le médecin d'un air espiègle. Vous voulez savoir si c'est une fille ou un garçon ?

— Vous… vous pouvez déjà le voir ? s'exclama Marc, incrédule.

— Pas toujours, mais là, oui. Moi, je sais, s'amusa le médecin.

— Dites-nous ! répliqua le jeune homme, brûlant d'impatience.

La gynécologue interrogea Pauline du regard.

— Oui. Dites-nous ! confirma la jeune femme, les joues empourprées.

— Eh bien, c'est une petite fille ! Une petite fille en parfaite santé. Et qui devrait voir le jour vers le 22 octobre.

Marc n'essaya même pas de masquer sa joie. Il n'avait jamais caché sa préférence. Une fille !

— On se revoit dans trois mois, pour la deuxième échographie. Cette fois-ci, il vaut mieux que ce soit moi qui la fasse directement, hein ?

— Oh oui ! répliqua Pauline avec un sourire béat.

Quand ils rentrèrent dans leur petit appartement de la place Bellecour, Marc et Pauline s'enlacèrent longuement. Ils étaient passés, en quelques secondes à peine, d'une émotion à l'autre, et l'avenir, de nouveau, semblait une magnifique promesse.

— Comment on va l'appeler ? demanda Pauline. Il y a un prénom que tu aimes ?

Marc avala sa salive.

— Luciana.

Pauline fronça les sourcils.

— C'est le nom d'une gonzesse que tu t'es tapée en Bolivie ? dit-elle sur un faux air de reproche.

— Non. C'est le nom d'une petite fille que j'ai sauvée en Argentine. Je t'avais raconté cette histoire, tu te souviens ?

— Oui... Mais ce serait un peu bizarre, quand même, non ? Je sais que c'est une histoire qui compte beaucoup pour toi, mais... Luciana... Je sais pas...

— T'aurais préféré Janis ? plaisanta Marc.

Le cœur léger, ils passèrent la fin de l'après-midi à se câliner, à parler encore de prénoms, de déménagement, à rêver d'avenir...

Mais l'avenir, lui, était bien plus incertain qu'ils n'auraient pu l'imaginer.

# 138

## 3 juin 1987, Paris

Il était tout juste 6 heures du matin quand, accompagné de trois collègues, le commissaire Batiza s'approcha du bâtiment dont le sommet était déjà effleuré par les tout premiers rayons du soleil de juin. C'était un bel immeuble de standing, avenue de Suffren, face à la cour Beaumel, sur l'aile sud-ouest de l'École militaire.

Selon les renseignements dont la DST disposait, le bel et vaste appartement du cinquième étage était prêté par l'ambassade d'Iran à son fidèle serviteur, Wahid Gordji. Un bien agréable appartement de fonction, pour un simple « traducteur ».

En montant dans les étages, Batiza songea à sa conversation de la veille avec Pandraud et Castelli. Certes, cette interpellation risquait de causer pas mal de chahut chez les diplomates, mais le commissaire partageait l'opiniâtreté du juge Boulouque et du procureur Marsaud : maintenant que le réseau de Fouad Ali Saleh était tombé, il était grand temps que les véritables commanditaires des attentats soient confondus, et l'enquête ne laissait plus aucun doute quant à la culpabilité de l'Iran.

À 6 h 08, les policiers de la DST frappèrent à la grande porte boisée de l'appartement. Aucune réponse. Batiza insista, plus fort.

— Police ! Ouvrez !

Quelques instants plus tard, ils finirent par entendre de timides bruits de pas à l'intérieur, puis la porte s'ouvrit lentement pour laisser apparaître un vieil homme hagard, vêtu d'une robe de chambre.

Batiza, qui avait soigneusement préparé son dossier, reconnut aussitôt le docteur Nosmanallah Gordji, père de Wahid, et ancien médecin personnel de l'ayatollah Khomeini lors du séjour de celui-ci à Neauphle-le-Château, près de dix ans auparavant.

— Qu'est-ce qui se passe ? marmonna le vieil homme, d'un air agacé.

— Nous avons un mandat d'amener concernant votre fils, Wahid Gordji, qui doit être entendu comme témoin par le juge Boulouque dans l'enquête sur les attentats parisiens de septembre 1986.

L'ancien médecin parcourut rapidement le document que lui tendait le commissaire de la DST.

— Mon fils n'est pas ici, annonça-t-il finalement.

— Vous êtes sûr ?

— Certain. Il est en Suisse.

— Désolé, mais nous devons nous en assurer par nous-mêmes, répliqua le commissaire en faisant signe à ses collègues de fouiller l'appartement.

— Vous ne pouvez pas entrer ! s'offusqua le vieil homme.

— L'article 134 du Code de procédure pénale nous y autorise, docteur. Désolé.

M. Gordji se poussa de la porte et regarda entrer les trois collègues de Batiza d'un air écœuré.

Malheureusement, ils revinrent quelques minutes plus tard et affirmèrent que l'appartement était bel et bien vide et ne présentait aucune trace d'un départ précipité.

Batiza dévisagea longuement le vieil homme, qui semblait fier de lui, et soupira. Quelque chose ne collait pas. La veille au soir, l'équipe de surveillance de la DST avait affirmé que Wahid Gordji était bel et bien rentré chez lui. Comment avait-il pu disparaître pendant la nuit ?

# 139

## 3 juin 1987, Beyrouth

À une heure si matinale, la « plage privée » de l'Université américaine de Beyrouth était déserte. Protégé par un mur d'enceinte et constamment surveillé, cet anachronique havre de paix construit à la fin des années 1920 pour les étudiants – une presqu'île de béton abritant un phare et quelques promontoires depuis lesquels on pouvait plonger dans la mer – semblait, à l'abri de la corniche, totalement coupé du quotidien libanais et de la guerre civile qui embrasait encore la ville. Après les nombreuses attaques et les enlèvements dont l'Université américaine avait été victime au cours des trois dernières années, ce petit complexe récréatif n'était plus accessible aux étudiants et au personnel de l'Université, et son état se délabrait lentement, ce qui lui donnait un air plus singulier encore, comme un décor de science-fiction post-apocalyptique.

Il avait suffi à l'officier de la DGSE de montrer aux deux gardes la carte de sa couverture diplomatique comme attaché de défense à l'ambassade de France pour que ceux-ci, à l'évidence prévenus, le laissent entrer sans lui poser la moindre question.

Face à la mer, le chef de poste scrutait l'horizon d'un air grave. Sa chemise blanche et son pantalon de lin battaient contre son corps sous les assauts du vent matinal.

C'était un lieu inhabituel pour un rendez-vous, et le message de la Centrale était resté bien mystérieux quant à l'identité exacte du supérieur hiérarchique que Dartan s'attendait à voir arriver d'une minute à l'autre. Depuis que le général Émin avait été remercié et remplacé par le général Pons à la direction du Renseignement, Olivier avait le sentiment d'être de plus en plus tenu à l'écart, et si le poste de Beyrouth n'était pas véritablement livré à lui-même, il semblait en tout cas bénéficier d'une confiance bien plus timide de la part de la Boîte. Chaque soir, le chiffreur de l'ambassade envoyait les notes de Dartan à Paris sur téléimprimeur, et rien ne venait en retour. Jusqu'à la veille, la communication semblait se faire à sens unique. Et puis soudain, ce message, pour le moins laconique, annonçant qu'un « officiel », de passage à Beyrouth, désirait s'entretenir en privé avec lui. Le lieu choisi pour la rencontre – hors les murs de l'ambassade – était suffisamment étrange pour s'attendre à tout, même à la visite du nouveau directeur du Renseignement lui-même. Bref, rien qui ne pût enchanter Dartan.

Car la situation n'était pas à son avantage. Depuis des mois, les recherches sur les otages piétinaient. Kauffmann, Carton, Fontaine, Normandin, Auque, les nouvelles se faisaient de plus en plus rares, et si quelques agents colportaient ici et là la rumeur selon laquelle ils étaient toujours bien en vie, Dartan ne pouvait s'empêcher de penser que ses compatriotes devaient se sentir de plus en plus abandonnés, sinon oubliés.

Quant à Ahmed M., le « Vautour » – qui était devenu pour lui une priorité – sa trace avait été définitivement perdue après sa fuite lors de la mission Homo réussie de Marc Masson en Allemagne. Chaque semaine, Olivier se faisait aimablement envoyer les notes de synthèse du poste de Berlin, en vain : le sinistre personnage leur avait de nouveau échappé. À cette heure-là, il était peut-être déjà à l'autre bout du monde.

Pour couronner le tout, deux jours plus tôt, le Premier ministre libanais, Rachid Karamé, venait d'être assassiné dans un attentat qui avait fait exploser son hélicoptère en plein vol. Si sa mort semblait plutôt liée à une affaire interne, le manque d'informations dont disposait la DGSE ne jouait pas non plus en la faveur du chef de poste.

En somme, Olivier s'attendait au mieux à de sérieuses remontrances, au pire à une mise au placard.

Le soleil était en train de se lever quand Dartan, adossé au phare, entendit au loin le bruit caractéristique d'un moteur de bateau. La mâchoire serrée, il marcha jusqu'au bout de la jetée, et vit enfin apparaître une petite vedette grise, sans pavillon, avec trois hommes à son bord. Quand le bateau accosta devant lui, il n'eut aucune peine à deviner que les deux colosses armés qui vinrent à sa rencontre étaient des membres du Service Action.

— Le général Imbot vous attend à bord, fit l'un d'eux en l'invitant à les suivre d'un signe de tête.

Une visite du directeur du Renseignement eût déjà été une surprise de taille, mais le directeur général en personne ! C'était pour le moins inattendu, et fort mauvais signe.

Dartan, perplexe, grimpa dans l'embarcation et prit place à côté du général, avant que la vedette ne reparte vers le large.

— Général... Je vous avoue que je suis un peu surpris de vous voir ici. J'aurais aimé pouvoir prendre les dispositions sécuritaires. Ce n'est pas très...

Imbot lui donna une petite tape sur le bras.

— J'avais une affaire à régler en Israël. Et j'ai besoin de vous à Paris. Je me suis dit qu'il était judicieux de vous faire profiter de mon voyage retour. Il faut penser au contribuable. Et puis... Ce n'est pas plus mal qu'on vous croie encore à Beyrouth.

— Vous m'emmenez en France, comme ça ? répliqua Dartan, stupéfait.

Ce n'était vraiment pas dans les habitudes de la maison.

— Je n'allais pas vous dire de venir avec une valise, ce n'est pas très discret. Ne vous inquiétez pas, je vous ai prévu une chemise de rechange et une brosse à dents dans l'hélicoptère, à Chypre.

Dartan n'en croyait pas ses oreilles. Mais une chose au moins le rassurait : cela ne ressemblait pas à un limogeage.

— Quelle tristesse de voir ces pays si magnifiques endurer autant de souffrances, lâcha finalement le général en regardant la côte s'éloigner derrière eux.

Si sa carrière ne l'avait jamais amené en opération directe au Proche-Orient, le directeur général de la DGSE avait néanmoins une solide connaissance du monde arabe et, comme souvent, bien plus d'affection qu'on ne pouvait le croire pour ces régions et leur culture. Ancien résistant, puis saint-cyrien, il avait terminé ses études à l'école militaire de Cherchell, en Algérie, avant d'enchaîner des postes de plus en plus prestigieux dans divers pays d'Afrique du Nord. Sa carrière exemplaire l'avait conduit jusqu'au poste de chef d'état-major de l'Armée de terre, avant que Mitterrand ne le nomme enfin à la tête de la DGSE.

— La souffrance d'un pays n'enlève rien à ses splendeurs, répondit Dartan d'une voix presque triste. À vrai dire, elle le rend parfois plus beau encore. Une histoire d'authenticité, sans doute. Et je peux savoir pourquoi vous avez besoin de moi à Paris ?

— La cellule de Munich vient de nous envoyer un rapport intéressant.

Dartan, le regard brillant, se tourna vers le général. Il espérait ne pas se tromper :

— Ils ont logé le Vautour ? demanda-t-il, sans prendre la peine de masquer son impatience.

— Eh bien, ce n'est pas sûr... Mais Munich vient de repérer une planque où une jeune femme liée à un groupe fondamentaliste chiite vient livrer des vivres une fois par semaine... Et ce depuis que le lascar vous a échappé à Bad Oeynhausen. Donc rien ne prouve que c'est bien lui qui se planque là-dedans, mais vu le timing, c'est une hypothèse suffisamment solide pour que je la prenne au sérieux.

— Munich ? Il serait parti se planquer au sud de l'Allemagne ?

— Non. En Autriche. Une ferme abandonnée dans les Alpes de Brandenberg.

— Vous avez mis les Autrichiens dans la boucle ?

— Non. Les Allemands non plus. Si c'est bien l'homme auquel nous pensons, ce que nous avons à faire, nous devons le faire tout seuls, Olivier. Mais il est très difficile, voire impossible, de mettre en place un dispositif de surveillance au milieu de nulle part, en pleine forêt autrichienne, pour identifier la cible sans erreur. Le général Pons a d'abord suggéré qu'on envoie un homme de la cellule Alpha. J'ai pensé, moi, à votre petit protégé.

Dartan inclina la tête.

— Vous voulez que je supervise l'opération ?

— Vous ne voulez pas terminer le travail ?

— Bien au contraire ! Pour tout vous dire, j'avais peur que vous ne me laissiez sur le carreau.

Pour que le général fût venu le chercher en personne, quand bien même ce fut à l'occasion d'un séjour en Israël, c'était certainement que l'opération devait compter beaucoup pour lui. Ahmed M. était ce que les Américains appelaient une *high value target*[1]. Le directeur de la DGSE avait sans doute politiquement besoin d'un peu de réussite.

Alors que leur bateau filait vers le sud, Imbot serra amicalement le bras de son subalterne.

— Vous avez fait du bon boulot à Bad Oeynhausen, avec votre fameuse recrue. Si c'est bien le Vautour, il est à vous.

---

1. Cible de haute valeur.

# 140

## 4 juin 1987, Paris

En pénétrant dans la grande salle de réunion de la place Beauvau, le commissaire Batiza fut presque amusé par l'ambiance tendue qui régnait à l'intérieur. Devant lui se jouait le grand spectacle de la lutte des pouvoirs, entre justice et politique. Les quatre hommes qui le regardèrent entrer venaient visiblement d'échanger quelques mots houleux. D'un côté, le juge Boulouque et le procureur Marsaud, de l'autre, Charles Pasqua, ministre de l'Intérieur, et Robert Pandraud, ministre délégué à la Sécurité.

— Alors ? demanda Boulouque, un peu sèchement en remontant ses petites lunettes rondes sur son nez. Vous avez retrouvé la trace de Gordji ?

— Non, pas encore, répondit Batiza d'un air désolé. Il s'est tout simplement volatilisé. Et nous n'avons trouvé son nom sur aucune liste d'avions en partance pour la Suisse... S'il a pris le train ou la voiture, c'est plus compliqué.

Le juge se tourna vers Charles Pasqua d'un air écœuré.

— Vous savez ce que ça veut dire ? lâcha-t-il.

— Eh bien, oui, Gilles, répondit le ministre de l'Intérieur de sa lourde voix flegmatique, encore teintée des accents de son Sud natal. Ça veut dire que vous avez donné un bon coup de pied dans la fourmilière, alors ça galope, ça galope ! C'est bon signe.

— Ça veut surtout dire que quelqu'un a prévenu Gordji de mon mandat d'amener ! répliqua le magistrat.

— Oh ! C'est peut-être juste une coïncidence.

— Bien sûr ! Il disparaît quelques heures à peine avant qu'on vienne l'interpeller ! Il a forcément été prévenu. Et c'est certainement pas par le Parquet !

— Alors là, mon vieux, je peux vous garantir que ce n'est pas non plus par mon ministère ! se défendit Pasqua d'un air exagérément offusqué. Nous n'avons peut-être pas les mêmes méthodes, mais nous cherchons tous ici la même chose : que justice soit faite. Alors concentrons-nous plutôt sur les faits, si vous le voulez bien, plutôt que de lancer des accusations infondées...

— Ce qui est sûr, intervint le procureur Marsaud pour calmer un peu le jeu, c'est que si Gordji s'est échappé, c'est bien la preuve que nous avons visé juste ! Si ça se trouve, les Iraniens pensent même que nous avons beaucoup plus d'indices que nous n'en possédons réellement...

— Exactement ! se réjouit Pasqua. C'est donc une bonne nouvelle, nous sommes sur la bonne piste ! On ne va pas les lâcher. Ce n'est pas tous les jours qu'on a l'occasion de relier directement un État à des actes terroristes !

Batiza sourit intérieurement. Deux jours plus tôt, Pandraud – sur ordre de Pasqua, sans doute – lui avait suggéré de ne pas arrêter Gordji. Et maintenant que les faits donnaient raison au juge Boulouque, l'Intérieur était bien obligé de changer son fusil d'épaule.

— S'il parvient à s'exfiltrer en Iran, on ne le reverra jamais, se lamenta le magistrat.

— Écoutez, mon vieux, je peux vous assurer du plus profond soutien de toutes nos équipes ! lança le ministre d'un ton paternaliste.

Mieux vaut tard que jamais, songea Batiza, qui se régalait du spectacle.

— De mon côté, continua Pasqua, je vais demander à qui de droit de faire pression sur nos amis iraniens pour qu'ils nous aident à remettre la main sur ce sulfureux M. Gordji, et qu'ils vous laissent l'entendre au Palais de Justice.

« Qui de droit », le commissaire de la DST était prêt à parier qu'il s'agissait du même contact qui, deux jours plus tôt, avait prévenu Gordji de son interpellation imminente.

— Quant à vous, termina le ministre de l'Intérieur en se tournant justement vers Batiza, je pense que ce serait une bonne idée que la DST élargisse grandement sa surveillance de l'ambassade d'Iran. Ça va sûrement bouger avenue d'Iéna dans les prochains jours. La Cocotte-Minute est en train de monter en pression ! Votre Gordji, on va s'en faire un bon ragoût !

# 141

## 12 juin 1987, Lyon

Dartan repéra Marc Masson dans le restaurant chic où ils s'étaient donné rendez-vous, à quelques pas de la place des Cordeliers. Nichée entre Saône et Rhône, la presqu'île se teintait lentement de couleurs rosées dans la douceur du soir.

Le chef de poste soupira en prenant place à côté du jeune homme. La matinée avait été particulièrement tendue à Paris. Si l'affaire Gordji n'avait pas encore été ébruitée dans la presse, et que la DST, elle, n'était pas sous les feux de la rampe, un article venait de paraître dans le dernier numéro de *L'Express*, intitulé « Faut-il fermer la Piscine ? », qui mettait en doute l'efficacité réelle de la DGSE. Le journaliste relatait la perte de confiance du gouvernement vis-à-vis de la Centrale, à qui l'on reprochait notamment sa pesanteur militaire et un manque de succès capables de faire oublier l'affaire du *Rainbow Warrior*. Dartan savait pertinemment que la nature même d'un service secret n'était pas d'avoir bonne presse, mais ce papier ne se trompait guère en insistant sur la défiance grandissante du gouvernement Chirac envers la Sécurité extérieure. Si, dans les soutes discrètes de la Raison d'État, la Boîte œuvrait efficacement, l'affaire des otages français au Liban s'éternisait depuis trop longtemps pour que personne n'en fît les frais. L'empressement du général Imbot concernant l'opération sur le Vautour n'était probablement pas étranger à ce climat nauséabond.

— Que me vaut le plaisir de vous voir dans la capitale des Gaules ? demanda Marc, qui n'avait pas attendu et s'était déjà commandé un whisky. Vous avez la tête des mauvais jours.

— Rien de grave, mon garçon. La sensibilité de nos élus face au moindre papier qui sort dans la presse me fatigue un peu, parfois. Vous avez vu *L'Express* de ce matin ?

— Vous savez bien que je suis plutôt *Monde diplomatique*, moi… Allons ! Il faut bien que des contre-pouvoirs puissent s'exercer ! Vous préféreriez vivre sous un régime où la presse est bâillonnée ?

— Non, bien sûr. Mais parfois, j'aimerais juste vivre sur une île déserte, Hadès. Écouter le chant des oiseaux sur mon hamac en regardant le ressac…

— Damned ! Vous allez changer mon nom de code en Vendredi ?

— Ne m'en voulez pas, je vous aime bien, mais trente ans en tête à tête avec vous, non, je n'aurais pas la patience d'un Robinson Crusoé… Il suffit d'un indigène sur une île déserte, et ce n'est déjà plus une île déserte.

— « Le pluriel ne vaut rien à l'homme, et sitôt qu'on est plus de deux, on est une bande de cons », cita Masson.

— Pardon, mais Brassens disait « sitôt qu'on est plus de quatre », il me semble…

— Il était plus tolérant que moi, avoua Marc.

— Bon sang, ce qu'il me manque ! lâcha Dartan d'un air authentiquement mélancolique.

— À moi aussi, mais vous n'êtes tout de même pas venu à Lyon pour me parler de Brassens, Olivier ?

— Si seulement…, répondit l'officier en souriant. Mais commençons par demander au serveur de nous apporter à boire et à manger… On parle mieux le ventre plein, et je vois que vous êtes déjà sur votre lancée.

Quand ils eurent passé leur commande et trinqué, le chef de poste de la DGSE exposa enfin la raison de sa présence.

— J'ai une question un peu singulière à vous poser, Hadès. Je voulais vous la poser en tête à tête, parce que j'aimerais que vous me répondiez en toute franchise.

— Vous me vexez, Olivier. Je n'ai pas l'habitude de faire autrement.

— Je veux le croire. Mais cette fois-ci, comment dire ? Ce n'est plus l'officier qui vous parle, c'est l'homme. Un homme qui a appris à vous apprécier.

— Arrêtez, vous allez me faire chialer !

Dartan soupira.

— Je suis sérieux. Vous allez avoir une petite fille.

— Oui.

— Ce n'était pas une question.

— Ah. Alors quoi ? Vous voulez savoir si vous serez le parrain ? plaisanta Masson.

— Non. Je voudrais savoir si cela peut vous empêcher de partir en mission.

— Non, répondit Marc aussitôt, sans même avoir eu besoin d'y penser.

Et aussi rapide fut-elle, sa réponse était non seulement sincère, mais réfléchie. Aussi impatient qu'il fût de devenir père, et malgré sa dispute passée avec Pauline, les choses, pour lui, n'avaient pas changé : il était au service du peuple français, et cette idée avait pour lui une valeur qui dépassait tout, à commencer par son intérêt personnel. Rien ne pourrait l'empêcher de faire ce pour quoi il était convaincu d'être fait, pas même la naissance d'un enfant.

— Vous répondez un peu vite, Hadès. Imaginez que je vous appelle alors que votre compagne est en salle de travail. Vous pensez vraiment que vous seriez capable de l'abandonner et de partir en mission ?

— Je vous ai dit un jour que j'acceptais ce que vous me proposiez, que j'en connaissais le prix, que j'en acceptais les contraintes. Et cela n'a pas changé. Point final.

— Rater la naissance de son enfant, c'est un lourd tribut à son pays, Hadès.

Le visage de Masson prit un air offensé.

— Je pensais que vous me connaissiez mieux que ça. Je ne fais pas ça pour mon pays, Olivier. Je fais ça pour le peuple. Le petit peuple. J'ai envers lui les mêmes dispositions que celles que j'aurais pour un véritable ami. Je suis prêt à payer de ma vie pour lui. Et si j'avais plusieurs vies, je les lui donnerais toutes.

Dartan haussa un sourcil.

— Je me demande ce que j'admire le plus, au fond : votre dévouement, ou celui de votre compagne.

— Je ne dis pas qu'elle ne va pas faire la gueule, je dis juste que j'en assume la responsabilité, rétorqua Marc en souriant. Que je parte ou non en mission ne changera rien au fait que je sois papa à mon retour. Évidemment, je préférerais assister à la naissance de ma fille, mais si je dois être à l'étranger à ce moment-là, je me rattraperai plus tard. Vous avez votre réponse ?

Dartan hocha doucement la tête.

— Oui. Merci.

— Et je peux vous demander pourquoi vous me posez cette question, maintenant ?

— Parce que nous pensons être sur la piste du Vautour, et que je n'imagine personne d'autre que vous pour faire… ce qu'il y a à faire.

— Vous *pensez* être sur sa piste ?

— Disons que c'est du 50-50. Difficile de s'en assurer. Le contexte rend la mise en place d'un dispositif de surveillance compliquée. La planque est au milieu de nulle part, dans un vieux bâtiment abandonné. Du coup, nous aimerions faire d'une pierre deux coups.

Masson comprit aussitôt.

— Vous voulez m'envoyer sur place en solo pour confirmer l'identité de la cible, et exécuter la mission si c'est bien lui…

Dartan hocha lentement la tête.

— Je pars quand ? reprit Marc, le regard brillant.

— Ce sera très différent de d'habitude, Marc. Beaucoup plus délicat. Beaucoup plus risqué. Vous allez devoir traverser la frontière seul, avec votre équipement. Et vous n'aurez aucun soutien logistique sur place. Vous serez livré à vous-même. Et vous savez ce que ça veut dire. Sans soutien, vous multipliez les chances d'être pris. Et si vous êtes pris…

— Si je suis pris, la France n'a jamais entendu parler de moi. Je sais. Je pars quand ? répéta Marc.

— Dans une dizaine de jours, le temps que je mette tout en place.

— Une dizaine de jours ? La naissance de ma fille n'est pas prévue avant fin octobre ! Pourquoi vous m'avez posé cette question au départ ? Vous ne pensez quand même pas que je vais mettre cinq mois pour faire ce que j'ai à faire !

— Non. Mais je tenais à connaître votre état d'esprit général. Sur le terrain, je veux être sûr que vous ne serez pas… déconcentré.

— Olivier, je crois que j'ai au moins autant envie que vous que cette opération soit menée à son terme. Et je pensais ne plus avoir besoin de vous prouver ma totale implication…

— La perspective de donner la vie… Ça peut changer beaucoup de choses.

— Ça *change* beaucoup de choses. Mais pas *ça*. Je vous l'ai dit.

— Alors tant mieux, sans doute. Mais, par curiosité : ça change quoi, au juste ?

Marc écarta les bras d'un air vexé.

— Je suis beaucoup plus serein. Ça ne se voit pas ?

— C'est vrai, s'amusa Dartan. Vous en avez fait, du chemin ! *El Furibundo*…

— En grande partie grâce à vous. Je vous dois beaucoup. Mais si je dois vous choisir comme parrain de ma fille, il va quand même falloir que vous finissiez par me donner votre nom de famille, Olivier.

— Bien essayé.

# 142

### 25 juin 1987, Paris

Le commissaire Batiza entra dans le bureau réquisitionné sur ordre du Premier ministre au siège du Conseil économique et social, dans le palais d'Iéna. Idéalement placé et profitant de grandes fenêtres aux vitres teintées, il permettait une surveillance continue et discrète de l'ambassade d'Iran, et une équipe de la DST y avait installé un poste d'observation provisoire.

Écoutes téléphoniques, photos de jour comme de nuit, tout était fait pour espionner ce qui se passait à l'intérieur de l'ambassade d'Iran ; les techniciens de la rue Nélaton étaient même parvenus, la veille, à faire glisser en toute illégalité des micros par la cheminée du bâtiment !

— T'as quelque chose ? interrogea le commissaire de la DST en prenant place à côté de son collègue.

De l'autre côté de la rue, vu d'ici, tout semblait parfaitement calme.

— Rien de concret, mais il se passe définitivement quelque chose, Arnaud. Ce matin, six employés de l'ambassade qui, comme Gordji, ne bénéficient pas de l'immunité diplomatique, ne sont pas venus sur leur lieu de travail. Drôle de coïncidence, non ?

— Six le même jour ?

— Six que j'ai pu identifier, oui. Il y en a peut-être plus. Les rats quittent le navire.

— Tu as la liste de ceux que tu as identifiés ?

— Je peux te la faire, affirma le policier en commençant aussitôt à écrire les noms sur une feuille de papier.

Batiza savait exactement ce qu'il avait à faire. C'était une course contre la montre. Sans perdre de temps, il composa le numéro du ministère de l'Intérieur, et on le mit rapidement en contact avec Charles Pasqua.

— Eh bien, voilà ! Ces imbéciles ne font que confirmer nos soupçons, se réjouit le ministre. Mais s'ils croient qu'on va les laisser quitter le territoire, ils se mettent le doigt dans l'œil, commissaire !

Appelez Boulouque, et sortez-nous le grand jeu. Il faut que vous les interpelliez un par un et que vous me les rameniez par la peau du cul à l'ambassade, avec interdiction stricte d'en sortir tant qu'on n'aura pas retrouvé Gordji.

— Vous... Vous êtes sûr, monsieur le ministre ?

— Vous êtes encore là ? s'exclama Pasqua avec son accent inimitable. Allez me chercher cette bande de petits rigolos, je vous dis !

# 143

## 25 juin 1987, Munich

Marc Masson entra dans la chambre d'un hôtel à triste mine de la banlieue sud de Munich où, comme convenu, il devait attendre le coup de téléphone de son officier traitant. Déposé une heure plus tôt en rase campagne par un Twin Otter, après une longue marche avec un lourd sac à dos sur les épaules, il n'était pas mécontent de pouvoir s'allonger sur le lit une place, dont les ressorts grincèrent outrageusement quand il se laissa tomber dessus. La petite chambre, baignée dans une odeur de naphtaline, aurait sans doute mérité depuis plusieurs années un sérieux rafraîchissement mais, bizarrement, la désuétude des lieux n'était pas pour déplaire au jeune agent. Marc était en mission, pas en villégiature.

Cette fois-ci, le mode opératoire était assez différent de ce qu'il avait connu jusqu'ici, mais si le temps de préparation avait été assez court, tout semblait avoir été soigneusement prévu. Contrairement aux autres fois, il n'était pas certain qu'Olivier fût dans la région, ou même en Allemagne, et si plusieurs agents avaient sans doute été mobilisés pour l'appuyer discrètement, il savait qu'en Autriche, il serait seul. Totalement seul.

Étendu de tout son long, regardant la télévision allemande d'un œil distrait, il songea irrémédiablement à Pauline. La jeune femme, qui travaillait encore à la librairie pour l'instant, s'était efforcée de ne pas montrer sa déception quand il avait annoncé qu'il devait partir de nouveau. J'espère juste que ça ne va pas être trop long, avait-elle dit en l'embrassant tendrement, sinon tu ne vas pas reconnaître mon ventre quand tu vas revenir !

Bercé par les images de sa compagne et de la petite fille qu'ils attendaient, Masson finit par s'assoupir, et il était près de 6 heures du matin quand le téléphone se mit enfin à sonner.

— Hadès, Munich a localisé la voiture que vous allez devoir *emprunter*… C'est une Golf noire, garée depuis plusieurs jours le long du cimetière d'Ostfriedhof, rue Saint-Martin, pas très loin de votre hôtel. Vous savez ce qu'il vous reste à faire ?

— Évidemment.

— Alors ne perdez pas de temps. Bonne chance mon garçon.

Masson passa rapidement à la salle de bains pour se rafraîchir, puis sortit de l'hôtel d'un pas preste. Il était à peine 6 h 15 quand il arriva en vue de la Volkswagen, dont il allait d'abord devoir faire un double des clefs.

Comme prévu, la voiture était garée le long du cimetière, à l'ombre d'une rangée d'arbres touffus. Serrant au fond de sa poche le bouchon de réservoir vierge prêt à l'emploi, il s'approcha discrètement du véhicule, en s'assurant que personne ne venait dans sa direction. Aux alentours d'un cimetière, la cellule de Munich avait soigneusement choisi un quartier calme. Depuis le début de sa formation, ce devait être au moins la sixième ou septième voiture qu'il volait. Il était rodé. Sans le moindre stress, il s'approcha du réservoir.

Malheureusement, il découvrit rapidement qu'il y avait un problème, et pas des moindres : il ne s'agissait pas d'un bouchon à clef ! Ce modèle trop récent était équipé d'un système d'ouverture centralisée ! La méthode habituelle pour faire un double de clefs ne pouvait pas fonctionner. Comment les agents de Munich avaient-ils pu faire une erreur aussi grossière ? Il poussa un juron et fit demi-tour.

De retour à l'hôtel, luttant contre la frustration, il scotcha une feuille de papier blanc sur la fenêtre de sa chambre, le signal prévu en cas d'échec.

Attendre, de nouveau. Heureusement, le coup de fil d'Olivier ne tarda pas.

— Qu'est-ce qui se passe ? le pressa l'officier.

— Vos copains se sont trompés de modèle. Ils ont pris une Golf trop récente, à ouverture centralisée.

— Oh putain, les cons !

Silence embarrassé.

— Bon. Restez dans votre chambre, Hadès. Je vous rappelle dès que possible.

Il raccrocha, et Masson se laissa tomber sur le lit en soupirant. Ça commençait mal, et il espérait que ce n'était pas mauvais signe. Non, se corrigea-t-il tout seul. Les mauvais signes, ça n'existait pas. La cellule de Munich n'avait sans doute pas eu assez de temps pour que tout soit carré, mais ils allaient rapidement corriger le tir. Chacun son rôle, et pour qu'une mission soit une parfaite réussite, il fallait que tous ses intervenants se fassent confiance. Alors il attendit, aussi patiemment que possible.

En fin de matinée, harassé par la lassitude, il s'autorisa à sortir un petit instant de sa chambre pour aller se dégourdir les jambes dans le couloir de l'hôtel, prenant garde tout de même à ne pas rater une éventuelle sonnerie de son téléphone. Il passa devant une étroite bibliothèque où des livres avaient été laissés par la direction à la disposition des clients quand il repéra, au milieu des guides touristiques et des romans de gare, une vieille édition du *Lorenzaccio* de Musset en allemand. Le livre qui avait hanté sa jeunesse ! Amusé par la coïncidence, il ne put s'empêcher de ramener le vieux bouquin jauni dans sa chambre et se replongea, tant bien que mal, dans l'aventure florentine. Lui qui connaissait presque par cœur chaque passage du drame romantique, il éprouva l'impression étrange, l'espace de quelques pages, de parler couramment l'allemand… *Je puis délibérer et choisir, mais non revenir sur mes pas quand j'ai choisi*, reconnut-il aisément dans le texte, en songeant que cette phrase entrait étrangement en résonance avec ce qu'il était en train de vivre.

Vers 20 heures, toujours coincé dans l'exiguïté de sa triste chambre, Marc n'avait toujours pas mangé quand la sonnerie du téléphone se mit enfin à résonner sur la petite table de nuit.

— Nous avons localisé un autre véhicule. Golf blanche, modèle plus ancien, sans système de fermeture centralisée. Mais avant de vous donner l'adresse, sachant que nous avons pris une journée de retard sur le planning, est-ce que vous êtes toujours OK pour procéder, Hadès ?

La prudence voulait en effet, quand une mission prenait trop de retard, qu'on la reporte, afin d'établir un nouveau calendrier et de s'assurer que le changement de plan ne mettait pas l'agent en péril. Mais Marc n'avait pas la moindre envie d'abandonner. Un Lorenzaccio, au cœur de sa solitude, ne renonçait pas pour sauver son peuple du tyran. Totalement investi de sa mission, il irait jusqu'au bout. Le Vautour lui avait déjà échappé une fois, il n'était pas question de prendre le risque de le rater de nouveau.

— On procède comme prévu, on s'adapte.

Cette fois-ci, ce fut la bonne. Il était minuit quand, enfin, après avoir subtilisé le bouchon de la seconde Golf, il retourna à son hôtel pour fabriquer un double de la clef, une technique qu'il maîtrisait maintenant à la perfection. Puis, à 1 heure du matin, comme convenu, il vola la Volkswagen et la déposa dans un box, à quelques rues à peine de son hôtel, où les techniciens de la cellule de Munich allaient pouvoir venir la maquiller : changement des plaques d'immatriculation et du numéro de série sur le moteur afin de correspondre aux faux papiers fabriqués par la DGSE, et installation d'un coffre à double fond où Marc allait pouvoir cacher sa propre Remington à canon lourd, calibre 7.64, spécialement préparée pour lui par l'armurerie de la Boîte à Paris, et dont il avait déjà pu éprouver la précision comme l'efficacité. Sur le lieu de la mission, l'équipe de Munich lui avait déjà préparé, dans une cache, le reste de son équipement. Pour éliminer la cible au milieu de nulle part, Marc allait devoir choisir au dernier moment son mode opératoire, ce ne serait pas forcément un tir à longue distance, et la DGSE avait donc dû prévoir tous les autres cas de figure : arme de poing, arme blanche, explosifs...

Le lendemain matin, le jeune agent quittait l'hôtel, récupérait la voiture et sa vraie fausse carte grise, dissimulait la Remington dans le coffre à double fond, puis se mettait en route vers l'Autriche, en essayant de ne plus penser à ce mauvais départ.

# 144

## 27 juin 1987, Haute-Savoie

Bayazid Jalili était en train de payer son essence à l'intérieur de la station-service quand il remarqua la patrouille de gendarmerie qui venait de s'arrêter sur l'aire d'autoroute, dans la pénombre du soir. La mâchoire crispée, le quadragénaire jeta un coup d'œil, à quelques mètres de là, vers la camionnette noire où l'attendaient ses cinq collègues de l'ambassade d'Iran. Cela pouvait-il être une coïncidence ? Les avait-on repérés ? Jalili ne pouvait s'imaginer qu'on les arrête si près du but : ils étaient à moins de quatre-vingts kilomètres de la frontière ! En essayant de masquer son trouble, il s'empressa de récupérer la monnaie que lui tendait la jeune caissière et s'apprêta à sortir rapidement, mais il vit aussitôt deux gendarmes sortir de leur voiture, garée à quelques places de parking seulement, et venir dans sa direction.

Faisant volte-face devant les grandes portes vitrées de la station-service, il retourna d'un pas preste vers la boutique, le cœur battant, et se plaça derrière un présentoir à cartes postales en faisant mine d'en chercher une.

Quand les deux gardiens de la paix passèrent devant lui, il baissa la tête pour ne pas croiser leur regard. Du coin de l'œil, il les vit se diriger directement vers le comptoir. L'homme, les mains trempées de sueur, regarda de l'autre côté de la boutique. La station-service disposait d'une sortie arrière, qui donnait sur un autre parking. Il hésita. S'il prenait la sortie principale, il risquait de se retrouver nez à nez avec les gendarmes. Reposant maladroitement la carte postale qu'il avait fait mine de vouloir acheter, il tourna les talons et marcha tout droit vers la porte de derrière. En chemin, il croisa un jeune couple et fut certain qu'ils le regardaient d'un air intrigué. Ou peut-être se faisait-il des idées. Toute cette histoire le rendait totalement paranoïaque. Une fois dehors, il se plaqua un instant contre le mur pour reprendre sa respiration, secoua la tête et se remit en route pour faire le tour du bâtiment et revenir prudemment vers le parking.

Derrière les vitres fumées de la camionnette, il distingua les cinq silhouettes de ses collègues. Ils n'avaient pas bougé. Quelques rangées au-delà, la voiture de gendarmerie était toujours là. Il inspira profondément, rentra la tête dans les épaules et se dirigea tout droit vers le van luxueux, prêté par un ami de l'ambassadeur en personne. Un instant, on avait hésité à leur donner un véhicule doté d'une plaque du corps diplomatique, mais c'eût été finalement plus risqué. Quand il se hissa enfin sur le siège conducteur, il adressa un signe de tête rassurant à ses compagnons de route qui, inquiets, étaient tous collés contre leur siège et regardaient régulièrement avec angoisse en direction des gendarmes.

— Dépêche-toi ! lança l'homme à côté de lui.

Jalili fit démarrer la camionnette, passa la marche arrière, puis roula rapidement vers la sortie de l'aire d'autoroute. Les passagers arrière se retournèrent plusieurs fois, pour vérifier que la patrouille ne les suivait pas. Rien. L'employé d'ambassade appuya sur l'accélérateur et s'engagea à vive allure sur la voie de gauche de l'autoroute.

— Pas trop vite ! Ça sert à rien de se faire repérer ! s'emporta son voisin. On reste calmes, et on sera en Suisse dans trois quarts d'heure. C'est la dernière ligne droite.

— Ils n'étaient pas là pour nous, insista l'autre, peut-être pour se rassurer lui-même.

Il était près de 22 heures, quand, en effet, les six Iraniens arrivèrent en vue du poste-frontière. Ils le savaient, ce serait pour eux l'instant de vérité. L'épreuve. Parfois, les douaniers laissaient passer les gens sans regarder leur identité. Si ce n'était pas le cas, alors il ne leur resterait plus qu'à espérer que la police française n'avait pas lancé d'avis de recherche.

Quand ils approchèrent du poste, Jalili soupira en voyant la longue file de voitures devant lui. Une dizaine de voitures au moins. Si ça avançait si lentement, c'était sûrement que les douaniers faisaient de vrais contrôles. Il arrêta la camionnette derrière le dernier véhicule de la file et jeta un coup d'œil dans le rétroviseur central. Toujours aucun signe des gendarmes.

— Reste calme, Bayazid. Il faut avoir l'air naturel.

— L'air naturel ! Six Iraniens qui passent la frontière dans une camionnette, tu crois vraiment qu'on va avoir l'air naturel ? s'emporta le chauffeur, de plus en plus tendu. Ils vont sûrement trouver ça louche et faire des recherches. On se jette dans la gueule du loup, oui !

— Calme-toi, je te dis, tout va bien se passer !

— Inch' Allah.

Pas à pas, ils avançaient dans la file, alors que d'autres voitures continuaient d'arriver derrière eux à un rythme régulier.

— C'est long ! murmura l'un des passagers à l'arrière.

Ils n'étaient plus qu'à deux voitures du poste-frontière quand une Renault blanche, arrivée par la droite, s'arrêta à leur hauteur.

— Qu'est-ce qu'il fout celui-là ? Il veut doubler tout le monde ?

Mais une seconde plus tard, un autre véhicule arriva par la gauche, et alors les six passagers comprirent aussitôt. Jalili poussa un cri de rage quand il vit les policiers de la DST sortir de leurs voitures banalisées et leur hurler de mettre les mains sur la tête en les menaçant de leurs revolvers.

Au même moment, le commissaire Batiza, sourire aux lèvres, sortit de la voiture qui les précédait. Les six hommes étaient déjà menottés quand l'Antillais s'approcha de Bayazid Jalili et lui donna une petite tape sur l'épaule.

— La promenade est terminée, messieurs. Vos parents vous attendent gentiment à la maison.

# 145

## 28 juin 1987, Autriche

Marc, lui, avait eu beaucoup plus de chance que les Iraniens en passant le poste-frontière autrichien : aucun contrôle. Et même s'il avait soigneusement caché sa Remington dans le coffre à double fond, il n'était pas mécontent de s'être épargné cette formalité qui n'était jamais tout à fait rassurante. C'était la première fois que les circonstances l'obligeaient à traverser la frontière avec son arme, une des étapes les plus critiques de l'opération.

Arrivé à destination, après avoir récupéré le reste de son arsenal dans la cache prévue par l'équipe de Munich, il avait pris une chambre dans un petit hôtel typique de la ville bucolique d'Achental, au cœur du Tyrol. Équipé de tout l'attirail des grands randonneurs, sac à dos, bâton de marche, grosses chaussures, il se faisait passer pour un excursionniste chevronné, venu profiter, comme beaucoup de touristes en cette saison, des nombreux circuits pédestres du massif des Alpes de Brandenberg.

Le décor qu'offrait cette région du Tyrol était véritablement somptueux, forêts de sapins immenses et alpages où broutaient de grasses et belles vaches s'y succédaient dans une quiétude verdoyante, au milieu des cascades qu'alimentaient au loin de majestueux glaciers. De cols en vallées, la nature semblait ici avoir gardé tous ses droits, et les rares petites maisons que l'on croisait au bord des sentiers paisibles n'étaient faites que de bois, de charmants chalets traditionnels aux volets peints de rouge et de blanc. Partout où le regard se posait, la vue semblait se déployer toujours davantage et la végétation ne jamais finir. L'atmosphère des lieux était tout simplement envoûtante, mystique, pour certains.

Marc, se laissant volontiers porter par ce spectacle grandiose, passa sa première journée autrichienne à soigneusement étudier l'environnement de la planque logée par Patrice de Bourges, l'officier de la cellule de Munich, au cœur de l'épaisse forêt. Multipliant les trajets au milieu des sapins, il mémorisa toutes les routes sinueuses, des voies secondaires aux plus petits chemins de terre, et même les cours d'eau, répertoriant méticuleusement les possibilités de fuite, de repli, les raccourcis... En cas de pépin, il devait pouvoir s'échapper des lieux le plus vite possible, connaître par cœur ces petites routes de montagne afin de pouvoir y conduire à très haute vitesse, sans jamais s'engager dans une voie sans issue.

Après avoir consciencieusement annoté sa carte et mémorisé les lieux, il étudia plus en profondeur encore les environs immédiats de la planque, afin d'y choisir le poste d'observation idéal. Il lui fallait un point en hauteur, à l'abri des regards, mais avec une vue directe sur les vieux bâtiments de pierres, et offrant deux issues possibles pour ne pas y être acculé s'il était repéré. Enfin, il était impératif qu'il puisse cacher son véhicule à proximité, s'il devait partir précipitamment. Cela faisait beaucoup de paramètres, et il lui fallut plusieurs heures pour choisir la meilleure solution. Quand il fut certain d'avoir trouvé l'endroit adéquat, à moins de quatre cents mètres de la planque, il l'aménagea discrètement pour se créer un véritable avant-poste, où il serait à la fois confortablement installé et suffisamment camouflé.

Son installation terminée, il se mit en place, sortit le lourd appareil photo de son sac à dos et commença à étudier les trois petites bâtisses qui constituaient la planque. L'imposant téléobjectif zoom 150-600 mm permettait d'adapter la focale à la distance de la scène et de grossir considérablement le moindre détail. Marc prit le temps de balayer chaque élément de la construction. Une ancienne ferme, à l'évidence. La cellule de Munich n'avait pu lui offrir d'indication plus précise. Il n'avait aucune idée de l'endroit exact où le Vautour – si c'était bien lui – pouvait se cacher, mais il lui sembla plus logique que ce fût dans le corps de logis, situé au centre, les deux autres blocs ressemblant davantage à des dépendances, grange ou bergerie. Il prit le soin, toutefois, zoomant ici, dézoomant là, d'inspecter longuement un par un les trois bâtiments, qui semblaient avoir été abandonnés depuis bien des années. Aucune lumière ne venait de l'intérieur, malgré la nuit tombée, et les rares fenêtres avaient été obstruées par des panneaux de bois, longtemps sans doute avant que les lieux ne servent de planque, à en juger par leur état délabré.

Quand, vers minuit, il repartit à son hôtel après de longues heures d'observation silencieuse, rien n'avait bougé. Pas le moindre bruit, pas la moindre lumière ne s'était échappée de la vieille ferme, le plus petit mouvement. Sans les indications formelles des agents de Munich, Marc Masson aurait eu de la peine à croire qu'un homme soit vraiment venu s'enterrer là...

# 146

## 2 juillet 1987, Paris

Chaque jour qui passait rendait l'imminence d'une catastrophe diplomatique de plus en plus probable, et son issue de plus en plus incertaine.

Le 28 juin au matin, la DST avait donc aimablement reconduit rue d'Iéna les six employés de l'ambassade interpellés avant la frontière suisse et, selon les ordres du ministre Charles Pasqua, ils y étaient assignés à résidence. Les locaux de l'édifice étaient à présent officiellement sous surveillance policière, les forces de l'ordre filtrant assidûment, au grand jour, les entrée et sortie de la légation. En réponse, les Iraniens avaient contre-attaqué en mettant en place un véritable blocus autour de l'ambassade de France à Téhéran. Là-bas, il n'était plus seulement question d'opérer un filtrage, mais d'interdire purement et simplement aux quatre diplomates français, à leur famille et aux employés de sortir du bâtiment.

Dans ce climat délétère, ce ne fut une surprise pour personne quand, en milieu d'après-midi, Gholam Reza Haddadi, le chargé d'affaires iranien à Paris, annonça qu'il allait tenir dans la soirée une conférence de presse à la chancellerie. Il y convoquait tous les journalistes de la presse écrite, radio et télévisée française.

Il était près de 21 heures quand le juge Boulouque et le ministre délégué Pandraud entrèrent, le front soucieux, dans le bureau réquisitionné par la DST, en face de l'ambassade.

Le commissaire Batiza avait ordonné à deux de ses agents de s'introduire dans la conférence, sous couverture journalistique, et fait en sorte que les images de leur caméra soient diffusées jusqu'ici, si bien que ses invités allaient pouvoir assister au spectacle en direct.

— Asseyez-vous, proposa-t-il au ministre et au magistrat. Ça s'agite dans la salle de presse. Ça devrait pas tarder à commencer...

— Qu'est-ce qu'ils nous préparent, maintenant ? s'impatienta le juge. Ils ne peuvent plus mentir sur Gordji ! L'affaire s'est ébruitée dans la presse : toute la France est au courant qu'un employé de l'ambassade a pris la fuite après que j'ai lancé une commission rogatoire pour l'entendre au sujet des attentats...

— Le porte-parole de Chirac a officialisé la chose tout à l'heure sur Antenne 2, confirma Batiza. Il a laissé entendre que Gordji s'était peut-être même réfugié à l'ambassade avant de s'enfuir... C'est la première fois que l'État iranien est aussi ouvertement incriminé dans une action terroriste. Ils ne peuvent pas se murer dans le silence.

— Il faut croire que notre petit bras de fer commence à les inquiéter, conclut Pandraud avec un sourire.

Il était 21 h 45 quand, enfin, l'agitation des dizaines de journalistes entassés dans la salle de presse annonça que la conférence allait débuter. Et, de fait, l'élégant Gholam Reza Haddadi, barbe rasée de près, apparut sur le petit écran, prenant place derrière une table bondée de micros, face à la foule des reporters accrédités, un portrait de l'ayatollah Khomeini et un drapeau de l'Iran soigneusement alignés derrière lui, le long d'un épais rideau.

Soudain, les yeux rivés sur le moniteur, Boulouque plaqua sa main à plat sur la table dans un geste de stupéfaction.

Derrière Haddadi, un jeune homme glabre, l'air un peu gauche, mal à son aise, venait d'entrer et de prendre place à son tour, juste à côté du chargé d'affaires.

— Ma parole ! C'est Gordji ! s'étonna le juge, perplexe.

— Putain, l'enfoiré ! lâcha Batiza.

L'homme le plus recherché de France, qu'ils avaient imaginé caché en Suisse ou déjà reparti en Iran, était donc bel et bien là, à quelques centaines de mètres d'eux seulement, de l'autre côté du trottoir, protégé par l'extraterritorialité de son ambassade. Et son apparition théâtrale devant le parterre de journalistes était comme un insolent défi tant aux forces de police qu'à la France tout entière. Si le jeune homme semblait tout de même quelque peu embarrassé, son patron, le chargé d'affaires, affichait lui un air ravi, bien conscient qu'il narguait ainsi sans vergogne tout l'appareil d'État français.

— L'enfoiré ! répéta Batiza, qui n'en croyait pas ses yeux.

Avec une audace incroyable, Gholam Reza Haddadi commença sa conférence de presse en introduisant celui qu'il présentait comme son traducteur officiel et, si le contexte n'avait été aussi grave, l'exercice aurait pu ressembler à une gigantesque farce, puisque Wahid Gordji, en toute quiétude, se mit aussitôt à traduire les propos dont il était lui-même le sujet !

Batiza, Pandraud et Boulouque, médusés, écoutèrent les paroles d'Haddadi que Gordji répétait dans un français impeccable, parlant du coup de lui à la troisième personne.

«... *Ceux qui veulent faire passer M. Gordji pour un terroriste ne représentent qu'un petit clan dans* le gouvernement français, opposé au rapprochement opéré depuis plusieurs mois entre l'Iran et la France. Je tiens à signaler que tout le gouvernement français n'est pas du même avis, et c'est d'ailleurs un membre du ministère des Affaires étrangères, M. Didier Destrémeau en personne, qui est venu nous suggérer que M. Gordji reste à l'ambassade jusqu'à ce que le calme revienne. En réalité, nous sommes nous-mêmes les victimes des dissensions internes du gouvernement français. »

Le juge Boulouque serra les dents et se tourna vers Pandraud. Si Haddadi ne mentait pas, la fuite était donc bien venue du Quai d'Orsay, comme il l'avait suspecté depuis le début.

— C'est vraiment comme ça que ça s'est passé ? demanda le magistrat en dévisageant le ministre délégué.

Pandraud, visiblement embarrassé, haussa les épaules d'un air penaud.

— C'est possible.

En réalité, il se doutait que c'était *exactement* ainsi que les choses s'étaient passées. À l'époque où Pasqua n'était pas encore convaincu que l'audition de Gordji fut une bonne idée, quelqu'un avait certainement passé quelques coups de fil au Quai d'Orsay...

«... et si monsieur le juge Boulouque a des questions à poser à M. Gordji, nous sommes tout à fait disposés à le recevoir ici, à la Chancellerie. Comme vous pouvez le voir, nous n'avons rien à cacher. »

— Évidemment ! S'ils n'avaient rien à cacher, ils laisseraient Gordji venir au Palais de Justice, mais ils préfèrent que ce soit moi qui vienne à l'ambassade, car ils savent que si j'ai des raisons de l'inculper, je ne peux pas le mettre en garde à vue à l'ambassade, il est protégé par son extraterritorialité !

Pendant près de vingt minutes, Gordji continua de traduire sa propre défense, livrée avec vigueur par le chargé d'affaires, puis la séance se termina par une mise en scène un peu ridicule, où l'employé d'ambassade exhiba longuement devant les caméras la page de son passeport iranien où apparaissait le visa qui l'autorisait à séjourner en France jusqu'à la fin du mois de janvier 1988, et qui précisait qu'il travaillait officiellement pour l'ambassade. En somme, il n'était pas un terroriste, mais bien un traducteur, et s'il ne bénéficiait pas de l'immunité diplomatique, il était là de son bon droit, avec la bénédiction des autorités françaises.

À 22 h 30, au moment où la conférence se termina, le secrétaire de Pandraud entra brusquement dans le petit bureau.

— Monsieur le Président Mitterrand vient de revenir de Finlande, annonça-t-il d'un air gêné. Il vous attend dans les plus brefs délais à l'Élysée avec MM. Chirac et Pasqua.

Le juge Boulouque et le commissaire Batiza regardèrent le ministre délégué sortir de la petite pièce sans rien dire. La soirée allait être longue.

# 147

## 2 juillet 1987, Autriche

Cela faisait cinq jours que Marc Masson venait quotidiennement surveiller la planque nichée au cœur de la forêt tyrolienne, à l'ombre des sapins et des cimes montagneuses. Allongé sur son promontoire, derrière le rideau de végétation, il passait de longues heures à regarder dans son puissant téléobjectif un spectacle parfaitement immobile, et tromper l'ennui devenait de plus en plus difficile. Jusqu'à présent, il n'avait pu constater aucun signe de vie, ni de jour, ni de nuit. Et l'exercice se révélait de plus en plus pénible. Ces longues stations allongées l'accablaient de crampes et de courbatures, et éreintaient chaque jour un peu plus sa patience.

Si quelqu'un se cachait vraiment dans cette ferme abandonnée, il devait probablement s'y ennuyer tout aussi fermement que lui ! Ces interminables attentes lui donnaient en outre l'occasion de se laisser de plus en plus envahir par le doute. Après tout, sinon cette concordance du timing, rien ne prouvait que le Vautour fût bien là ! C'était peut-être quelqu'un d'autre. Un terroriste d'une autre organisation, par exemple. Ou plusieurs ! Une femme, même, qui sait ? Un simple criminel en cavale ?

Les jours passant, l'envie de descendre de son poste d'observation et d'aller directement fouiller les bâtiments se faisait de plus en plus grande, mais Olivier avait été formel sur ce point : tant que le Vautour n'était pas clairement identifié, Marc ne devait pas approcher de la planque. Il était ici en opération clandestine, sans soutien logistique, et prendre le risque d'un incident diplomatique s'il tombait sur quelqu'un d'autre que le Vautour n'était pas une option acceptable. *Nul ne verra, nul ne saura*. Aussi frustrant que cet ordre pût lui paraître, Marc s'appliqua à y obéir scrupuleusement. Il ne bougerait pas tant qu'il n'aurait pas reconnu Ahmed M.

Quand il s'installa ce matin-là machinalement à son poste d'observation et que, sans grand espoir, il inspecta de nouveau les bâtiments à l'aide de son téléobjectif ; soudain, un petit détail attira son attention.

Ce n'était rien. Une différence infime, ridicule même. Mais il en était certain : la planche qui barricadait l'une des trois lucarnes situées au pied du bâtiment central avait été remplacée. Cela aurait pu échapper à la vigilance de la plupart des observateurs, mais pas à la sienne. La planche était d'une teinte plus claire, plus récente.

— Putain de merde ! lâcha-t-il.

Et c'était à la fois l'expression de sa frustration, puisque quelque chose s'était donc passé pendant son absence, mais aussi celle d'un nouvel espoir : non seulement cela prouvait qu'il y avait bien quelqu'un dans cette vieille ferme abandonnée, mais en plus cela livrait deux indications : la personne qui se cachait était effectivement dans la bâtisse centrale, et probablement au sous-sol.

Il s'en voulut malgré tout de n'avoir pas été présent au moment opportun : peut-être aurait-il pu avoir la confirmation qu'il attendait. Mais il ne pouvait tout de même pas rester allongé ici vingt-quatre heures sur vingt-quatre ! Une surveillance continue aurait au minimum exigé la présence d'un second agent. Il devait impérativement rentrer tous les soirs à l'hôtel, non seulement pour se reposer, mais aussi pour assurer sa couverture. Il ne put cependant s'empêcher de penser à cette occasion manquée ! Il pouvait presque imaginer la scène : le visage du Vautour apparaissant soudain derrière la lucarne, un marteau et des clous dans la main, en train de changer une planche... Une cible de choix. À moins de quatre cents mètres, cent pour cent de taux de réussite à la Remington !

Aussi, ce soir-là, Marc resta allongé à son poste bien plus tard que d'habitude. Pendant de longues heures, dans la fraîcheur de la nuit, il continua d'espérer, il s'entêta. Mais, bien sûr, le miracle ne se reproduisit pas. Et il était près de 2 heures du matin quand, de guerre lasse, le jeune agent plia bagage, écœuré mais résigné, et rentra à son hôtel en espérant que la nuit lui redonnerait un peu de courage.

# 148

## 2 juillet 1987, Paris, palais de l'Élysée

Le Premier ministre Jacques Chirac fut le dernier à arriver dans le fastueux salon des Tapisseries de l'Élysée, où patientaient déjà Pandraud et Pasqua autour d'un petit guéridon fleuri. Aux murs, les tapisseries des XVII$^e$ et XVIII$^e$ siècles resplendissaient dans leur écrin de boiseries à la patine de bronze. Si le ventripotent ministre de l'Intérieur, confortablement installé, semblait n'avoir rien perdu de son flegme habituel, son voisin, en revanche, était secoué de tics nerveux et ne cessait de croiser et décroiser les jambes sur son étroit fauteuil à dossier violon.

— J'ai bien cru que tu n'allais jamais arriver ! s'amusa Pasqua en regardant le Premier ministre prendre place à leurs côtés.

— J'ai fait au plus vite. *Il* est là ?

— Il est rentré de Finlande il y a à peine plus d'une heure. Il doit être en train de se faire résumer la situation par son cabinet au sujet de la réapparition surprise de Gordji. Il doit nous recevoir d'une minute à l'autre.

— Merde alors ! Je n'étais absolument pas au courant de ce qu'il se passait, Charles ! J'étais en train de dîner tranquillement avec le maire de Pékin... Maurice[1] m'a briefé dans la voiture. Toute

---

1. Maurice Ulrich, directeur de cabinet de Jacques Chirac de 1986 à 1988.

cette histoire prend une ampleur démesurée ! Ils commencent sérieusement à m'emmerder, ces Iraniens !

— Ils sont terrifiés à l'idée que la DST mette la main sur Gordji et le fasse parler. Il sait sûrement beaucoup de choses, le petit imberbe de l'ambassade.

— Sûrement, reconnut Chirac. Il ne paie pas de mine, pourtant. T'as raison, on dirait un jeune puceau. Je l'ai souvent croisé, cela dit. C'est toujours lui qui était là pour assurer la traduction, à chaque fois que j'ai essayé de négocier avec les Iraniens...

— Tu te doutes bien que c'est pas qu'un simple traducteur, Jacques ! En réalité, c'est le numéro deux de l'ambassade, un point c'est tout. Ils se foutent de notre gueule.

— Peut-être. Ce qui est sûr, c'est qu'ils n'ont vraiment pas l'intention de laisser le juge l'interroger. Et ça m'étonnerait que Boulouque lâche l'affaire.

— Ah, ça, c'est sûr, confirma Pandraud, sortant enfin de son mutisme. J'étais avec lui tout à l'heure quand Gordji a fait son apparition théâtrale au début de la conférence. Je peux vous dire que Boulouque était furax... Il n'en démordra pas tant que Gordji ne sera pas venu se présenter au Palais de Justice.

— Je vous rappelle que Boulouque a quand même débuté sa carrière en faisant inculper le patron du GIGN, qui venait d'être nommé en charge de la sécurité ici même par Mitterrand... C'est un acharné, ce garçon.

— De toute façon, il est hors de question qu'on laisse tomber ! intervint Pasqua de sa grosse voix. Moi, je dis qu'on n'a qu'à envoyer un bateau militaire au large de l'Iran, et on va voir un peu s'ils commencent à nous prendre au sérieux, ces bestiasses !

— Charles ! Un bateau militaire ! Tu crois vraiment que Tonton[1] va accepter un coup pareil ?

— Eh ! Ça ne coûte rien de lui demander.

Au même moment, un huissier de l'Élysée, uniforme chamarré, queue-de-pie et chaîne au plastron, fit son apparition majestueuse dans l'antichambre.

— Le président de la République vous attend, messieurs. Si vous voulez bien me suivre.

Sans tarder, il les conduisit au premier étage du Palais, jusqu'au Salon doré, et François Mitterrand invita alors les trois hommes à prendre place avec lui autour d'une table, à quelques pas seulement du célèbre bureau Louis XV, splendeur du mobilier français, installé là depuis la présidence du général de Gaulle.

— Bien, commença-t-il en clignant nerveusement les paupières. Je vous remercie tous les trois d'être venus aussi vite. Comme disait Cioran, *nous ne devrions déranger nos amis que pour notre enterrement. Et encore !*

— Est-ce une façon détournée de nous rappeler que nous ne sommes pas vos amis, monsieur le Président ? plaisanta Jacques Chirac.

C'était l'un de ces moments étranges que la cohabitation réservait à ces hommes qui, depuis des années, s'étaient toujours opposés et se trouvaient à présent obligés de travailler ensemble.

— Il ne s'agit en tout cas pas de mon enterrement, répliqua le Président. À vrai dire, c'est bien plus grave que cela...

— Grave, je ne sais pas. Préoccupant, oui.

— Nous devons évaluer toutes les hypothèses, en partant des meilleures, qui ne sont déjà pas très bonnes, et en allant jusqu'aux pires, exposa

_____

1. Surnom qui avait été donné à François Mitterrand, au départ par le *Canard enchaîné*...

Mitterrand avec son habituelle malice dans le regard.

— L'Iran est persuadé que nous sommes incapables de réagir, affirma Pasqua. Ils pensent que nous sommes paralysés par la prochaine campagne électorale...

— Écoutez, Jacques, Charles, Robert... J'espère que vous êtes aujourd'hui dans les mêmes dispositions que moi. La situation réclame une certaine unité, n'est-ce pas ? Laissons nos intérêts particuliers de côté. Sur ce dossier, je tiens à ce que nous fassions front tous ensemble, si vous le voulez bien.

— Absolument, promit le Premier ministre en hochant la tête.

— Et notre réaction doit être ferme, continua Mitterrand.

— En dernier recours, nous pourrions déclarer la rupture des relations diplomatiques avec l'Iran, proposa Pasqua. Ils savent très bien que l'impact international d'une telle décision serait catastrophique pour eux.

— Oui. C'est une solution que je suis disposé à envisager.

— Ce qui ne m'empêcherait pas, parallèlement, de demander à l'un de mes collègues de continuer à discuter avec eux, ajouta le ministre de l'Intérieur...

Dans sa région natale, un collègue, ça voulait dire un ami. Et quand Pasqua parlait d'un « ami », il songeait sans doute à son fidèle et sulfureux Castelli.

Personne ne prit la peine de lui signaler qu'il usurpait là le rôle du ministre des Affaires étrangères, car tous connaissaient les nombreuses et puissantes ramifications du réseau Pasqua. C'était un homme qui, depuis le début de sa carrière, avait toujours multiplié les chemins de traverse, il avait des dossiers sur tout le monde, des méthodes bien personnelles, souvent en marge de la plus pure légalité – ce qu'il assumait sans vergogne – et des moyens de pression que beaucoup lui enviaient.

— Pourquoi les Iraniens s'entêtent-ils à ce point ? demanda Mitterrand, d'un air faussement naïf.

Les trois autres hommes échangèrent des regards embarrassés sous la lumière du lustre Napoléon III, dont les nombreuses ampoules diffusaient une douce lumière orangée.

— Selon moi, Gordji est une plaque tournante des agents iraniens non seulement en France, mais sans doute pour toute l'Europe. C'est un très gros poisson, monsieur le Président. Et il est forcément lié de près aux attentats parisiens.

— Oui, oui, certainement, mais avons-nous des éléments concrets, pour étayer tout ça ? demanda le Président.

Robert Pandraud fit une petite grimace.

— Pour être tout à fait honnête, monsieur le Président, je crains que le juge Boulouque n'ait pas grand-chose de solide. Certes, Gordji a des fréquentations pas très catholiques, si je puis dire, et il y a cette histoire de BMW repeinte en gris quelques jours après les attentats de la rue de Rennes, mais rien de plus précis... Sur le fond, il n'y a aucun doute que Gordji ait joué quelque rôle dans les attentats, mais des preuves concrètes, j'ai bien peur que le juge n'en ait pas une seule.

François Mitterrand fronça les sourcils.

— C'est très ennuyeux.

— Pas forcément, intervint Pasqua. Les Iraniens n'en savent rien. Ils pensent peut-être que nous avons un vrai dossier sur lui. Du coup, on pourrait se servir de Gordji comme d'une bonne monnaie d'échange. Nous pourrions proposer aux Iraniens de troquer leur petit protégé contre tous les otages français détenus au Liban, par exemple.

— Ah non ! s'interposa Chirac. Ce n'est plus le moment de négocier, Charles ! Les Iraniens ont pris le personnel de notre ambassade à Téhéran en otage, tout de même ! Ce n'est pas rien ! Nous devons non seulement rompre les relations diplomatiques avec l'Iran, comme tu l'as suggéré, mais aussi menacer d'arrêter tout le personnel de leur propre ambassade ! Quant aux quatre ou cinq cents Iraniens considérés comme suspects qui sont encore sur le territoire français, on pourrait très bien les renvoyer chez eux *manu militari*, par charter !

— Ça ne plairait pas beaucoup à votre cher Jean-Bernard Raimond, répondit Mitterrand avec un petit sourire amusé.

Ce n'était un secret pour personne, le ministre des Affaires étrangères était un ardent partisan du réchauffement des relations avec l'Iran. Pour lui, la diplomatie restait la seule solution viable pour obtenir la libération des otages.

— On n'en serait pas là si son chargé d'affaires, ce crétin de Destrémeau, n'était pas allé prévenir les Iraniens que Boulouque voulait interpeller Gordji ! s'exclama Chirac, visiblement remonté.

— J'ai eu le ministre des Affaires étrangères au téléphone tout à l'heure, reprit Mitterrand, et il m'a juré que cette histoire de Destrémeau prévenant Gordji ne tenait pas debout. Pour tout vous dire, il m'a même fait savoir qu'il était très embarrassé par la tournure des événements, et qu'il était prêt à me donner sa démission.

— Il est vexé, c'est tout. Ça fait des mois qu'il essaie d'obtenir quelque chose en sus... en cirant les pompes des Iraniens, et il est bien obligé d'admettre que ça ne marche pas. Mais il ne faut pas que cela vous empêche d'employer la manière forte, reprit le Premier ministre.

— Jacques, c'est vous qui avez choisi vos ministres, glissa malicieusement Mitterrand, qui ne pouvait pas manquer l'occasion. Mais je suis d'accord avec vous. Nous devons sérieusement monter le ton.

— Avant d'annoncer une rupture des relations diplomatiques, il y a peut-être une solution plus... suggestive, risqua Pasqua.

— À quoi pensez-vous ?

— Un bateau militaire au large de l'Iran...

Mitterrand haussa les sourcils, sans doute un peu surpris.

— Vous allez penser que Cioran m'obsède, et vous n'auriez pas tort, mais il disait très justement que *les armes de dissuasion ne sont efficaces que si l'on ne s'en sert pas...*

— C'est l'idée, monsieur le Président. L'Iran a déjà fort à faire avec l'Irak. Je pense sérieusement qu'une menace militaire concrète d'un pays européen les ferait sérieusement réfléchir.

— Bien. Nous allons prendre un peu de temps, nous aussi, pour réfléchir à tout ça...

Au même instant, Jean-Claude Colliard, directeur de cabinet du président de la République, entra dans le Salon doré, l'air soucieux.

— Je suis désolé de vous interrompre, messieurs, mais il m'a semblé important de vous communiquer cette information...

— Nous vous écoutons.

— Les forces de police en place près de l'ambassade d'Iran observent depuis près de trente minutes un spectacle un peu... particulier.

— Mais encore ?

— Il y a des flammèches qui sortent de la cheminée du bâtiment...

— De la cheminée ? s'étonna le Président, perplexe. Ils font un feu en plein mois de juillet ?

— Ils ont peut-être découvert le micro que la DST a planqué dedans, suggéra Pandraud, presque amusé.

— Ça n'a pas l'air d'être ça, intervint Colliard. Vos collègues affirment que, vu les particules qui sortent du conduit, cela ressemble plutôt à une grosse quantité de papier que l'on brûle...

— Ils sont en train de détruire des documents, lâcha Pandraud en soupirant.

— Eh bien tant mieux ! répliqua Pasqua. C'est la preuve qu'ils doivent commencer à avoir sérieusement les chocottes !

Quand tout ce petit monde fut sorti du Palais de l'Élysée, aux alentours de 1 heure du matin, Jacques Chirac attrapa le ministre de l'Intérieur par la manche.

— Je te ramène.

Pasqua fronça les sourcils.

— Eh ? Pourquoi donc ? J'ai mon chauffeur, Jacques !

— Ne discute pas. Je te ramène.

Le ministre hocha la tête d'un air résigné, fit signe à son chauffeur de partir sans lui et monta dans la voiture du Premier ministre.

Après quelques minutes de route, Chirac se tourna vers son ami et lui glissa, d'un air préoccupé :

— Il faut que tu fasses attention, Charles, avec ton Castelli et toute sa bande.

Pasqua eut un petit sursaut de ricanement.

— Zou ! C'est pour me dire ce genre de cagades que tu voulais que je vienne dans ta charrette ? Allons ! De quoi as-tu peur ?

— Que ça aille trop loin. Ton Castelli, c'est pas le ministre des Affaires étrangères. C'est pas non plus un membres des Services. C'est juste...

— C'est juste quelqu'un en qui j'ai toute confiance, et c'est une des rares personnes qui puisse être efficace dans ce dossier.

— Et il finance tout ça comment, ton Castelli ? Les voyages, les hôtels, les bureaux, les gardes du corps, les pots-de-vin. Ça doit coûter un sacré pognon, Charles !

— Eh bien, nous avons de généreux mécènes patriotes qui sont ravis de pouvoir donner un petit coup de pouce à la République ! répliqua Pasqua en riant. Je ne vois pas où est le problème !

— Un jour ou l'autre, ça va te retomber sur la gueule, Charles.

— Ce qui compte, « monsieur le Premier ministre », c'est que nous fassions libérer nos compatriotes détenus au Liban avant la prochaine élection présidentielle, et que toute la France sache que cette libération a été rendue possible par MM. Chirac et Pasqua, pour qu'en mai 1988, je puisse t'appeler « monsieur le président de la République ». Oh ! Oui, ou non ?

Chirac leva les mains dans un geste de capitulation.

— Tout ce que je te demande, c'est de faire gaffe. On n'est pas en Afrique, ici.

— Et moi, tout ce que je te demande, c'est de me faire confiance ! Il est pas né celui qui réussira à venir me casser les roubignoles sur ma façon de procéder. Ce qui compte, c'est le résultat. Le reste, Jacques, c'est des calembredaines !

# 149

## 6 juillet 1987, Autriche

Neuvième jour de surveillance, et toujours rien. En neuf jours, à part ce panneau de bois – dont Marc commençait même à se demander s'il avait vraiment été changé, si sa mémoire ne l'avait pas finalement trompé lui-même, à force d'espérer – rien n'avait bougé, aucune trace de vie. Pas de sacs-poubelles déposés près de la maison, pas de fumée dans la cheminée, pas le moindre rayon de lumière par le moindre interstice. Tout était d'un calme désespérant. La nature, ici, était un temple où les piliers ne laissaient sortir aucune parole...

Marc, pour ne pas perdre la tête, était obligé d'aller puiser au plus profond de ses propres ressources. Pendant les longues heures d'attente, il pensait souvent au Brésil, à ce qu'il avait vécu là-bas, un an et demi plus tôt, sa longue fuite éprouvante à travers la jungle, et la mort, enfin, qui avait failli le cueillir à quelques pas seulement de la Guyane française, quand, si fatigué, dans un élan d'inconscience, il avait fini par boire l'eau de la rivière Oyapock... Il se remémorait la première visite d'Olivier dans la cellule du camp de Sathonay, son recrutement, les longues heures de formation dans la forêt de Cercottes, les entraînements en plein Paris. Bon sang ! Il n'avait pas survécu à tout cela pour abandonner maintenant ! Ce qu'il vivait aujourd'hui, ce n'était rien. Une épreuve de patience, tout simplement. L'occasion de montrer, enfin, la solidité de son engagement. *Un Masson ne se plaint jamais.*

Ce lundi-là, en prenant place sur son poste d'observation, le jeune agent s'efforça de reprendre un peu espoir. La cellule de Munich ayant indiqué que Arifa al-Azem – la jeune femme qui semblait apporter régulièrement des vivres dans la vieille ferme – venait en général l'un des trois premiers jours de la semaine, il allait peut-être enfin se passer quelque chose.

En neuf jours, il n'avait vu aucune voiture s'engager sur le petit chemin de terre qui menait aux bâtiments. À vrai dire, de très rares véhicules empruntaient la route de montagne d'où il était accessible. Les lieux étaient aussi calmes qu'un cimetière abandonné.

Pendant ces longues heures de solitude silencieuse, Marc alternait entre les séances d'observation, la méditation et, parfois, d'insolites instants de lecture qu'il s'octroyait pour quitter quelques instants la position allongée. N'ayant pu amener de livres avec lui, et ne pouvant prendre le temps de trouver une librairie, un par un, il dévalisait les ouvrages de la petite bibliothèque de l'hôtel. Si la plupart étaient en autrichien, cela avait au moins un avantage : cela rendait leur lecture particulièrement longue ! L'offre limitée de l'étagère ne lui laissait pas un grand choix, entre romans classiques, littérature de gare et ouvrages touristiques... Il trouva toutefois quelque plaisir à lire plusieurs tomes de la légendaire série *Perry Rhodan*, cycle de science-fiction allemande, écrit alternativement par une équipe d'une bonne douzaine d'auteurs, où il retrouva non sans amusement les plus grands clichés du *space opera* américain d'avant-guerre, de la littérature militaire et du roman d'aventures.

Au milieu de cet après-midi-là, il était justement en train de lire l'édifiant *Der Mensch und das Monster*[1], l'un des premiers titres de l'interminable saga quand, soudain, il entendit le bruit caractéristique de pneus roulant sur le chemin de terre.

Marc, stupéfait, lâcha immédiatement son livre, attrapa son appareil photo et se jeta sur le sol. Dans le viseur, il vit aussitôt la fameuse Simca rouge d'Arifa al-Azem, et son sang, dans l'excitation, se mit aussitôt à battre contre ses tempes.

La voiture passa la clôture, s'arrêta devant le bâtiment principal, et la jeune Libanaise en sortit,

---

1. *Les Méduses de Moofar*, de Clark Darlton & Karl-Herbert Scheer, 1962, publié en France aux éditions Fleuve Noir en 1981.

enfilant aussitôt un hijab gris sur sa longue chevelure brune, avant de se diriger vers le coffre.

Masson, le cœur battant, rapprocha ses coudes l'un de l'autre pour soulever un peu son appareil et mieux observer la scène.

Comme elle le faisait à chaque fois, selon le rapport de la cellule de Munich, Arifa al-Azem sortit plusieurs sacs en plastique de son véhicule et se dirigea d'un pas preste vers le bâtiment central de la ferme, jetant régulièrement des regards alentour.

Arrivée sur le seuil, elle frappa sur la porte et, malgré la distance, grâce à la puissance du téléobjectif, Marc fut certain de distinguer un rythme bien particulier dans ces mouvements. Deux coups rapprochés, puis un troisième coup plus tardif. Un code sans doute. Quelques secondes plus tard, la porte s'ouvrit, mais dans un sens qui ne permit pas au jeune agent d'apercevoir la personne qui se tenait à l'intérieur !

Marc serra la mâchoire de colère. Son poste d'observation avait tous les avantages, sauf celui-là, et il s'en voulut de n'avoir pas anticipé la chose en songeant à observer le positionnement des gonds sur cette maudite porte ! Quel imbécile il faisait !

Après avoir donné un signe de tête respectueux, la jeune femme entra à l'intérieur, referma la porte derrière elle, et le sentiment de frustration qu'éprouvait déjà Masson s'approfondit encore davantage. L'envie de descendre et d'aller mettre un terme à cet insupportable suspense le dévorait plus que jamais. Mais il avait promis à Olivier de ne pas bouger sans lui avoir fourni des preuves formelles. Et il devait rester professionnel. Jusqu'au bout.

Alors il resta à son poste, pendant la longue heure que la jeune Libanaise passa à l'intérieur, et il préféra ne pas prendre le risque de se faire repérer en changeant de position. Tant pis. Il allait probablement devoir attendre une semaine de plus pour avoir une nouvelle occasion, mais au moins, la prochaine fois, il serait du bon côté.

Impuissant et écœuré, il regarda Arifa al-Azem ressortir de la vieille ferme vers 18 heures, remonter dans sa voiture et disparaître dans la forêt autrichienne.

Une chose était sûre au moins, et c'était déjà beaucoup : l'homme qui se cachait là – s'il s'agissait bien d'un seul homme – prenait toutes les précautions pour ne pas se faire prendre, et devait appartenir à un réseau suffisamment important pour qu'une fondamentaliste basée en Allemagne vînt lui apporter des vivres toutes les semaines. Si, par malheur, ce n'était pas le Vautour, c'était au moins un gros poisson. Au pire des cas, si ce n'était pas sa cible, ce serait au moins une information précieuse pour la Boîte. Mais ce n'était pas, à l'évidence, le scénario dont rêvait Marc Masson.

# 150

## 11 juillet 1987, Paris

— Qu'est-ce que c'est encore que ce bordel ? s'emporta Jacques Chirac en entrant dans le bureau de Jean-Bernard Raimond, le ministre des Affaires étrangères.

— Jacques… Je ne sais que te dire de plus. Téhéran nous menace de représailles sur nos diplomates si Paris ne présente pas ses excuses officielles pour l'incident d'hier…

La veille, un diplomate iranien en poste en Tanzanie, Mohsen Aminzadeh, avait affirmé avoir été frappé par des douaniers français à l'aéroport de Genève. Selon les Iraniens, l'homme avait été roué de coups et on lui avait volé des documents confidentiels. La version de la police des frontières n'était pas tout à fait la même : selon eux, l'homme s'était soudain jeté par terre dans une crise d'hystérie alors qu'il venait de refuser aux douaniers de les laisser fouiller son attaché-case...

Dans un communiqué officiel, Hossein Moussavi, Premier ministre de la République islamique d'Iran, venait de déclarer de manière fort menaçante : « *Nous avons déjà fait savoir aux autorités françaises que nous ne tolérerons aucune pression sur nos compatriotes. Toute pression exercée par la France entraînera des mesures de rétorsion de notre part. Depuis plusieurs semaines, la France conduit une politique véritablement satanique à l'encontre de notre système, et nous ne pouvons plus l'accepter.* »

— Ils l'ont vraiment frappé ? demanda Chirac d'un ton autoritaire.

— Je ne sais pas, moi ! Demande à Pasqua ! Tout ce que je sais, c'est qu'il a été brièvement hospitalisé, puis transporté dans une ambulance jusqu'à un avion privé qui l'a ramené en Iran. Et que Téhéran multiplie les communiqués menaçants. Ils refusent de me prendre au téléphone. Ils veulent des excuses du sommet de l'État ! Nous devons absolument faire redescendre la pression. Tout cela prend des proportions ridicules !

— Jean-Bernard ! Les Iraniens sont directement impliqués dans les prises d'otages de nos compatriotes au Liban et dans les attentats à Paris des deux dernières années. Alors me parle pas de faire redescendre la pression, bordel ! Tous les jours, j'ai la femme de Jean-Paul Kauffmann et son comité de soutien qui me harcèlent au téléphone !

Chirac, sans ajouter un mot, tourna les talons et quitta le Quai d'Orsay à vive allure. Une heure plus tard, il recevait Charles Pasqua dans son bureau de Matignon.

— Bon, dis-moi la vérité, Charles. On va pas y aller par quatre chemins. Tu crois qu'ils l'ont vraiment tabassé, ce Amin-machin, oui ou non ?

— Mais pas du tout ! répondit le ministre de l'Intérieur, en ouvrant grand ses yeux globuleux. Foutredieu ! C'est une mascarade, Jacques ! Des salamalecs ! J'ai eu moi-même au téléphone le cardiologue qui a ausculté Aminzadeh à l'hôpital de Genève, et il m'a garanti que le diplomate était certes très énervé, très agressif, mais en parfaite santé ! Il ne présentait *que* quelques petits hématomes sur le front, qu'il se serait faits lui-même en se roulant par terre comme un gamin colérique, peuchère ! Il aurait même refusé qu'on le nourrisse à l'hôpital, et insisté pour qu'on le mette sur un brancard à la sortie de l'ambulance, histoire d'impressionner les journalistes. C'est de la foutaise, Jacques ! Ils essaient seulement de nous mettre une pression médiatique, c'est tout. Et avec moi, ça ne marche pas.

— Alors on fait quoi ?

— On laisse Mitterrand et le Quai d'Orsay se démerder avec tout ça, et nous, on s'occupe d'envoyer les bonnes personnes voir les bons interlocuteurs. Et basta !

# 151

## 13 juillet 1987, Autriche

Une nouvelle semaine, interminable, avait passé depuis la visite de la jeune Libanaise. Pendant l'intervalle, s'armant de patience, Marc avait pris le temps de préparer un nouveau poste de surveillance, du bon côté de la ferme, cette fois. L'endroit était moins bien isolé, mais au moins sa situation devait permettre de prendre en photo l'homme qui ouvrirait la porte à Arifa al-Azem. Si seulement elle revenait.

Les journées étaient de plus en plus longues, de plus en plus éprouvantes, harassantes même, et Masson ne pouvait s'empêcher de penser chaque jour un peu plus à Pauline. Cela faisait plus de deux semaines à présent qu'il avait quitté Lyon, et il ne pouvait bien sûr donner aucune nouvelle à sa compagne. Il l'avait certes prévenue que cette mission risquait d'être beaucoup plus longue que les précédentes, mais il se doutait que la jeune femme devait commencer à trouver le temps bien long, voire à s'inquiéter quelque peu. Chaque fois qu'il pensait à elle, Marc se rappelait lui-même à l'ordre : n'avait-il pas promis à Olivier que la grossesse de Pauline ne l'empêcherait pas de rester concentré sur sa mission ? Il devait faire honneur à sa parole, se focaliser sur l'instant. Sur son devoir.

Quand, vers 16 heures, il vit enfin réapparaître la Simca rouge sur le petit chemin de terre, Marc Masson espéra que les choses allaient enfin pouvoir bouger.

Le jeune agent, tout le corps en alerte, se remit en position. En contrebas, le rituel de la Libanaise se répéta dans le viseur de son téléobjectif. La sortie de voiture, le hijab sur la tête, les sacs dans le coffre... Ce petit manège ressemblait à l'éternelle répétition d'une pièce de théâtre. Marc ne put d'ailleurs s'empêcher de penser que c'était de leur part une immense erreur : la routine est le pire ennemi de ceux qui espèrent échapper à la surveillance.

Quand la jeune femme s'approcha du corps de logis en ruine, Marc sentit le rythme des battements de son cœur s'accélérer. Il observa, la bouche sèche, les trois petits coups méthodiques qu'elle donna sur la porte.

Les secondes qui suivirent lui semblèrent s'éterniser.

*Allez, sors, enfoiré, sors ! Montre-moi ta putain de gueule !*

Et puis, enfin, la porte s'ouvrit.

Marc appuya aussitôt sur le déclencheur de son appareil photo. Et, quand l'homme apparut sur le seuil, il mitrailla frénétiquement la scène.

Quand il dégagea son œil du viseur et releva la tête, le jeune agent clandestin ne put réprimer un large sourire. Car il n'y avait pas de doute. Ce visage, ce regard, cette main atrophiée... Il ne pouvait pas se tromper.

C'était le Vautour en personne. Il était fait comme un rat.


# 152

### 13 juillet 1987, Paris, palais de l'Élysée


— On ne peut pas laisser passer ça, confirma François Mitterrand en se dirigeant lentement vers la fenêtre du Salon doré de l'Élysée, les mains croisées derrière le dos. Cette fois-ci, ils sont allés trop loin.

Derrière lui, Jacques Chirac et Charles Pasqua se tenaient debout l'un à côté de l'autre, stoïques et silencieux, comme deux soldats qui attendent sans rien dire l'ordre final de leur commandant en chef. La nouvelle avait déclenché une véritable onde de choc à tous les étages de l'appareil d'État.

Pendant la nuit, à 2 h 25 du matin précisément, deux vedettes « non identifiées » avaient mitraillé sans sommation, au canon et au lance-roquettes, le *Ville-d'Anvers*, un porte-conteneurs civil français, long de près de deux cents mètres, qui naviguait entre le Koweït et Dubaï. L'attaque avait duré une vingtaine de minutes avant que le vaisseau, fortement endommagé, ne parvienne à prendre la fuite en direction de Bahreïn et, par miracle, aucune victime n'était à déplorer à bord du bâtiment. Les dix-neuf membres de l'équipage et leur commandant, réfugiés dans le « château », au centre du porte-conteneurs, avaient visiblement gardé leur sang-froid, malgré la violence de l'attaque.

Depuis le début de la guerre entre l'Iran et l'Irak, c'était le quatrième navire de commerce français à avoir été attaqué dans le Golfe mais, cette fois-ci, l'assaut était intervenu dans un contexte particulier qui ne pouvait pas être une coïncidence. La France, contrairement aux États-Unis, avait pris le parti de ne pas faire escorter par des bâtiments militaires ses porte-conteneurs qui, chaque mois, traversaient le Golfe, afin de ne pas « provoquer » l'Iran. Mais cette nouvelle attaque risquait de changer la donne.

— Est-ce qu'on est absolument sûrs que ce sont les Iraniens ?

— Absolument, confirma Pasqua. Nos amis américains ont formellement identifié les deux vedettes incriminées. C'était des Bassidji[1]. Cela ne faisait pas de doute, de toute façon, monsieur le Président. Le navire a été attaqué au large d'Al-Farsiyah, à mi-chemin entre l'Iran et l'Arabie Saoudite, une petite île sur laquelle sont stationnés les navires militaires de la Garde révolutionnaire de Khomeini.

---

1. Le Basij, ou Bassidj, était une force paramilitaire iranienne fondée par l'ayatollah Khomeini lors de la guerre Iran-Irak.

Mitterrand se retourna et regarda Pasqua droit dans les yeux d'un air plus grave encore.

— Je suis obligé de vous poser cette question, Charles : est-ce que ce porte-conteneurs avait une autre raison d'être là, une raison plus officieuse que de transporter de la marchandise vers Dubaï ?

— Aucune, affirma le ministre de l'Intérieur.

— Ce n'est pas encore un de vos coups fourrés ?

— Alors, d'abord, monsieur le Président, je ne fais pas de coups fourrés. Et ensuite, c'est un bateau de commerce. S'il avait eu la moindre mission officieuse – puisque c'est ce que vous me demandez – vous pensez bien qu'il n'aurait pas été laissé sans surveillance au beau milieu du Golfe. Je peux vous en donner ma parole !

— Alors plus rien ne nous retient, lâcha Mitterrand, presque à regret.

Cette nouvelle escalade de violence dans ce que la presse avait fini par baptiser « la guerre des ambassades » ne laissait de fait plus beaucoup de choix au chef de l'État français.

— S'ils veulent engager l'épreuve de force, on va leur donner du fil à retordre.

Mitterrand se tourna vers son Premier ministre.

— Jacques, nous allons passer à la vitesse supérieure. Ce soir, le ministre des Affaires étrangères va demander à Téhéran des explications officielles. Et nous, nous allons demander au ministre de la Défense quelles sont nos options dans le golfe Persique.

Si Jacques Chirac – qui ne pouvait s'empêcher de penser qu'un engagement militaire aurait un impact très incertain sur la future élection présidentielle – sembla accueillir la nouvelle avec peu d'enthousiasme, le ministre de l'Intérieur, lui, hocha la tête d'un air satisfait. Toute la journée, il avait espéré que le Président, malgré leurs nombreux désaccords, se rallierait enfin à sa manière de voir les choses : la manière forte.

# 153

## 14 juillet 1987, Autriche

L'ordre n'avait pas tardé. Il était arrivé au petit matin. Le message d'Olivier, au téléphone, avait été volontairement laconique : « Détruisez les pellicules photo, et procédez. De la manière que vous voudrez. Prévenez-moi quand c'est fait. »

Ayant assez logiquement choisi d'intervenir de nuit, Marc dut attendre encore toute la journée et toute la soirée dans sa chambre d'hôtel, où il tourna comme un fauve enfermé dans une cage. Cela faisait des semaines qu'il s'était psychologiquement préparé à cet instant précis, des mois même, qu'il avait espéré pouvoir un jour accomplir cette tâche, la plus importante sans doute que la DGSE ait bien voulu lui confier. Ainsi, en quittant enfin l'hôtel au beau milieu de la nuit, il se laissa volontiers enivrer par la puissante montée d'adrénaline. Un flash plus intense encore que celui procuré par la prise de la plus pure ligne de cocaïne. Tous ses sens étaient en alerte, aiguisés, et le plongeaient dans cet état d'hyperconscience dont il ne pouvait plus se passer.

Après avoir traversé la forêt en pleine nuit, il termina les derniers cinq cents mètres de son trajet au ralenti, phares éteints, et coupa le moteur avant que la voiture, sur son élan, n'arrive enfin dans sa cache habituelle, à l'ombre d'un bosquet touffu.

Olivier lui avait laissé une totale liberté dans le mode opératoire. La seule chose qui comptait, c'était le résultat : l'élimination de la cible. Depuis plusieurs jours déjà, Marc avait réfléchi à la meilleure manière de mener à bien sa mission. Étant donné que le Vautour ne sortait jamais de sa planque, qu'il n'apparaissait jamais aux fenêtres, un tir longue distance à la Remington n'était pas envisageable. Marc regrettait presque de ne pouvoir se servir de son arme fétiche, mais la seule solution, c'était une attaque approchée. Un assassinat en confrontation directe, à l'arme de poing ou à l'arme blanche.

Marc sortit de la voiture sans faire de bruit, mais d'un pas décidé. Ses vêtements de randonneur avaient un double avantage : en ville, ils assuraient sa couverture officielle, mais ils étaient aussi fonctionnellement assez proches d'une authentique tenue tactique : ils étaient solides et bénéficiaient des nombreuses poches dont il avait besoin. Masson, muscles tendus, ouvrit le coffre de la Volkswagen, souleva le couvercle du double fond installé par les techniciens de la DGSE à Munich et inspecta méthodiquement l'équipement à sa disposition. Laissant la carabine de côté, il s'arma d'un poignard, glissa plusieurs chargeurs dans les poches de sa veste et attrapa le Glock 17 équipé d'un viseur holographique point-rouge, compatible avec son système de vision nocturne, un atout redoutable pour un tir rapide dans l'obscurité. Ironie du sort, le pistolet semi-automatique était de fabrication autrichienne. Puis il enfila ses gants et glissa sur ses épaules le petit sac à dos étanche où il avait prévu l'équipement nécessaire pour parer à toutes les éventualités qu'il avait imaginées en cas d'embûche. Grenades, explosifs, retardateur, fil électrique, pieds-de-biche miniatures, boussole, kit de survie, tige allume-feu, miroir, outil multifonction et lampe torche. L'équipe de Munich n'avait pas lésiné sur les moyens, mais en limitant le matériel, il était parvenu à rester à moins de cinq kilos de charge, ce qui était loin en dessous des quinze kilos habituels, lors de ses nombreux entraînements de marche commando. L'idée était de rester le plus mobile possible.

Masson, à la manière d'un soldat des forces spéciales, enfila et ajusta les lanières de l'imposante lunette de vision nocturne monoculaire sur son crâne et sous son menton. C'était un système de troisième génération, un petit bijou de technologie commercialisé depuis à peine deux ans par les Américains d'ITT. Encore assez lourd et encombrant, l'appareil fixé devant les yeux comme des jumelles permettait toutefois d'identifier un objet à plus de deux cents mètres dans l'obscurité et, combiné au viseur point-rouge, il laissait peu de chances à la cible. On pouvait difficilement la rater.

Marc regarda sa montre. 3 h 20. À cette heure, le Vautour devait dormir. C'était en tout cas ce sur quoi il avait misé. Il referma lentement le coffre, prit une profonde inspiration puis, gardant pour le moment ses lunettes en position haute, commença prudemment son approche. La faible lumière de la lune lui permit de descendre sans danger la petite pente qui menait aux trois bâtiments de l'ancienne ferme. Se glissant entre les sapins, ses chaussures de randonnée lui évitant de glisser sur le sol de terre, il s'arrêta quand il arriva enfin derrière la vieille clôture défoncée qui délimitait le terrain.

Là, il reprit son souffle puis abaissa son système de vision nocturne, ajusta correctement l'écart et régla la netteté. La scène lui apparut alors dans un dégradé monochromatique de verts, avec une étonnante qualité de détails malgré l'obscurité. Laissant ses yeux s'habituer, il en profita pour inspecter un par un les trois bâtiments et s'assurer que rien ne sortait de l'ordinaire. Depuis près de trois semaines qu'il observait les lieux chaque jour, il en connaissait chaque recoin, chaque détail. Rien n'avait bougé. Tout était calme et silencieux, on n'entendait ici que le léger souffle du vent et le chant nocturne des petits habitants de la forêt.

Sans hésiter, il se mit en mouvement avec des gestes sûrs et prudents, respectant précisément l'itinéraire qu'il avait eu tout le temps d'imaginer à l'avance pendant ses longues heures de surveillance. L'idée était d'arriver jusqu'à la façade nord du bâtiment principal, qui ne comportait là aucune ouverture, en évitant au maximum de traverser les possibles champs de vision ennemis. Il avait longuement étudié toutes les possibilités. La meilleure était de contourner la dépendance la plus à l'ouest, qui offrait une protection totale, puis de s'approcher lentement du corps de logis en rampant sur le sol, à travers la cour.

Marc, toujours enivré par les assauts de ses propres hormones, enjamba la clôture et, le dos courbé, ses deux mains solidement fermées sur son Glock pointé vers le sol, commença à faire le tour de la première grange d'un pas rapide. Il arriva bientôt à l'angle de la petite bâtisse. La pression du sang dans ses veines était si forte qu'il avait l'impression de pouvoir l'entendre battre comme des tambours de guerre. Une trentaine de mètres le séparaient maintenant du bâtiment central. Trente mètres qu'il allait devoir parcourir en rampant. Le moment le plus délicat de son trajet. Le seul où il était entièrement exposé.

Sans perdre de temps, Marc se plaqua contre le sol et commença à avancer au milieu du décor rendu fluorescent par les amplificateurs de lumière résiduelle de son équipement. S'aidant de ses genoux et de ses avant-bras, il progressa aussi vite que son souci de discrétion le permettait. Son pistolet fermement tenu dans la main droite, il se faufila à travers la cour avec l'aisance d'un serpent. Un exercice qu'il avait mille fois pratiqué.

Quand il arriva enfin le long du corps de logis, il se releva et fit une nouvelle pause, le dos collé contre le mur de la façade nord.

Reprendre son souffle et s'assurer qu'il n'avait pas été repéré. Un coup d'œil vers la porte d'entrée. Toujours aucun bruit alentour. Aucun mouvement. Marc se remit en route, à pas de loup cette fois. Contournant l'angle de la ferme, il se glissa le long de la façade est, prenant garde à se baisser devant les deux fenêtres qu'il traversa, quand bien même elles étaient barricadées.

Arrivé à côté de la porte principale, il avala sa salive et prit une profonde inspiration. La dernière sans doute. Maintenant, tout reposait sur la rapidité de son intervention. Les jours précédents, il avait soigneusement étudié la porte à l'aide de son téléobjectif. C'était une porte solide, à deux serrures, que le terroriste avait probablement renforcée en venant se cacher ici. Mais le chambranle, lui, était dans le même état délabré que le reste du bâtiment. Il ne permettrait pas aux points de verrouillage de résister efficacement à l'action d'un pied-de-biche. Pour entrer dans la ferme, il n'avait pas le choix, il allait devoir faire du bruit, au risque de réveiller son occupant. S'il voulait garder l'élément de surprise, il faudrait alors aller au plus vite, et trouver la cible avant qu'elle n'ait eu le temps de réagir. Or, pour ce faire, Marc avait malheureusement un handicap : contrairement à ce qui eût été le cas dans une mission ordinaire, il ne disposait d'aucun plan intérieur de la ferme et n'avait aucune idée de l'endroit où se situait l'accès au sous-sol, où devait se cacher le Vautour. Il allait falloir improviser, et vite. Très vite.

Marc glissa le Glock dans son holster et sortit les deux pieds-de-biche miniatures de son sac à dos.

L'idée était de forcer sur les deux points de verrouillage en même temps, pour exercer une pression plus efficace et éviter de faire du bruit deux fois de suite.

Avec des gestes assurés, l'agent glissa la crosse de chaque outil entre la porte et l'huisserie, à quelques centimètres à peine des deux gâches. Rapidement, il exerça une pression de plus en plus forte sur les leviers. Le montant en bois de la vieille ferme éclata sans peine sous la pesée, dans un léger craquement. Bien moins de bruit qu'il ne l'avait craint. Ce n'était pas une raison pour perdre du temps. À la vitesse de l'éclair, Marc rangea ses deux outils et se ressaisit de son arme, puis il se faufila dans le bâtiment, aussitôt assailli par l'odeur humide de renfermé.

L'intérieur de la vieille bâtisse se dessina dans les viseurs luminescents de ses lunettes. La vision nocturne écrasait la profondeur de champ et rendait la lecture de l'environnement plus difficile qu'en pleine lumière, mais les contrastes permettaient de bien distinguer chaque objet. Marc analysa rapidement le décor autour de lui. Une grande pièce à gauche, emplie de vieux meubles en piteux état, un couloir droit devant qui se terminait par une porte et, sur la droite, un escalier qui descendait au sous-sol.

Aucune hésitation. Il fit confiance à son instinct et se dirigea vers la première marche mais, avant d'y poser le pied, son regard fut attiré par un scintillement.

Il baissa la tête. Un fin trait d'un blanc éclatant surplombait le sol, à l'horizontale. Marc serra les dents. On avait tendu une ficelle à l'entrée de l'escalier. C'était un piège rudimentaire, certes, mais qu'il n'aurait sans doute pas vu sans ses lunettes. Il enjamba prudemment la ficelle et commença à descendre, l'arme en joue droit devant lui. S'il n'avait entendu aucun bruit à l'intérieur après son effraction, il choisit tout de même de privilégier la célérité à la discrétion et avança aussi vite que possible, assurant chaque pas sur les marches à un rythme rapide.

Il connaissait son point faible. Si le Vautour allumait soudain la lumière, l'agent risquait d'être un instant aveuglé par son système de vision nocturne. C'était un risque à prendre. Mais jusqu'à présent, il n'avait jamais vu la moindre source de lumière venir de la ferme. *A priori*, elle n'avait même plus l'électricité depuis longtemps...

Arrivé au sous-sol, Marc s'immobilisa un instant. Le couloir se prolongeait des deux côtés. Deux portes fermées à gauche, une porte entrouverte à droite. Et toujours pas un bruit.

À présent, c'était lui qui devait éviter de se faire surprendre. Reprenant une marche prudente, il se dirigea lentement à droite, vers la porte entrouverte. Une pause. Un rapide coup d'œil. À l'intérieur, un grand débarras, des rangées de bouteilles de vin, des vieux vélos, des boîtes empilées... Ce n'était pas ce qu'il cherchait. Il fit demi-tour en silence et revint sur ses pas, vers les deux portes fermées.

Arrivé devant la première, il s'arrêta et colla son oreille contre le montant. Aussitôt, il sentit son cœur s'arrêter.

Il venait de distinguer les bruits sourds d'un léger ronflement. Le Vautour était là. Derrière cette porte. Et il dormait.

Gardant tout son sang-froid, Marc actionna délicatement la poignée, et la porte de la chambre s'ouvrit lentement sans un bruit.

En découvrant l'intérieur de la pièce souterraine, il éprouva comme une immense impression de chaleur, un ultime assaut d'adrénaline. Là, à quelques pas, le corps endormi de sa cible était allongé sur un lit rudimentaire, juste en dessous de la lucarne barricadée. Cet homme qu'il avait manqué de justesse en Allemagne. Cet homme qui avait torturé les otages, participé à leur enlèvement, cet homme qui avait abattu un agent français au Liban, et sans doute contribué à bien d'autres actions terroristes, cet homme qu'Olivier et la DGSE tout entière cherchaient depuis si longtemps, il était là, devant lui, plus vulnérable que jamais.

Masson eut une seconde d'hésitation. Y avait-il le moindre honneur à abattre un homme endormi ? Mais il se ressaisit aussitôt, se remémorant les promesses qu'il avait tenues devant son officier traitant. Il savait pourquoi il était là. Inutile de se mentir : il n'était pas un justicier romantique. Il était un assassin de la République. Il n'était pas question d'honneur, mais de devoir. Ce n'était pas le moment de disserter, mais d'agir.

Lentement, Marc dirigea son arme vers la tête du terroriste. Le petit point rouge apparut sur l'arrière du crâne. Le souffle court, il glissa son doigt vers la queue de détente. Puis, sans plus hésiter, il exerça une pression ferme et progressive. Le coup de feu, sec et puissant, résonna entre les quatre murs de la petite chambre, et le crâne du terroriste, projeté quelques centimètres en avant, éclata dans une gerbe de sang.

Le corps n'eut pas même un dernier soubresaut. La mort, vengeresse, fut instantanée, et Masson ne put s'empêcher, dans un soupir de soulagement, de penser à Jean-Paul Kauffmann, à Marcel Carton, à tous ces hommes qui étaient encore détenus au Liban. S'ils n'étaient pas encore libres, une partie de leurs terribles souffrances, au moins, venait d'être vengée.

Lentement, il rabaissa son arme et s'approcha du lit. Du bout du pied, il fit pivoter le cadavre sur le matelas.

Ce qu'il vit alors lui glaça le sang.

Il lui fallut même plusieurs secondes pour l'accepter. L'homme qu'il venait de tuer n'était pas le Vautour.

Marc éprouva alors un terrible vertige, et pendant un court moment, son cerveau s'embrouilla.

Mais soudain, il entendit un craquement au-dessus de lui, au rez-de-chaussée de la ferme, et le bruit le fit instantanément sortir de sa torpeur.

Et il comprit. Le Vautour n'était pas seul dans la ferme. L'homme qu'il venait d'abattre était un complice. Et Ahmed M., lui, était en train de s'enfuir. Une nouvelle fois.

# 154

## 14 juillet 1987, Paris, palais de l'Élysée

Le président Mitterrand, ayant fini son long et rituel entretien télévisé avec le journaliste Yves Mourousi, descendit lentement aux côtés de Jean-Claude Colliard, son directeur de cabinet, vers le parc du palais de l'Élysée, où l'attendait la foule immense de la traditionnelle garden-party du 14 juillet.

Si la cérémonie était devenue pour lui une habitude, cette édition avait toutefois une saveur particulière, puisque c'était la dernière de son septennat. Et si la presse entière pensait que le prochain mandat présidentiel serait réduit à cinq années, bien malin était celui qui aurait pu deviner lequel des deux candidats – non officiellement déclarés, mais fortement pressentis – allait l'emporter : Chirac ou Mitterrand ? Le suspense allait durer pendant dix mois encore, et l'actuel locataire de l'Élysée avait bien l'intention de conserver pendant tout ce temps l'image d'un Président calme et serein, plutôt que celle d'un candidat impatient et présomptueux.

La défilé matinal, sur les Champs-Élysées, s'était tenu sous un soleil radieux, et les nombreux spectateurs avaient pu admirer le passage du corps blindé mécanisé, mis à l'honneur cette année-là. Plus de six cents véhicules, dont trois cent soixante-quinze blindés, avaient descendu bruyamment la plus belle avenue du monde, sous le regard admiratif du public en liesse, agitant ses petits drapeaux tricolores.

— Il m'agace de plus en plus, ce Mourousi, murmura Mitterrand à l'oreille de son voisin, alors qu'ils descendaient d'un pas calme vers la cuvette herbeuse des immenses jardins. Pas vous ?

Le journaliste s'était montré opiniâtre sur tous les sujets. D'abord, sur la présence fort critiquée d'Hissène Habré, président de la République du Tchad, lors du défilé. Si la France était devenue son alliée contre la Libye de Kadhafi, et avait grandement contribué à la fin de l'occupation libyenne, le président Habré n'avait pas toujours été un ami de l'Hexagone et portait le poids immense de milliers d'enlèvements et d'assassinats politiques dans son propre pays. En l'invitant à Paris malgré l'avis de la plupart de ses conseillers, Mitterrand avait surtout voulu adresser un pied de nez à Mouammar Kadhafi, ce qui n'avait pas échappé au journaliste. Ils avaient ensuite débattu des questions de l'Afrique du Sud, de l'Europe, de l'Alliance Atlantique, des difficultés de la cohabitation, au sujet de laquelle Mourousi avait titillé le Président sur son refus de signer plusieurs ordonnances gouvernementales : dénationalisation de nombreux groupes industriels, flexibilité du temps de travail, redécoupage des circonscriptions électorales... Sur chaque point, Mitterrand s'était défendu avec sa malignité habituelle, rappelant notamment qu'il était, en tant que président de la République, garant de l'indépendance nationale, et qu'il refusait donc que des sociétés stratégiques françaises puissent passer sous le contrôle de pays étrangers. Comme à son habitude, il avait parlé avec l'assurance et la hauteur d'un véritable monarque : « Qu'est-ce que c'est que le 14 Juillet ? C'est notre Fête nationale, c'est la fête de la République, c'est la fête de la liberté ! Les principes inscrits dans nos textes, inscrits dans notre histoire, j'en ai la charge éminente, avant quiconque, et là-dessus je suis intransigeant. »

Et, bien sûr, il avait été question de l'Iran et de l'affaire Gordji.

— Vous avez été parfait, François. Vraiment. Il n'a pas réussi à vous piéger, et vous avez renforcé votre image présidentielle. Loin au-dessus de la mêlée, si je puis dire. Regardez le sourire crispé de Chirac, là-bas, avec ses ministres. Il rêve tellement de prendre votre place qu'il va finir par se griller tout seul.

— Ne criez pas victoire trop tôt, Jean-Claude. Il est peut-être un peu léger et fougueux, le Grand, mais il a les dents longues. Il y a plus de monde que d'habitude, dites-moi, conclut le Président en regardant la multitude assemblée autour des grandes tentes blanches dressées au cœur du parc.

— Presque six mille personnes, monsieur le Président. La France a bien besoin d'une jolie fête.

Le bain de foule commença et, comme toujours, avec un semblant d'élégance, les gens se battirent ici et là pour se trouver *fortuitement* sur le trajet du chef de l'État. Tout le monde voulait son petit instant de gloire, corps diplomatique, élus, députés, sénateurs, artistes, journalistes, mais aussi, cette année-là, les quarante-quatre heureux habitants du plus petit village du Puy-de-Dôme, Valz-sous-Châteauneuf, qui était réputé pour avoir toujours voté à gauche… Entre petits-fours et champagne, les personnalités se pressaient autour du Président alors qu'il se glissait au milieu des buffets régionaux, pour lui glisser qui un bon mot, qui quelque flatterie ou désolante platitude. Les deux anciens chefs de gouvernement, MM. Laurent Fabius et Pierre Mauroy, mais aussi Jacques Attali, Henri Emmanuelli, Dominique Strauss-Kahn et sa compagne Anne Sinclair, la famille Michelin, Pierre Bergé, Alain Delon, Léon Zitrone, Bruno Masure… L'Élysée ressemblait à un *Who's who* grandeur nature. Les invités les moins célèbres, occasionnels, eux, restaient un peu à l'extérieur du cercle, n'osant pas s'immiscer, mais le Président eut tout de même l'impression de serrer plus de mains ce jour-là que pendant toutes ses campagnes électorales.

Le Premier ministre Jacques Chirac, quant à lui, quand bien même on le regardait à présent comme le potentiel prochain locataire des lieux, sembla souffrir quelque peu de la concurrence et quitta rapidement la fête pour se rendre au déjeuner de l'Hôtel de Ville avec sa garde rapprochée.

Cela faisait près d'une heure que le Président déambulait parmi ses invités quand, petit à petit, il lui sembla que la foule se disséminait quelque peu, alors qu'un autre groupe s'agglomérait plus haut, ayant visiblement trouvé un nouveau centre d'attraction.

— Qu'est-ce qu'il se passe ? demanda Mitterrand en se penchant vers son directeur de cabinet.

— Eh bien, il me semble… Il me semble que c'est Serge Gainsbourg, murmura Jean-Claude Colliard, un peu embarrassé.

— Gainsbourg ! Tiens donc ! Allons donc le voir, nous aussi !

Mitterrand se mit donc à gravir de nouveau la pente qui menait vers le Palais, et la foule s'écarta poliment devant lui quand il arriva à proximité du chanteur, lequel était entouré d'une cour de militaires visiblement hilares.

— Monsieur Gainsbourg ! fit Mitterrand en lui tendant la main.

De tous les invités de la garden-party, celui-là était le seul vers lequel le Président était allé de lui-même, plutôt que l'inverse...

— Monsieur le président de la République ! répondit Gainsbourg en recrachant la fumée de sa Gitane, alors que son haleine trahissait déjà une consommation non négligeable de pastis.

Le célèbre auteur du *Poinçonneur des Lilas* portait, comme à son habitude, un blaser sur une chemise en jean, un pantalon froissé et, aux pieds, ses éternelles et élégantes chaussures blanches Repetto...

— J'adore ces garden-parties ! Je suis vraiment honoré d'y avoir été convié de nouveau, fit-il alors que les cameramen, déjà, se précipitaient pour filmer la scène.

— Si je me souviens bien, la dernière fois, Serge, vous aviez mis une cravate ! plaisanta le Président.

— Il faut croire que je commence à me sentir bien chez vous, alors ! Vous savez, j'avais voté Giscard, la dernière fois, mais si vous vous représentez l'année prochaine, allez, je vote pour vous !

Un rire franc parcourut l'assemblée des curieux.

— Nous n'en sommes pas encore là ! Et quoi qu'il en soit, votre présence me fait très plaisir. Avec votre ami Renaud, vous êtes les deux chanteurs actuels que j'écoute avec le plus grand plaisir. Nous partageons tous les trois un grand amour pour la langue française...

— Et pour les chiens, aussi...

— Ah oui, absolument ! Mais voilà, il me manque votre génie musical... La France a beaucoup de chance de vous avoir l'un et l'autre. Renaud est notre nouveau Bruant, et vous êtes notre nouveau Baudelaire !

— Voulez-vous dire que je suis aussi décadent que lui, c'est ça ?

— Non, bien sûr, répliqua Mitterrand en riant. Je parlais de votre talent…

— C'est bien aimable, mais vous savez que je répète sans cesse que la chanson est un art mineur… Baudelaire, c'était quand même autre chose ! En tout cas, c'est une bien jolie fête ! Il y a du beau monde !

— Oh vous savez, répondit Mitterrand en se penchant vers lui sur le ton de la confidence, quatre-vingts pourcents des gens ici sont surtout venus pour le saucisson.

— Ah ? Et les vingt pour cent qu'il reste ?

— Eh bien, pour vous voir, évidemment ! s'amusa le Président.

— Zut alors ! J'aurais préféré que les statistiques fussent inversées !

Au même instant, Jean-Claude Colliard, qui avait peiné à se faufiler au milieu de la foule, parvint enfin à s'approcher et murmura quelque chose à l'oreille du chef d'État.

— Ah ! s'excusa le Président d'un air désolé. Je suis désolé, le devoir m'appelle… Mais je vais revenir, laissez-moi tout de même un peu de saucisson !

Il salua le chanteur et se laissa guider à travers la cohue par son directeur de cabinet, jusqu'au palais de l'Élysée. Les deux hommes se dirigèrent directement vers le salon Cléopâtre, où ils demandèrent qu'on les laisse seuls.

— Que se passe-t-il encore ?

— Téhéran vient de déclarer officiellement que Paul Torri, notre consul en Iran, était accusé de délits passibles de la peine de mort. Les charges sont grotesques : espionnage, trafic de drogue et d'œuvres d'art ! Ils exigent qu'il se présente au plus vite devant la Cour de justice islamique révolutionnaire.

— C'est parfaitement ridicule ! Ils savent que Torri bénéficie de l'immunité diplomatique !

— Bien sûr... Ils font sans doute ça pour contrecarrer l'affaire Gordji.

— Ils se fabriquent leur propre monnaie d'échange ! s'emporta Mitterrand. Torri contre Gordji ! Et où est Torri en ce moment ?

— Eh bien, à l'ambassade de Téhéran, enfermé avec les autres !

Le Président soupira.

— Il est en sécurité ?

— Les Iraniens n'iraient quand même pas jusqu'à attaquer l'ambassade !

— On dirait qu'ils font tout pour que nous en arrivions à une solution militaire, maugréa Mitterrand.

— Ils ne vous en pensent pas capable. Pas à moins d'un an de l'élection présidentielle.

— Ils ont tort.

Le président de la République fit volte-face et, d'un pas bien plus preste qu'à l'accoutumée, rejoignit le premier étage, puis il entra la mine grave dans le Salon doré, où il demanda qu'on le mette rapidement en contact avec le chef d'état-major des Armées.

— Général, nous allons passer à la première phase. Pouvez-vous rapidement envoyer un premier bâtiment dans le Golfe ?

— Bien sûr, monsieur le Président. Nous pouvons faire appareiller le BCR[1] *Marne* depuis Port Victoria, dans les Seychelles. Il pourra rejoindre l'Aviso-escorteur *Protet* et passer en veille armée.

— Parfait. Combien de temps vous faut-il ?

---

1. Bâtiment de commandement et de ravitaillement.

— Vingt-quatre heures.

— Larguez les amarres, général.

# 155

## 14 juillet 1987, Autriche

Marc, comme foudroyé, ne perdit pas une seule seconde. Il fit volte-face, sortit de la chambre et se précipita vers les escaliers. Quand il arriva en bas des marches, il fut accueilli par une salve de fusil d'assaut. C'était le bruit caractéristique d'un AK-47. Évitant la rafale de peu, il se jeta sur le sol et roula sur le côté, alors que des étincelles illuminaient encore le plancher.

— *Allahu akbar* ! cria l'homme au rez-de-chaussée.

Cette fois-ci, Masson fut absolument certain qu'il s'agissait du Vautour. Quelque chose dans sa voix, sans doute. Il le sentait au fond de ses tripes, c'était lui, c'était Ahmed M., et la certitude lui redonna un élan de vigueur tout autant que de colère.

Se penchant prudemment à l'angle du mur, il tira instinctivement vers le haut, à l'aveugle, et eut tout juste le temps de voir l'ombre de son ennemi qui s'enfuyait par la porte principale.

Masson poussa un cri de rage et se précipita dans les escaliers. Il était hors de question de laisser filer cette ordure une nouvelle fois.

Arrivé en haut, il enjamba la ficelle, fit une brève halte, s'accroupit, replaça ses lunettes qui avaient bougé dans sa chute, et risqua un premier coup d'œil au-dehors. La silhouette blanche du Vautour se découpa au beau milieu de la cour dans l'image verte de la visée nocturne. Marc, assurant son appui sur son genou à terre, tenta d'ajuster son tir, mais l'homme courait de biais, et il peina à fixer le point-rouge sur cette cible mouvante. Anticiper. Viser très légèrement en amont de la course. Il appuya deux fois sur la détente. Les deux tirs ratèrent leur objectif, et le fuyard disparut derrière la bergerie.

Il ne fallait pas lui laisser prendre de l'avance. Marc avait un avantage : la visée nocturne. Mais il avait aussi un handicap : son équipement, lunettes, sac à dos, qui l'empêchaient sans doute de courir aussi vite que sa cible. Il s'élança de toutes ses forces dans la cour, faisant une courbe par la gauche pour ne pas s'exposer au tir ennemi. S'il voulait avoir une chance de le prendre à revers, il devait contourner le troisième bâtiment, le plus petit. Cela rallonge-rait sa course, mais c'était peut-être le seul moyen de reprendre l'avantage. Quand il arriva enfin par le côté à la hauteur de l'ancienne bergerie, il entendit soudain un bruit qui le paralysa sur place.

Un bruit de moteur ! Il n'en croyait pas ses oreilles. Le Vautour avait caché un véhicule dans la grange ! Comment Marc avait-il pu ne pas y penser ? Comment avait-il pu être assez bête pour ne pas commencer par fouiller les deux dépen-dances, avant de s'attaquer à la planque ? Il avait été tellement pressé de mener sa mission à bien qu'il avait commis une erreur qui risquait bien à présent de tout faire rater.

Lorsqu'il vit d'un coup la lumière de deux puis-sants phares traverser les interstices de la grande double porte, Masson se précipita contre le mur de la bergerie et se mit de nouveau en position de tir. C'était maintenant ou jamais. Il releva ses lunettes de visée pour ne pas prendre le risque d'être aveuglé par les phares et serra fermement la crosse de son pistolet entre ses mains. L'angle, de trois quarts, n'était pas idéal, mais au moins il était prêt, les bras tendus, le geste sûr.

Dans un vacarme immense, la haute porte de la grange s'ouvrit brusquement en deux alors qu'une Jeep blanche en sortait, moteur hurlant. Marc tira une première balle en direction du conducteur. Puis une deuxième. Le pare-brise vola en éclats, mais la voiture continua sa route, obliquant soudain vers la droite dans un long dérapage, avant de foncer tout droit vers la sortie de la ferme.

Masson, fou de rage, se mit à courir derrière et continua de tirer en visant un pneu arrière, cette fois, jusqu'à ce que son chargeur fût vide. Laissant derrière elle une traînée d'étincelles, la Jeep continua sa course dans le hurlement strident de sa jante arrière qui, le pneu écharpé, labourait le sol. Le véhicule, brinquebalé de tous côtés, finit toutefois par rejoindre le petit chemin de terre. Il allait s'enfuir ! Marc n'en croyait pas ses yeux ! Même avec un pneu en moins, cette ordure allait encore réussir à fuir !

Sans cesser de courir, il attrapa un nouveau chargeur dans sa veste, éjecta l'ancien et le remplaça aussi vite qu'il put, puis, alors que la voiture s'éloignait vers l'est en dérapant sur la terre, offrant à présent son flanc gauche, il recommença à viser, le pneu avant cette fois. De nouveau, hurlant de rage, il vida frénétiquement les dix-sept cartouches de 9 mm Parabellum de son chargeur, et continua d'appuyer plusieurs fois frénétiquement sur la détente quand il fut à bout de munitions. Il n'y croyait déjà plus en cherchant le troisième et dernier chargeur dans sa poche quand, soudain, la Jeep fit une embardée sur le chemin et percuta de plein fouet un sapin. Le choc souleva le véhicule qui s'immobilisa définitivement en retombant sur ses quatre roues au pied de l'arbre.

Reprenant courage, Marc rechargea son pistolet et, le dos courbé, se mit à courir vers l'est, longeant le chemin de l'autre côté de la clôture. Il s'était déjà bien rapproché de la Jeep quand une nouvelle rafale de Kalachnikov l'obligea à se jeter à terre et à ramper jusqu'à trouver l'abri d'un arbre.

Reprenant son souffle, Masson se releva, laissa sa tête retomber un instant contre l'écorce du sapin, puis rabaissa de nouveau son système de visée nocturne. Pivotant doucement sur le côté, il jeta un coup d'œil prudent vers la Jeep. Il aperçut aussitôt la silhouette du Vautour qui, caché derrière le coffre, prit appui sur le capot pour tirer une nouvelle rafale d'AK-47, à l'aveugle probablement, à en juger par l'approximation du tir.

Masson, plaqué derrière l'arbre, le souffle court, n'eut pas besoin de réfléchir longtemps. Certes, avec sa visée nocturne et le point-rouge, il avait l'avantage, et il avait plus de chances de toucher son adversaire dans un échange de tirs mais, à cette distance, il y avait une solution encore plus radicale.

Laissant glisser son sac à dos sur son bras, il en sortit une grenade incendiaire. Une arme interdite par les conventions de l'Onu, mais que le Service Action de la DGSE utilisait encore en de rares occasions. Idéale pour détruire un véhicule.

*Cette fois-ci, enculé, tu vas pas t'en sortir*, murmura-t-il comme pour se convaincre lui-même.

Une vingtaine de mètres le séparaient de la voiture. Une courte distance à laquelle il avait peu de chance de rater son lancer, s'il parvenait à se mettre en position.

Sans vraiment viser, il tira deux coups de pistolet en direction de la Jeep. La réaction attendue ne tarda pas à venir, et le Vautour riposta, s'exposant, sans le savoir, à la visée nocturne. Marc eut la confirmation qu'il espérait : son ennemi était toujours caché derrière le coffre. Sans attendre une seconde de plus, il appuya fermement sur la cuillère et ôta la goupille de sécurité. Pour éviter qu'elle ne puisse être retournée à l'envoyeur, ce modèle de grenades disposait d'un temps de retardement court. Quatre secondes.

Marc visa l'arrière du véhicule, où se trouvait le réservoir d'essence, estima au mieux la puissance qu'il devait utiliser pour atteindre sa cible et lança la grenade.

Quatre secondes. Quatre petites secondes de silence.

Et puis soudain, sans bruit, la charge chimique s'embrasa dans un halo éblouissant de lumière blanche, projetant de vives étincelles comme l'explosion d'un feu d'artifice et, en très peu de temps, les flammes envahirent la Jeep.

Marc serra la mâchoire dans un geste de victoire quand il entendit soudain des hurlements de douleur de l'autre côté du véhicule embrasé. Il se précipita aussitôt par-dessus la clôture et aperçut dans son viseur la silhouette du terroriste qui, les bras en flammes, courait en criant au beau milieu du chemin.

Dans un geste calme mais ferme, Marc Masson s'immobilisa, souleva son pistolet, ajusta son tir, et le petit point-rouge apparut immédiatement dans le dos du fuyard. Il appuya deux fois sur la détente.

Projeté en avant, l'homme s'écoula à terre, alors que des flammèches continuaient de virevolter autour de ses vêtements.

L'agent, toujours sur ses gardes, parcourut les derniers mètres qui le séparaient du terroriste d'un pas preste, mais prudent. Au sol, l'homme ne bougeait plus du tout. L'arme toujours en joue, Marc le poussa du bout du pied pour le faire rouler sur le côté.

Le visage du terroriste apparut, boursouflé et sanguinolent. Mais Marc n'eut aucune peine à le reconnaître. Cette fois-ci, c'était bien lui. Et la main atrophiée du cadavre lui donna, s'il en avait fallu une, l'ultime preuve qu'il avait bel et bien abattu

Ahmed M. Le Vautour. Deux taches rouges grossissaient lentement sur sa chemise, au niveau de la poitrine. Marc, certain que l'homme était déjà mort, lui tira toutefois une dernière balle au milieu du front.

Les bras tendus, le regard fixe, il resta là un instant encore, quelques secondes peut-être, immobile au-dessus du cadavre, à le dévisager, les yeux paralysés et rougis par la fureur, puis, d'un coup, comme s'il reprenait ses esprits, Marc rangea son arme dans son holster, ôta son système de visée et fit volte-face pour retourner en courant vers la ferme.

Certes, il avait accompli le plus dur, mais il restait encore beaucoup à faire.

# 156

## 15 juillet 1987, Paris

Jour après jour, le ton entre Paris et Téhéran ne cessait de monter, à coups de communiqués et de contre-communiqués de plus en plus menaçants. Les chancelleries respectives des deux pays faisaient à présent l'objet d'un véritable blocus, et la guerre des ambassades, qui occupait les grands titres de la presse, menaçait bientôt de basculer en une guerre bien plus terrible encore.

Ce jour-là, un communiqué du gouvernement iranien confronta la France à un véritable ultimatum. Si le dispositif policier autour de l'ambassade de la rue d'Iéna n'était pas levé dans les soixante-douze heures, Téhéran menaçait de rompre ses relations diplomatiques avec la France. En d'autres termes, le Consul de France Paul Torri perdait son immunité diplomatique, et plus rien n'aurait alors empêché l'Iran de le confondre devant un tribunal, où il serait indubitablement condamné à mort.

Le soir même, le président Mitterrand réunissait une cellule de crise à l'Élysée. La France avait moins de trois jours pour trouver une parade.

# 157

## 15 juillet 1987, Autriche

Marc avait suivi méticuleusement son ordre de mission, tel que dicté par son officier traitant. Immédiatement après avoir éliminé la cible, il s'était changé, était retourné à la cache d'armes pour y redéposer tout son équipement, hormis sa propre Remington, puis avait filé en direction de la ville de Bregenz, à l'extrémité ouest de l'Autriche. Un trajet de près de trois heures, qu'il accomplit en pleine nuit, les yeux écarquillés, sans jamais baisser sa vigilance, ses sens encore dans l'effervescence où les avait plongés l'assaut.

Le plan consistait à quitter l'Autriche par une route différente de celle qu'il avait empruntée pour y entrer, afin de minimiser les risques d'être reconnu. Le plus dur était fait, c'était maintenant la dernière ligne droite. Une fois en Allemagne, un Twin Otter viendrait le récupérer, et la mission serait véritablement terminée.

À 7 h 30 du matin, il avait donc appelé le numéro appris par cœur depuis une cabine téléphonique de Bregenz et laissé, comme convenu, un message sur un répondeur automatique. Huit minutes plus tard, le téléphone de la cabine s'était mis à sonner, et la voix d'Olivier avait résonné dans le combiné.

— Je vous écoute, Hadès.

— Mission accomplie.

— À cent pour cent ?

— Deux cents pour cent, répondit Marc.

— Parfait. Rentrez.

— Il y a juste un petit souci.

Moment de silence.

— Quoi ?

— J'ai laissé beaucoup plus de traces que prévu. La cible n'était pas seule, et elle a tenté de fuir dans un véhicule. Il y a pas mal de nettoyage à faire. Et vite. Les lieux sont relativement isolés, mais… on a fait un peu de bruit.

— Je vais faire envoyer une équipe par Munich. Ne vous occupez pas de ça. Rentrez. Bon boulot.

Et il avait raccroché.

Quelques minutes plus tard, Marc reprenait le volant de la Golf blanche pour rejoindre l'Allemagne par l'autoroute autrichienne A14.

La pression retombée, il commençait à sentir les premiers effets de la fatigue, mais il se refusa à faire une pause. À présent, il n'avait plus qu'une seule envie, finir ce dernier trajet et rentrer à Lyon auprès de Pauline.

Il était à peine 9 heures du matin et l'autoroute était quasiment déserte quand Masson, à l'issue d'un long tunnel, arriva les paupières lourdes en vue du poste-frontière.

Tout en ralentissant, il balaya les environs du regard. De là où il était, il ne vit personne dans les guérites orange siglées *Republik Österreich*. Ici, par chance, même si l'Autriche ne faisait pas partie des cinq pays qui avaient déjà signé l'accord de Schengen en 1985, les contrôles étaient loin d'être systématiques. La voie semblait libre. Marc poussa un soupir de soulagement. Il était évidemment préparé à un éventuel contrôle, muni de son vrai faux passeport français au nom de Matthieu Malvaux et d'une vraie fausse carte grise mais, sachant qu'il avait encore la Remington dans un compartiment secret du coffre, il n'était pas mécontent de voir que le poste-frontière était ouvert à la circulation. Les douaniers autrichiens, visiblement, n'étaient pas matinaux.

Il n'était plus qu'à une vingtaine de mètres du poste quand, soudain, surgissant par la gauche, une voiture de sport rouge avec des plaques autrichiennes, arrivée un peu trop vite, le doubla sans vergogne avant de freiner.

Au même instant, attirés sans doute par le vrombissement du moteur V8, deux douaniers autrichiens sortirent précipitamment du poste principal et firent signe au chauffard de s'arrêter juste devant Marc.

— Putain, le con !

Masson leva les yeux au ciel. Sans cet imbécile, il aurait sans doute pu passer le poste en toute quiétude.

Juste devant lui, les douaniers autrichiens s'approchèrent de la voiture de sport, se penchèrent vers la vitre du conducteur et lui demandèrent ses papiers d'un air autoritaire.

— Putain, mais quel con ! répéta Marc, terriblement frustré, tant il jouait de malchance.

La cérémonie sembla durer une éternité. Depuis son habitacle, le jeune agent pouvait voir les Autrichiens parlementer avec ce conducteur visiblement très pressé. Finalement, après de longs débats, ils le laissèrent passer et firent signe à Marc d'avancer à son tour.

Masson poussa un soupir, serra les dents et roula au pas jusqu'à leur hauteur.

— Bonjour monsieur, dit le douanier dans un français impeccable, avec un sourire bienveillant. Passeport et papiers du véhicule, s'il vous plaît.

Marc acquiesça poliment, fouilla dans sa veste et tendit ses papiers. Ce n'était pas la première fois qu'il devait assumer son identité fictive, il s'était largement entraîné à l'exercice, il ne trembla pas.

Les documents en main, le douanier observa alternativement le visage du conducteur et sa photo sur le passeport. Il hocha la tête d'un air satisfait, puis jeta un coup d'œil à la carte grise de la Golf. Marc retint un soupir de soulagement. Le vrai faux passeport confectionné par la DGSE était passé comme une lettre à la poste. Tout allait bien se passer.

Pourtant, soudain, le douanier se mit à froncer les sourcils.

— Attendez un instant, s'il vous plaît.

Marc lui adressa un sourire détendu, mais ses mains se crispèrent sur le volant, envahies par un irrépressible pressentiment. Le douanier, d'un pas lent, retourna vers le poste principal, près de son collègue et s'installa devant un ordinateur. À travers la vitre, Masson le vit s'affairer d'un air préoccupé.

Plusieurs minutes passèrent, interminables, puis le douanier réapparut, accompagné cette fois de son collègue. Marc s'efforça de sourire de nouveau.

— Il y a un petit problème, monsieur.

— Ah bon ?

— Vos papiers indiquent une voiture noire... Et votre voiture est blanche.

En un millième de seconde, Marc comprit ce qui était en train de se passer. L'un des agents de la cellule de la DGSE à Munich avait fait une erreur grossière. Une erreur de débutant. Suite au changement imprévu de modèle quand Marc avait dû se rabattre sur une autre Golf, l'agent de Munich avait pensé à changer la plaque, les numéros, mais pas la couleur de la voiture sur la vraie fausse carte grise ! Dans la centaine de paramètres complexes et délicats qu'avait entraînés cette mission, préparation, transport, logistique, organisation, équipement, cache, surveillance, mode opératoire, tout avait été maîtrisé à merveille, et une seule petite erreur ridicule risquait de le compromettre. La couleur d'une voiture ! En essayant de masquer son profond agacement, Marc répondit du tac au tac :

— Je l'ai fait repeindre l'an dernier. Il fait trop chaud dans les voitures noires.

Le douanier hocha la tête d'un air sceptique pendant que son collègue vérifiait une nouvelle fois les deux plaques d'immatriculation de la voiture.

— Garez-vous le long de ce bâtiment s'il vous plaît monsieur, fit l'un des deux agents en indiquant la large bâtisse rouge sur le bord de la route.

Marc s'exécuta sans broncher. En dehors de cette histoire de couleur, tous ses papiers étaient officiellement en règle. Changer la couleur de sa voiture n'était pas un crime. Il pria seulement pour que ces deux casse-pieds ne fassent pas une fouille approfondie du coffre de la Golf.

— Pouvez-vous sortir du véhicule, s'il vous plaît ?

Marc, de plus en plus tendu, fut bien contraint d'obéir. Sans perdre son calme, il coupa le contact et sortit de la Volkswagen.

Le douanier lui fit alors vider ses poches sur le capot, puis procéda à une fouille corporelle. Marc s'efforça de contrôler l'affolement des battements de son cœur. Il n'avait rien de compromettant sur lui. La seule faille, sa carabine Remington, soigneusement cachée dans le compartiment secret du coffre. Ironie du sort, son arme fétiche ne lui avait même pas servi pendant la mission.

Une fois sa recherche terminée, le premier douanier disparut dans le bâtiment en conservant les papiers de Masson, pendant que son collègue commençait à fouiller la voiture.

Aussitôt, le jeune homme sentit tout son corps se raidir. Il serra les dents tout en regardant le policier inspecter sous les sièges, dans la boîte à gants, sous la banquette arrière... Puis, toujours sans mot dire, le douanier prit les clefs posées sur le capot et partit vers l'arrière de la voiture.

La pression dans la poitrine de Marc se fit si grande qu'il eut le sentiment d'éprouver les symptômes précis d'un infarctus. Petit à petit, il sentit des gouttes de sueur perler sur ses tempes. Un instant, il envisagea une solution de sortie. Mais non, il n'allait tout de même pas assommer deux douaniers autrichiens au milieu de l'autoroute pour prendre la fuite !

Le policier, à l'aide d'une lampe de poche, commença à inspecter le coffre de fond en comble. Il souleva le lourd sac-à-dos de randonnée, le retourna, et se mit à vider les affaires une par une. S'il s'arrêtait là, il n'y avait aucun problème. Dans ce sac-là, rien de compromettant, mais seulement l'attirail usuel d'un passionné de balade en montagne. Mais s'il allait plus loin...

Un instant, Marc s'imagina déjà comme perdu, et l'idée de devoir se battre commença à ne plus lui paraître aussi invraisemblable. Les douaniers étaient certes armés, mais ils avaient affaire à un combattant aguerri.

Pourtant, par miracle, le douanier ne sembla pas remarquer le double fond. S'éloignant du coffre en grimaçant, il fit encore une fois le tour du véhicule, puis revint vers Masson.

— Il faut faire changer la carte grise quand on repeint une voiture, monsieur, dit-il en lui tendant les clefs de la Golf d'un air professoral.

Le jeune homme sentit son cœur reprendre un rythme plus normal. Il avait eu chaud, mais il s'en sortait bien. Pourtant, avant qu'il n'ait pu récupérer le trousseau que lui tendait le douanier, il vit celui-ci se raviser en fronçant les sourcils et regarder les clefs de plus près.

Marc devina aussitôt ce qu'il se passait. La clef du démarreur était une clef vierge, un double qu'il avait fabriqué lui-même : elle ne portait pas le logo de la marque Volkswagen.

De nouveau, le douanier le regarda d'un air suspicieux puis, après avoir fait deux pas en arrière, il fit signe à son collègue qui ressortait justement du bâtiment avec les papiers de Masson. Les deux hommes échangèrent quelques mots en allemand, à voix basse, et Marc vit aussitôt à leur langage corporel qu'ils étaient passés à un niveau d'alerte supérieur. L'un des deux policiers venait même de poser la main sur son revolver à la ceinture.

À cet instant, Marc aurait aimé comprendre ce que les deux Autrichiens se disaient, mais ils parlaient trop bas, et dans une langue qu'il ne maîtrisait pas. Celui des deux qui venait de ressortir de la guérite pointa alors du doigt en direction du coffre, interrogea son collègue qui haussa les épaules, puis retourna à l'intérieur du poste principal.

— Qu'est-ce qu'il y a ? fit Marc d'un air faussement surpris.

Mais quand il vit le douanier ressortir du bâtiment avec des outils, il comprit qu'il était fait. Qu'il n'y avait plus d'issue possible. Dans quelques secondes, les deux douaniers allaient trouver la Remington dissimulée dans le coffre à double fond.

Pas le choix, et pas un instant à perdre. Face à ce type de situation, le protocole était clair : on dégageait, on essayait de disparaître, et tant pis pour l'identité fictive, grillée à vie.

Marc avait déjà eu le temps d'analyser le terrain autour de lui. Sur la gauche, une petite boutique avec un snack, fermée. Sur la droite, l'autoroute. Sans bouger, il attendit que les deux hommes aient le regard tourné vers le coffre de la voiture et, soudain, il bondit d'un seul coup et se mit à courir en direction de l'autoroute. À courir de toutes ses forces.

Derrière lui, il entendit aussitôt les cris des douaniers qui se mirent à sa poursuite. Marc, poussant de toutes ses forces sur ses cuisses, traversa les quatre voies en sautant par-dessus les glissières, évitant de peu un poids-lourd qui arrivait dans l'autre sens et qui fit hurler la sirène de son puissant klaxon. Arrivé de l'autre côté de la rambarde, Marc dévala une longue pente qui se terminait par une rivière.

Ses oreilles bourdonnaient, et son cœur s'était emballé depuis longtemps, prêt à exploser. Mais ce n'était pas le moment de flancher. Les cris des douaniers continuaient dans son dos. Masson se jeta à l'eau et rejoignit l'autre rive à la nage. Arrivé de l'autre côté, ses vêtements alourdis par l'eau, il se mit à courir de nouveau et remonta l'autre versant du fossé. Mais les douaniers n'abandonnèrent pas pour autant, et Marc entendit même d'autres cris, plus loin derrière lui. Des collègues en renfort. Il n'allait jamais pouvoir s'en sortir !

# 158

## 15 juillet 1987, Paris, palais de l'Élysée

François Mitterrand avait organisé une réunion de crise dans le salon Murat, donnant sur le parc de l'Élysée, où se tenait d'ordinaire le Conseil des ministres, au milieu des colonnes néoclassiques, des boiseries dorées à l'or fin et des peintures murales. Selon l'usage, le président de la République et le Premier ministre se faisaient face, de chaque côté de la longue table, au centre de laquelle se trouvait la légendaire pendule de cuivre jaune qui présentait deux cadrans, afin que le chef de l'État et le chef du gouvernement puissent lire l'heure en même temps... Entre eux, les nombreux invités se faisaient face sur toute la longueur de la table. Il y avait là Jean-Bernard Raimond, ministre des Affaires Étrangères, André Giraud, ministre de la Défense, Charles Pasqua, ministre de l'Intérieur, Robert Pandraud, ministre délégué à la Sécurité, le général Jean Saulnier, chef d'État-Major des Armées, le général René Imbot, directeur général de la DGSE, et Bernard Gérard, directeur de la DST, ainsi, pour la plupart, que leurs chefs de cabinet respectifs. Le commissaire Batiza, enfin, qui avait supervisé la surveillance de l'ambassade d'Iran, accompagnait son directeur.

Depuis près d'une heure, les débats faisaient rage autour de la table, mais tout le monde s'accordait au moins sur un point : il était temps de réagir et de mettre un terme à l'escalade qui se perpétuait dans la guerre des ambassades. La veille, dans un communiqué officiel, l'ancien président de la République, Valéry Giscard d'Estaing, était lui-même sorti de son habituelle réserve et avait déclaré publiquement : « *La France ne doit pas normaliser ses relations avec l'Iran, qui est livré à la passion religieuse et au fanatisme.* »

— Pouvez-vous nous garantir que M. Gordji est toujours dans l'enceinte de l'ambassade, commissaire ?

Batiza hocha la tête d'un air catégorique.

— Il est dedans, bien au chaud.

— Il y a des rumeurs qui courent dans la presse comme quoi il pourrait s'échapper par les égouts...

— Il y a beaucoup de rumeurs, dans la presse, monsieur le Président, s'amusa l'Antillais. Mais je peux vous affirmer que Wahid Gordji est bien à l'intérieur des murs de l'ambassade, et qu'il n'est pas près d'aller se promener avec les gaspards dans les sous-sols parisiens.

— Bien. Nous pouvons donc agir sur deux fronts, reprit le président de la République, espérant concilier les avis de tous les hommes qui se trouvaient autour de cette table. D'un côté, nous devons nous montrer fermes, et prouver aux Iraniens que nous sommes disposés à aller bien plus loin qu'ils ne le pensent. Leur ultimatum est inacceptable, et nous allons prendre les devants en annonçant nous-mêmes officiellement que nous rompons nos liens diplomatiques avec Téhéran. Et, pour marquer le coup, nous allons faire procéder à l'expulsion de ce charmant M. Gholam Rez Haddadi, leur chargé d'affaires.

Bernard Gérard acquiesça d'un air ravi en se tournant vers son commissaire.

— Ce sera fait avec plaisir, et avec la manière, assura Batiza tout sourire.

— Excusez-moi, monsieur le Président, mais cela va mettre en danger Paul Torri, notre consul à Téhéran ! intervint le ministre des Affaires étrangères. Si nous faisons cela, ils n'auront plus aucune raison de respecter son immunité diplomatique !

— Sauf que nous gardons Gordji, répliqua Mitterrand avec un petit sourire.

— Et c'est Gordji qu'ils veulent, continua Pasqua, qui, une fois encore, reconnut en Mitterrand l'habile tacticien. Tant qu'on tient Gordji, ils ne feront rien à notre consul. Et nous, médiatiquement, on aura expulsé le numéro un de leur ambassade.

— C'est risqué, s'entêta Raimond.

— À vaincre sans péril, on triomphe sans gloire, monsieur le ministre, répliqua le Président.

Puis il se tourna vers le chef d'état-major des Armées :

— Général, conjointement avec notre ministre de la Défense, vous allez mettre en place une véritable opération navale dans le golfe Persique, à titre préventif.

— Le BCR *Marne* est déjà en route, comme vous me l'avez demandé, monsieur le Président. Il arrivera après-demain dans le Golfe.

— C'est loin d'être suffisant. Je veux qu'une flotte conséquente soit prête à tout moment à se positionner au large des côtes iraniennes.

— Quand vous dites « une flotte conséquente », à quoi pensez-vous ? Un porte-avions ?

— Absolument. On va leur envoyer le *Clemenceau*.

Le général Saulnier hocha la tête, alors que tous les visages autour de la table s'étaient soudain légèrement crispés.

— Ça, c'est le premier front. Le coup de poing du maître d'école sur la table, si je puis dire. En parallèle, nous allons officieusement donner une dernière chance à une solution diplomatique.

Quand, au lieu de se tourner vers lui, Mitterrand se tourna vers Charles Pasqua, le ministre des Affaires étrangères ne put masquer sa frustration. Cela ne faisait plus aucun doute : la Présidence avait perdu toute confiance en la capacité du Quai d'Orsay de résoudre la crise.

— Avez-vous pu rétablir un contact ? demanda le Président au ministre de l'Intérieur, laissant clairement entendre qu'ils s'étaient déjà mis d'accord sur ce point.

— Oui, monsieur le Président. L'un de mes collègues est entré en relation avec l'ayatollah Montazeri, numéro deux du régime des mollahs, et il semble qu'il y ait moyen de discuter un peu avec ce charmant barbu.

— L'un de vos collègues… Un Corse, vous voulez dire ? railla le ministre des Affaires étrangères.

— Un Français, comme vous et moi, répliqua Pasqua d'un air froid.

— Bon, et alors ? relança Mitterrand.

— Et alors, ça ne va pas être simple. Au fond, les choses n'ont pas vraiment changé. Les Iraniens attendent toujours la même chose.

— Gordji ?

— Gordji, oui, bien sûr, mais surtout, le remboursement de la dette Eurodif. Sur le milliard de dollars que nous devions à l'Iran, il nous reste tout de même 700 millions de dollars à verser... Une somme rondelette, il faut bien l'admettre.

Mitterrand poussa un long soupir.

— Selon moi, intervint Jacques Chirac, qui ne voulait pas rester en dehors du débat, le scénario idéal serait le suivant : Gordji accepte d'être entendu par le juge Boulouque, car, pour le principe, nous ne devons pas perdre la face, et ensuite, on l'échange contre Torri. Quant à la dette Eurodif, on propose aux Iraniens de leur payer le deuxième tiers, en échange de tous les otages français encore détenus au Liban.

— Cela ressemble plutôt à un scénario idéaliste qu'à un scénario idéal, monsieur le Premier ministre.

— Ce n'est quand même pas un président socialiste qui va me reprocher d'être idéaliste ! plaisanta Chirac, déclenchant quelques rires timides parmi ses ministres.

— Pour une fois, en tout cas, nous poursuivons le même idéal, Jacques. Alors c'est décidé. Nous devançons les Iraniens et déclarons dès demain la rupture de nos relations diplomatiques avec Téhéran, nous expulsons Gholam Rez Haddadi, nous gardons Gordji, et nous accastillons le *Clemenceau*. Avant de reprendre officieusement le dialogue, messieurs, nous allons leur foutre allègrement la pétoche.

Quand ils furent sortis de l'Élysée et qu'ils montèrent dans la voiture qui devait les ramener rue Nélaton, le commissaire Batiza se tourna vers son directeur avec un petit sourire narquois.

— Dites-moi, patron, vous trouvez pas qu'il a changé, Tonton ?

Bernard Gérard lui retourna son sourire entendu.

— En bien, vous voulez dire ?

— Je ne sais pas, il a l'air… plus libéré.

— Il a sans doute besoin de se redonner une image de grand chef d'État, à l'approche de la prochaine élection présidentielle, suggéra le directeur de la DST.

— Oui, c'est peut-être ça… Ou l'approche d'une autre échéance, glissa Batiza malicieusement.

Cela faisait plusieurs années, déjà, que le président de la République avait caché sa maladie au peuple français. Et si la chose n'avait jamais fuité dans la presse, elle était, au sein des Services, un secret de polichinelle qu'on taisait pudiquement.

Gérard resta impassible et se remit à regarder droit devant lui. Il sembla hésiter un long moment avant de reprendre la parole puis, dans un soupir :

— Si les Français apprenaient ce à quoi vous faites référence, Arnaud, ils ne voteraient sans doute pas pour lui une deuxième fois. Et je vais vous dire le fond de ma pensée, ce serait peut-être une grande perte : c'est souvent quand un homme se sait condamné qu'il accomplit ses plus grandes œuvres.

— Quand il n'a plus rien à perdre, acquiesça Batiza.

— Voilà. Quand il n'a plus rien à perdre.

— Sinon l'amour d'une fille, ajouta le commissaire sur le ton de la légèreté.

— Je ne vois pas de qui vous voulez parler.

# 159

## 15 juillet 1987, Autriche

Arrivé en haut de la pente, Marc inspecta rapidement le paysage au-delà de la barrière grillagée qui clôturait l'autoroute. Pas de temps à perdre. Il devait effectuer son analyse de l'environnement et sa prise de décision en même temps qu'il grimpait par-dessus le haut grillage. Glissant les doigts entre les fils de fer, il commença à escalader tout en réfléchissant. Vers le nord, la ville. Vers l'est, une série de champs cultivés qui se succédaient jusqu'à une immense forêt. Pour un homme comme lui, disparaître en forêt était sans doute sa meilleure chance. Mais, à vue d'œil, il estima qu'elle se trouvait à plusieurs centaines de mètres, peut-être même plus d'un kilomètre. En courant de toutes ses forces, il lui faudrait au moins cinq minutes pour atteindre la lisière. Cinq minutes pendant lesquelles il serait exposé au regard de ses poursuivants. Ses chances d'y parvenir étaient presque nulles. Mais c'était tout de même mieux que de s'engouffrer en ville, où la police pourrait rapidement envoyer renforts et véhicules. Principe de parcimonie. Il n'hésita pas une seconde de plus, arrivé au sommet, il sauta de l'autre côté de la haute grille et se mit à courir droit devant, à travers champs.

Le premier coup de feu dans son dos ne tarda pas à éclater, se réverbérant dans l'horizon lointain. Puis une deuxième balle siffla tout près de lui, alors que les douaniers, sans doute, peinaient bien plus que lui à franchir le grillage.

*Ces enfoirés tirent sans sommation !*

Les nouveaux assauts d'adrénaline effacèrent quelque peu son immense fatigue, et Marc puisa dans sa rage la force suffisante pour courir à la vitesse d'un sprinteur. Enjambant les talus, se faufilant entre les allées de terre labourée, il continua à foncer vers la lointaine lisière, changeant régulièrement l'angle de sa course pour éviter d'être une cible trop facile.

Le troisième coup de feu qui retentit lui sembla beaucoup plus lointain. Il avait déjà bien distancé ses poursuivants, qui tiraient par principe, incapables de l'atteindre à pareille distance. Marc reprit courage et, la gorge en feu, continua sa course effrénée au milieu des champs.

Atteindre la forêt, c'était sa seule chance. Ne pas se retourner, ne pas perdre le moindre dixième de seconde, courir, encore, et survivre, peut-être.

Il cavalait depuis près de cinq minutes quand, enfin, il arriva à la lisière et put se jeter au milieu des arbres. À l'ombre de leurs cimes touffues, Marc retrouva une bribe d'espoir. La forêt, c'était son domaine. À Cercottes, son instructeur lui avait fait mille fois parcourir de bien longues distances au pas de course au milieu des arbres, avec des charges lourdes sur le dos et dans un état de fatigue au moins équivalent à celui dans lequel il se trouvait à présent. Il lui avait appris à effacer ses traces, à se diriger sans boussole, à semer ou traquer un ennemi… La seule différence, aujourd'hui, c'était que le jeune agent ne risquait plus seulement de se faire recaler à sa formation : il risquait sa vie.

Sa meilleure option était de s'enfoncer encore un peu dans la forêt, puis de remonter vers le nord, et espérer atteindre l'Allemagne, où les douaniers autrichiens n'auraient plus le droit de le suivre. Sans doute faudrait-il faire alors face aux Allemands, mais chaque chose en son temps, songea-t-il alors qu'il continuait de courir au milieu des bois.

Ce que Marc n'avait pas encore mesuré, à cet instant, c'est que, par ce chemin-là, l'Allemagne était maintenant à plus de dix kilomètres. Les arbres ralentissant grandement son rythme de course et l'empêchant de suivre une ligne droite, il lui faudrait probablement près d'une heure pour atteindre la frontière. Et aucun homme sur terre ne pouvait courir une heure entière à ce rythme.

Cela faisait vingt minutes à présent que Marc galopait au milieu des arbres quand, se prenant le pied dans une racine, il perdit l'équilibre et s'étala de tout son long sur le sol, se heurtant violemment le front.

Sonné, il se releva doucement, secoua la tête, et resta un instant sur place pour reprendre non seulement ses esprits, mais sa respiration.

Le souffle court, la trachée ardente, il essaya de regarder vers le sud et l'ouest pour voir si ses poursuivants étaient encore sur ses traces. Pour l'instant, il ne voyait ni n'entendait personne. Mais il le savait : il ne pouvait pas se permettre de s'arrêter plus longtemps. Bientôt, les douaniers, et probablement de nombreux policiers, allaient finir par le rejoindre.

Un filet de sang coulait sur son front. Il l'essuya d'un revers de manche et, se remettant face au nord, il aperçut sur sa droite un petit sentier forestier qui se faufilait entre les arbres. Était-ce une bonne idée de le suivre ? Certes, cela lui permettrait de courir plus vite et d'éviter les embûches, mais c'était aussi le meilleur moyen d'être vu de loin, ou par un éventuel hélicoptère. Non. Il était plus sage de rester au cœur de la forêt.

S'armant de courage, il se remit à courir vers le nord, mais ses jambes lui parurent plus lourdes encore qu'elles ne l'avaient été avant sa chute. Il ne devait pas céder. Ne pas plier. Reprendre son rythme et oublier la douleur. Tout n'était qu'une question de mental. *La douleur n'est qu'une information*, lui avait si souvent hurlé Vulcain lors des séances de conditionnement. L'exercice consistait à laisser le mental baisser le seuil d'alerte à la douleur. Se servir, même, de la souffrance physique comme d'un regain d'énergie. Dépassant ses limites, Marc Masson retrouva peu à peu un rythme plus soutenu, comme si son corps, lentement, avait accepté de s'anesthésier lui-même.

Et puis, soudain, alors qu'il devait avoir parcouru plus de deux kilomètres supplémentaires, Marc entendit un bruit qui lui glaça le sang.

L'aboiement d'un chien. Non : l'aboiement de plusieurs chiens ! Le grondement des bêtes le terrassa immédiatement.

Marc avait certainement l'entraînement suffisant pour semer la plupart des hommes, même athlétiques, mais avec des chiens, il le savait, il n'avait presque aucune chance. Et il n'avait plus d'arme sur lui.

Luttant contre l'accablement, il refusa d'abandonner et continua sa course folle. Dans la furie du désespoir, il se jeta au milieu des arbres, se rattrapa plusieurs fois en glissant sur le sol de terre pour repartir de plus belle, s'agrippa aux branches ici, sauta par-dessus un obstacle là, mais malgré toute cette exceptionnelle volonté, malgré son acharnement, il dut se rendre à l'évidence quand l'aboiement des chiens se fit de plus en plus proche. Dans moins d'une minute, ils seraient déjà sur lui.

Fuir ne servait plus à rien.

Marc, les poumons déchirés, s'immobilisa aussitôt, regarda autour de lui et attrapa une branche sur le sol. Il en brisa le bout pour la rendre pointue, fit volte-face et se mit en position de combat, bien conscient qu'en réalité, il n'avait pratiquement aucune chance. Quelques secondes plus tard, il distingua la silhouette des trois bergers allemands qui fonçaient sur lui.

Quand le premier lui sauta dessus, Marc l'accueillit d'un violent coup de bâton en pleine gueule, et le chien s'écroula dans un jappement aigu. Mais l'agent n'eut pas même le temps de se redresser que, déjà, le deuxième se précipitait sur lui. La gueule du berger allemand se referma sur sa jambe gauche avec une hargne terrible, et Marc s'effondra dans un hurlement de douleur, alors que le troisième animal lui sautait dessus à son tour.

Dressés pour immobiliser, aucun des deux ne le saisit à la gorge, mais ils maintinrent ses jambes dans l'étau de leurs puissantes mâchoires en grognant, n'attendant que le signal de leurs maîtres pour libérer leur proie. Marc, tout en se débattant au sol, pouvait sentir les crocs des bergers allemands s'enfoncer dans la peau de ses mollets et de ses tibias.

Il était encore en train d'essayer de se débarrasser de leur emprise quand quatre policiers arrivèrent, arrêtèrent les chiens puis lui tombèrent dessus et se mirent à le rouer de coups.

En une demi-seconde à peine, Marc sentit le monde s'écrouler autour de lui.

# 160

## 15 juillet 1987, Lyon

Pauline, éreintée par sa journée, se laissa tomber sur le petit canapé de l'appartement. D'un air mélancolique, elle caressa son ventre rond, puis releva la tête vers le poste de télévision avec un regard triste.

Les titres du 20 heures d'Antenne 2 annonçaient les principaux sujets du soir : la catastrophe du Grand Bornand – un torrent de boue qui avait entraîné la mort d'au moins vingt personnes dans un camping après un orage diluvien – l'Irangate, l'élection du maire de Grasse avec les voix du Front national...

La jeune femme soupira. Cela faisait trois semaines que Marc était parti en mission, et elle n'avait, bien sûr, aucune nouvelle. Vingt et un jours précisément. Elle les comptait maintenant avec une impatience grandissante. Elle avait promis, pourtant, de ne pas s'en faire, de lui faire confiance, et son compagnon l'avait prévenue, penaud, que cela risquait d'être beaucoup plus long que d'habitude et qu'en aucun cas il ne pourrait l'appeler. Elle savait tout cela. En théorie, elle l'acceptait, même. Mais le supporter, c'était une autre histoire.

Raspoutine, le petit chat de gouttière de Marc, sauta sur le canapé et vint se frotter contre elle en ronronnant.

— Il te manque, à toi aussi, hein ? Il fait chier, ton maître.

Le chat, en réalité, ne semblait pas si malheureux, il se laissa rouler sur le dos pour offrir son ventre grassouillet aux caresses dociles de la jeune femme.

Pauline releva la tête en entendant le message enregistré qui résonna, comme chaque soir, dans le petit écran.

*Une journée supplémentaire de détention pour Marcel Carton, Marcel Fontaine, Jean-Paul Kauffmann, Jean-Louis Normandin, d'Antenne 2, et Roger Auque...*

D'une voix mécanique, comme un psaume, elle murmura en même temps que le présentateur la fin de cette phrase que la France entière connaissait par cœur, pour l'entendre quotidiennement depuis plus de deux ans maintenant :

— *Les otages français au Liban n'ont toujours pas été libérés.*

Puis le visage du présentateur, Bernard Rapp, réapparut et il entama son premier sujet...

Pauline ferma les yeux. Quelque part, au fond d'elle-même, elle avait l'intime conviction que les missions de son compagnon avaient un rapport avec les otages du Liban. Où était-il, aujourd'hui ? À Beyrouth ? En Iran ? Elle n'osait imaginer le pire. Elle avait fait plusieurs fois ce terrible cauchemar où elle apprenait la mort d'un Français dans un minuscule article de presse, un banal fait divers. L'article parlait d'un homme anonyme, dans un pays lointain, mais dont elle reconnaissait évidemment le visage sur la petite photo...

D'un geste lent, elle abandonna Raspoutine et reposa lentement ses deux mains sur son ventre.

— Elle est bête, hein, ta maman ? dit-elle en regardant son nombril. Elle se fait du souci pour rien, sûrement...

À cet instant précis, comme s'il lui répondait, elle sentit le bébé bouger dans son ventre. À son quatrième mois de grossesse, elle avait perçu les premiers mouvements le matin même, et elle n'arrivait toujours pas à y croire. Elle sourit en sentant cette douce pression contre sa main.


# 161

## 15 juillet 1987, Autriche


Il était près de minuit.

Menotté, le visage en sang et boursoufflé, les deux jambes en charpie, Marc, après avoir reçu des premiers soins bien insuffisants de la part d'un infirmier qui s'était contenté de panser ses plaies, attendait depuis près d'une heure dans une petite pièce du poste-frontière où on l'avait ramené, quand un policier de deux mètres de haut fit son apparition, accompagné d'un interprète.

Masson, à bout de forces et écrasé par la douleur, peina à ouvrir les yeux et à regarder les deux hommes qui venaient de s'asseoir en face de lui. Le policier n'avait pas l'air commode. L'autre, en revanche, avait l'air quelque peu efféminé...

— Comment vous appelez-vous ?

Les lèvres du jeune homme se mirent à trembler, mais aucun mot ne put sortir de sa bouche.

— Comment vous appelez-vous ? répéta l'interprète, d'une voix embarrassée.

Marc respira plusieurs fois bruyamment, puis bredouilla :

— Dites... Dites-leur de me donner des antidouleurs...

L'homme en face de lui grimaça, se tourna vers son voisin et traduisit la requête du Français d'un air gêné. Le policier poussa un juron, secoua la tête, et se leva en soupirant.

Il réapparut quelques instants plus tard avec un verre d'eau et deux comprimés, qu'il glissa lui-même dans la bouche de Masson. Le jeune homme avala péniblement les médicaments, ferma les yeux et laissa sa tête retomber sur sa poitrine.

Quand la voix de l'interprète résonna de nouveau, Marc n'était pas sûr d'avoir perdu connaissance. Tout était flou. Le temps, lui-même, avait perdu sa réalité. La douleur, toutefois, s'était quelque peu apaisée.

— Alors, dites-lui, s'il vous plaît, jeune homme, comment vous appelez-vous ?

Marc redressa la tête, passa sa langue sur ses lèvres sèches, et bredouilla enfin :

— Matthieu Malvaux.

Il devina le sourire un peu naïf sur le visage de l'interprète, qui espérait sans doute ne pas avoir à assister à quelque violence policière. La deuxième question sonna, plus forte.

— Date de naissance ?

Marc cligna plusieurs fois des yeux. Au fond de lui, il avait envie de s'endormir, de s'évanouir même, mais il ne pouvait pas. Il *fallait* absolument qu'il se ressaisisse. Malgré son état, il était parfaitement conscient de ce qui était en train de se jouer. Protéger la Boîte. Protéger Olivier. Il ne pouvait pas répondre à côté.

— Date de naissance ? répéta le traducteur.

— 11 février 1958.

— Lieu de naissance ?

— Madagascar.

Un moment de silence. La tête penchée sur le côté, Marc éprouvait encore beaucoup de peine à respirer.

— Pourquoi êtes-vous né à Madagascar ?

Masson fronça les sourcils.

— Je ne comprends pas votre question.

— Si vous êtes français, comment se fait-il que vous soyez né à Madagascar ?

— Mon père travaillait là-bas dans un chantier naval.

Le policier secoua la tête en écoutant la traduction.

— Qu'est-ce que vous faisiez en Autriche ?

— De la randonnée.

Marc savait pertinemment que le flic ne pouvait pas en croire un mot. Sa couverture était morte depuis longtemps. Mais il ne lâcherait rien.

— Pourquoi allez-vous faire de la randonnée avec une carabine de précision ?

Le policier désigna la Remington posée sur une table derrière lui. Marc haussa les épaules.

— Chasse à la marmotte, répondit Marc d'un air dédaigneux.

Cette fois, le flic éclata de rire. Puis il s'approcha du Français et le dévisagea longuement, comme un boxeur avant le début du match. Marc, s'il en avait encore eu la force, lui aurait volontiers administré un formidable coup de tête.

L'interprète, en retrait, se racla la gorge d'un air embarrassé.

— Vous devriez lui dire la vérité, monsieur... Vous n'avez pas l'air d'être un vrai brigand. Un joli garçon comme vous...

Marc écarquilla les paupières et se tourna lentement vers le traducteur. Le regard brillant du jeune homme en petite chemise étriquée ne laissait aucun doute : il en pinçait pour lui ! À cet instant, Masson eut presque envie de rire, tellement la situation était surréaliste. Il se retrouvait empêtré dans la pire situation possible, un flic était en train de lui tirer les vers du nez, et il se faisait draguer par un interprète homosexuel !

Ces choses-là ne s'inventaient pas.

Le policier autrichien resta encore un long moment à fixer Marc de son regard méprisant, puis il poussa un soupir de dégoût et se leva d'un seul coup, en faisant signe à l'interprète qu'il pouvait disposer.

Marc se doutait que ce n'était pas bon signe. Quand on n'avait plus besoin d'un interprète, c'est qu'on allait passer à une autre forme d'interrogatoire.

Exténué, il ferma les yeux et attendit.

Quelques minutes plus tard, deux autres policiers entrèrent dans la pièce, l'attrapèrent par les épaules sans ménagement, le soulevèrent et le conduisirent à travers le bâtiment jusque dans une petite cellule où ils le laissèrent tomber au sol sans lui enlever ses menottes.

Marc grimaça de douleur. La porte blindée claqua derrière lui et il entendit le glissement caractéristique d'un large verrou.

Masson resta là un long moment, sans bouger. La colère, petit à petit, prenait le dessus sur ses multiples douleurs. Qu'il fût un criminel ou non, comment pouvait-on le laisser ainsi sans l'emmener à l'hôpital ou, au moins, faire venir un véritable médecin ?

Après de longues minutes d'immobilité, les mains entravées, il rampa sur le sol et se hissa péniblement sur la couche sommaire de la cellule, où une vieille couverture grise faisait office de matelas.

Il était 1 heure du matin.

La dernière chose qu'il vit, ce furent les inscriptions et les dessins obscènes gravés sur les murs blancs autour de lui, puis il perdit connaissance.

Le cauchemar, alors, allait véritablement commencer.

# 162

## 17 juillet 1987, Paris

— Je ne comprends pas, lâcha Dartan d'une voix oppressée. Il m'a contacté il y a deux jours. Il était à quelques kilomètres à peine de la frontière, bon sang ! Il aurait dû me recontacter quelques heures après, tout au plus. Je ne comprends pas...

Le général Imbot hocha lentement la tête.

— C'est un solide gaillard. Il lui est sûrement arrivé quelque chose, mais il va s'en sortir.

— Général...

— Olivier, le coupa le directeur de la DGSE d'un air réprobateur. Officiellement, vous ne devriez même pas me parler de votre poulain. Cette conversation ne devrait même pas avoir lieu. Je vous ai écouté, parce que je vous estime, mais maintenant, ne parlons plus de cela.

Dartan hocha la tête en pinçant les lèvres. Oui. le sort d'un agent clandestin, externe à la DGSE, ne concernait officiellement pas la hiérarchie. Pas de liens, pas de trace.

— Est-ce que la cellule de Munich a fait le ménage ?

— Oui.

— Ils ont trouvé ce qu'il y avait à trouver ?

— Oui, affirma Dartan en hochant la tête. La mission a été remplie. J'ai vu les photos. Il n'y a aucun doute sur l'identité de la cible.

— Et les autorités locales n'ont rien vu ?

— *A priori*, rien.

— Alors, excusez-moi d'être aussi pragmatique, mais en ce qui nous concerne, le sujet est clos. La raison d'État l'a emporté, mission accomplie.

Dartan baissa la tête et se frotta les joues d'un air sidéré.

— Olivier ! s'emporta le général. Vous m'avez bien compris ? Le sujet est clos ! Vous débarquez, ou quoi ? Ce n'est pas moi qui vais vous rappeler les principes d'une action clandestine. Il ne s'est *rien* passé en Autriche, c'est bien clair ?

Le chef de poste acquiesça, malgré lui, puis il salua le général et tourna les talons. Quand il arriva au niveau de la porte, il fut interrompu par la voix du général, plus douce cette fois.

— Olivier ! Je suis désolé de vous parler ainsi, mais vous connaissez les règles du jeu, et votre poulain les connaît parfaitement lui aussi. Faites-lui un peu confiance. Vous savez très bien que *nous* ne pouvons rien faire pour lui, mais lui, vous me l'avez dit mille fois : il a des ressources. Alors faites-lui confiance, et concentrez-vous plutôt sur votre travail. Vous êtes attendu dans deux jours à Beyrouth.

— Ça va aller, général, répondit Dartan.

— Et il n'y a pas intérêt que j'entende parler d'une mission de secours clandestine en Autriche, ou ce genre de conneries, Olivier. N'est-ce pas ?

— Je serai à Beyrouth dans deux jours, promit Dartan, et il sortit.

# 163

## 17 juillet 1987, Autriche

Deux jours avaient passé, et personne n'était revenu l'interroger. Matin, midi, et soir, on lui avait glissé des plateaux-repas et des antalgiques sous la porte, accompagnés ici et là de quelques vociférations en allemand qu'il ne pouvait comprendre qu'à moitié. Les mains toujours menottées, le corps tremblant, Marc s'était malgré tout débrouillé pour boire et manger. Petit à petit, Marc avait repris quelques forces, tout juste de quoi se lever. Mais la douleur, elle, ne passait pas.

Dans le coin de la cellule, un trou au sol faisait office de toilettes. Une odeur nauséabonde s'en échappait. Dans ses moments de lucidité, il ne pouvait s'empêcher de penser aux otages du Liban. Certains de ceux qui avaient été libérés avaient pudiquement évoqué leurs conditions de détention. Les siennes ne semblaient pas pires, au fond, et il n'était là que depuis quarante-huit heures. Alors il n'avait pas le droit de désespérer. Son sort n'était rien à côté de ce que vivaient Kauffmann et les autres, depuis bien plus longtemps.

La seule chose qu'il avait à faire, c'était reprendre des forces, et trouver le moyen de s'échapper. Ce n'était pas seulement une nécessité. C'était un devoir.

Il venait de se rendormir au soir du deuxième jour quand il fut réveillé en sursaut par le bruit du verrou qui, d'emblée, le ramena à la pénible réalité.

Les trois hommes qui entrèrent alors dans la cellule ne portaient pas d'uniforme. L'espace d'un instant, Marc imagina qu'ils étaient simplement venus le tabasser. Pour le plaisir. Ils avaient l'apparence caricaturale des services secrets d'un pays de l'Est. Pour peu, on eût dit la Stasi. Le visage fermé, la mâchoire serrée, ils le regardaient comme si le terroriste, c'était lui. Et il aurait eu bien du mal à les en dissuader.

Deux des types l'attrapèrent brusquement par les épaules et le retournèrent contre le mur en lui criant des ordres qu'il ne pouvait pas comprendre.

On lui ôta les menottes, pour les lui repasser de nouveau, mais dans le dos cette fois. Puis on lui enchaîna les pieds. Marc n'essaya même pas de se débattre, il n'en avait pas la force, ses jambes déchirées par les morsures des bergers allemands lui faisaient bien trop mal, et cela n'aurait servi à rien, sinon à risquer de nouvelles blessures.

Quand on lui glissa un sac sur la tête pour obstruer sa vue, Marc Masson comprit qu'il était sur le point d'entrer dans une autre dimension...

On le poussa brusquement hors de la cellule. À chaque pas, entravé, il manquait de trébucher, et ses blessures lui envoyaient de nouvelles décharges de douleur. Plongé dans l'obscurité, il entendit seulement les portes qui s'ouvraient et se refermaient autour de lui, les paroles rauques des hommes qui le bousculaient, puis il sentit soudain un air plus froid glisser sur sa nuque et il comprit qu'ils se trouvaient à présent à l'extérieur.

Là, on le fit monter dans un véhicule. L'arrière d'une camionnette, lui sembla-t-il, sur le plancher de laquelle il s'écroula en se tordant la cheville.

Le trajet dura une bonne heure au moins, peut-être plus. Privé de la vue et en état de stress, Marc perdit totalement la notion du temps. De nouveau, il ne put s'empêcher de penser à Pauline. À vrai dire, il ne pouvait penser à rien d'autre. Il était incapable de deviner ce qui l'attendait. Et la mort faisait déjà partie des options qu'il avait envisagées.

Quand le véhicule s'arrêta enfin, on l'en sortit sans ménagement, et ce fut de nouveau une longue et pénible marche dans l'inconnu. Marc pouvait sentir des mains qui lui agrippaient les épaules, qui le serraient et le poussaient. Par moments, des insultes incompréhensibles, surgies tantôt de droite, tantôt de gauche, le faisaient sursauter. Quand il baissait les yeux, à travers le voile du sac posé sur son visage, il apercevait à peine ses pieds par intermittence, qui sautillaient pour ne pas perdre l'équilibre sur le sol de béton.

Une porte s'ouvrit, puis se referma bruyamment derrière lui. L'écho d'une pièce vide. On le força à s'asseoir. Il sentit le dossier d'une chaise dans son dos. Les pas s'éloignèrent. Le bruit de la porte, encore, et puis plus rien.

Le néant.

Pieds et poings liés, impuissant, meurtri, les tempes gonflées de sang, Marc avait l'impression que le battement dans ses veines comptait fébrilement les secondes qui le séparaient d'un avenir incertain. Il ne savait pas où il était, il ne savait pas qui l'avait amené là, et son esprit ne parvenait pas à chasser l'image de Pauline, qui ne devait pas avoir, à cette heure, la moindre idée du calvaire que traversait son compagnon.

Soudain, les voix revinrent et la serrure s'ouvrit de nouveau. Des bruits de pas. D'un geste sec, on ôta le sac sur sa tête.

Le souffle court, Marc découvrit la pièce autour de lui. Une cellule de béton, vide, comme il l'avait imaginée, plongée dans la pénombre. Une unique ampoule jaune pendait du plafond. Et, devant lui, ces trois mêmes hommes en civil qui lui faisaient face.

L'un d'eux s'approcha de lui et, sans sommation, lui administra une puissante gifle.

— Maintenant, tu vas parler.

L'homme avait un fort accent autrichien mais semblait parler le français sans problème.

— Quel est ton nom ?

— Matthieu Malvaux.

Nouvelle gifle, plus forte encore, qui lui dévissa le cou. Marc sentit un filet de sang couler de sa narine gauche. Il en avait perdu tellement au cours des trois derniers jours qu'il se demandait presque comment il pouvait lui en rester une seule goutte.

— Ce n'est pas ton vrai nom. Quel est ton nom ?

Marc redressa lentement le visage.

— Va te faire foutre.

Cette fois-ci, ce fut un coup de poing, en plein visage. La chaise de Marc bascula et il tomba à la renverse. Menotté, il ne put ralentir sa chute et le choc dans son dos l'électrocuta comme une puissante décharge.

Les deux autres hommes, impassibles, s'approchèrent, le prirent par les épaules et le remirent aussitôt en position assise, sur sa chaise.

— Qu'est-ce que tu es venu faire en Autriche ?

Le corps en feu, Marc préféra garder le silence.

— Tu vas souffrir beaucoup, fit son bourreau en roulant dramatiquement son « r ».

Puis il fit un signe à ses collègues, qui sortirent de la pièce pour réapparaître quelques instants plus tard avec un seau d'eau, une serviette et une petite valise.

— Dis-moi comment tu t'appelles et pourquoi tu es ici, sinon tu vas souffrir beaucoup.

Marc laissa passer deux profondes respirations, bomba le torse et, dans un souffle, répéta, le regard empli de haine :

— Va te faire foutre.

Et alors la séance de torture commença.

Elle allait durer dix longues journées.

# 164

## Carnet de Marc Masson, extrait n° 14

*Un Masson ne se plaint pas.*

*La pudeur, cette maudite pudeur, étrangle ma voix.*

*Et pourtant, je voudrais tellement savoir au moins l'écrire. Coucher sur le papier la réalité profonde de l'horreur, son paroxysme incarné, et parvenir, enfin, à l'écarter de moi. Lui donner cette distance qu'appelle le deuil. Le pardon.*

*Mais jamais je ne trouverai les mots pour décrire ce que ces animaux – non, ces humains – me font endurer pendant les dix plus horribles journées de mon passage sur la Terre des hommes.*

*C'est que les mots, sans doute, n'existent pas pour dire l'inhumanité de mes bourreaux, ces fils de rien, ces âmes vides, et le seul fait d'y penser me déchire encore les entrailles. On ne décrit pas la barbarie. Il faudrait bien du cœur pour y parvenir. Aucune langue ne possède le vocable à même de traduire cela, aucun idiome ne porte en lui assez de puissance évocatrice pour faire toucher du doigt à celui qui écoute la laideur réelle des ténèbres. Et la pensée, elle-même, peine à comprendre comment il est possible à celui qui torture d'échapper ainsi aux lois de la raison comme de la pitié. Et pourtant, la barbarie ne tombe pas du ciel. Elle prend naissance ici, en vous, en moi, en nous.*

*À chaque coup de lame, à chaque séance d'apnée, je vois la couleur noire des pires travers de mon frère humain. L'immondice. « Le ventre est encore fécond d'où a surgi la bête immonde[1] ».*

*Alors que mon corps entier se cambre sous les supplices, je m'imagine que l'Enfer m'a jeté au visage ses trois pires habitants. Et pourtant, n'ai-je pas été bourreau moi-même, qui ai donné la mort plusieurs fois, sans regret, sans remords, si certain d'être investi par une cause supérieure ?*

*Certes, je n'y ai jamais pris le plaisir que semblent y prendre les ordures qui me lacèrent le corps, et c'est déjà beaucoup. Mais ce sentiment d'accomplissement que j'ai éprouvé à chaque fois que j'ai tué pour vous ne fait-il pas de moi un autre monstre, aussi grand que ceux-là ?*

*À quoi pensent-ils, eux, quand ils lapident ma chair comme un enfant casse un jouet, à quoi pensent-ils quand ils découpent en riant le corps de cet étranger dont ils ne savent rien ?*

*La véritable barbarie, c'est de croire qu'elle n'existe pas. C'est de croire qu'on ne pourrait jamais la faire sienne. Pourtant, tous les monstres ont été enfantés.*

---

1. Bertolt Brecht, *La Résistible ascension d'Arturo Ui*, 1941.

*Dans ma tête résonne encore l'écho de chaque coup porté.*

*Quand la douleur en vient à menacer les derniers remparts de ma raison, je pense à Pauline. À l'enfant qu'elle attend de moi. J'essaie de rester concentré sur le souvenir que je conserve d'elle, comme une image que je veux fixer dans mon esprit, un indestructible bouclier, et je laisse passer la tempête, ou venir la mort, si elle daignait enfin mettre un terme à mes souffrances.*

*La douleur n'est qu'une information. Je voudrais seulement qu'elle s'arrête. Qu'elle se taise enfin.*

*Chaque jour, mon bourreau semble se faire un peu plus plaisir encore. C'est un boucher qui se défoule sur un morceau de viande.*

*Je n'oublierai jamais ton visage, l'Autrichien. Tu m'entends ? Je n'oublierai jamais ton visage, et si je trouve un jour la force de t'offrir mon pardon, c'est sans doute que la mort te l'aura donné à ma place.*

*Dans mes rares moments de répit, quand le textile humide sort un instant de ma gorge distendue, quand la douleur est si intense qu'elle finit même par me faire perdre ma sensibilité, j'en finis par souhaiter que ma propre mort vienne bien plus vite encore que la leur.*

*Mais je ne parle pas.*

*Olivier, sans doute, ne me croira jamais. Mais je ne parle pas. Car le mutisme est la seule arme du supplicié. Sa seule victoire.*

*Le dixième jour, je finis par sombrer dans un profond coma.*

*Étendu sur le sol, mortifié, crucifié, mutilé, ce n'est pas moi qui ai perdu. C'est le genre humain.*

# 165

## 30 juillet 1987, Toulon

L'opération Prométhée entra en action le 30 juillet de l'année 1987, soit près de deux ans après le premier attentat qui avait frappé le sol parisien, dans les magasins du Printemps et des Galeries Lafayette.

Officiellement, ce déploiement soudain de bâtiments français en mer d'Oman avait pour mission de dissuader toute action de l'Iran ou de l'Irak sur le trafic pétrolier du Golfe. Plus officieusement – mais de façon très ostentatoire – il visait à faire comprendre à l'Iran que la France était prête à lancer à tout moment une action de rétorsion sur un objectif « précis », désigné par le gouvernement.

En début d'après-midi, la Task Force 623, sous le commandement tactique du contre-amiral Le Pichon, quittait le port de Toulon et appareillait vers la mer d'Oman. Entourant le porte-avions *Clemenceau*, le groupe naval comprenait trois frégates lance-missiles, un pétrolier ravitailleur, trois avisos-escorteurs, trois chasseurs de mines et cinq navires de soutien. Le groupe aérien, quant à lui, ne comptait pas moins de trente avions de combat, dont quatorze Super-Étendard. Une puissance de feu dont les forces aériennes de la République islamique d'Iran ne bénéficiaient pas, affaiblies depuis bien longtemps par les sanctions internationales, la guerre contre l'Irak, l'usure du matériel et, surtout, la confrontation avec les forces aéronavales américaines depuis le début de l'année 1987.

Les ordres, venus tout droit de l'Élysée, étaient clairs : les marins, après avoir formellement identifié leur cible potentielle, disposaient de règles d'engagement souples qui les autorisaient à ouvrir le feu contre toute intention estimée hostile. Quant à l'état-major, il avait pour charge de planifier une campagne aérienne visant les bases et les installations pétrolières iraniennes.

L'entente cordiale avec les alliés d'outre-Atlantique, enfin, permit la planification d'une collaboration entre le porte-avions *Clemenceau* et la marine américaine, déjà sur place, les États-Unis ayant donné leur accord pour que la France puisse profiter du système de liaison de l'*USS Constellation*.

La veille, Jacques Chirac déclara devant les journalistes : « Nous n'avons aucune intention agressive, mais nous exigeons d'être respectés et nous ferons en sorte de l'être. »

En bref, le message adressé ce jour-là aux Iraniens était particulièrement clair : la France avait fini de plaisanter.


# 166

### 30 juillet 1987, Autriche

Marc, allongé sur un lit métallique, sortit lentement de sa torpeur.

La première chose qu'il vit fut un petit tube de plastique transparent qui s'élevait au-dessus de lui, suspendu à une barre de métal. Au bout, une poche de perfusion.

Des images floues lui revinrent peu à peu à l'esprit, entre souvenirs et cauchemar. Cela faisait plusieurs heures, plusieurs jours peut-être, qu'il avait somnolé là, dans un état de semi-conscience. Ses yeux s'étaient ouverts plusieurs fois, puis refermés, comme s'ils n'avaient pas été encore prêts à retourner dans la réalité. Mais, ce matin-là, il parvint à bouger la tête, le souffle encore court, et à décortiquer enfin le décor qui l'entourait.

Il était dans une grande pièce carrelée où régnait une odeur de désinfectant. Ici et là, des armoires et des appareils médicaux qui semblaient venir d'un autre temps. Les lieux ressemblaient vaguement à une chambre d'hôpital insalubre. Au bout de son bras droit, un cathéter. Au-delà, il distingua la silhouette d'un autre homme allongé, endormi visiblement, qui portait des vêtements en toile bleue.

Marc baissa les yeux et regarda son propre corps : on l'avait vêtu du même uniforme. Et sur sa poitrine, un numéro de matricule cousu sur une petite pièce de tissu blanc. Sous la toile, il pouvait sentir les bandages qui entouraient ses deux jambes. Approchant péniblement sa main gauche, il souleva sa chemise et découvrit, sans surprise, que son torse portait encore, comme ses bras et son visage, les stigmates de l'horreur.

Il n'était pas un seul endroit de son corps qui ne le fît souffrir, et il pouvait sentir les nombreux hématomes qui déformaient son visage. La bouche engourdie, il ne parvenait pas à retenir les filets de bave qui coulaient sur son menton.

À bout de forces, il laissa sa tête retomber sur l'oreiller et finit par s'endormir de nouveau.

Plus tard, sans doute le lendemain, Marc fut réveillé par un infirmier, ou un médecin peut-être, venu changer sa perfusion. L'homme en blouse blanche lui adressa une sorte de sourire désolé.

Masson, la gorge et la bouche sèches, lutta pour prononcer ses premières paroles.

— Où suis-je ?

L'homme écarta les mains dans un geste d'incompréhension.

— *Where am I?*

— *Ach! Der Krankenstation. Uh... The infirmary, Sir.*

— *Where?*

L'infirmier fronça les sourcils.

— *Prison! You are in prison, Sir.*

— *But where?*

— *Prison!*

Marc n'insista pas.

Ainsi, il avait été transféré dans une prison pendant son coma, et il était à l'infirmerie. Le sentiment de déréalisation était étourdissant. Il n'avait pas la moindre idée de la ville où se trouvait cette prison, ni de l'autorité qui l'avait placé là, et pour combien de temps. Marc avait l'impression de s'être incarné dans une autre vie, un autre corps, une autre réalité, et il sentait que son esprit s'effritait peu à peu. Sa résistance.

Il n'avait plus la force de lutter.

Un à un, les jours passèrent, comme les bribes d'un film sans queue ni tête. L'esprit encore embrumé, Marc regardait les infirmiers venir prendre sa tension tour à tour, lui prodiguer quelques soins. Ils lui parlaient souvent, d'une manière presque désinvolte, comme s'ils étaient persuadés que leur patient comprenait parfaitement leur langue, comme si son silence n'avait été le signe que d'une quelconque approbation. Marc se demandait s'ils savaient d'où il venait, qui l'avait mis dans cet état. Si ces hommes en blouse blanche étaient, en somme, les complices de ses tortionnaires.

La première fois qu'on lui redonna à manger, Marc se mit à vomir après quelques bouchées seulement. Son corps ne supportait plus qu'on le touche.

Et puis, peu à peu, il commença à reprendre des forces. À se nourrir, à bouger.

Il était là depuis deux semaines, peut-être plus, et tenait encore à peine debout sur ses jambes quand, un soir, des gardiens vinrent le chercher, l'obligèrent à se lever et le firent sortir de l'infirmerie.

Marc, éreinté, découvrit alors les longs couloirs sans lumière de la prison. Le bruit des détenus dans leurs cachots. Les grilles successives que les gardiens ouvraient à l'aide de leurs clefs sur un immense trousseau. Les murs en pierres qui ressemblaient à ceux d'un vieux fort. On le traîna jusqu'au premier étage, et on le jeta dans une cellule où les gardiens, sans rien dire, lui montrèrent seulement un lit du bout du doigt.

La pièce faisait à peine seize mètres carrés. Quatre lits superposés d'un côté, quatre de l'autre et, au milieu, un trou dans le sol qui servait de toilettes. Le cachot aux murs gris puait l'urine et les excréments.

Marc avait atterri au milieu de sept autres prisonniers. À peine avait-il posé un pied à l'intérieur que déjà, ses codétenus lui jetèrent des regards noirs. Il n'était visiblement pas bienvenu. Tout en le dévisageant, ils se mirent à chuchoter des paroles incompréhensibles, mais dont le ton n'avait rien d'engageant. Masson crut seulement reconnaître les sonorités d'une langue slave.

Le visage fermé, il se dirigea en titubant vers le lit que les gardiens lui avaient désigné – le seul qui était libre – et se laissa tomber dessus sans rien dire. Tourné contre le mur, réfugié sous une vieille couverture trouée, il se recroquevilla en fermant les yeux.

Il n'en bougea plus pendant vingt-quatre heures.

# 167

## 20 août 1987, Lyon

— Bonjour ? Qu'est-ce que nous pouvons faire pour vous, mademoiselle ?

Pauline, l'air anxieux, s'appuya sur le comptoir d'accueil du commissariat.

Cela faisait presque deux mois à présent que Marc était parti, et la jeune femme était arrivée au bout de ce qu'elle pouvait supporter. De jour en jour, l'angoisse n'avait cessé de croître, les questions s'étaient multipliées dans sa tête, de plus en plus inquiétantes, et mille fois elle s'était retenue de faire ce qu'elle avait finalement décidé de faire aujourd'hui.

Au bout d'une si longue période, Marc aurait au moins dû trouver un moyen de lui envoyer un simple signe de vie, juste pour la rassurer. Mais rien. Les jours passaient, les uns après les autres, et ce silence, cet inconnu devenaient de plus en plus insupportables.

Le plus pénible, dans l'épreuve qu'elle traversait, était certainement sa solitude. Non seulement elle n'avait personne à qui pouvoir s'adresser, aucun interlocuteur officiel, mais personne même à qui pouvoir se confier. À l'évidence, il était hors de question pour elle d'appeler son propre père. La famille de Marc ? Elle ne la connaissait pas, et doutait de toute façon que la mère de son compagnon, qu'elle n'avait jamais rencontrée, pût la rassurer ou même la comprendre. Quant aux rares amis qu'elle avait autour d'elle – essentiellement ses collègues de la librairie – aucun n'était assez proche pour qu'elle pût lui dire la vérité. Elle avait promis à Marc de ne jamais parler de son activité officieuse,

et elle ne pouvait prendre le risque de le compromettre.

Enceinte de six mois maintenant, seule, livrée à
elle-même, elle traversait la plus terrible épreuve
de sa vie, étouffée chaque jour un peu plus par son
anxiété grandissante.

— Eh bien... Je... Je suis venue pour signaler la
disparition de mon compagnon.

— Sa disparition ? C'est-à-dire ?

— Il est parti travailler il y a deux mois, et il n'est
jamais revenu.

Le gardien de la paix en poste à l'accueil hocha
lentement la tête tout en regardant le ventre rond de
la jeune femme.

— D'accord. Je suppose que votre compagnon est
majeur ?

— Oui, évidemment.

— Il n'est pas sous tutelle ?

— Non.

— Alors dans ce cas, mademoiselle, je suis vraiment désolé mais, malheureusement, nous ne pouvons pas faire grand-chose, annonça le policier d'un
air confus.

— Comment ça ?

— On ne peut ouvrir une enquête pour disparition inquiétante que lorsqu'il s'agit d'un mineur, ou
d'un majeur sous tutelle. Vous comprenez ?

— Mais enfin ! Il a disparu depuis deux mois !

— Je comprends bien... Malheureusement, ça
ne change rien. La seule exception, c'est s'il y a
des signes qui permettent de qualifier cette disparition comme réellement inquiétante, voyez-vous ?
Dans ce cas, à titre exceptionnel, le procureur peut
demander l'ouverture d'une enquête...

— C'est-à-dire ?

— Eh bien, je ne sais pas, si on avait retrouvé
sa voiture accidentée au bord d'une route, par
exemple, ou des traces de sang dans son bureau,

des lettres de menaces dans son courrier, des anté-
cédents suicidaires, des choses comme ça... Est-ce
qu'il y a quoi que ce soit qui puisse nous permettre
de faire qualifier cette disparition comme inquiétante ?

— Mais, vous plaisantez ? Deux mois ! Deux mois
qu'il a disparu ! Ne me dites pas, à moi, s'il vous
plaît, que ce n'est pas inquiétant ! Je... Je suis morte
d'inquiétude ! s'exclama la jeune femme.

— Pardon, je me suis mal exprimé. Je me doute
que pour vous, c'est extrêmement inquiétant mais,
je suis vraiment désolé, juridiquement, mademoiselle, nous avons besoin de faits très concrets pour
pouvoir qualifier la disparition d'un adulte comme
« inquiétante », au sens légal du terme, si vous
voulez.

— Disparaître pendant deux mois, ça ne suffit
pas ? s'emporta Pauline.

— Il y a des milliers d'adultes chaque année qui
font le choix de changer de vie, de disparaître, qui
ne donnent plus aucune nouvelle à leur entourage.
Et c'est leur droit. La police ne peut pas les en
empêcher. Si ça peut vous rassurer, dans la grande
majorité des cas, ils finissent par revenir. Mais nous
ne pouvons pas empêcher un adulte de disparaître,
vous comprenez ?

— Mais là il n'a pas choisi de disparaître ! Il lui
est arrivé quelque chose, j'en suis sûre ! On attend
un bébé ! Nous n'avons aucun problème de couple !
Pourquoi voulez-vous qu'il ait envie de disparaître ?

— Je ne peux pas vous le dire, mademoiselle...
Vraiment, je suis confus, mais le droit français ne
nous permet pas d'ouvrir une enquête, avec les éléments que vous me donnez.

Pauline, à bout de nerfs, baissa la tête et fondit
en larmes. Elle s'était promis de ne pas le faire, de
rester forte et digne, comme elle le faisait chaque
jour, mais elle avait espéré trouver ici au moins une

petite note d'espoir. L'envie d'en dire davantage au policier la démangeait. *Il travaille pour les services secrets !* Mais elle ne pouvait évidemment pas faire ça. Elle n'en avait ni le droit, ni le courage.

Le policier se leva, fit le tour du comptoir et tendit un mouchoir en papier à la jeune femme tout en lui posant une main sur l'épaule.

— Bon, écoutez, ce qu'on peut faire, si ça peut vous rassurer, c'est une main courante. Ça ne permet pas d'ouvrir une enquête mais, au moins, ça laisse une trace, et si jamais le nom de votre compagnon apparaît dans une autre enquête, par exemple, ça permet de faire un recoupement. Ça vous va ?

Pauline haussa les épaules en séchant ses larmes. Elle était complètement perdue.

— Allez, suivez-moi. Vous n'allez pas rester debout comme ça dans votre état. Venez.

Il la guida dans un petit bureau du commissariat et la fit s'asseoir en face de lui. Pauline s'efforça de se ressaisir.

— Alors, d'abord, donnez-moi une pièce d'identité, s'il vous plaît.

Les mains tremblantes, la jeune femme s'exécuta, et le policier enregistra laborieusement les informations sur son ordinateur.

— Bien. Et l'identité de votre compagnon ?

— Il s'appelle Marc Masson, il est né le 11 février 1959.

— Où ça ?

— À Lorient, je crois.

— Vous n'avez aucun document mentionnant son lieu de naissance exact ?

— Pas sur moi, non... Mais je suis presque sûre que c'est Lorient. Oui, oui, il est né à Lorient.

— Très bien. Je note. Alors, expliquez-moi un peu mieux.

Pauline soupira. Ce qui l'avait retenue si longtemps à venir ici, c'était la peur de mal faire, de compromettre son compagnon en révélant des choses qu'elle n'aurait pas dû savoir. Et elle était terriblement mal à l'aise à l'idée de devoir cacher une partie de la vérité, mais surtout, elle avait peur que cela me rende toute enquête impossible. Néanmoins, elle ne pouvait plus rester sans rien faire. Pas après deux mois.

Elle donna au policier les informations qu'elle pouvait, et c'était bien maigre : elle expliqua que son compagnon, chauffeur poids-lourd, était parti travailler deux mois plus tôt, qu'il aurait dû n'en avoir que pour une ou deux semaines, et que plus personne n'avait de nouvelles, y compris le directeur de la société de transport... Quand le policier lui demanda si elle avait appelé les hôpitaux, elle hocha la tête, et quand il demanda si elle avait appelé toutes les connaissances de Marc, elle fut obligée de mentir, préférant ne pas entrer dans les détails : en vérité, elle ne connaissait *pas* son entourage !

— Bon, écoutez, voilà, c'est enregistré. Maintenant, malheureusement, tout ce que vous pouvez faire, c'est attendre, patienter, et essayer de vous rassurer. Vous ne pouvez pas vous mettre dans tous vos états avec un petit bébé dans le ventre, n'est-ce pas ? S'il lui était vraiment arrivé quelque chose de grave, vous le sauriez probablement. Si vous voulez mon avis, il va finir par revenir, et tout va rentrer dans l'ordre...

Pauline soupira, résignée à l'idée qu'elle ne pourrait certainement rien attendre de mieux de ce côté-là...

# 168

## 21 août 1987, Autriche

Pendant les jours qui suivirent, Marc reprit peu à peu des forces et, contraint, finit par se plier au rythme de la prison : les repas, les promenades, l'extinction des feux. En silence, sans jamais rien dire, il se contentait de suivre le troupeau. Rapidement, il comprit le fonctionnement des lieux. Il n'y a pas besoin d'avoir fait beaucoup d'études pour comprendre comment fonctionne la soumission.

Ici, tout était gris. Les édifices qui constituaient l'ensemble de la prison semblaient dater de plusieurs siècles, on eût dit une ancienne place forte, sobre et triste, sans le moindre décor. Les locaux n'étaient pas en mauvais état, ils étaient simplement très anciens. Le bâtiment où se trouvait Marc, sur deux étages, avait une capacité de deux cent trente détenus. Il en comptait près du double. Des Autrichiens, en majorité, quelques Allemands, quelques Hongrois et beaucoup de Yougoslaves. La plupart des occupants de la prison restaient en communauté. Les douches, situées au même étage que les cellules, étaient rarement accessibles, il fallait s'inscrire sur une liste pour y avoir accès, et il semblait n'y avoir jamais de place pour le Français.

Le cachot qu'il partageait avec les sept autres prisonniers restait fermé à clef presque toute la journée. Ils n'avaient le droit d'en sortir que pour les rares activités programmées, les visites ou la promenade. À l'intérieur, à huit dans seize mètres carrés, sans ventilation, c'était un véritable enfer de puanteur, de chaleur et de promiscuité. Les détenus n'étaient pas même autorisés à écouter la radio ou à regarder la télévision. Rien. La seule image qui bougeait, c'était celle du ciel que Marc apercevait à peine au-delà des barreaux d'une minuscule fenêtre.

La seule concession que les surveillants avaient bien voulu faire au prisonnier français, c'était qu'il puisse garder un crayon et ce petit carnet de notes, sur lequel il écrivait en cachette tous les soirs.

Mais, chaque jour, il éprouvait de plus en plus de peine à écrire. Les questions tournaient dans sa tête. Que lui voulait-on ? Quelles charges avaient été retenues contre lui ? Combien d'années allait-il passer ici ? Sans doute aurait-il pu obtenir quelques réponses, s'il avait posé ces questions au personnel de la prison, mais il se refusait à leur parler.

De toutes ses interrogations, bien sûr, la plus obsédante concernait Pauline. Savait-elle seulement qu'il lui était arrivé quelque chose ? Non. Bien sûr. Comment aurait-elle pu savoir ? Masson connaissait les règles du jeu : quand un clandestin se faisait prendre, il n'existait plus. C'était le principe. La DGSE ne pouvait pas se mouiller dans une action clandestine. Et donc, ni Olivier ni personne n'avait le droit de contacter la jeune femme. Pauline, comme lui, était livrée à elle-même.

La nuit, toutes les heures, un gardien venait allumer la lumière pour les réveiller. Officiellement, c'était pour vérifier que les détenus ne faisaient rien de contraire au règlement interne de la prison. Mais en réalité, ce n'était qu'une torture de plus, qui semblait les amuser beaucoup.

Marc, enfermé dans son mutisme, se demanda dans combien de temps il allait devenir fou. Petit à petit, pour lutter, il se remit à faire du sport. Le matin, il se levait sans faire de bruit, avant les autres et, au pied de son lit, il faisait des pompes. Chaque jour un peu plus.

Dans cette cage, personne ne parlait sa langue. Il avait fini par comprendre que ses sept codétenus étaient tous yougoslaves. Croates, plus précisément.

Et Marc était à chaque instant l'objet d'un ostracisme primitif. Isolé sur son lit, il entendait leurs rires, leurs moqueries, leurs insultes même parfois, et il subissait en silence toutes les petites frustrations qu'ils pouvaient lui imposer. Visiblement, il les dérangeait. Les Croates auraient sans doute préféré pouvoir rester entre eux, et Marc n'était pas loin de penser qu'on l'avait délibérément mis ici, pour lui infliger une punition supplémentaire. Pour l'instant, son état ne l'incitait pas à leur chercher des noises. Mais la haine, lentement, se mettait à grimper dans ses vaisseaux, et chaque nouvelle série de pompes qu'il faisait à l'aube ne faisait qu'accumuler la rage qui bouillait dans son ventre.

Un matin de la deuxième semaine, alors qu'il était enfin parvenu à obtenir une place dans les douches, en retournant dans sa cellule, Marc s'immobilisa à un mètre de son lit. Au beau milieu de sa couverture gisait un petit tas d'excréments.

La mâchoire serrée, il se retourna et dévisagea ses codétenus. Cinq se tenaient devant lui, les bras croisés, le regard défiant, presque amusé. Les deux autres, sans doute, étaient encore aux douches.

— Quel est le connard qui a fait ça ? lâcha-t-il d'un air menaçant, certain que, s'ils ne pouvaient comprendre ces mots en français, ils en devineraient le sens.

L'un des cinq gaillards, le plus massif, qui le dépassait de trente centimètres au moins, s'approcha de lui en le regardant de haut d'un air narquois, sa bouche tordue dans une grimace de défi. Le Croate n'eut pas le temps de terminer la réponse qu'il entama sur le ton d'une insulte : Marc lui décocha aussitôt un puissant uppercut du droit en plein menton, et le géant s'écroula sur le sol comme une poupée de chiffon.

Les quatre autres, après une seconde de stupéfaction, se jetèrent sur le Français. Mais la rage immense qui l'habitait donna à ses poings la rigidité d'un acier trempé. Il était forgeron, et, tout en parant les coups, en esquivant les prises avec son agilité de boxeur, il se mit à les frapper un par un comme un marteau sur une enclume. Ses coups étaient si violents que la plupart brisaient un os à chaque impact. Et si les gardiens n'étaient arrivés en courant dans la minute qui suivit, sans doute en eût-il tué au moins un.

Les matons se jetèrent dans la mêlée et, à coups de matraque, séparèrent du petit Français les deux derniers Croates qui tenaient encore à peine debout.

Dix minutes plus tard, Marc fut jeté à l'isolement.

Il ne demandait pas mieux.

# 169

## 30 août 1987, Sathonay

Alors qu'elle attendait, adossée au coffre de sa voiture, devant le long grillage du camp militaire de Sathonay, Pauline lutta pour ne pas se laisser gagner par la nausée. Dans sa condition, la température estivale était de plus en plus insupportable et, se tenant le ventre de la main gauche, elle agitait de la droite une feuille de papier en guise d'éventail.

Quand, après de longues minutes d'attente sous le soleil d'août, le grand Sénégalais apparut enfin à la porte de l'entrée visiteurs, elle s'efforça de sourire.

— Bonjour Pauline, dit Diouf en l'embrassant de manière un peu gauche.

Contrairement à Marc, Diouf Tamba n'avait jamais quitté le 99e régiment d'infanterie – le neuf-neuf – et vivait toujours sur l'immense camp de trente-deux hectares. Son tout nouveau grade de sergent – celui de Marc à l'époque où il avait déserté l'Armée – lui permettait à présent de porter fièrement à l'épaule son chevron surligné d'une soutache dorée.

— Ça fait tellement longtemps…

— Oui. La dernière fois que je t'ai eue au téléphone, c'était pas dans les meilleures circonstances, la mort du père de Marc…

Pauline hocha la tête, le regard humide.

— Eh bien… Ce n'est pas beaucoup mieux aujourd'hui, murmura-t-elle.

— Allons, allons… Qu'est-ce qui se passe ? demanda Diouf alors qu'ils se mirent à marcher pour se mettre à l'écart.

Ils s'assirent sur un banc, et Pauline, dans un souffle, lui raconta toute l'histoire, sans rien omettre cette fois, puis elle se prit la tête entre les mains d'un air accablé.

— Je ne suis qu'une merde ! s'exclama-t-elle d'un air piteux. J'avais promis de ne jamais parler de ça à personne… Je lui avais promis…

— Allons, Pauline ! T'en fais pas, va ! Je suis pas débile, non plus, hein ? répliqua Diouf avec son grand rire d'Africain. Il m'a bien fait rigoler, la dernière fois, avec ses histoires comme quoi il était chauffeur poids-lourd ! Chauffeur poids-lourd ? Marc ? Non mais attends, il m'a pris pour un débile, hein ? Ça fait longtemps que j'ai compris qu'il bossait pour les barbouzes, hein, Pauline ! Alors t'en fais pas, va ! Tu trahis pas un secret, là, et tu as bien fait de venir me voir ! On va le retrouver, ton Marc. D'abord, je te rappelle que, sans moi, tu l'aurais jamais rencontré !

Pauline acquiesça. L'éternelle joie de vivre du grand gaillard l'aidait à se détendre un peu.

— Je ne sais plus vers qui me tourner. Je suis allée voir les flics, mais ils peuvent rien faire. Et je peux joindre personne d'autre, je ne sais même pas dans quel service il travaille ! J'y connais rien, moi, aux services secrets ! DST, RG, DGSE, truc-machin-chouette, toutes ces conneries d'acronymes ! Je suis tellement conne que j'ai même regardé dans l'annuaire ! Et qu'est-ce que j'aurais fait, hein ? « Oui, allô, bonjour, je suis la copine de Marc Masson, qui travaille secrètement chez vous… ». T'imagines le tableau ? Je sais pas dans quel pays il est, je sais même pas ce qu'il fait vraiment, et si ça se trouve, il est encore en mission et moi je risque de tout foutre en l'air, mais…

La jeune femme parlait à toute vitesse. Toutes ces paroles qu'elle avait dû retenir depuis des mois pouvaient enfin sortir, et elle n'arrivait plus à les arrêter…

— Calme-toi, calme-toi ma poulette ! la coupa Diouf en lui attrapant l'épaule. Je te dis qu'on va le retrouver.

— S'il est vivant…

— Tsss, tsss ! Il est immortel, Marc.

Pauline esquissa un sourire mélancolique.

— Si seulement c'était vrai…

— Bon. Déjà, il faut qu'on trouve pour quel service il bosse. Est-ce que tu sais si ses missions ont lieu en France ou à l'étranger ?

— À l'étranger ! C'est toujours à l'étranger ! Il ne veut jamais me dire où, mais je sais que c'est à l'étranger.

— Et c'est pas dans l'armée ? Il a pas un uniforme planqué chez vous, quelque part ?

— Non, sourit Pauline. Et puis, le prends pas mal, mais tu sais ce qu'il pense de l'Armée…

— Oui, je sais. Bon. Alors il y a de fortes chances que ce soit pour la DGSE…

— Et tu peux les appeler, toi ?

Diouf ne put retenir un fou rire.

— Te moque pas de moi ! lança Pauline en lui tapotant sur l'épaule.

Mais le rire de l'ami de Marc était communicatif, et elle devait bien reconnaître que cela faisait du bien. Cela faisait si longtemps qu'elle n'avait pas ri, même si peu...

— Non, je peux pas appeler la DGSE comme ça. Mais je peux appeler des gens qui peuvent se renseigner. J'ai un ou deux contacts. D'accord ? Je ne te promets rien, mais je vais faire tout mon possible. Et si ça marche pas, on trouvera une autre solution. Je vais pas vous laisser tomber, ni toi, ni ton mec. Promis.

# 170

## Carnet de Marc Masson, extrait n° 15

*Tout le mois de septembre à l'isolement.*

*N'importe qui, ici, perdrait la raison.*

*Six mètres carrés, pas de fenêtre. Trois pas dans un sens, deux pas dans l'autre. Un lit, un bloc de béton en guise de table, un lavabo et un trou à merde. Pas de lampe à l'intérieur. La lumière vient du couloir par la fenêtre et le passe-plat de la porte.*

*Pourtant, je suis mieux ici que parmi les autres. Même les gardiens n'ont pas le droit de me parler. Et ça tombe bien, je ne veux parler à personne. Depuis les nombreuses semaines que je suis là, je n'ai pas eu une seule conversation, et cela ne me manque pas. Si les supplices ne m'ont pas fait parler, la prison n'y parviendra pas. J'ai payé mon silence tellement cher que je veux le garder. C'est mon dernier trésor.*

*Le défi, c'est de réussir à ne pas perdre la tête, à ne pas se laisser prendre par les hallucinations. Garder la maîtrise de sa pensée, c'est un effort de concentration. On fixe un point du mur, aussi longtemps que possible, et on construit le cheminement de sa pensée. On devient le réalisateur de ses propres films intérieurs.*

*J'écris. Tobias, l'un des rares matons de la prison à qui il semble rester quelques grammes d'humanité, s'est débrouillé pour que je puisse garder mon carnet et un crayon. Alors j'écris. Je veux croire que ça m'aide à ne pas perdre la tête.*

*Et puis je fais des pompes. De plus en plus de pompes. Des tractions. Petit à petit, je reconstruis le corps de guerrier qu'ils ont voulu détruire.*

*Chaque fois que les gardiens me sortent de l'isolement, je démarre une nouvelle bagarre pour qu'on m'y replonge aussitôt. Et ça marche. Je ne veux plus vivre avec les autres. Si je dois mourir ici, je préfère mourir seul. Je suis déjà dans une tombe.*

# 171

## Carnet de Marc Masson, extrait n° 16

*Sur la table en béton, j'ai laissé une pomme sans y toucher depuis deux semaines, et je la regarde qui pourrit lentement. Quand elle est toute rabougrie, je me dis que mon cœur, à l'intérieur, doit ressembler à peu près à ça. C'est beau, une pomme qui pourrit.*

*L'autre jour, le trou au milieu de ma cellule, qui est en plein milieu, bien à la vue des gardiens, sans rideau, sans rien, s'est bouché. Pendant une semaine, ils ne sont pas venus. Ça débordait de partout, et chaque jour mon cachot sentait un peu plus la merde.*

*J'ai fini par bien aimer l'odeur de ma merde.*

*Il y a un mot qui me fait rire, chaque fois que je le prononce. Ça fait du bien de rire. Je m'allonge sur cette couche de pierres qui me ruine le dos depuis tant de semaines, je regarde le plafond gris, je prononce ce mot, et à chaque fois, j'éclate de rire : dignité.*

*Bon sang, je ne pensais vraiment pas pouvoir écrire ça un jour et le seul fait d'y penser me fait sourire de honte, mais voilà : je suis en manque d'affection.*

*Comme un gosse, comme un pauvre gosse à qui sa mère manque trop. Je suis en manque d'affection. J'aimerais tellement sentir une main se poser sur ma joue. Même pas un baiser, même pas une foutue partie de jambes en l'air, non, juste un geste tendre, une caresse. Je voudrais tellement sentir une caresse qui viendrait d'une autre main.*

# 172

## Carnet de Marc Masson, extrait n° 17

*La nuit dernière, le surveillant a allumé trois fois la lumière du couloir pour regarder par la petite lucarne et voir si j'étais encore vivant.*

*L'absence d'espoir, au fond, ça a du bon. Parce que à la fin, c'est quand même un peu fatigant d'espérer. Et là, je me repose.*

# 173

## Carnet de Marc Masson, extrait n° 18

*Cette nuit, il s'est passé une chose incroyable qui m'a glacé d'effroi. Au beau milieu de mon sommeil, j'ai été réveillé par un serpent qui s'était glissé sous mes draps et qui me montait doucement sur le ventre, la sale bête. Je me suis levé, comme ça, en sursaut, en criant, et j'ai jeté le drap par terre, et je me suis frotté partout le ventre et le dos et les bras, pour enlever le serpent, et il n'était plus là, et maintenant je ne sais pas où il a filé, ce monstre, mais je sais que je n'ai pas rêvé, parce qu'il y a des traces par terre, des traces de serpent, alors je sais qu'il est là quelque part et je suis sûr que ce sont ces enfoirés de gardiens qui ont mis ce foutu serpent dans ma cellule. C'est sûrement une technique pour faire craquer les détenus qui sont à l'isolement. Mais ils ne m'auront pas, moi.*

# 174

## Carnet de Marc Masson, extrait n° 19

*Hier, le serpent est encore venu. J'ai failli l'avoir ! J'ai sauté comme ça, dans le coin de la cellule qui est à l'ombre, là où il se cache cet enfoiré, et avec mon oreiller j'ai tapé, tapé, tapé par terre, mais comme j'avais peur, j'ai fermé les yeux, quel imbécile, alors je n'étais pas sûr de taper dessus, sur ce foutu serpent, et je ne sais pas combien de temps j'ai tapé. Et puis il n'était plus là.*

Les gardiens, qui sont tous des menteurs par profession, disent que je suis en train de perdre la tête et qu'il n'y a pas de serpent ici, ou alors il est dans mon imagination, mais moi je sais qu'il me regarde. Là, par exemple, il me regarde. Il veut me rentrer dedans. Et je sais bien que ce n'est pas un médecin, parce que les médecins ne rampent pas par terre en faisant des bruits de sifflet avec une langue fourchue.

Mais maintenant, j'ai trouvé une assez bonne technique. Pour le serpent. Avec mon drap bien coincé autour de moi, la nuit, il ne peut pas me rentrer dedans. Je suis enroulé, serré à l'intérieur, et le serpent ne peut pas me rentrer dedans et tout va bien.

# 175

## Carnet de Marc Masson, extrait n° 20

Aucun cœur de plus n'a jamais pu transmettre les émotions de la même tempête que la veille, alors, messieurs, dites aux autres détenus s'il vous plaît de laisser tomber. Mais est-ce qu'on est jamais tout à fait inconnu ? Est-ce qu'on peut oublier sa vie passée, à parler avec une irritation croissante, qui sera pire que celle de son père, sous ce rapport, encore ? C'est souvent pour la faire disparaître, oui ! Et vous voyez des innocents, comme si ça se rencontrait dans le jardin, si rapidement, des innocents ? Et moi j'essaie comme ça de toutes mes dernières forces de leur préparer les voies à la miséricorde, mais il y a toujours deux minutes d'immobilité et de repos, à la fin, et le nom qui nous vient à l'esprit alors, par la pression barométrique, c'est celui d'Olivier, du jardin des Oliviers.

*Il y a le feu dans le bateau et les sirènes ne viendront pas. Jeune homme, vingt-huit ans, solide marcheur, cherche compagnons de voyage pour trek en Bolivie.*

*Je m'endors sans avoir eu de pensées que personne d'autre, décidé à les mettre tous d'accord en ce qui était cruel, même pour un chien, surtout dans les mots qui ne me viendraient pas, et Pauline sans doute n'a même pas été alertée par le ministre des Affaires étrangleuses. Et moi, je suis comme eux, des récalcitrants ou rebelles qui sont vite rappelés à l'ordre moral.*

# 176

## 7 septembre 1987, Beyrouth

Assis sur un vieux banc en pierres, au cœur du cimetière protestant de Beyrouth, Olivier Dartan sortit le paquet de cigarettes de sa poche intérieure et alluma une blonde, les yeux perdus dans le ciel nocturne.

Dix ans qu'il n'avait plus fumé, et en quelques semaines à peine, il était revenu à plus d'un paquet par jour. S'il n'arrivait pas à arrêter avant de rentrer à Paris, Samia allait le tuer.

En recrachant la fumée de sa cigarette dans un soupir désabusé, il regarda les sépultures en ruine qui se découpaient autour de lui dans le jeu d'ombre et de lumière projeté par la lune. Engoncé au milieu des immeubles modernes ravagés par la guerre, le vieux cimetière à l'abandon ne ressemblait plus à grand-chose.

Et lui ? À quoi ressemblait-il, aujourd'hui ? Valait-il mieux qu'un charnier à l'abandon ? Depuis près de deux mois qu'il était revenu à Beyrouth pour reprendre sa fonction de chef de poste, il n'arrivait toujours pas à retrouver le moindre plaisir dans son travail. La moindre excitation. Les agents, les honorables correspondants, les OT, les écoutes, les filatures, les désilhouettages, les boîtes aux lettres, le dépoussiérage, les notes de synthèse, les rendez-vous chez l'ambassadeur... Tout l'ennuyait. Et c'était d'autant plus terrifiant que la chose ne lui était jamais arrivée. Mais le pire, c'était qu'il savait parfaitement pourquoi, et qu'il était incapable de se raisonner, de trouver la force pour quitter cet étouffant sentiment de culpabilité. Un sentiment que sa fonction aurait dû lui interdire, que sa formation aurait dû lui épargner. Le mensonge consenti, le sacrifice, la déception, tout cela faisait partie des épreuves que l'on devait être prêt à vivre au quotidien, dans un métier comme le sien. Travailler pour la Boîte, c'était accepter parfois de faire passer son devoir par-dessus sa propre morale, ravaler ses états d'âme, au service de la France. Et, jusqu'ici, il avait toujours réussi à faire face. Combien de sources recrutées à leur insu, puis abandonnées, combien de manipulations, de réputations bafouées, combien de duperies et de trahisons, combien de vies sacrifiées avait-il dû assumer, tout au long de ces années ? Des centaines, sans doute. Alors pourquoi la disparition de Marc lui pesait-elle soudain à ce point ? Parce que c'était lui qui était allé le chercher, qui l'avait recruté, qui l'avait envoyé à sa perte ? Parce qu'il avait fini par s'attacher à ce gaillard si entier, cette petite boule de nerfs qui cachait un si grand cœur, et qui s'était si totalement livrée à lui ? Ou bien simplement parce que Masson laissait derrière lui une jeune femme enceinte de son premier enfant ? Peut-être un peu de tout ça. Mais peut-être aussi parce que la longue pratique de ce métier avait fini par l'éreinter, et que la peur, un jour, d'y avoir laissé ses dernières traces de compassion le terrifiait plus que tout.

La raison d'État... Mais de quelle *raison* parlait-on vraiment ? Qu'un État s'autorise à violer son propre droit au nom d'un critère supérieur, était-ce aussi raisonnable que rationnel ?

Les bruits de pas à l'entrée du cimetière le tirèrent de sa sombre méditation. Il tourna la tête et regarda le jeune officier des services secrets américains s'asseoir lentement à côté de lui dans la pénombre.

— Ça va mieux, depuis la dernière fois qu'on s'est vus ? demanda Dartan avec un air moqueur. Je t'avais rien cassé, j'espère ?

Chris Boomer hocha la tête en souriant. Beau joueur, l'Américain qui s'était ridiculisé plus d'un an plus tôt en poursuivant Dartan dans les rues de Beyrouth alors qu'il l'avait pris pour un indicateur, avait tenu sa parole. Quand Olivier l'avait appelé pour lui demander un service, l'agent de la CIA avait promis de faire de son mieux.

— On remet les gants quand tu veux, mec ! se défendit l'Américain.

— Je mets jamais de gants, moi. Mains nues, à l'ancienne. Alors ? Tu as trouvé quelque chose ? demanda Olivier en lui tendant une cigarette.

La CIA avait indéniablement des moyens bien plus colossaux que n'importe quel service européen. L'administration Reagan, qui avait beaucoup de chats à fouetter – entre guerre froide, Moyen-Orient et autres luttes contre les narcotrafiquants colombiens – ne lésinait pas sur les moyens et allouait à son agence de renseignement un budget officiel estimé à vingt fois celui de la DGSE, sans compter le « black budget » officieux dont bénéficiait aussi l'agence. Dartan n'avait donc pas douté un seul instant que l'Américain aurait bien plus de chances que lui de trouver l'info qu'il cherchait.

— Tout ce que je peux te dire, répondit Chris en tirant sur sa cigarette, c'est qu'il y a un Français du nom de Matthieu Malvaux qui est détenu depuis le 30 juillet dans la prison de Graz, en Autriche.

Olivier serra les poings au fond de ses poches. C'était enfin une piste, une véritable piste, qui laissait au moins penser que Marc était vivant, mais il n'arrivait pas vraiment à savoir s'il pouvait être soulagé.

— Graz ? Mais c'est à l'extrémité est de l'Autriche !

— Oui. Tout près de la frontière avec la Yougoslavie.

Dartan fronça les sourcils. Lors de son dernier contact avec Masson, celui-ci s'était trouvé de l'autre côté, à l'extrémité ouest du pays.

— La prison de Graz est réputée pour être la plus... dure. Celle où l'on met les prisonniers les plus compliqués, les plus longues peines.

L'Américain se releva et lui donna une tape amicale sur l'épaule.

— Bon courage, mec. Je ne sais pas pourquoi tu avais besoin de cette info, et je ne veux pas savoir. Tu ne m'as rien demandé, je ne t'ai rien dit.

Dartan acquiesça et regarda le jeune Boomer s'éloigner dans la pénombre du parc, puis il poussa un long soupir.

Il devait y croire. Il y avait une chance. Mais il restait un problème, et non des moindres : son poste, son devoir lui liaient les mains. Officiellement, il n'aurait jamais dû chercher à savoir. Le simple fait de poser la question était déjà une faute, un risque énorme, que sa hiérarchie, si elle venait à l'apprendre, pourrait lui faire payer cher, très cher.

# 177

## 15 septembre 1987, Paris

Arnaud Batiza entra dans le bureau du juge Boulouque, au Palais de Justice de Paris.

— Dites-moi que c'est une bonne nouvelle, commissaire ! lança le magistrat en levant un regard suppliant vers le policier de la DST.

L'Antillais grimaça en prenant place en face de lui.

— J'ai bien peur que non, monsieur le juge…

Boulouque se laissa retomber sur le dossier de son large fauteuil d'un air déçu.

— Bon ben, allez-y, annoncez la couleur.

— Nous avons reçu l'expertise technique qui vient malheureusement confirmer la note des Douanes : la BMX noire, devenue grise, achetée en Allemagne par Mouhajer pour Wahid Gordji, n'est pas celle qui a été aperçue le jour de l'attentat de la rue de Rennes. On en est malheureusement absolument sûrs aujourd'hui.

— Eh merde ! lâcha le juge en se levant. Merde, merde, et merde !

Il partit nerveusement ouvrir un placard et en sortit une bouteille de Martini.

— Je vous sers un verre ?

— Pas de refus. Je suis vraiment désolé, je sais que c'était un élément important dans votre dossier…

— Important ? C'était plus qu'important, commissaire, c'était le putain de pilier de toute l'affaire ! L'expertise graphologique sur les communiqués du CSPPA n'a pas pu confirmer non plus que Gordji en était l'auteur, comme nous l'avons pensé un moment. En gros, à part ses fréquentations avec plusieurs personnes impliquées dans les attentats, je n'ai plus rien de solide sur Gordji. Plus rien du tout ! Et pourtant, vous savez comme moi qu'il est mouillé jusqu'au cou, ce salaud !

— Il y a sûrement des preuves quelque part...

— Elles sont probablement parties en fumée dans la cheminée de l'ambassade d'Iran, commissaire.

Le juge, la mine déconfite, tendit le verre de Martini à Batiza, trinqua avec lui d'un air triste, et retourna s'asseoir derrière son bureau.

— Bon, ben au moins, Pasqua et sa clique vont être ravis, lâcha-t-il en secouant la tête. Ce qu'ils veulent, eux, c'est pouvoir échanger Gordji contre notre consul. Si j'ai des motifs pour inculper Gordji, ça leur complique la tâche.

— Ça ne vous empêche pas de l'entendre comme témoin...

— Vous croyez vraiment qu'il va me dire quelque chose ? Vous plaisantez, j'espère ?

— Des aveux, peut-être pas, mais une petite bourde, si vous lui posez les bonnes questions...

— Laissez tomber, Batiza. De toute façon, j'ai l'impression que ça arrange tout le monde qu'on ne puisse pas impliquer directement l'Iran dans les attentats. Le Hezbollah, ça ne dérange personne, ils sont déjà listés comme une organisation terroriste. Le réseau de Fouad Ali Saleh, tout le monde s'en fout, ce sont juste « des petits Maghrébins », comme ils disent... Mais Khomeini... Vous savez comme moi que l'Iran continue d'acheter des armes à des entreprises françaises, au prix fort. L'affaire va être vite pliée, vous pouvez me croire. Au procès, on va se contenter des miettes. Je ferai boucler les petits exécutants, et on dira que Justice est faite. Mais les artificiers, les donneurs d'ordre, les commanditaires... L'histoire les oubliera vite.

— Mitterrand leur a quand même envoyé le *Clemenceau* !

— C'est un très joli bateau, ironisa le magistrat.

Batiza lui retourna un sourire désolé.

— Je ne sais pas si ça peut vous rassurer, Gilles, mais mon expérience dans tout ce merdier me fait dire qu'un jour ou l'autre, même longtemps après, les ordures finissent toujours par payer.

— Au moment du Jugement dernier ? se moqua le juge. Quand ils rencontreront enfin en tête à tête le Dieu au nom duquel ils prétendent commettre leurs crimes ?

— Il arrive que nos Services, même des années plus tard, s'arrangent pour précipiter la rencontre...

— Tant mieux, sans doute. Mais ce n'est pas l'idée que je me faisais de la Justice quand je me suis décidé à faire mon Droit. Mon Dieu à moi, Arnaud, s'appelait Thémis...

# 178

## 30 octobre 1987, Autriche

Le trouble psychotique qui avait assailli Marc Masson était apparu après six semaines consécutives passées à l'isolement. Le droit autrichien interdisait normalement la détention d'un prisonnier dans ces cellules minuscules pendant plus de quatre semaines, sauf s'il y séjournait de son plein gré. Or, Marc avait plusieurs fois manifesté son refus de quitter son cachot. Quand le médecin de la prison, appelé par les gardiens, diagnostiqua chez le Français une bouffée délirante aiguë, on lui administra immédiatement des sédatifs et il fut transféré d'urgence, dans un état second, au service de psychiatrie de l'hôpital pénitentiaire de Göllersdorf, à deux cent cinquante kilomètres au nord de la prison de Graz.

Le 24 octobre, après quinze jours d'hospitalisation – au cours desquels il reçut un traitement combiné d'électrochocs et de neuroleptiques sédatifs majeurs – Marc Masson fut déclaré en mesure de réintégrer la prison de Graz, sous la ferme condition d'une prise quotidienne de neuroleptiques, administrés sous surveillance directe du médecin de l'établissement. Ce dernier parvint visiblement à convaincre le directeur de la prison que le Français devait réintégrer une cellule normale, mais sans codétenu, pendant quelques semaines au moins.

Quelques jours après sa réintégration, Marc commença à sortir de l'état de torpeur dans lequel l'avait plongé la première phase de son traitement. Les symptômes de sa psychose délirante aiguë avaient totalement disparu, et les médicaments qu'il prenait chaque jour le mettaient dans un état d'apaisement qu'il n'avait pas connu depuis fort longtemps.

Petit à petit, une lente résignation faisant son chemin, il revint au pays des vivants.

Ce qu'il ignorait, en ce jour du 30 octobre 1987, c'est que Pauline, à huit cents kilomètres de là, venait de donner naissance à leur enfant.

Accompagnée à la maternité par leur ami Diouf Tamba, qui tenait chaque jour ses promesses de soutien, elle donna naissance à une jolie petite fille en parfaite santé, qu'elle décida de prénommer Luciana.

## 179

## 3 novembre 1987, Autriche

Comme chaque matin, Marc était en train de faire ses séries de tractions, agrippé à la barre du lit superposé, quand deux gardiens vinrent le chercher dans sa cellule et lui ordonnèrent de se mettre face au mur, mains dans le dos. Impassible, il s'exécuta. Les surveillants le menottèrent et lui passèrent des chaînes aux chevilles.

Sans la moindre explication, ils le firent sortir de sa cellule, le poussèrent à travers les couloirs blafards et le conduisirent au rez-de-chaussée du bâtiment, dans la longue pièce qui servait aux visites.

Marc, surpris, obéit quand on lui ordonna de s'asseoir dans l'une des cabines du parloir. Quelques secondes plus tard, un homme en costume marron apparut de l'autre côté de la vitre et lui fit signe de décrocher le combiné de l'interphone.

Masson hésita. L'un des gardiens, dans son dos, lui lança une mise en garde :

— *Schnell !*

Le jeune homme décrocha le combiné et dévisagea ce personnage bien propre sur lui, qui le regardait en souriant. Il devait avoir moins de trente ans, comme lui, le visage fin, les cheveux bruns et courts, impeccablement coiffés sur le côté. Un air de jeune bureaucrate.

— Bonjour, monsieur… Malvaux.

Il avait un très léger accent autrichien. Marc continua de le regarder d'un air méfiant.

— Qui êtes-vous ? finit-il par bredouiller, prenant soudain conscience que c'était la première fois qu'il parlait en français avec quelqu'un depuis des mois.

— Je m'appelle Ruben Hofer, et je suis votre avocat commis d'office, monsieur. Je suis là pour vous aider.

Un avocat commis d'office, après plus de trois mois d'incarcération ? C'était une plaisanterie ?

— Qui est-ce qui vous paye ?

— Eh bien, le ministère de la Justice !

— Ah, parce qu'il y a une justice, ici ?

— Bien sûr, pourquoi dites-vous ça ?

Marc secoua la tête. Le jeune avocat avait l'air de n'avoir sincèrement pas compris l'ironie.

— Où est-ce que je suis ?

— Comment ça ?

— Dans quelle prison ? Dans quelle ville ? s'agaça Marc, qui n'arrivait pas à se détendre.

— Vous ne le savez pas ? répliqua l'avocat, perplexe.

— Je ne sais rien du tout ! Rien ! J'ai été torturé pendant dix jours par votre enculé de gouvernement, et je me suis réveillé ici, c'est tout ce que je sais !

L'avocat resta un moment silencieux, comme s'il avait du mal à comprendre.

Marc eut le sentiment que l'homme en face de lui n'était réellement pas au courant du sort qui lui avait été réservé avant son incarcération.

— Vous... Vous êtes dans la prison de Graz, à l'est de l'Autriche. C'est l'une des plus grandes et des plus anciennes prisons du pays, où l'on met les détenus avec les peines les plus longues.

— Et qu'est-ce que je fais là ?

L'avocat prit une chemise cartonnée sous son bras et la lui montra à travers la vitre.

— Selon votre dossier, vous avez été arrêté le 15 juillet dernier à la frontière, en possession d'une arme et sous une fausse identité.

— J'ai un permis de port d'arme. Votre pays torture souvent les gens qui ont une carabine ?

— Je ne sais pas quoi vous dire, répondit l'avocat d'un air embarrassé. Je... Je n'étais absolument pas au courant de ces choses-là, monsieur. Si vous avez subi des sévices, je pourrai porter plainte. Mais le problème, qui explique la raison pour laquelle j'ai été désigné si tard, c'est que... nous ne connaissons pas votre identité ! Il a visiblement été établi que votre passeport était un faux. Tant que les autorités n'auront pas votre vrai nom, elles ne peuvent pas vous juger, vous comprenez ? Et moi, du coup, je ne peux pas vous défendre. On ne peut pas défendre quelqu'un qui n'a pas d'identité ! Et tant que vous n'aurez pas été identifié, le temps que vous passez ici ne sera même pas déduit de votre future peine, vous comprenez ? répéta-t-il, d'un air compatissant.

Marc, la mâchoire serrée, resta silencieux, sans quitter l'avocat des yeux.

— Monsieur... J'ai besoin de connaître votre vrai nom, et après je pourrai vous défendre.

— Qu'ils aillent se faire foutre, lâcha finalement Marc.

L'avocat se frotta le front d'un air déconcerté.

— Je suis ici pour vous aider ! « Eux », comme vous dites, ils s'en moquent ! Un prisonnier de plus ou de moins... Si vous refusez de donner votre identité, c'est à vous que vous faites du tort, pas à eux...

— Ils ne peuvent plus rien me faire. Ils m'ont déjà tout fait.

# 180

— Comment avez-vous obtenu cette information ? s'emporta le général Imbot en se levant d'un bond de son fauteuil, derrière son luxueux bureau de la Centrale.

Dartan, debout devant lui, le regard fixe, ne se laissa pas impressionner. Il savait pourtant parfaitement ce qu'il risquait. Sa carrière. Et peut-être bien plus encore. Mais après avoir retourné la question dans tous les sens, il n'avait finalement pas trouvé de meilleure solution que de venir confronter le patron en personne.

— Mon métier consiste à obtenir des informations, général.

Imbot frappa du poing sur son bureau.

— Vous foutez pas de ma gueule, Olivier ! Vous savez pertinemment que vous n'aviez pas à faire la moindre recherche sur votre foutu poulain ! Et il me semble même que je vous l'ai rappelé de vive voix ! Vous êtes conscient du risque que vous nous faites prendre, bordel de merde ? Vous voulez être à l'origine d'un nouveau *Rainbow Warrior*, c'est ça ?

— Je n'ai pas cherché cette information, répliqua le chef de poste sur le même ton monocorde. Elle est venue toute seule jusqu'à moi.

C'était une manière quelque peu osée de présenter la vérité, mais il y avait mis suffisamment de conviction pour espérer que le directeur général de la DGSE puisse au moins y croire un peu.

Le général secoua la tête et finit par se rasseoir en soupirant.

— Vous faites chier, Dartan. Vous faites vraiment, vraiment chier.

Les deux hommes se regardèrent longtemps, les yeux dans les yeux, sans rien dire. Ils avaient l'un pour l'autre beaucoup d'estime, un profond respect, mais les circonstances risquaient bien de les amener à une inévitable rupture. Car entre autres qualités, ils partageaient tous les deux une opiniâtreté qui flirtait souvent avec l'entêtement.

— Figurez-vous qu'elle était aussi venue jusqu'à moi, votre information, lâcha finalement le général dans un soupir dépité.

Dartan pencha la tête, entre colère et perplexité.

— Pardon ?

— Eh oui, mon garçon ! Vous croyez quoi ? Ça fait un mois que je suis au courant ! Votre petit protégé est à la prison de Graz depuis le 30 juillet, très exactement !

Olivier, se sentant trahi, serra les poings en s'efforçant de les laisser où ils étaient.

— Et… Et vous ne pouviez pas me le dire ?

— Vous le dire ? Olivier, vraiment, je commence à me demander si vous êtes encore capable de faire ce métier. Vous semblez en avoir oublié les bases les plus élémentaires !

— Mais si vous le saviez, vous comptiez faire quoi ? répliqua Dartan, comme s'il n'avait pas entendu la menace. On fait quoi, maintenant ?

— Comment ça, *on fait quoi* ? Mais vous n'êtes pas possible ! Qu'est-ce que vous voulez qu'on fasse, bordel ? s'écria le général, le regard de plus en plus exaspéré. Qu'on envoie le Service Action attaquer la prison de Graz pour exfiltrer un clandé ? Que j'appelle les Services autrichiens et que je leur explique que votre petit protégé est venu faire une mission Homo sur leur territoire et qu'il faudrait le laisser gentiment rentrer à la maison ? Vous avez perdu la tête, ou quoi ?

Dartan baissa les yeux, dépité. Évidemment, tout ça, il le savait, il le savait même mieux que la plupart de ses collègues, lui qui avait si souvent eu recours à des actions clandestines. Pourtant, cette fois, il n'arrivait pas à accepter les règles de la Boîte. Depuis des semaines, il n'arrivait plus à lutter contre un accablant sentiment de culpabilité. Les épaules basses, il fit quelques pas de côté et se laissa tomber à son tour sur un fauteuil.

— Général, dit-il d'une voix soudain beaucoup plus calme, on ne peut pas trouver au moins une solution... diplomatique. Je ne sais pas, moi... que le Quai d'Orsay demande une faveur aux Autrichiens, pour un simple ressortissant français ? Un échange de bons procédés ?

— Vous n'avez plus les idées en place. Il a été arrêté sous une fausse identité, vous vous souvenez ?

Dartan hocha la tête. Oui. Bien sûr. C'était sans doute vrai : il n'avait plus les idées en place.

— Et je vais vous dire, continua le directeur, même s'il avait été arrêté sous sa vraie identité, même si ça n'avait pas été un clandé, ça ne nous aurait pas beaucoup avancé. Nos rapports avec l'Autriche, depuis l'affaire Waldheim[1], ne sont pas particulièrement au beau fixe, au cas où vous ne seriez pas au courant...

— Bien. Si on ne peut rien faire pour lui, reprit Olivier, nous avons au minimum un devoir envers sa compagne.

---

1. Kurt Waldheim, président de la république d'Autriche de 1986 à 1992. En mars 1986, le *New York Times* révélait qu'il avait appartenu à la fédération étudiante nazie puis servi comme officier de renseignement de la Wehrmacht. Malgré le scandale, celui-ci refusa de démissionner, soutenu par une large partie de son pays. Les États-Unis et de nombreux pays déclarèrent le président autrichien *persona non grata* sur leur territoire...

Le directeur de la DGSE écarquilla les yeux, médusé.

— Pardon ?

— Hadès a une compagne, avec qui il vivait tous les jours, et qui vient d'accoucher de leur premier enfant.

— Qu'est-ce que vous voulez que ça me foute ?

— Elle est toute seule, perdue, n'a plus de nouvelles de son compagnon depuis des mois, elle ne sait pas s'il est mort ou vivant, elle est livrée à elle-même, elle élève un gosse toute seule avec un salaire de misère. Alors que la DGSE ne puisse rien faire pour un agent clandestin qui s'est fait prendre, je le sais, je le comprends, et je l'accepte. Mais si on ne fait rien pour aider cette jeune femme, alors...

Il hésita.

— Alors, général, ce pays n'est plus celui pour lequel je veux me battre.

Imbot fronça les sourcils, et une espèce de sourire se dessina lentement sur son visage.

— Vous y allez un peu fort, mon garçon...

Dartan, lui, ne souriait pas du tout.

— Je pense chacun des mots que je viens de vous dire.

— Arrêtez, vous allez me faire pleurer, ironisa le directeur.

Olivier ferma les yeux. Comprenant qu'il ne pourrait avoir son supérieur par les sentiments, il tenta sa dernière chance :

— Et si elle se mettait à appeler les journaux ? Vous y avez pensé, à ça ? Vous imaginez un peu les titres ? Vous pensez vraiment que ce n'est pas le genre de sujet qui ferait bander les journalistes, un deuxième *Rainbow Warrior*, comme vous dites ? Et vous imaginez la réaction du public ? Sans parler de l'Autriche ! Pour l'instant, ils n'ont probablement aucun élément pour affirmer qu'Hadès est un agent français. Mais si cette gamine se mettait à raconter son histoire, à la crier sur tous les toits ? Vous voulez faire quoi ? Qu'on la bute, elle aussi ?

Le général, un sourire sidéré sur le visage, passa les mains derrière la tête et dévisagea longuement son subalterne.

— Vous êtes tout simplement incroyable, Olivier. Incroyable. Et, par curiosité, vous voudriez qu'on fasse quoi, pour l'aider, cette jeune femme ?

— Se débrouiller pour qu'elle apprenne que son compagnon est vivant, qu'il est en prison en Autriche, et lui verser tous les mois le salaire d'Hadès. Au minimum.

Imbot secoua la tête.

— Vous êtes sérieux ? Lui *verser* un salaire ?

— Exactement. En liquide. Tous les mois. Tous les putains de mois qui resteront jusqu'à ce que son compagnon rentre à la maison !

— Vous êtes conscient, Olivier, que n'importe quel autre des hommes qui travaillent pour moi et qui me parlerait comme vous êtes en train de le faire dans mon bureau serait, au mieux, en train de pointer à l'ANPE, et au pire, mis en examen pour compromission du secret de la défense nationale par une personne qui en est dépositaire ?

— Je m'en tamponne le coquillard, général.

Cette fois, Imbot éclata de rire.

— Vous êtes... Vous êtes le pire officier que j'aie jamais rencontré de ma vie !

— Vous m'avez aussi dit un jour que j'étais le meilleur...

— L'un n'empêche pas l'autre. Vous êtes juste extrêmement souple dans vos grands écarts.

— Un salaire, tous les mois, en liquide, répéta Dartan d'un ton ferme. Vous nous épargnez un scandale médiatique, vous aidez une jeune femme en détresse, et vous et moi aurons beaucoup moins de mal à nous regarder dans la glace le matin en nous réveillant.

— Je n'ai aucun mal à me regarder dans la glace, Olivier.

— Vous avez bien de la chance, répliqua le chef de poste, et son air abattu ne semblait pas feint.

# 181

## Carnet de Marc Masson, extrait n° 21

*Ruben Hofer, l'avocat commis d'office, est revenu me voir plusieurs fois. Le pauvre, je vois bien dans ses yeux que c'est un brave type, qu'il voudrait m'aider, mais je refuse toujours de parler. Je n'ai pas de nom, je ne suis personne. Je suis un fantôme de la République. Pourtant, chaque fois qu'il vient pour essayer de me convaincre une nouvelle fois, au lieu de refuser la visite, je laisse les gardiens m'emmener au parloir. C'est idiot, mais ça fait du bien de parler en français avec quelqu'un de l'extérieur. Je l'écoute, je souris, je lui demande des nouvelles de la France, des otages au Liban, et puis il finit par repartir, dépité.*

*Parfois, je me surprends encore à rêver que la DGSE va faire quelque chose. Je souris et je m'imagine des scènes hollywoodiennes, un hélicoptère qui se pose dans la cour de la prison, les gars du Service Action qui mitraillent dans tous les sens, qui m'exfiltrent de ma cellule et m'attachent à un filin, et puis l'hélicoptère qui me soulève au-dessus du sol dans le vacarme des rotors alors que les vigiles me tirent dessus depuis les miradors... Et puis, chaque fois, je reviens lentement à la réalité, dans un soupir mélancolique. La réalité que j'ai acceptée, de mon plein gré. Je me refuse à en vouloir à qui que ce soit. Quand un clandestin se fait prendre, il n'existe plus. Il n'a* jamais existé. Et je n'ai pas besoin de me forcer pour m'y résigner. Cette notion a toujours fait partie de moi, de mon engagement.

Depuis que je suis enfermé ici, je n'ai jamais eu le sentiment d'être abandonné. D'avoir joué de malchance, peut-être. Et la seule dignité qu'il me reste, c'est le sentiment de continuer, dans mon silence, à servir le peuple français. Je le ferai jusqu'au bout.

Mes journées, maintenant, sont bien calées. Chaque matin, je fais mes exercices. J'en suis arrivé exactement à mille pompes et cinq cents tractions par jour. J'ai perdu une dizaine de kilos et mon corps n'est plus que muscles. Mon regard, sans doute, doit faire de plus en plus peur, car mes codétenus cherchent de moins en moins la bagarre, même les Croates. Je ne parle toujours pas avec les autres prisonniers. Ils ne m'intéressent pas, rien de ce qui touche à cet endroit ne m'intéresse. Tout ce qui m'intéresse, c'est de garder ma dignité. Je dois me battre chaque jour contre les brimades de la vie carcérale. Le racket, le harcèlement... Reste digne, m'avait dit Papi José. Je ne laisse personne, pas même les matons, me manquer de respect. Les gens ont fini par ne plus faire attention à moi. De toute façon, je n'ai même pas de nom.

Comme je me refuse à parler, je comprends qu'il ne me reste que peu d'options : la mort ou l'évasion. Sans Pauline et cette petite fille à qui elle a déjà dû donner le jour depuis longtemps, je crois que j'aurais peut-être choisi la première solution. Mais je veux les voir. Je brûle de les voir. Je me demande à quoi elle ressemble, ma fille. Duquel de nous deux elle a volé les traits. Bon sang, j'espère qu'elle ressemble à Pauline, oui ! J'aimerais tellement voir le visage de l'enfant que nous avons fait. Sentir sa petite main se fermer sur mes doigts et serrer sa mère dans mes bras de toutes mes forces, la serrer si fort même que plus *personne ne puisse jamais venir nous séparer... Alors je me prépare à la seconde option. M'enfuir. Je finirai peut-être par trouver le moyen. S'enfuir, ce n'est pas une option. C'est un devoir.*

*Hier, l'avocat est venu une nouvelle fois. Un instant, j'ai cru que j'allais craquer. Tout raconter. Et puis j'ai entendu au fond de moi, comme souvent depuis que je suis enfermé ici, la voix de Papi José. La révolution, c'est accepter de faire face à l'impossible. Alors je me suis tu. No pasarán.*

# 182

## 6 novembre 1987, Lyon

Quand la porte de l'appartement se mit à sonner, Pauline sursauta et se mit à grimacer. Encore somnolente, elle se leva péniblement pour regarder le bébé dans son berceau, qui dormait.

La petite Luciana avait à peine deux semaines, elle était belle comme un cœur mais n'avait pour l'instant pas l'intention de laisser sa mère dormir plus de deux heures d'affilée, alors Pauline se demanda si elle n'allait pas étrangler la personne qui venait d'appuyer sur la sonnette.

Sans faire de bruit, elle se précipita vers la porte, de peur que l'importun ne réitère, et elle sourit enfin en découvrant le visage de Diouf qui se tenait dans l'entrée avec un sac empli de courses.

— Qu'est-ce que tu fais là ? chuchota-t-elle en faisant un signe de tête vers le berceau pour lui faire comprendre que le bébé dormait.

Elle se poussa pour laisser son ami entrer sur la pointe des pieds.

— Ben, je t'ai fait des courses, tiens, banane ! Tu crois que je vais laisser tomber la mère de ma filleule ? La femme de mon meilleur ami ?

Pauline se hissa sur la pointe des pieds pour embrasser ce grand gaillard au cœur d'or.

— Je sais pas ce que je ferais sans vous, sergent Tamba !

Ils se dirigèrent en silence vers la cuisine, où Diouf déposa les courses sur la petite table.

— Je t'ai aussi pris ton courrier, dit-il en lui tendant un paquet d'enveloppes plutôt considérable. Tu devrais quand même vider ta boîte aux lettres de temps en temps, hein…

— Si tu savais… Je sais plus où donner de la tête, entre les couches, les repas, les bavoirs, les gigoteuses, les vomis…

— Oula, oula, pas trop de détails s'il te plaît !

Pauline lui adressa un sourire mélancolique.

— Tu n'as toujours pas de nouvelles ?

Diouf secoua la tête, d'un air désolé.

— Mes contacts n'ont rien donné. Mais je vais chercher ailleurs, Pauline. Et on va le trouver.

La jeune femme soupira et soupesa le paquet de lettres.

— Je suis sûre que c'est encore des factures, et des factures…

Dépitée, elle inspecta rapidement son courrier pendant que Diouf commençait à ranger les courses dans le placard.

— Qu'est-ce que c'est que ça ? murmura soudain la jeune femme en agitant une épaisse enveloppe sur laquelle on avait écrit son prénom.

Soudain, Pauline s'immobilisa et ouvrit la bouche d'un air stupéfait.

Lentement, la jeune femme sortit une liasse de billets de 100 francs de l'intérieur de l'enveloppe.

— C'est quoi, ce délire ? dit-elle en se laissant tomber sur une chaise de la cuisine.

— Putain ! J'ai croisé un type un peu bizarre dans le hall, tout à l'heure ! Un mec avec un blazer et des santiags, ça passe pas inaperçu. Il était du côté des boîtes aux lettres, et il a filé quand je suis entré ! Si ça se trouve, c'est...

Pauline trouva la lettre qui accompagnait les 8000 francs en liquide déposés dans sa boîte. Les doigts tremblants, elle déplia la feuille sur la petite table, et commença à lire le message écrit à la main.

# 183

## 6 novembre 1987, Graz

Ce jour-là, la température chuta brusquement, approchant bientôt le degré zéro. Le système de chauffage de la prison était bien insuffisant pour une bâtisse aussi grande et aussi ancienne, et il faisait froid dans tout le bâtiment.

Comme chaque midi, Marc faisait la queue parmi les détenus devant le réfectoire. Il eût été bien incapable de nommer les ragoûts immondes que les cuisiniers osaient leur servir mais, au moins, ils étaient chauds, et c'était toujours mieux que rien.

Patientant en silence au bout de la file qui n'avançait pas, il aperçut trois de ses anciens codétenus croates, qui chuchotaient en jetant régulièrement des petits coups d'œil discrets vers les surveillants. À l'évidence, ils étaient en train de préparer un mauvais coup. Marc, qui était parvenu jusqu'ici à éviter cette fâcheuse bande – qui devait certainement encore lui en vouloir pour la solide correction qu'il leur avait infligée – resta sur ses gardes, prêt à en recoudre, s'il le fallait.

Soudain, il aperçut l'éclat d'une lame dans la main du plus petit. Le Croate, tout en avançant dans la queue du réfectoire, cachait malhabilement l'arme blanche dans son dos. Marc serra les poings. S'ils s'approchaient de lui, il devait être prêt à bondir.

Mais tout à coup, dans un mouvement de foule confus devant lui, il vit les trois hommes s'approcher d'un quatrième et l'entourer. Marc le reconnut aussitôt. C'était Borko, Yougoslave lui aussi, mais d'origine serbe. Un jour, ce grand blond aux allures de brute épaisse était venu lui parler en français. Marc lui avait rapidement fait comprendre qu'il n'avait pas envie de discuter.

En voyant les trois Croates se refermer sur lui, le Serbe dut comprendre aussitôt ce qui se passait. Le premier coup de lame vint d'en dessous. Il parvint de justesse à éviter le coup. Mais aussitôt, ses deux autres agresseurs l'attrapèrent par les épaules pour l'empêcher de se défendre. Il allait y passer.

Marc n'eut pas le temps de réfléchir. Son instinct prit immédiatement le dessus. Un instinct profondément ancré dans ses tripes depuis sa plus tendre enfance : on ne laisse pas un homme seul se faire descendre par trois autres. Bondissant, il traversa la queue du réfectoire et se jeta sur l'homme au poignard. D'une seule clef de bras, il désarma le Croate puis le sécha aussitôt d'un large crochet du gauche. La bagarre éclata au milieu des cris.

Prenant le parti du Serbe, Marc se mit à distribuer les coups. Bien plus affûté qu'il ne l'avait été en arrivant dans la prison, il retrouva sa puissance et son agilité de jadis, faisant mouche à chaque attaque, et il en retira même quelque exaltation, savourant le plaisir oublié du ring. Il ne se battait pas seulement : il se défoulait, il crachait sa colère, des mois de frustration, et il était en train de faire un véritable carnage quand le coup de sifflet strident retentit au milieu du réfectoire.

Les surveillants arrivèrent en nombre, les uns après les autres, et mirent rapidement un terme à la rixe, à grands coups de matraque.

Très vite, les coupables furent désignés par le personnel du réfectoire. Les trois Croates, le Serbe et le petit Français nerveux. Tout ce petit monde, plaqué au sol et menotté, fut emmené sans détour à l'isolement.

En entrant dans le cachot exigu, Marc Masson ne put s'empêcher de frissonner. Territoire familier. Les souvenirs de sa psychose lui revinrent en mémoire comme un nouveau coup de poing en plein visage.

Dans un soupir, il se laissa glisser le long de la porte et se prit la tête dans les mains. Tout ça n'en finirait donc jamais ?

Cela faisait une heure qu'il n'avait pas bougé quand, soudain, il entendit la voix de Borko résonner dans le couloir.

— Oh ! Le Français ! Tu m'entendre ?

Marc ne répondit pas. Le Serbe insista encore plusieurs fois, puis finit par se décourager.

Malgré la douleur aux poumons – il devait avoir une côte cassée – Marc partit s'allonger sur sa couche et finit par trouver le sommeil. Il passa une nuit épouvantable, entre cauchemars et douleur.

Le lendemain matin, il fut réveillé par les appels de Borko.

— Oh ! Le Français ! Je sais que tu m'entendre ! Pourquoi tu pas répondre ?

Marc secoua la tête. L'entêtement du Serbe finit presque par le faire sourire. Il l'écouta insister encore pendant de longues minutes, puis se décida enfin à répondre au pauvre diable.

— Qu'est-ce que tu veux ? chuchota Marc en s'approchant de la porte.

— Ah ! Tu vois que tu m'entendre !

— Tout le monde t'entend, imbécile !

— Je veux dire merci.

— Pas de quoi. C'est bon. Allez, laisse-moi tranquille maintenant.

— Tu es tout seul, toi aussi, hein ? Pas d'autres Français ?

Marc soupira et finit par s'asseoir près de la porte, en se tenant les côtes. Après tout, il était peut-être temps de se faire un ami. Un *ami* ? Il se demandait s'il se souvenait vraiment de ce que ce mot voulait dire.

— Non. Pas d'autres Français, lâcha-t-il.

— Moi, pareil, pas d'autres Serbes. Les Croates, ils veulent me fumer.

— J'ai vu ça.

— C'est des fils de pute.

Marc sourit.

— Vous êtes *tous* des fils de putes.

Il entendit le grand blond rire de l'autre côté de la porte. Et ce seul rire lui fit bien plus de bien qu'il n'aurait pu l'imaginer. Cela faisait bien longtemps qu'il n'avait pas fait rire quelqu'un.

— Tu être un type bien, le Français. C'est quoi ton nom ?

Marc hésita un instant. Sans pouvoir se l'expliquer vraiment, à cet instant précis, il mourait d'envie de lui répondre qu'il s'appelait Marc. Marc Masson. Comme pour l'affirmer au monde entier.

— T'as qu'à m'appeler le Français. C'est très bien.

# 184

## 12 novembre 1987, Paris

Jean-Christophe Castelli était sur le point de sortir du bel appartement de la rue de la Tour-Maubourg, où était très officieusement installé son fameux cabinet noir, sous la couverture d'une association caritative. En ouvrant la porte, il tomba nez à nez sur le palier avec Nassim Kazma, l'homme d'affaires franco-libanais, propriétaire des lieux, et qui préférait utiliser ici le pseudonyme de « Nassi ». Derrière lui se tenait un autre homme, vêtu d'un élégant costume sur mesure, les doigts couverts d'épaisses et lourdes bagues en or.

— Nassi... Qu'est-ce que vous faites là ? demanda le conseiller de Charles Pasqua, d'un air étonné.

— Bonjour, Jean-Christophe. Je suppose que vous connaissez Basir ? fit le Franco-Libanais en présentant l'homme derrière lui.

— Oui, bien sûr. Bonjour monsieur Esfandiari, répondit Castelli en tendant poliment la main à ce second invité surprise. J'allais partir, mais... entrez.

Il avait déjà eu l'occasion de croiser cet illustre et richissime marchand d'armes iranien, qui passait sa vie dans les suites des plus grands hôtels des capitales occidentales. Célèbre, Basir Esfandiari ne l'était pas seulement pour avoir été un proche du Chah d'Iran avant la révolution islamique de Khomeini, mais aussi pour avoir trempé dans le scandale de trafic d'armes de l'Irangate, qui secouait encore les États-Unis.

— Nous allons vous accompagner, annonça Nassi en attrapant Castelli par l'épaule.

— Pardon ?

— Nous venons avec vous, répéta le Franco-Libanais, tout sourire.

— Vous... Vous êtes sûr ?

— Certain. J'ai eu nos amis syriens au téléphone hier soir, et il y a des chances que tout se joue aujourd'hui. Ma présence et celle de Basir à vos côtés joueront fortement en votre faveur.

— Je serais ravi d'apporter ma modeste contribution aux efforts de la France, confirma le milliardaire iranien.

— Allons, ne vous inquiétez pas, Jean-Christophe ! Nous ne sommes pas là pour vous voler la vedette. Les caméras, c'est pas mon truc. Je ne tiens pas particulièrement à ce que mon nom apparaisse où que ce soit dans ce dossier, vous le savez bien... Quant à Basir, eh bien, considérez cela comme un simple geste amical de sa part. En outre, être accompagné d'un homme dont le persan est la langue maternelle est un atout considérable.

Castelli comprit sans peine que, après avoir été diabolisé par la CIA, Esfandiari avait surtout besoin de se refaire une image sur la scène diplomatique...

— C'est une bonne nouvelle, n'est-ce pas ? demanda Nassi en continuant de secouer l'épaule de Castelli.

— Bien sûr, bien sûr...

En vérité, le Corse n'en était pas certain, et il aurait au moins aimé être prévenu plus tôt. Mais il pouvait difficilement refuser quoi que ce fût au directeur général d'Oriakis Investissement. Cette florissante société de promotion immobilière, détenue par un groupe de chrétiens franco-libanais et installée à Paris depuis près de vingt ans, ne se contentait pas de louer ces locaux prestigieux du 7e arrondissement à un prix défiant toute concurrence, elle lui apportait aussi un soutien diplomatique non négligeable.

— Mon jet privé nous attend au Bourget, Jean-Christophe. Et le groupe de sécurité est déjà sur place.

— Bien, alors allons-y ! fit Castelli en forçant son sourire.

Sept heures plus tard, les trois hommes atterrissaient à Alep, au nord de la Syrie, escortés par huit agents de sécurité en civil. Les deux véhicules $4 \times 4$ blindés aux vitres fumées qui les attendaient sur le tarmac les emmenèrent immédiatement à l'Hôtel Baron, où ils devaient retrouver leurs interlocuteurs.

Seuls deux de ses huit gardes du corps furent autorisés à accompagner la délégation française à l'intérieur de l'hôtel, et les six autres furent cordialement invités à patienter au-dehors. Castelli n'en prit pas ombrage. À vrai dire, il était même étonné qu'on ait autorisé aux deux premiers à rester auprès d'eux.

Le fait que les émissaires syriens aient choisi ce mythique établissement de la vieille ville d'Alep pouvait être interprété de deux manières. Cela pouvait être perçu comme un simple geste de courtoisie, l'hôtel ayant connu son heure de gloire sous le protectorat français, en accueillant des clients aussi prestigieux que Lawrence d'Arabie, Charles Lindbergh ou le général de Gaulle. Et c'était aussi le signe que les Syriens avaient préféré que la réunion se tienne loin de Damas, où elle aurait eu un caractère trop officiel...

Une chose était sûre, Castelli n'était pas mécontent que cet entretien si capital pût se faire, pour une fois, en un lieu *relativement* sûr. Depuis des semaines, multipliant les contacts avec les chiites influents de la diaspora libanaise pour faire avancer les négociations, sans se ménager, il avait enchaîné les séjours en Suisse, à Malte, au Pakistan, mais aussi en Iran et surtout au Liban, où il avait plusieurs fois bien cru faillir y laisser sa peau. Dans la plaine du Bekaa, la présence des quatre gardes du corps gracieusement offerts par Oriakis Investissement avait été loin de suffire à le rassurer face aux combattants du Hezbollah qui, au moindre dérapage, semblaient disposés à l'exécuter sur place à la Kalachnikov, avant de lui trancher religieusement la tête. La semaine précédente, alors que le ton avait commencé à monter avec un groupe de Libanais, il avait même tenté une étonnante sortie, sous forme de menace, en regardant droit dans les yeux le combattant qui lui avait collé son arme sous le nez : « Cher ami, avant de faire une bêtise, n'oubliez pas que je suis corse. » La bravade, fort présomptueuse, avait fonctionné.

Installés avec les émissaires syriens dans la suite où, près de soixante ans plus tôt, Agatha Christie avait séjourné pour écrire *Le Crime de l'Orient-Express*, Jean-Christophe Castelli, Nassi et Basir Esfandiari se levèrent respectueusement quand, vers 17 heures, l'ayatollah Montazeri, numéro deux du régime des mollahs, entra enfin dans la pièce, accompagné de deux militaires iraniens et d'un interprète.

L'ayatollah, coiffé de son turban blanc, de grosses lunettes noires sur le nez, offrait un visage amène derrière son épaisse barbe grisonnante. Pressenti par les services secrets du monde entier pour être le successeur probable de Khomeini, il avait aussi la réputation d'être bien plus modéré que lui, et il se laissait dire qu'il avait plus d'une fois critiqué dans ses prêches la répression politique et culturelle que subissait le peuple iranien. Respecté, influent, mais aussi ouvert à la réforme, le cabinet noir avait trouvé en lui l'interlocuteur idéal.

Quand il prit place parmi ses hôtes autour de la longue table de cèdre, le chef religieux prit le temps d'offrir à chacun des participants un signe de tête respectueux.

Le représentant des émissaires syriens, très naturellement, fut le premier à ouvrir les débats, et le ton direct de sa question indiquait clairement que personne, ici, n'avait envie que la réunion s'éternise.

— Alors, messieurs, est-ce que nous sommes arrivés à un accord ?

L'ayatollah leva aussitôt la main droite, en signe de mise en garde.

— Je tiens à rappeler tout de suite, traduisit l'interprète, que je n'ai pas l'autorité suffisante pour conclure quelque accord que ce soit aujourd'hui. Je ne suis qu'un humble messager, tout au plus un médiateur. La seule raison de ma présence ici parmi vous, c'est mon souci de clarifier le message que vous voulez faire passer à qui de droit.

— Au ministre Rafighdoost ? demanda Castelli.

— Jean-Christophe, intervint Basir Esfandiari avec un sourire gêné. Je pense ne pas me tromper en disant que Son Excellence l'ayatollah Montazeri n'envisage pas de s'adresser à un ministre, mais au *Rahbare moazzam*[1].

L'ayatollah sourit et inclina poliment la tête vers le marchand d'armes.

— Eh bien, reprit Castelli, le message, ou plutôt, la proposition cordiale de la France, s'il faut la clarifier, reste la suivante : notre pays est disposé à rembourser un deuxième tiers de la dette Eurodif, en échange de l'arrêt immédiat du blocus sur notre ambassade, et de la libération inconditionnelle de tous nos otages français détenus au Liban.

Montazeri se pencha vers son interprète pour écouter la réponse, puis il hocha lentement la tête

---

1. Guide suprême, titre donné au Guide de la Révolution, en l'occurrence l'ayatollah Khomeini.

d'un air préoccupé et murmura quelques paroles à l'oreille du traducteur.

— Son Excellence pense humblement que cette proposition a peu de chance d'aboutir. Elle n'est pas raisonnable. Un deuxième tiers de la dette n'est pas suffisant. Et il reste le cas de MM. Gordji et Naccache, qui sont retenus dans votre pays contre leur gré.

Castelli fronça les sourcils. Le cas du militant libanais Anis Naccache, condamné à la réclusion criminelle à perpétuité pour son implication dans la tentative d'assassinat de l'ancien Premier ministre du Chah d'Iran, n'avait pas été évoqué lors des dernières négociations. En vérité, il n'avait même plus été mentionné depuis que Mitterrand avait renoncé à lui concéder la grâce présidentielle, suite aux échecs des négociations l'année précédente.

— Il faut être réaliste, répliqua le Corse, en s'efforçant de rester courtois. La France n'accédera jamais à autant de requêtes. Vous parlez, vous, de deux hommes, Gordji et Naccache. Parmi les otages du Liban, moi, j'en compte cinq : Jean-Paul Kauffmann, Marcel Carton, Marcel Fontaine, Jean-Louis Normandin, et Roger Auque. Deux contre cinq, ce n'est pas ce que j'appelle un échange équitable...

L'émissaire français avait volontairement pris la peine d'énoncer un par un les noms de ses compatriotes, afin d'insister sur la valeur que chacun d'eux avait aux yeux de la France.

— Mais il y a quarante diplomates retenus en otage avec Wahid Gordji dans l'ambassade d'Iran à Paris, rétorqua Montazeri.

— Ils ne sont pas pris en otage, mais assignés à résidence. Tout comme l'Iran l'a fait pour Paul Torri et ses collègues dans notre propre ambassade à Téhéran...

— Bien... Il faudrait peut-être envisager de procéder par étapes, intervint de nouveau Basir Esfandiari, voyant que les négociations se heurtaient à un mur.

Le marchand d'armes iranien, en quelques minutes à peine, s'était déjà autoproclamé conciliateur. Mais Castelli devait bien reconnaître que le fait d'être accompagné par un Iranien était un atout majeur. Nassi, qui restait soigneusement en retrait, ne s'était pas trompé.

— Jean-Christophe, reprit Esfandiari, pensez-vous que la France pourrait proposer une première marche dans la négociation ?

— Eh bien, commençons par proposer à nos amis iraniens le deuxième tiers de la dette Eurodif en échange des otages du Liban. Si, et seulement si ces conditions sont respectées, nous procéderons alors à un échange entre Wahid Gordji et Paul Torri.

— Et pour M. Naccache ? demanda l'interprète.

— C'est beaucoup plus compliqué. Wahid Gordji – je m'y engage – ne sera pas inculpé. Nous pourrons donc facilement lui permettre de rentrer dans son pays. Mais Naccache, lui... Il n'y a qu'une grâce présidentielle qui puisse le sortir de prison. Si M. Jacques Chirac est élu à la présidence de la République en mai prochain, et si l'Iran a œuvré pour pacifier ses rapports avec la France, la chose pourrait devenir envisageable, tout autre discours serait vous faire une promesse que je ne suis pas sûr de pouvoir tenir.

L'ayatollah Montazeri conversa longuement à voix basse avec son interprète, puis il lui fit signe de donner sa réponse à l'assemblée.

— Son Excellence vous remercie. Il s'engage à faire entendre la proposition française à Téhéran.

Et, sans ajouter un seul mot de plus, les deux hommes se levèrent, sous le regard perplexe de leurs hôtes, saluèrent l'assemblée et quittèrent la suite sous l'escorte des deux militaires.

Après un court silence embarrassé, le chef des émissaires syriens, qui n'avait plus dit un mot depuis le début des négociations, ouvrit un large sourire.

— Cela s'est plutôt bien passé, n'est-ce pas ?

— Je ne sais pas, répondit Castelli. L'avenir nous le dira...

— Il ne nous reste plus qu'à parler de la place de la Syrie, dans tout cela.

Castelli sourit. L'émissaire de Damas ne perdait pas le nord.

— Pour ces questions, je vous laisse voir avec Nassi, dit-il en désignant l'homme d'affaires franco-libanais.

— Mon pays est disposé à participer activement au bon déroulement de la libération de vos otages au Liban. Lors de cette libération, il serait vu d'un très mauvais œil que des forces militaires françaises assurent la sécurité. La Syrie est prête, par pure amitié, à se charger de cela, en proposant la présence d'un petit nombre de ses militaires à Beyrouth lors de l'échange. Nous avons plus de six mille soldats là-bas...

— C'est très généreux de votre part, s'amusa Castelli.

— Il serait bienvenu que les otages puissent alors être escortés jusqu'à Damas, afin qu'ils soient rapatriés en France par avion en toute sécurité...

La Syrie, à l'évidence, entendait se positionner comme un acteur majeur dans la résolution de la crise diplomatique en cours. Les images télévisées des otages français décollant depuis Damas seraient sans aucun doute pour eux un joli coup politique.

— Je ne manquerai pas de faire passer le message, se contenta de répondre Castelli en se levant à son tour.

# 185

## Carnet de Marc Masson, extrait n° 22

*La fin du mois de novembre arrive. Les Croates et Borko ont été ramenés à leur cellule. Moi non. Malgré l'avis du médecin, le directeur de la prison a décidé que j'avais droit aux prolongations, pour récidive. Je crois surtout que l'administration se fout un peu d'un détenu qui n'a pas d'identité... Ils ont même mis un terme à mon traitement. Je les emmerde.*

*L'isolement, en plein hiver, est encore plus pénible. Les mauvais souvenirs me reviennent. Cette fois, je ne dois pas craquer. Je dois me raccrocher à ce qui me fait tenir. Le sport, que je fais chaque matin dans mon cachot, et les images de Pauline et de notre fille que je m'invente dans la tête.*

*Il fait si froid que, le matin, l'eau gèle dans le gobelet que je laisse chaque nuit à côté de mon lit. Depuis une semaine, mon état s'aggrave. Ça a commencé par des diarrhées, des nausées, des crampes et des maux de tête insupportables. Je finis même par ne plus parvenir à faire mes exercices. Chaque jour, je me sens un peu plus faible. Je ne peux presque plus me lever. Je suis pris par des vertiges, des palpitations cardiaques.*

*Je sais pertinemment ce qui m'arrive : cela fait deux semaines que je n'ai plus de sel à mettre dans les plats indigestes que l'on m'apporte ici. Les gardiens ont refusé de m'en redonner, prétextant que j'avais déjà eu ma ration, que je n'avais qu'à économiser. Les infirmiers, eux, m'ont apporté de simples antalgiques. Je sais très bien que cela ne changera rien. Ce dont mon corps a besoin, c'est de sel. Je le sais, une trop grande carence en sodium peut conduire jusqu'au coma.*

*Pire, elle peut entraîner une hyponatrémie grave, et même fatale.*

*Affaibli, je me tords de douleur sur mon lit. Je voudrais juste m'endormir. M'endormir pour de bon. J'ai si mal que je pourrais me laisser crever.*

*Un matin, dans le brouillard de ma torpeur, j'entends soudain des pas dans le couloir, puis la porte de la cellule d'à côté que l'on ouvre et que l'on referme. Un autre fauve que l'on vient mettre en cage.*

*Quand les gardiens sont repartis, une voix s'élève soudain dans l'écho du petit couloir du quartier d'isolement. Je pense d'abord à une hallucination. Le souvenir du serpent me fait frissonner.*

*— Oh ! Pssst ! Le Français ! Tu m'entendre ? C'est moi, Borko !*

*Je me demande si c'est vraiment lui. Ou si ce n'est qu'une voix que j'imagine. De toute façon, je n'ai pas la force de répondre.*

*— Le Français ! Eh ! Oh ! Je suis en face ! Je sais que toi malade ! Tobias, le gentil gardien, il me dire. Je me bagarrer exprès pour venir ici pour t'apporter le sel. Oh ! Le Français ! Tu m'entendre ? Viens ! Je t'apporter le sel !*

*Un instant de silence, puis j'entends le bruit d'un petit objet qui tombe juste devant ma porte. Allongé sur mon lit, je me mets à trembler. Et si c'était vraiment une nouvelle hallucination ? Ou pire : un piège ?*

*Je n'ai pas la force de me lever. Mais si je ne le fais pas, je vais mourir. En ai-je vraiment envie ? Suis-je vraiment prêt à mourir ici, maintenant ?*

*— Dépêcher-toi, le Français ! Prendre le sel, vite !*

*Je veux revoir Pauline. Je veux voir mon enfant.*

*Je rassemble mes dernières forces et commence à me redresser péniblement sur mon lit. Aussitôt, la pièce se met à tourner autour de moi comme un carrousel et je m'agrippe au matelas, exténué. Je reste immobile un instant, pour retrouver mon équilibre*

*et, quand les murs arrêtent enfin leur danse gyrosco-*
*pique, je me laisse lentement glisser sur le sol.*

*Promets-moi de ne jamais laisser tomber ta mère.*

*Je rampe sur la dalle de béton comme un animal*
*blessé. Je n'ai que deux mètres à faire, mais ça me*
*paraît le bout du monde. J'avance, je rampe, et je*
*m'imagine que je suis le serpent de mes bouffées déli-*
*rantes...*

*Quand j'arrive enfin près de la porte, je glisse ma*
*main dans l'ouverture et fouille le sol à tâtons, de*
*l'autre côté. Il n'y a que le bout de mes doigts qui*
*passe dans la petite interstice. Je cherche en vain sur*
*toute la largeur de la porte. Rien.*

*— Tu trouver ? C'est ici, le Français ! Devant ta*
*porte ! Moi le voir !*

*J'essaie encore une fois, enfonçant mes doigts aussi*
*loin que la douleur le permet. Arrivé à l'extrémité*
*droite de la porte, enfin, du bout de l'ongle, je sens le*
*contact d'un petit sachet en plastique.*

*— Tu trouver, hein ?*

*Je m'y reprends à plusieurs fois avant de parvenir à*
*coincer le petit emballage entre mon annulaire et mon*
*auriculaire, pour le tirer tout doucement vers moi.*
*Quand enfin je parviens à le passer sous la porte, il se*
*déchire.*

*J'approche ma main tremblante de mon visage. Il*
*reste encore du sel dans le plastique en lambeaux.*
*Attrapant entre mes doigts quelques petits cristaux*
*qui sont tombés sur le sol, je les porte tout de suite*
*à ma bouche, comme un pauvre affamé qui n'aurait*
*pas mangé depuis plusieurs semaines. Puis j'essaie de*
*récupérer tout ce que je peux en refermant le sachet*
*éventré, je le serre fort au creux de ma main et, à bout*
*de forces, je retourne vers mon lit en rampant.*

*— C'est bon, le Français ?*

*Puisant dans mes dernières ressources, avec des*
*gestes maladroits, je verse un peu de sel dans mon*

*gobelet, puis je me hisse péniblement sur le lit et ajoute un peu d'eau du robinet.*

*Le dos collé au mur, je bois la moitié du verre, je le repose sur la table en béton et je me laisse glisser sur le côté, comme une poupée de chiffon. Je sens déjà le sommeil qui me gagne. Je boirai l'autre moitié du verre à mon réveil. Il va falloir que je me discipline. Que je me rationne. Si je veux m'en sortir, il va falloir que j'en prenne encore un peu chaque jour. Si je n'ai pas perdu la tête avant ça.*

*— Il faut toi reprendre des forces, le Français. Toi et moi, on va bientôt pfft pfft !*

*La voix du Serbe me parvient de loin, comme dans un rêve et, d'ailleurs, je ne suis plus tout à fait sûr d'être éveillé.*

*— Toi comprendre ? Toi et moi, on va partir, mon camarade.* Oni c´e pobeći iz zatvora. Slažem se[1] ?

*Je m'endors.*

# 186

## 27 novembre 1987, Beyrouth

Dartan, à l'arrière de la 604 blindée, se tourna vers les deux hommes qui, assis à côté de lui, le visage tendu, regardaient défiler le paysage dévasté de la capitale libanaise à travers les vitres fumées.

À ses côtés, Paul Blanc, nouvel ambassadeur de France au Liban depuis quelques mois. Pour des raisons de sécurité, l'administration refusait de confier ce poste à ses serviteurs pendant plus de deux ans. Dartan, qui travaillait presque chaque

---

1. On va s'enfuir de la prison. D'accord ?

jour avec lui sous sa couverture d'attaché de défense à l'ambassade, avait pu constater que c'était un homme courageux, volontaire, et sa présence ici, malgré toutes les précautions sécuritaires, était tout à son honneur.

À la droite de l'ambassadeur, Jean-Christophe Castelli, cet ancien de la Boîte, qu'Olivier ne connaissait que trop bien, mais dont il devait bien admettre qu'il ne manquait pas lui non plus de témérité. Il allait, au moins, au bout de ses promesses.

Dartan, toutefois, ne pouvait s'empêcher de penser que, si les négociations entreprises par l'équipe de Pasqua, combinées à la menace militaire décidée par Mitterrand, débouchaient sur une libération des otages, ce serait certes une excellente nouvelle pour eux et leurs familles, mais aussi la source d'une terrible frustration : car si tractations il y avait eu, cela signifiait que les preneurs d'otages, les geôliers, une fois de plus, s'en tireraient indemnes.

À l'avant de la Peugeot blindée, le chef de l'escorte personnelle de l'ambassadeur posa le bras sur son dossier et se tourna vers eux.

— On y est presque. monsieur l'ambassadeur, monsieur Castelli, vous restez à l'intérieur, et vous attendez qu'on revienne, c'est bien compris ?

Deux autres voitures blindées entouraient la leur, l'une devant, l'autre derrière. Dehors, la Méditerranée apparut au-delà de la corniche, dans la douce lumière de la fin d'après-midi. Arrivé à une centaine de mètres de l'hôtel Summerland, le convoi ralentit, puis les trois 604 se garèrent sur le côté. Un barrage routier empêchait l'accès jusqu'au bâtiment.

Devant l'hôtel, il y avait déjà un important attroupement : des journalistes, des gendarmes libanais, des militaires syriens, et quelques civils dont on

pouvait difficilement dire à quel clan ils appartenaient.

Castelli, retroussant les manches de sa veste,
se saisit de la poignée de la portière et s'apprêta à
sortir.

Dartan, perplexe, passa par-dessus l'ambassadeur
et attrapa le conseiller de Pasqua par l'épaule.

— Jean-Christophe ! On vient de vous le dire !
Vous *restez* dans le blindé !

— Certainement pas !

Olivier lui adressa alors un regard furibond.

— Me cassez pas les couilles Castelli. Je vous
préviens, je suis pas d'humeur ! Vous avez fait
votre part du boulot, et vous allez en récolter les
fruits, ne vous inquiétez pas ! Mais là, maintenant,
vous restez dans le blindé, vous nous laissez faire
notre boulot, ou je vous promets que vous allez le
regretter jusqu'à la fin de votre vie.

Le Corse dégagea d'un geste brusque le bras que
Dartan lui tenait, puis se renfonça sur la banquette
auprès de l'ambassadeur en soupirant.

— Vous avez pas intérêt à tout faire foirer,
Olivier ! Ça fait des mois que je bosse là-dessus !

— Et moi des années.

Dartan, agacé, sortit rapidement de la voiture,
bientôt rejoint par le chef d'escorte et les six gardes
du corps en civil, armés de fusils d'assaut M-16.
D'un pas preste, ils se mirent en route vers l'hôtel.
Devant les portes du Summerland régnait déjà un
chaos indicible. Un vrai cauchemar, en termes de
sécurité...

Soudain, alors qu'ils étaient encore à une vingtaine de mètres, ils virent une agitation gagner l'attroupement devant le luxueux hôtel.

Sur le trottoir d'en face, le long de la mer, deux
hommes arrivaient en courant, qui se mirent à traverser. Malgré leur barbe et leurs cheveux longs,
Dartan reconnut immédiatement les visages de

Jean-Louis Normandin et Roger Auque, l'un et l'autre terriblement amaigris.

Les deux otages français, visiblement exténués, arrivèrent en titubant au milieu de la foule, et les journalistes leur sautèrent immédiatement dessus, tendant caméras et micros vers les deux pauvres hommes déboussolés.

Quand Dartan et son cortège arrivèrent enfin à proximité, ils entendirent les paroles que Roger Auque balbutiait devant les micros, alors que les militaires syriens, dans un grand désordre, commençaient à s'immiscer nerveusement au milieu des journalistes.

— … dans une voiture, à une centaine de mètres d'ici à peine. Ils nous ont lâchés sur le trottoir, et on a couru, et voilà… on… on est libres.

— Et comment allez-vous ?

— Là, ça va mieux, répondit Auque, s'efforçant de sourire.

— Savez-vous qui étaient vos ravisseurs ?

— Non, pas vraiment. Moi, c'était des Libanais et des Palestiniens…

Dartan se tourna vers le chef d'escorte.

— Il faut qu'on les sorte tout de suite de ce merdier.

Ils se faufilèrent au milieu de la cohue, prirent Normandin et Auque par le bras et les escortèrent à travers la foule pour tenter de les mettre à l'écart.

— Où sont les trois autres ? demanda Dartan à Jean-Louis Normandin, tout en le tenant par les épaules.

Le journaliste d'Antenne 2 secoua la tête d'un air désolé.

— Pas aujourd'hui…

Le chef de poste soupira. Cela ne finirait donc jamais…

— Là-dedans ! cria-t-il en désignant une petite jeep bâchée, que l'hôtel utilisait pour aller chercher ses clients.

Les deux otages grimpèrent docilement dans le petit véhicule. Le chef d'escorte monta aussitôt avec eux et prit Auque, qu'il connaissait bien, dans ses bras.

— Vous êtes libres, les gars ! Libres !

Mais autour de la Jeep, le chaos ne cessait de monter, et Dartan fit signe aux gardes du corps de former avec lui un cordon de sécurité. En quelques secondes à peine, une trentaine de soldats syriens, repoussant les journalistes derrière eux, entourèrent eux aussi le petit véhicule, AK-47 au poing.

Dartan, de plus en plus nerveux, aperçut parmi eux un officier. Il s'approcha de lui et lança :

— C'est quoi, ce foutoir ?

— Les otages doivent faire une conférence de presse dans l'hôtel ! Et après, nous avons pour ordre de les emmener dans notre quartier général, d'où ils seront escortés jusqu'à Damas ! répondit l'officier d'un air autoritaire.

— C'est hors de question ! rétorqua Olivier. L'ambassadeur de France est là, nous ramenons les otages à la chancellerie, point final.

— Non ! répliqua le Syrien, furieux. Leur libération doit avoir lieu à Damas. C'est ce qui était prévu avec l'émissaire français. J'ai mes ordres !

Au même instant, Dartan aperçut la silhouette de Paul Blanc et de Castelli qui étaient en train de se frayer un passage au milieu de cette foule de plus en plus agitée. Le chef de poste se frotta le visage, incrédule.

L'ambassadeur français tentait désespérément de se glisser et Dartan repoussa la foule pour lui laisser un passage.

— Qu'est-ce qu'il se passe ? s'exclama l'ambassadeur, en apostrophant l'officier syrien.

— Nous devons escorter les otages à Damas !
C'est ce qui est prévu !

— N'importe quoi ! répliqua Blanc. Ces hommes
sont des citoyens français, nous les emmenons à
l'ambassade !

— Hors de question !

Dartan, sentant la nervosité grandissante parmi
les soldats syriens, plongea la main sous sa veste
en cuir et, sans le sortir, ferma le poing sur son pistolet.

L'ambassadeur, ne se laissant pas démonter, s'approcha encore davantage de l'officier, le fixa droit
dans les yeux puis, d'une voix menaçante, il lança :

— Si vous voulez nous empêcher de passer, il va
falloir me tirer dessus, soldat. Il va vous falloir tirer
sur un ambassadeur de France. Et vous en porterez
la responsabilité !

Sans hésiter, il poussa les militaires devant lui et,
avec un courage incroyable, ou de l'inconscience
peut-être, il se fraya un chemin vers le petit véhicule
où attendaient les otages.

Castelli, qui était resté en retrait, bomba soudain
le torse, emboîta le pas à l'ambassadeur tout en
vociférant :

— Au nom de la France ! Laissez-nous passer !

Dartan fit signe au chef d'escorte et aux gardes
du corps, puis il vint leur prêter main-forte pour
agrandir le cordon de sécurité, alors que l'ambassadeur et Castelli montaient dans la petite Jeep aux
côtés des otages.

— On décolle. Tout de suite ! ordonna Olivier en
tapant sur le capot.

La voiturette, encerclée par Dartan et les six
hommes en armes, se mit lentement en route vers
les 604 blindées, sans que les Syriens n'osent les
arrêter. Les M-16 des agents de sécurité, sans doute,
maintinrent la foule à distance, mais cette marée

humaine bigarrée suivit tout de même la Jeep, de loin.

Quand le véhicule arriva enfin devant les blocs en béton du barrage routier, Dartan fit sortir ses occupants, et s'écria :

— Allez on court, on court !

Les otages, l'ambassadeur et Castelli ne se firent pas prier. À quelques mètres à peine, les soldats syriens tenaient encore leurs Kalachnikov d'un air menaçant, et semblaient prêts à faire feu à tout moment. Une véritable poudrière. Les Français coururent vers les voitures blindées de l'ambassade, au milieu des flashs et des cris des journalistes.

Arrivés devant les 604, Dartan poussa Auque et Normandin à l'intérieur de la première, et ne put empêcher Castelli de les y rejoindre. Secouant la tête, il fit signe au chef d'escorte de monter avec l'ambassadeur dans la voiture suivante, puis il s'installa à l'avant et, quand il fut certain que Paul Blanc était à l'abri dans l'autre Peugeot, il ordonna au chauffeur de démarrer.

— Allez ! On fonce !

Le cortège se mit en route sur les chapeaux de roues.

Après quelques secondes, quand il commença enfin à estimer qu'ils étaient tirés d'affaire, Dartan se retourna et regarda les deux otages français. Ils avaient l'air terrifié. Mais ils étaient libres. Enfin libres. Il ne put s'empêcher d'éprouver une vague d'émotion.

— Ah ! Ce que je suis content ! s'exclama Castelli sur la banquette arrière, en tapant sur la jambe de Normandin. Ça fait des mois et des mois que je vous cherche ! C'est le plus beau jour de ma vie !

Dans la pénombre du soir, les voitures filaient le long de la mer vers le quartier chrétien.

— Euh, excusez-moi, mais... vous êtes qui ? demanda Normandin.

— Jean-Christophe Castelli, je travaille avec Pasqua.

— Ah... D'accord... Eh bien, merci...

— Olivier, passez-moi la salle des opérations de l'ambassade sur votre radio ! Je dois prévenir Paris tout de suite !

Dartan, s'efforçant de garder son calme, tendit son talkie à Castelli. Le Corse commençait sérieusement à lui taper sur les nerfs, mais ça ne servait à rien de faire des histoires devant les otages, après tout ce qu'ils avaient dû endurer.

Quand Castelli entra en contact par radio avec l'ambassade, l'opérateur annonça :

— *Nous sommes en ligne avec le Quai d'Orsay, monsieur. Je vous connecte ?*

— Le Quai ? Mais non, putain ! Mettez-moi en contact avec l'Intérieur ! Avec Pasqua !

Les deux otages, un peu stupéfaits, échangèrent des regards perplexes avec Dartan. Le chef de poste leur retourna un sourire réconfortant, alors que le paysage continuait de filer autour du convoi.

— *Monsieur, je vous mets en contact avec monsieur le ministre de l'Intérieur.*

Dans un grésillement aigu, la voix de Pasqua résonna dans le talkie-walkie.

— *Jean-Christophe ? C'est toi ?*

— *Sì ! Sò eiu, Carlu ! Va bè*[1] *!* Je les ai avec moi ! C'est bon ! J'ai réussi ! *Saetta*[2] *!*

Quelques minutes plus tard, les trois voitures blindées arrivèrent enfin devant l'ambassade, se faufilèrent entre les barrières barbelées qu'écarta le service de sécurité, et entrèrent dans la cour sous l'acclamation des gendarmes et des employés.

Après une soirée et une nuit surréalistes dans le havre rassurant de la chancellerie, où les otages,

---

1. Oui ! C'est moi, Charles. Ça va bien !
2. Nom d'un chien !

sollicités, choyés, bombardés de questions, purent reprendre peu à peu contact avec la réalité et appeler leurs proches afin de les rassurer, le lendemain matin, à 7 heures précises, Jean-Christophe Castelli les fit monter dans un hélicoptère Puma, stationné dans la cour intérieure du ministère de la Défense libanais.

Encore un peu hagards, confus, les otages regardèrent peu à peu s'éloigner le sol de Beyrouth, sous lequel ils étaient restés enfermés si longtemps.

Après un vol où ils ne purent retenir quelques larmes, assaillis sans doute d'émotions contradictoires, ils se posèrent à Chypre, où le Corse les fit aussitôt monter dans le jet privé d'Oriakis Investissement. Se laissant guider, Auque et Normandin avaient l'air de n'avoir pas encore réalisé ce qui leur arrivait. Tout avait été si long, et puis soudain, tout allait si vite ! À leur grande surprise, ils apprirent alors qu'avant d'arriver à Paris, ils allaient faire une première escale…

— Où ça ? demanda Roger Auque qui, comme Normandin, ne rêvait que d'une chose : rentrer enfin chez lui.

— Sur la base militaire de Solenzara, en Corse, expliqua Castelli. Chez moi, quoi ! Il y a une petite surprise qui vous attend, vous allez voir ! Merde ! On est tellement contents de vous voir, les gars ! On fait les choses en grand !

La surprise, c'était Charles Pasqua, qui les accueillit sur l'île de Beauté au pied de la passerelle, l'air solennel, entouré de plusieurs officiers de l'armée de l'Air.

— Eh bien ! s'exclama le ministre de l'Intérieur. On peut dire que vous revenez de loin, hein ?

Pasqua leur avait préparé un petit buffet dans l'un des bâtiments de la base, et expliqua qu'ils devaient faire un contrôle médical avant de repartir pour

Paris. Le calvaire n'était pas encore tout à fait terminé.

Deux heures plus tard, ils montaient enfin dans un avion du Glam pour rejoindre l'aéroport d'Orly. Castelli, lui – dont il était préférable qu'il n'apparaisse pas sur les images – resta sur le sol de sa Corse natale.

Quand, le 28 novembre 1987, la France entière, émue aux larmes, découvrit les images officielles de la libération des deux otages, le premier homme qui apparut à la porte de l'avion était le ministre de l'Intérieur.

Plus bas, le Premier ministre Jacques Chirac, les attendait sur le tarmac, un large sourire aux lèvres, au milieu d'une foule qui les applaudit comme deux héros de guerre. Familles, journalistes, photographes, cameramen, hommes politiques, policiers... la piste était noire de monde, et les deux otages, que Pasqua ne lâchait pas d'une semelle, ne savaient plus où donner de la tête.

Quand un journaliste demanda à Jean-Louis Normandin ce qu'il ressentait, il répondit, un peu confus, qu'il était heureux, qu'il avait du mal à y croire, mais qu'il ne pouvait pas s'empêcher de penser à Kauffmann, Fontaine et Carton, qui eux, croupissaient encore dans leur cachot, depuis plus de deux ans et demi...

Le lendemain, Wahid Gordji, escorté par le procureur Marsaud et le commissaire Batiza, quittait l'enceinte de l'ambassade d'Iran et se rendait au Palais de Justice, où il resta deux courtes heures en tête à tête avec le juge Boulouque. Comme la presse l'apprit quelques heures plus tard, « aucun élément ne permettant de l'inculper », M. Gordji fut autorisé à quitter le Palais de Justice par une porte dérobée, à l'arrière du bâtiment, et à rejoindre l'aérodrome du Bourget, où un Falcon 50 le conduisit vers Téhéran...

Au même moment, Paul Torri et tout le personnel de l'ambassade de France en Iran était libéré.

Chirac et Pasqua en étaient sûrs : ils venaient de remporter une victoire décisive.

# 187

## 23 décembre 1987, Autriche

Un mois avait passé. Sans l'aide de Borko, Marc aurait sans doute fini par périr dans son cachot. Ces tout petits bouts de rien, ces grains de sel minuscules l'avaient peu à peu ramené à la vie. Après quatre semaines, conformément au règlement, l'administration n'avait eu d'autre choix que de réintégrer Marc dans une cellule traditionnelle.

Il ne sut jamais si c'était de nouveau l'œuvre discrète de Tobias – le surveillant qui semblait l'avoir pris en pitié – mais, à sa grande surprise, on le plaça dans la même cellule que Borko. Et ce fut sans doute la première fois, depuis cinq mois qu'il croupissait dans cette prison, que Marc Masson éprouva quelque chose comme de la joie. En entrant dans la cellule et en découvrant le visage du Serbe, il s'était approché de lui et, dans un élan démonstratif qui ne lui ressemblait guère, il lui avait donné une longue accolade, le serrant contre sa poitrine et lui donnant de grandes tapes amicales dans le dos.

— Toi pas pédé, le Français, hein ? avait fait semblant de s'inquiéter Borko.

Les deux amis formaient maintenant un clan. Une résistance. Les Croates ne se risquèrent plus jamais à venir chercher des noises à l'un ou à l'autre. Et, peu à peu, Marc se mit à redécouvrir le plaisir simple de la conversation. Le soir, ils parlaient longuement, échangeaient des souvenirs, et même si le Français se garda bien d'entrer dans les détails de sa vie secrète, il lui livra au moins un peu de sa vie privée. Il lui parla de Pauline, et de sa fille, qu'il rêvait de pouvoir serrer un jour dans ses bras. Mais, à chaque fois que le Serbe lui demandait de lui dire enfin son nom, Marc s'entêtait à lui donner la même réponse en souriant : *je m'appelle le Français.*

Borko, lui, continuait de rêver de leur évasion. Comme il ne voulait pas le décevoir, Marc faisait semblant d'y croire, lui aussi. Il écoutait patiemment ses histoires de canalisations, de passages souterrains…

À l'approche de Noël, et malgré le froid de plus en plus glacial, l'ambiance s'était quelque peu détendue dans la prison, chez les détenus comme chez les gardiens, et les visites étaient de plus en plus nombreuses. Aussi, ce matin-là, deux jours avant Noël, quand les gardiens entrèrent dans sa cellule et annoncèrent à Marc qu'il était attendu au parloir, il sourit. Cela faisait des mois qu'il n'avait plus revu son avocat commis d'office – le pauvre Hofer avait dû finir par se résoudre à abdiquer – et l'idée de recevoir une visite de courtoisie du jeune homme était finalement une agréable surprise. Marc se figura que l'avocat, plein de pitié, voulait sans doute lui apporter un peu de réconfort en cette période de l'année.

Pourtant, quand Masson prit place dans la cabine du parloir, il comprit aussitôt qu'il s'était trompé. L'homme qui s'assit en face de lui n'était pas Hofer, mais un quinquagénaire un peu fort, avec une barbe de trois jours, les cheveux ébouriffés et de lourdes poches sous les yeux. Le regard brillant, il avait un petit air suffisant.

Marc, intrigué, décrocha lentement le combiné.

— Bonjour, cher monsieur, fit l'homme, qui semblait avoir, comme Hofer, un français tout à fait correct.

— Qui êtes-vous ?

— Je suis maître Müller, votre nouvel avocat. Et je suis venu vous montrer ça.

D'un geste théâtral, l'homme leva une photo qu'il tenait dans la main gauche et la colla brusquement contre la vitre.

Quand Marc Masson découvrit l'image sur le cliché, il resta comme paralysé. Le cœur en syncope, il crut qu'il allait s'évanouir, puis ses lèvres se mirent à trembler et ses yeux s'embuèrent de larmes.

— Elle s'appelle Luciana, murmura l'homme de l'autre côté de la cabine, elle est née le 30 octobre, ce qui veut dire qu'elle aura deux mois la semaine prochaine, et elle est en parfaite santé.

Marc, ébranlé, leva lentement une main tremblante vers la vitre, comme s'il avait pu caresser à travers elle les joues de cet enfant, et les larmes qui embuaient ses yeux se mirent à couler abondamment sur ses joues.

— Je ne peux pas vous obliger à révéler votre identité, monsieur. Vous taire est votre droit le plus strict. Donc, avant que vous ne disiez quoi que ce soit, je voudrais seulement vous dire que j'ai été embauché par une jeune femme de vingt-sept ans, qui s'appelle Pauline, qui vit à Lyon, et qui aimerait terriblement revoir l'homme de sa vie. Cette jeune femme a reçu de l'aide, de la part d'une personne anonyme, qui lui a seulement demandé de vous transmettre précisément le message suivant : « La femme de ménage est passée. »

Marc, qui n'arrivait pas à détacher ses yeux de la petite fille aux joues roses sur la photo, continua de pleurer comme un enfant, incapable de prononcer la moindre parole.

De l'autre côté de la vitre, visiblement fier de son effet, l'avocat lui adressa un sourire qui semblait plein d'une authentique bienveillance.

— Alors, jeune homme, dites-moi, pour que je puisse officiellement ouvrir le dossier de votre défense, voulez-vous bien, s'il vous plaît, décliner votre identité ?

Marc, encore sonné, laissa sa main glisser lentement le long de la vitre. La tête lui tournait. Mille pensées et mille questions se bousculaient dans sa tête. Mille images aussi, des images du passé, et celles d'un nouvel avenir.

*La femme de ménage est passée*. Oui. Bien sûr. Il savait parfaitement ce que ces quelques mots voulaient dire. C'était un message de son officier traitant. C'était Olivier qui lui disait que la DGSE avait fait le nécessaire pour se mettre à l'abri. Qu'elle avait effacé toutes les traces. En somme, qu'il était libéré de ce devoir de silence auquel, pendant cinq longs et terribles mois, il avait si bien rendu honneur.

Le souffle court, les yeux rougis, il fixa l'avocat du regard un long moment, puis, d'une voix chevrotante, dans un soupir cathartique, il prononça enfin ces paroles qu'il avait mille fois retenues :

— Je m'appelle Marc Masson, je suis né le 11 février 1959 à Lorient…

# 188

## 15 janvier 1988, Paris

Le ministre de l'Intérieur, ses poches sous les yeux plus lourdes encore que d'ordinaire, entra dans le bureau lumineux du Premier ministre, au milieu des dorures et des toiles de Fragonard. Les hautes fenêtres qui donnaient sur l'immense parc de Matignon laissaient entrer la vive lumière de ce matin d'hiver.

— Tu as la tête des mauvais jours, Charles, l'accueillit Chirac, sans se lever.

Le ministre de l'Intérieur prit place en face du chef du gouvernement, posa les coudes sur les rebords du fauteuil et croisa les mains en triangle devant lui.

— Jacques, tu me connais, je ne vais pas y aller par quatre chemins. J'ai peur qu'on ait été un peu trop optimistes.

— Allons bon ! Qu'est-ce qu'il y a, encore ?

— Le premier tour de l'élection présidentielle a lieu dans trois mois, et les projections ne sont pas bonnes.

— Charles ! Tu m'emmerdes, à la fin ! D'accord, les sondages placent Mitterrand devant moi. Lui à 37 et moi à 22. Sauf que j'ai bien plus de réserves que lui... Barre est à 21 et Le Pen est à 11. Avec la libération de Normandin et Auque, je vais siphonner tous les électeurs d'extrême droite et du centre au deuxième tour, et ça va passer ! Fais le calcul.

— Chacun ses sources... Mais moi, j'ai tendance à penser que les chiffres des RG sont beaucoup plus fiables que ceux des instituts de sondage, et je te dis que les projections ne sont pas bonnes.

Chirac attrapa une cigarette sur son bureau et l'alluma d'un geste agacé.

— En gros, tu es venu pour me démolir le moral, c'est ça ?

— Non. Je suis venu pour te dire que si nous ne trouvons pas le moyen de faire libérer les trois derniers otages avant le deuxième tour, c'est-à-dire avant trois mois, eh bien, que tu le veuilles ou non, toi et moi, on l'aura dans le baba.

— Eh bien ! Démerde-toi pour les faire libérer, bordel ! Il fait quoi, ton Castelli ?

— Eh, Castelli, il fait ce qu'il peut, tu peux me croire, mais... ça bloque !

— Pourquoi ?

— Eh bien, à cause de Naccache, tiens ! En refusant de lui accorder la grâce présidentielle, Mitterrand nous fait exactement le coup qu'on lui a fait en 1986 : il retarde la libération des otages, ce margoulin ! Je me suis laissé dire, par des sources bien informées, qu'il aurait même demandé à son ancien ministre Roland Dumas de retourner faire un petit tour du côté de Téhéran, si tu vois ce que je veux dire...

— Ah, les enfoirés !

— Eh... Que veux-tu ? C'est de bonne guerre ! Mais tout n'est pas perdu. Il y a peut-être encore un coup à jouer. Quelque chose qu'il peut pas nous empêcher de faire...

— Quoi donc ?

— En tant que chef du gouvernement, tu as toute liberté pour faire payer le dernier tiers de la dette Eurodif...

— Et tu crois que lâcher 300 millions de plus aux Iraniens, ça va suffire ?

— Non. Je crois que le pognon, en vrai, ils s'en foutent un peu.

Chirac fronça les sourcils.

— Excuse-moi, mais là, je te suis pas...

— Le remboursement, c'est pour la presse. C'est la couverture, pour justifier la libération des otages. Mais à côté de ça, tu as bien mieux à leur proposer.

— Quoi donc ? s'impatienta le Premier ministre.

— Un accord qui rétablirait leur participation directe au capital d'Eurodif.

Chirac regarda son ministre d'un air médusé.

— T'es pas sérieux, Charles ? Leur ouvrir les portes d'Eurodif, c'est leur donner libre accès à de l'uranium enrichi ! En gros, c'est leur donner la bombe !

— Exactement ! Pour eux, l'enjeu, il est pas financier, il est nucléaire. Et alors ? On serait pas les premiers à leur vendre de l'uranium, peuchère ! Le Japon, le Canada, le Royaume-Uni, les Ruskoffs... Même les Allemands le font, Jacques ! La vérité, c'est que les Américains, avec leurs histoires de non-prolifération, ils cherchent par tous les moyens à étouffer notre industrie nucléaire. Et moi, les Américains, je les aime bien, tu sais, mais bon, avec l'Irangate, ils vont quand même pas venir nous donner des leçons de morale, hein ?

Le Premier ministre se frotta le menton d'un air hésitant et regarda à travers les vitres de son bureau la longue perspective des jardins qui couraient sur deux hectares.

— C'est un jeu dangereux, Charles...

— Baste ! On n'a rien sans rien. Et si, par-dessus le marché, on explique aux Iraniens qu'en faisant libérer nos compatriotes, ils te permettront, à toi, de gagner l'élection, et que tu seras alors bien plus disposé que l'autre fangoule à accorder une grâce présidentielle à ce fâcheux M. Naccache, je peux te garantir que nos trois otages, on les récupère avant le 8 mai. Emballé, c'est pesé !

Le soir même, Jacques Chirac téléphonait à Édouard Balladur, son ministre de l'Économie et des Finances.

# 189

## 30 janvier 1988, Graz

Tous les jours, Marc écrivait à Pauline, et Pauline écrivait à Marc. La moitié de leurs lettres au moins, n'arrivait jamais à destination, interceptée dans les deux sens par l'administration pénitentiaire, qui ouvrait systématiquement la correspondance des détenus et en filtrait une grande partie. Mais celles qui passaient, elles, offraient à l'un comme à l'autre un bonheur indicible, même si finir la lecture d'une nouvelle missive s'accompagnait chaque fois d'un profond moment de chagrin.

Marc, dans ses longs courriers, pour ne pas inquiéter sa compagne, restait pudique sur les conditions de sa détention, et n'évoqua jamais les dix terribles journées qui l'avaient précédée. Il parlait de ses lectures, de son amitié avec Borko, des visites de plus en plus encourageantes de Maître Müller, dont il disait que c'était un *brave type*, et surtout, il parlait d'avenir, des voyages qu'il voulait faire avec Pauline et Luciana, de toutes ces choses qu'il avait envie d'apprendre à sa fille, de tout l'amour qu'il avait à leur donner.

Pauline, elle, lui envoyait des nouvelles du bébé, accompagnées parfois de quelques photos qui le faisaient irrémédiablement pleurer de joie et de frustration mélangées. Elle parlait de Diouf et de sa gentillesse, elle parlait de Lyon, des longues promenades qu'elle faisait avec Luciana au parc de la Tête-d'Or, emmitouflées l'une et l'autre dans leurs manteaux d'hiver, elle parlait de la librairie qui lui manquait tant, elle lui racontait comment elle s'attachait à lire les mêmes livres que lui, pour avoir simplement l'impression de communier un peu...

La plupart de ses phrases étaient à la première personne du pluriel, et c'était, pour Marc, délicieusement émouvant.

Ce matin-là, le jeune homme, qui n'avait rien reçu depuis quatre jours, était en train de relire une à une les lettres de sa compagne quand les gardiens vinrent le chercher dans sa cellule pour l'emmener au tribunal régional de première instance de Feldkirch, qui statuait en matière pénale sur les délits commis dans le territoire du Vorarlberg, où Marc avait été arrêté.

Un mois seulement s'était écoulé depuis qu'il avait enfin accepté de décliner son identité, mais le Parquet, tenant compte des circonstances, n'avait guère tardé à fixer la date du procès. Maître Müller, après d'âpres négociations – ayant lourdement insisté sur les conditions particulièrement suspectes qui avaient suivi l'interpellation – était parvenu à convaincre l'instruction que les seules charges qui pouvaient être retenues contre son client étaient celles de « faux et usage de faux », passible d'une peine de cinq ans, et de « transport d'arme sans motif légitime », malgré la détention d'un permis de port d'arme en bonne et due forme, passible d'une peine de deux ans. Les corps d'Ahmed M. et de son complice n'ayant jamais été retrouvés, personne, en Autriche, ne sut jamais ce que ce jeune Français était venu faire de ce côté-ci de la frontière, et les charges pour faits d'espionnage – la France ayant toujours nié son appartenance à ses Services – faute de preuve, furent rapidement abandonnées. En somme, Marc Masson risquait d'écoper d'une peine de sept ans d'emprisonnement, qui pouvait être aussi accompagnée d'une amende totale de 600 000 francs.

Le tribunal de Feldkirch était à sept heures de route de la prison de Graz, et ce fut certainement pour Marc, menotté à l'arrière d'un véhicule blindé, les sept plus longues heures de son existence.

Pendant les deux jours que dura le procès, il fut placé dans la petite maison d'arrêt de Feldkirch. Les conditions de détention de la centaine de prisonniers s'avérèrent bien moins pénibles qu'à Graz, ce qui ne lui apporta aucun réconfort, au contraire : il ne put que mesurer sa peine.

Pendant toute la tenue de l'audience, malgré la présence d'un interprète, Marc Masson eut bien du mal à saisir toutes les subtilités des échanges entre l'accusation et la défense, et il peina à lire sur le visage des uns et des autres le moindre indice quant à l'issue de son jugement. Assis et menotté, dans le box des accusés, il attendait, fébrile, le moment du verdict.

Quand enfin, au soir du deuxième jour, Maître Müller lui traduisit la décision que le juge venait de rendre, Marc ferma lentement les yeux et lutta pour ne pas craquer en public. La sentence – plutôt clémente selon l'avocat – lui glaça pourtant le sang : il était condamné à un an de prison ferme et 200 000 francs d'amende. Sur les six mois qu'il avait déjà passés en prison, le juge accepta de n'en soustraire qu'un seul à sa peine, considérant comme point de départ la date à laquelle le Français avait accepté, enfin, de décliner son identité. En d'autres termes, Marc venait d'en prendre pour onze mois de plus. Au total, après dix jours de torture, il aurait passé un an et demi en prison, au service de la France, mais il allait devoir en outre trouver 200 000 francs. Quand il sortirait, sa fille, qu'il n'avait pas vu naître, aurait déjà plus d'un an...

Le visage blafard, il demanda simplement à son avocat de faire appel et se laissa embarquer de nouveau par les policiers autrichiens.

# 190

## 28 avril 1988, Paris.

Ce jeudi soir-là, plus de 30 millions de Français regardèrent sur leur poste de télévision le traditionnel débat de l'entre-deux-tours, au cours duquel s'affrontèrent, pendant un peu plus de deux heures, François Mitterrand et Jacques Chirac, les deux candidats qualifiés quatre jours plus tôt à l'issue du premier tour de l'élection présidentielle.

C'était, à l'évidence, un fait unique dans l'histoire de France, puisque à l'issue de leur cohabitation, pour la première fois, le président de la République et le Premier ministre, tous deux en fonction, se retrouvaient face à face, devant le peuple français, dans leur impitoyable course à l'Élysée.

Diffusé simultanément sur TF1 et Antenne 2 depuis le studio 101 de la Maison de la Radio, le débat offrit aux candidats la possibilité de s'exprimer pendant cinquante minutes sur quatre thèmes prédéfinis : la politique intérieure et les institutions, l'Europe et les questions économiques et sociales, les problèmes de société et, enfin, la politique étrangère et la défense.

Le Président Mitterrand, au cours des habituelles négociations avec les chaînes de télévision, avait eu une exigence bien particulière, qui ne manqua pas d'étonner la production : il demanda que la table autour de laquelle devait se tenir le débat ait les dimensions exactes de celle du Conseil des ministres, dans le salon Murat du palais de l'Élysée, où les deux hommes se réunissaient chaque mercredi depuis maintenant deux ans. C'était une habile et sournoise manière d'asseoir son autorité en remettant son adversaire à la place qu'il occupait depuis deux ans : la place du numéro deux.

François Mitterrand, fin tacticien, et qui connaissait l'importance des mots, enfonça encore d'avantage le clou en appelant systématiquement Chirac « monsieur le Premier ministre », quand celui-ci, se refusant à l'appeler Président, s'adressait à lui comme « monsieur Mitterrand ».

— Moi, affirma le chef d'État d'un air amusé dès le début de la confrontation, je vais continuer de vous appeler monsieur *le Premier ministre*, puisque c'est comme cela que je vous ai appelé pendant deux ans, et que vous l'êtes. Et, en tant que Premier ministre, j'ai constaté que vous aviez – et c'est bien juste de le dire – de très réelles qualités, mais pas celles de l'impartialité, ni du sens de la justice dans la conduite de l'État...

Chirac, piqué au vif, crut trouver une parade.

— Permettez-moi juste de vous dire que, ce soir, je ne suis pas le Premier ministre, et vous n'êtes pas le président de la République. Nous sommes deux candidats, à égalité, et qui se soumettent au jugement des Français, le seul qui compte ! Vous me permettrez donc de vous appeler monsieur Mitterrand.

Malheureusement, son adversaire marqua un premier point en lui rétorquant, d'un air dédaigneux :

— Mais vous avez tout à fait raison, monsieur le Premier ministre !

La tension entre les deux hommes, malgré une apparente courtoisie, resta palpable du début à la fin du débat, et elle atteignit justement son point d'orgue quand, lors du dernier sujet proposé par les journalistes – concernant les questions de défense et de politique étrangère – ils abordèrent le délicat sujet de l'affaire Gordji et de la guerre des ambassades.

— Je me souviens, attaqua François Mitterrand, des conditions dans lesquelles vous avez renvoyé en Iran M. Gordji, après m'avoir expliqué, à moi, dans mon bureau, que son dossier était écrasant et que sa complicité était démontrée dans les attentats qui avaient ensanglanté Paris à la fin de 1986 !

— Monsieur Mitterrand ! s'offusqua Chirac. Pouvez-vous me dire, en me regardant droit dans les yeux, que je vous ai dit que nous avions les preuves que Gordji était coupable de complicité dans ces actes, alors que je vous ai toujours dit que cette affaire était du seul ressort du juge, que je n'arrivais pas à savoir ce qu'il y avait dans ce dossier et que, par conséquent, il m'était impossible de dire si, véritablement, Gordji était impliqué ou non dans ces affaires ? Et le juge, en bout de course, a dit que non. Mais pouvez-vous *vraiment* contester ma version des choses, en me regardant droit dans les yeux ?

— Dans les yeux, je la conteste ! répliqua Mitterrand avec un aplomb extraordinaire, infligeant sans doute le coup de grâce à son adversaire.

À l'issue des débats, en arrivant dans la petite pièce de la Maison de la Radio où l'attendaient plusieurs membres de son cabinet, ministres et amis, Jacques Chirac, avant même d'échanger quelques mots avec qui que ce fût, prit Charles Pasqua à part et, la mine sombre, lui murmura à l'oreille :

— Charles, si les otages ne sont pas libérés d'ici la fin de la semaine prochaine, je suis mort.

# 191

## Lettre à Pauline

*Graz, lundi 2 mai 1988*

*Ma douce,*

*10 h 34. Je voudrais te demander pardon pour ma voix chevrotante, hier, au téléphone. Entendre le son de la tienne, pour la première fois depuis le jour où j'ai quitté Lyon, il y a, mon Dieu, presque un an déjà, l'émotion a été très vive… J'aurais voulu me montrer bien plus fort, je n'ai pas pu. Mais ces quelques minutes au téléphone ont été le plus beau moment que j'ai vécu depuis un an. Je t'aime si fort, ma douce, et tu me manques tant…*

*15 h 12. Je viens à l'instant de recevoir le résultat de mon appel. Maître Müller s'est bien battu, et je ne te remercierai jamais assez pour tout ce que tu as fait, tout ce que tu continues de faire. Je sais que tu te bats, que tu t'es battue comme une lionne, et dans quelles conditions, et je suis bien plus accablé par le sort que je t'ai infligé que par celui que je me suis infligé à moi-même. Il ne se passe pas un jour, pas une minute sans que je pense à toi.*

*Ma peine a donc été réduite de deux mois, et l'avocat dit que c'est une formidable victoire, même si pour moi, et pour toi sans doute, les sept mois qu'il reste encore avant ma libération me paraissent une insupportable éternité. Pendant quelques semaines, j'ai rêvé que le juge accepte enfin de prendre en compte les cinq premiers mois que j'ai passés ici. Müller y croyait, lui aussi, et je me suis mis à rêver d'une sortie imminente, à faire des plans, à imaginer, enfin, nos retrouvailles. Alors je ne te cache pas que, lorsque le verdict de l'appel est tombé, le retour à la réalité a été bien dur. Sept mois encore, au lieu de neuf, c'est toujours ça de gagné, mais que c'est long !*

*L'amende a elle aussi été réduite, à 150 000 francs. C'est encore une somme considérable, mais je suis sûr que je trouverai la solution quelque part, et je ne veux surtout pas que tu t'inquiètes. Tu sais que je prendrai toujours soin de vous, tu sais quel homme je suis, et aucun obstacle ne m'a jamais paru insurmontable. Je serai toujours là pour vous.*

*Depuis tout à l'heure, je navigue entre maigre consolation et accablement. Mais je sais que ça va passer. J'ai toujours lutté, et je continuerai à le faire. Ici, lutter, c'est contre soi-même.*

*Ce que je souhaite par-dessus tout, c'est que toi tu surmontes cette dernière épreuve. Je sais que Diouf est là pour toi, et je veux croire que tu peux trouver aussi dans les yeux de Luciana beaucoup de réconfort. Mon Dieu ! Tu ne peux pas imaginer l'émotion que cela m'a procuré, quand l'avocat m'a montré sa photo la première fois... Et de savoir quel prénom tu lui avais donné...*

*Donne-moi, si tu le peux, des nouvelles de ma mère et de Papi José. Savent-ils seulement où je suis ? Quand le courage me manque, je pense à toi, à Luciana, et souvent aussi à mon grand-père, à la Bolivie, aux heures joyeuses de mon enfance, quand il m'emmenait à cheval dans la campagne de Santa Cruz, quand il m'emmenait tirer à la carabine avec ses amis combattants, quand il me parlait du Che, dont j'ai collé la photo sur le mur de ma cellule... Oh, Pauline, Papi José me manque tellement, lui aussi !*

*Je t'en supplie, ma douce, garde courage. Dans sept mois, je vous tiendrai toutes les deux dans mes bras, et plus rien ne pourra jamais nous séparer.*

*Ton Marc qui t'aime.*

# 192

## 2 mai 1988, Paris

La veille, Charles Pasqua avait reçu un appel peu ordinaire d'Édouard Balladur, ministre de l'Économie et des Finances.

— Charles, j'ai un petit service à vous demander. Comme vous le savez, le gouvernement a décidé de rembourser le dernier tiers de la dette Eurodif aux Iraniens.

— Absolument. Et alors ?

— Eh bien, le problème, voyez-vous, c'est que Jean-Claude Trichet, le directeur du Trésor, refuse.

— Comment ça, il refuse ? s'étonna Pasqua.

— Je ne sais pas quoi vous dire de plus. Je lui ai transmis les ordres du Premier ministre, mais voilà, il refuse de les exécuter. Tout simplement.

— Bon. Je m'en occupe.

Bien que n'ayant en réalité aucun pouvoir sur le directeur du Trésor, le ministre de l'Intérieur l'avait tout de même fait convoquer place Beauvau, et le haut fonctionnaire se tenait à présent dans le bureau de Pasqua, droit dans ses bottes, vêtu d'un élégant costume noir. Il s'apprêtait à s'asseoir en face du ministre quand celui-ci l'arrêta d'un geste de la main.

— Non, restez debout, s'il vous plaît.

Jean-Claude Trichet, perplexe, regarda Pasqua d'un air offusqué.

— Bien, cher ami, reprit le ministre de l'Intérieur de sa voix grave et chantante, on m'explique que vous avez reçu des instructions précises de la part du Premier ministre et du ministre de l'Économie et des Finances. Or, je découvre, un peu étonné, que vous refuseriez d'exécuter ces ordres...

— Absolument ! répliqua le directeur du Trésor d'un ton catégorique. Parce que, voyez-vous, un tel remboursement ne serait pas sans conséquences, et je vais vous dire...

— Vous n'allez rien me dire du tout, monsieur Trichet ! Ce que vous allez faire, c'est votre devoir, en obéissant gentiment aux instructions qui vous ont été données par le gouvernement. Dans le cas contraire, je me charge personnellement de vous faire révoquer de vos fonctions, et ce en moins de temps qu'il n'en faut pour le dire.

— Mais, enfin, monsieur le ministre, je...

— Et afin que tout ceci se passe de la manière la plus fluide qui soit, vous allez vous rendre demain matin à Genève en compagnie de M. Jean-Christophe Castelli, afin de rencontrer les Iraniens avec lui, pour leur confirmer de vive voix ce remboursement. Vous pouvez disposer.

Le directeur du Trésor, blafard, ne sut que répondre. Il quitta la place Beauvau la mine déconfite et, le lendemain matin, 3 mai, il prenait l'avion pour Genève aux côtés du fameux Castelli. Arrivé devant la très impressionnante délégation iranienne, visiblement terrifié, le directeur du Trésor n'eut d'autre choix que de confirmer le remboursement de la dette Eurodif décidée par le gouvernement français.

Le 4 mai, Jean-Paul Kauffmann, Marcel Carton et Marcel Fontaine étaient libérés à leur tour devant l'hôtel Summerland de Beyrouth, après plus de deux ans et demi de détention. Au même instant, alors qu'il était en meeting électoral à Strasbourg, Jacques Chirac interrompit soudain son discours pour lire à haute voix le message que venait de lui faire passer son conseiller : « *Je viens d'être informé à l'instant que les trois derniers otages français du Liban viennent d'être remis entre les mains du représentant du ministre de l'Intérieur.* » Les centaines de partisans rassemblés dans la salle explosèrent de joie, scandant tous ensemble « *On a gagné ! On a gagné !* » sous le regard lumineux du Premier ministre et l'œil des caméras de télévision.

Le 5 mai, à trois jours du deuxième tour de l'élection présidentielle, les trois otages arrivaient donc sur le tarmac de Villacoublay, accueillis triomphalement par Jacques Chirac et Charles Pasqua, sous l'acclamation d'une impressionnante foule de journalistes. La France entière, émue devant son poste de télévision, souffla enfin, bouleversée, en découvrant le visage éreinté des trois derniers otages détenus à Beyrouth. Le cauchemar était définitivement terminé.

Le 6 mai, en toute discrétion, Matignon publiait l'accord signé par le Premier ministre avec le gouvernement de Téhéran, qui prévoyait le rétablissement du statut d'actionnaire de l'Iran dans le consortium Eurodif, ainsi qu'une licence d'exportation d'uranium enrichi.

Le 8 mai, pourtant, François Mitterrand était, pour la deuxième fois consécutive, élu par le peuple français au poste de président de la République, avec 54,02 % des voix.

Les efforts conjugués de Jacques Chirac, de Charles Pasqua et de M. Castelli, visiblement, n'avaient pas payé.

# 193

## 9 novembre 1988, Autriche

Marc Masson quitta la prison de Graz un an, trois mois et vingt-cinq jours après son arrestation.

Il était 15 heures quand la voiture de police, avec la plus sordide ironie du sort, le déposa précisément au poste-frontière où il avait été arrêté.

En sortant du véhicule, la seule vue des guérites orange lui donna une soudaine envie de vomir. Ou de tuer. Les mains encore menottées, il fut conduit sans ménagement de l'autre côté des guérites, dans la zone qui séparait l'Autriche de l'Allemagne.

Les policiers, sans un mot, lui ôtèrent les menottes, le saluèrent avec un sourire narquois, puis retournèrent dans leur voiture et repartirent vers l'Autriche.

Marc Masson, immobile au milieu du trottoir qui menait aux guérites allemandes, garda les yeux droit devant lui, sans se retourner. Il ne voulait plus jamais revoir le pays qui s'étendait derrière lui, et qui, à jamais, resterait comme un poignard planté dans sa ligne de vie.

Gonflant la poitrine, il frotta ses poignets endoloris par les menottes. Libre.

Dans un sac en plastique, les employés de la prison lui avaient rendu quelques affaires, dont il avait toujours ignoré qu'elles avaient été récupérées. À l'intérieur, son portefeuille – dans lequel il ne restait plus un seul centime – son porte-clefs, un briquet, et une enveloppe à son nom, portant le tampon du cabinet d'avocats de Maître Müller. Marc l'ouvrit et, les doigts tremblant, accolé à cinq billets de 100 francs, il récupéra son véritable passeport français. Celui de Marc Masson.

Le simple fait de tenir dans ses mains ce document si plein de symboles lui procura une foule de sentiments confus et contradictoires, si bien que le jeune homme, sonné, n'entendit même pas le douanier allemand qui venait de s'approcher.

— *Was machst du hier*[1] ?

---

1. Qu'est-ce que tu fais là ?

Marc sursauta et releva la tête. Il se refusa à répondre en allemand, une langue qui, malgré lui, lui était devenue totalement insupportable.

— Je viens d'être libéré de prison. Je dois rentrer en France.

— À pied ? s'exclama le douanier, perplexe.

Marc haussa les épaules.

Quand, deux jours plus tôt, on lui avait annoncé l'heure exacte de sa libération, il n'avait même pas essayé de prévenir Pauline, qui savait seulement qu'il devait sortir lors de la première quinzaine du mois de novembre. C'était un peu idiot, sans doute. Mais, d'abord, il ne voulait surtout pas que la jeune femme se sente obligée de venir le chercher jusqu'ici. Il ne voulait pas qu'elle voie *ça*. Il ne voulait pas qu'elle soit *là*. Ensuite, et surtout, il avait... quelque chose à faire, avant de rentrer à Lyon.

— Je peux voir vos papiers ? demanda le douanier.

Marc poussa un petit rire nerveux.

Dans son dos, de l'autre côté du *no man's land*, il avait l'impression de sentir le regard des douaniers autrichiens, et la scène qui avait entraîné son cauchemar lui revint en mémoire comme une profonde brûlure.

— Tenez, dit-il en tendant son véritable passeport.

L'Allemand inspecta le document, puis regarda le visage du Français en fronçant les sourcils.

— Ils vous ont bien amoché, dites donc !

Marc était méconnaissable. Hirsute, les yeux exorbités, une longue barbe sous le menton, il ressemblait presque à un homme préhistorique.

Le douanier lui rendit finalement ses papiers d'un air compatissant.

— Vous voulez que je trouve quelqu'un pour vous déposer dans une gare ?

Marc secoua la tête.

— Non. Je vais marcher.
— Marcher ? Vous êtes fou ?
— Ça va me faire le plus grand bien.

# 194

## 15 novembre 1988, Paris

Ainsi, de plein gré, Marc avait marché six jours, comme pour s'offrir un voyage purificateur, un moyen de revenir lentement dans un semblant de réalité, si ce mot voulait bien dire encore quelque chose. Ce fut pour lui l'occasion d'une apaisante méditation, d'un retour charnel à la terre, livré aux bras de la nature. Six longues journées solitaires mais réparatrices à travers la forêt noire, pour rejoindre Strasbourg où, enfin, il avait sauté dans un train pour Paris.

Dans la capitale, un clochard passe inaperçu. Il n'y a rien de plus discret que les guenilles et la crasse. Marc traversa Paris en songeant, amusé, qu'il était enfin en train d'accomplir la prédiction d'Olivier quand il l'avait baptisé Hadès : il était devenu invisible !

Le Quartier latin n'avait pas changé. Marc regarda les gens marcher sur les trottoirs comme des troupeaux dociles, les chauffeurs se doubler, le poing levé, dans une symphonie de klaxons, les étudiants flâner, les touristes se perdre... Et c'était délicieux. Il regarda les bistrots, dont les terrasses bondées se bousculaient sur les trottoirs. Il pensa alors qu'il n'y avait rien de plus fou qu'un bistrot. Rien de plus beau. Ces temples de zinc et de bois où l'on cherchait dans la boisson et la promiscuité une douce ivresse assermentée... Cela faisait plus d'un an qu'il n'avait pas bu d'alcool. Dieu, que le monde était laid, sans un verre de whisky !

Arrivé dans la rue de L'Éperon, sans grand espoir, il monta les étages du petit immeuble et chercha dans sa poche son vieux trousseau de clefs. Quand il arriva devant la porte de son appartement parisien, il constata, sans véritable surprise, que la clef ne rentrait plus dans la serrure.

*La femme de ménage est passée.*

Il n'avait donc plus qu'une seule chose à faire. Un coup de fil, un seul. D'un pas vif, il redescendit dans la rue et marcha jusqu'à trouver l'abri d'une cabine téléphonique.

Depuis le premier jour de son recrutement, Marc n'avait eu que très rarement besoin du numéro d'urgence qu'Olivier lui avait donné. Mais il ne l'avait pas oublié. Il sourit, même, en se souvenant qu'il l'avait littéralement ingurgité ! Du bout des doigts, il tapa les chiffres un par un sur le clavier, puis il prit une profonde inspiration alors que sonnaient les petites notes dans le combiné.

Une voix féminine répondit.

— Bonjour, fit-il, un peu hésitant. Je... Je voudrais parler à Olivier.

— Pouvez-vous décliner votre identité ?

Le protocole inscrit dans sa mémoire, il prononça les mots magiques.

— Hadès-MM-MM.

— Un instant s'il vous plaît.

Des passants dans la rue jetèrent quelques coups d'œil intrigués à ce clochard hirsute qui attendait au téléphone...

— Hadès ? Où êtes-vous ?

C'était la voix d'un homme, mais pas celle d'Olivier. Marc hésita, quelque peu désemparé. Il avait tant espéré...

— À Paris.

Un moment de silence.

— Vous... Vous êtes rentré quand ?

— À l'instant. Passez-moi Olivier !

— Il ne travaille plus ici.

La nouvelle tomba comme un couperet. Marc, perplexe, accusa le coup. Sa tête se mit à tourner.

— Est-ce que vous pouvez rester à Paris quelques jours ?

Encore sous le choc, le jeune homme mit un peu de temps à répondre.

— Je... oui, lâcha-t-il en balbutiant.

— Bien. Vous accepteriez de faire un débriefing ?

La question lui sembla presque insultante. La DGSE lui demandait-elle vraiment s'il voulait s'expliquer ? Mais comment aurait-il pu ne pas mettre des mots sur tout ce qu'il venait de vivre, ne pas livrer enfin sa vérité, se soulager de ces si longs silences ? Pendant plus d'un an, il s'était tu. Pour eux. Pour Olivier. Pour le respect infini qu'il éprouvait à l'égard de son engagement. Il avait marché pendant six jours à travers l'Allemagne, sauté dans un train et foncé vers Paris. Et on lui demandait s'il voulait parler ? Mais comment la plaie aurait-elle pu se refermer, s'il ne le faisait pas ? Évidemment qu'il voulait *faire un débriefing*, sombre imbécile ! Il ne demandait que ça ! Il en avait besoin, au plus profond de ses tripes !

— Oui, dit-il d'une voix agacée. Bien sûr !

— Rappelez demain matin à 8 heures au même numéro et nous fixerons un rendez-vous.

L'homme raccrocha sans dire un mot de plus.

Marc resta un long moment avec le combiné dans la main, comme pétrifié. Il ne savait que penser. Le visage d'Olivier flottait dans son esprit, comme un fantôme qui n'avait cessé de le hanter.

*Il ne travaille plus ici.*

Était-ce vrai ? Et si ça l'était, cela voulait-il dire qu'il ne travaillait plus à Paris ? Ou bien qu'il avait totalement quitté la DGSE ? Pouvait-il y avoir plus mauvaise nouvelle ? Pendant près de deux ans, Olivier avait été son seul contact au sein de la Boîte, son seul interlocuteur. Il était, à vrai dire, son seul repère, son mentor, son guide et, il voulait le croire, il était devenu son ami. Cet homme incarnait à lui tout seul la cause entière à laquelle Marc s'était toujours dévoué. Se pouvait-il qu'il ne le revoie jamais ? Non. Olivier ne pouvait pas lui faire ça. Il lui devait, au moins, un mot, une parole.

Dans un vertige, Marc fouilla de nouveau au fond de sa poche et sortit une nouvelle pièce de 2 francs. La main tremblante, il la glissa dans la fente puis composa un autre numéro.

# 195

## 15 novembre 1988, Paris

Attendre. Et reprendre forme humaine. À la façon dont la réceptionniste de l'hôtel l'avait regardé quand il lui avait demandé la clef d'une chambre, Marc avait compris qu'il était grand temps qu'il fasse quelque chose au sujet de son apparence. Et la jeune employée avait souri quand il lui avait demandé, gêné, si elle pouvait lui donner des ciseaux et un rasoir.

— Vous revenez d'une île déserte ? plaisanta-t-elle.

Il s'efforça de sourire.

— On peut dire ça...

C'était une petite chambre d'hôtel parisienne, un peu vétuste, un peu sombre. Une vieille couverture aux senteurs de naphtaline, quelques tableaux de mauvais goût sur des murs jaunis, une petite baignoire écaillée, aux robinets rongés par le calcaire, collée à une cuvette de w.-c.... Mais pour Marc, c'était presque déjà un palace.

Couper ses cheveux et sa barbe relevait sans doute du rituel de purification. Les paquets qui tombèrent dans le lavabo les uns après les autres, à chaque coup de ciseaux, étaient comme des fardeaux qu'il lâchait enfin, et avec eux s'effaçait un peu la crasse de souvenirs intolérables. Dans la glace, petit à petit, il eut l'impression de voir renaître Marc Masson, et c'était comme s'il lui permettait lentement de revenir, après l'avoir si longtemps abandonné.

Il avait l'air triste et dur. Il avait vieilli. Mais il était lui-même.

*Je m'appelle Marc Masson, je suis né le 11 février 1959 à Lorient.*

Quand il se déshabilla pour entrer dans le bain bouillant qu'il avait fait couler – le premier qu'il allait prendre depuis plus d'un an – il resta un instant à regarder son corps dans le miroir. Si sec ! Les muscles saillants. Et ces marques, un peu partout... Sa peau allait garder longtemps les stigmates de son cauchemar, comme des obscénités gravées à jamais dans la pierre.

Il était un peu plus de minuit quand, assoupi dans son bain, il sursauta en entendant soudain les coups frappés contre la porte de sa chambre d'hôtel.

Il se leva d'un bond, attrapa une serviette qu'il se passa autour de la taille et se précipita vers la porte.

Les larmes montèrent aussitôt à ses yeux quand Pauline apparut enfin sur le pas de la porte. Sa petite libraire, sa petite hippie au grand cœur, sa douce, sa belle, la femme de sa vie, il l'avait appelée, et elle était venue.

Pauline, sanglotant elle aussi, se jeta dans ses bras en claquant la porte derrière elle d'un seul coup de pied, puis elle le couvrit de baisers tout autant que de larmes, et ils se serrèrent de toutes leurs forces pendant de longues minutes, comme pour ne faire plus qu'un, sentir chaque centimètre de la peau de l'autre collé contre la sienne. Leurs mains avaient besoin de se toucher, leur lèvres de se blottir ensemble, ils se saoulèrent chacun de l'odeur de l'autre, ils se dévorèrent des yeux, et le désir, bientôt, fut bien plus grand que l'envie de parler. Se jetant sur le lit, ils firent l'amour, entre furie et tendresse, pleurant et riant, et ce fut comme un combat qu'ils livraient ensemble contre toutes les souffrances qu'ils avaient traversées.

Quand leurs deux corps retombèrent enfin côte à côte sur le lit de l'hôtel, les yeux dans les yeux, ils échangèrent enfin leurs premières paroles.

Les mots se bousculaient dans la gorge nouée de Pauline, qui voulait dire combien il lui avait manqué, combien la peur lui avait labouré le ventre. Elle l'avait cru mort, elle l'avait cru parti pour toujours, et maintenant, elle ne voulait plus jamais le perdre, elle l'aimait comme il l'aimait, et l'un et l'autre n'arrivaient toujours pas à croire que le cauchemar était enfin terminé.

— Où est Luciana ? murmura Marc enfin, les yeux encore rougis.

— À la maison. Diouf est venu faire la nounou. J'ai sauté dans le premier train après ton coup de fil.

— J'ai tellement envie de la voir…

Ils s'embrassèrent encore longtemps, puis ils refirent l'amour, encore et encore, jusqu'à ce que, à bout de forces, ils s'endorment enfin dans les bras l'un de l'autre.

# 196

## 16 novembre 1988, Paris

Les yeux dans le vide, Marc raccrocha doucement le combiné sur la petite table de nuit de l'hôtel.

Allongée sur le lit, Pauline le regardait d'un air inquiet.

Il s'était réveillé bien avant elle, et il avait passé près d'une heure à la dévorer des yeux sans bouger. Dans les rayons du matin, son corps étendu près du sien sous le voile pudique d'un drap blanc était le plus beau des spectacles. Un tableau de maître.

— Alors ? Qu'est-ce qu'ils t'ont dit ?

Marc adressa à la jeune femme un regard où se mêlaient tristesse et embarras. Il aurait tellement aimé pouvoir lui épargner tout ça. Lui dire que tout était bel et bien fini, qu'il n'y avait plus qu'elle et Luciana au monde. Mais il savait qu'il n'en était pas capable. Il restait au fond de ses tripes le Marc Masson qu'il avait toujours été. Celui qui, quelques mois plus tôt, avait dit à Olivier : « Je suis prêt à payer de ma vie pour mon peuple. Et si j'avais plusieurs vies, je les lui donnerais toutes. »

— Je dois aller à Orléans.

— À Orléans ? Pour faire quoi ?

— Je ne sais pas. Un débriefing, sans doute.

En réalité, il n'en était pas si sûr. L'homme au téléphone ne lui avait pas donné rendez-vous dans un bureau ou dans un bar d'hôtel, comme il aurait dû le faire : il lui avait simplement demandé de se rendre par ses propres moyens sur le champ de tir de Cercottes. Pas dans le camp. *Sur le champ de tir.* Et Marc ne savait pas ce que ça voulait dire.

— Tu... Tu vas y aller ?

Il hocha lentement la tête.

— C'est ce que je dois faire, Pauline. Parce que c'est qui je suis. Et que je dois au moins leur dire. Leur expliquer. Et puis... j'ai besoin de les entendre, eux aussi.

Elle comprenait. Et elle en souffrait de comprendre.

Marc mesura, plus que jamais, la force de son amour. Aimer un homme comme lui demandait sans doute une abnégation dont peu d'êtres sur Terre devaient pouvoir se vanter. Était-il seulement capable, lui, d'aimer autant ? La mine sombre, il lui caressa délicatement les cheveux.

— Je vous rejoindrai à Lyon dès que ce sera fini.

Elle se blottit contre lui sans rien dire, se refusant à gâcher leurs retrouvailles en protestant, quand bien même elle trouvait tout cela injuste et ridicule. Pendant tout ce temps, Pauline s'était endurcie. Cette nouvelle épreuve n'était rien, comparé à ce qu'elle avait vécu. Elle avait tant attendu le retour de Marc qu'elle était prête à en payer le prix.

Elle le laissa partir avec un sourire mélancolique.

Ainsi, vers 13 heures, après un étrange voyage, éreinté et tourmenté par un profond sentiment de déréalisation, Marc Masson arriva à Cercottes, dans une voiture de location. Le cœur serré, il passa devant le camp militaire, l'esprit assailli de souvenirs, revoyant encore les images de ses longs entraînements avec l'inénarrable Vulcain, puis il retrouva sans peine, de mémoire, ce chemin vers le nord qui menait jusqu'au grand pas de tir, caché au milieu de la forêt d'Orléans.

Quand il arriva sur place, Marc ne vit personne. La nature se maquillait des dernières couleurs de l'automne. Il descendit de la voiture et s'avança vers les cibles vertes, au pied de la butte. Ces cibles sur lesquelles il s'était si souvent entraîné. Accrochée à l'une d'elle, il repéra soudain une petite enveloppe. Tout son corps tendu, il s'approcha lentement. Elle était adressée à « Hadès ».

En une seule seconde, il eut l'impression de basculer de nouveau dans le passé. Les gommettes, les boîtes aux lettres, les mots écrits à l'encre sympathique, les paquets dissimulés dans les placards électriques, les rendez-vous secrets dans les sous-sols parisiens, la cagoule sur son visage... Après ce qu'il venait de vivre, il avait bien du mal à ne pas trouver tout cela un peu dérisoire. Enfantin, presque.

Il ouvrit l'enveloppe. À l'intérieur, une simple phrase écrite à la main, sur une feuille blanche :

« Montez sur la butte et attendez. »

Il secoua la tête. *Qu'est-ce que c'est que cette connerie ?* En vérité, il avait peur de comprendre. C'était un nouveau test. Un test de confiance. Un test de fidélité. On le ramenait deux ans en arrière, comme si, après tout ce qu'il avait vécu, il devait refaire ses preuves aujourd'hui. Ne les avait-il donc pas assez faites ?

Il jeta la feuille par terre, d'un geste dépité, puis, la mâchoire serrée, il monta sur la butte, au-dessus des cibles vertes.

Arrivé au sommet, il se tourna vers le sud et inspecta le long couloir d'herbe où se succédaient les différents pas de tir. Le plus lointain était à quatre cents mètres. Sa distance de prédilection. Combien de cartouches de sa Remington avait-il usées là-bas ? Combien de fois avait-il fait mouche, adressant à Vulcain un sourire moqueur ?

En plissant les yeux, il remarqua alors une forme noire derrière le dernier pas. L'image lui glaça le sang. Vu d'ici, cela ressemblait à un tireur allongé sur le sol, qui le tenait en ligne de mire dans la lunette d'un fusil de précision.

Oui, c'était bien cela. Aussi incroyable que la chose pût paraître, il n'y avait pas de doute : c'était bien cela. Un sniper.

Marc, alors, poussa un petit rire nerveux.

Il s'était attendu à bien des choses, mais pas à cela. Après tout ce qu'il avait traversé, il prit cette mise à l'épreuve théâtrale pour la plus pitoyable des insultes.

*Olivier n'aurait jamais fait ça*, songea-t-il.

Alors, les yeux écarquillés, il bomba le torse, écarta les bras en croix et, dans un élan frénétique, il se mit à crier dans le vide :

— Vas-y ! Tire !

Ses cris résonnèrent dans l'immense clairière, mais il n'y eut que le silence pour leur répondre.

À cet instant, Marc pensait réellement les mots qu'il venait de prononcer. *Vas-y ! Tire !* Si l'on mettait son intégrité en doute, qu'on l'abatte sur-le-champ !

— Je suis droit dans mes bottes, moi ! hurla-t-il encore. Alors tire, si tu veux ! Je n'ai plus rien à perdre ! Je n'ai plus que mon honneur, moi ! Et toi ? T'en as, de l'honneur ?

Il resta un long moment ainsi, les bras en croix, attendant le coup de grâce tel un condamné, tourné dans sa posture christique vers ce tireur qu'il devinait au loin, et la seule chose qu'il espérait vraiment était que cet homme puisse voir dans le réticule de la lunette son sourire désabusé. Là où il était, croyait-il vraiment que la mort fît peur à Marc ? Quel ordre avait-il reçu, cet homme invisible ? À quoi pensait-il, pendant ces courtes secondes, ce sniper silencieux ? Serait-il vraiment capable de tirer si, accablé par quelque culpabilité, Marc s'était enfui en courant ?

— Ben alors ? Tu tires pas, couille molle ?

Après de longues minutes d'attente, Marc prit lentement le paquet de cigarettes dans la poche de son blouson. Il en tira une blonde et l'alluma négligemment, sans quitter sa position au sommet de la butte. Les yeux fixés sur la silhouette du tireur, il prit de longues et savoureuses bouffées de nicotine, une mauvaise habitude qu'il avait reprise en prison.

Quelques instants plus tard, il vit soudain l'ombre lointaine se mettre en mouvement. Le tireur se leva et rangea son fusil puis, d'un pas calme, il s'éloigna et disparut dans la forêt.

Marc entendit, dans le lointain, le bruit d'une voiture qui démarrait. Et puis plus rien.

— Quelle bande de trous du cul !

Désabusé, il descendit de la butte en traînant des pieds et retourna à sa propre voiture. Sans hésiter, il se dirigea vers l'entrée de Cercottes, à cinq minutes de route à peine. Il arrêta son véhicule à quelques mètres de la grande barrière, et il resta un long moment immobile derrière son volant, à regarder les militaires qui gardaient l'entrée et le fixaient eux aussi, fusil d'assaut sur la poitrine.

Il hésita.

Oui. Aussi ridicule que cela pût paraître, il hésitait. S'il descendait pour leur dire qu'il exigeait un entretien avec un responsable, ils allaient voir son visage, et alors Marc aurait commis sa première véritable faute depuis le jour de son recrutement. La première et *unique* faute.

Pour l'instant, il n'avait jamais rien eu à se reprocher. Le seul raté de sa courte carrière était à mettre au compte du type qui, le jour de cette ultime mission, avait oublié de corriger la couleur d'une voiture sur une maudite carte grise.

Dans un soupir, il renonça finalement à sortir de sa voiture. Il n'allait tout de même pas leur offrir le plaisir d'avoir quelque chose à lui reprocher.

Il fit demi-tour et fila vers Paris. Les trois cents kilomètres les plus ineptes de son existence.

# 197

## 18 novembre 1988, Lyon

Marc sentit tout son corps se raidir alors qu'il entrait dans le lobby de l'hôtel Méridien, au cœur de l'immense tour Part-Dieu. La dernière fois qu'il était venu ici, c'était le jour où Olivier lui avait donné une mission un peu hors norme : tirer dans l'appuie-tête d'une voiture, en banlieue parisienne, pour faire « passer un message » au dirigeant d'une grosse société pharmaceutique qui produisait en secret des gaz de combat pour plusieurs pays du Moyen-Orient. Il se souvenait de la conversation qu'ils avaient eue au bar de l'hôtel comme si elle avait eu lieu la veille. À la fin de leur discussion, Olivier, un peu taquin, lui avait rappelé une phrase que Papi José avait dite au jeune homme au téléphone, lui laissant comprendre que l'échange avait été écouté : « Les hommes comme nous ont besoin d'une femme pour ne pas devenir cons. »

Auprès de Pauline et de Luciana, Marc venait tout simplement de passer les deux plus beaux jours de sa vie. La petite allait bientôt avoir treize mois et, par un beau miracle, elle avait fait ses premiers véritables pas le jour où il l'avait enfin vue pour la première fois. Il avait d'abord soupçonné Pauline de lui mentir, d'enjoliver la chose pour lui faire plaisir, mais la jeune femme avait juré par tous les dieux que c'était vrai : Luciana venait réellement de faire ses tout premiers pas sous les yeux éblouis de son père ! Marc voulait croire que ce n'était pas un hasard, au fond. Que la petite l'avait tout simplement attendu. Et déjà, il l'aimait comme s'il l'avait vue naître, et peut-être plus encore, si la chose était possible.

Ces deux journées avaient été si merveilleuses, même, qu'il se demandait maintenant ce qu'il faisait là, dans le hall immense de l'hôtel Méridien.

Une histoire d'orgueil, peut-être. Ou de catharsis.

Prenant une profonde inspiration, il passa au milieu des clients de l'hôtel et monta dans l'un des ascenseurs jusqu'au trente-septième étage, puis alla frapper à la porte de la chambre que lui avait indiquée, le matin même, le message laconique d'un mystérieux correspondant.

Il attendit quelques secondes puis, comme personne ne répondait, il finit par essayer de tourner la poignée. La porte s'ouvrit et Marc vit que la grande et luxueuse chambre, rideaux tirés, était plongée dans la pénombre.

— Entrez, appela une voix masculine à l'intérieur.

Marc, retrouvant de vieilles sensations, s'exécuta, non sans rester sur ses gardes.

Il traversa la petite entrée et, de l'autre côté de la chambre, il distingua alors la silhouette d'un homme qui portait une cagoule, assis sur un canapé. Exactement le même type de cagoule que Marc avait porté lui-même lors de certaines missions, ou lorsqu'il devait se rendre au camp de Cercottes.

— Asseyez-vous sur le fauteuil.

Une seule certitude l'habitait à cet instant : cet homme n'était pas Olivier. Jusqu'à la dernière seconde, il avait eu encore un peu d'espoir. C'était peut-être même la principale motivation qui l'avait conduit jusque-là.

— Asseyez-vous, Hadès, insista l'inconnu.

Marc prit place sur le fauteuil, à trois ou quatre mètres de son interlocuteur. Comme par réflexe, il analysa rapidement la pièce autour de lui et, malgré la faible lumière, il remarqua aussitôt un casque de moto posé sur la table de nuit. Il fronça les sourcils, envahi soudain par un étrange pressentiment.

Dans le lobby de l'hôtel – les images lui revenaient à présent – il avait croisé un homme avec un blouson de moto en cuir qui avait eu l'air de baisser soudain les yeux en l'apercevant. Marc s'était d'abord dit qu'il se faisait des idées, qu'il se laissait abuser par sa paranoïa, mais à présent qu'il voyait ce casque, il ne pouvait s'empêcher de faire le rapprochement.

Mais pourquoi un motard serait-il passé avant lui dans la chambre et y aurait oublié son casque ? Quelque chose ne collait pas.

Marc, impassible, tourna lentement la tête pour regarder cet homme, tranquillement installé en face de lui, un carnet de notes posé sur les genoux, et il réprima une soudaine envie de lui sauter dessus pour le massacrer sur place. Se défouler. Il sourit en imaginant la scène, et décida plutôt de faire comme si tout cela était parfaitement normal.

— Bien. Avant de commencer, Hadès, je tiens, au nom de toute la Boîte, à vous dire que nous sommes sincèrement et profondément désolés pour les épreuves que vous avez traversées, et vous témoigner de notre profonde reconnaissance.

Marc eut presque envie de rire.

— Votre profonde reconnaissance... J'étais à Cercottes il y a trois jours. Vos petits camarades m'ont fait monter sur une butte de tir pendant qu'un sniper me visait avec sa carabine...

— Je sais.

— Et vous êtes « désolés » ?

L'homme se frotta les joues à travers sa cagoule, visiblement embarrassé. Ou peut-être simplement parce que le tissu le grattait...

— Nous sommes certains que vous comprenez l'intérêt de ce genre de petite mise en scène, ou tout au moins sa logique. Nous sommes désolés de ce qui vous est arrivé, je vous l'ai dit, mais si vous êtes venu ici pour obtenir des excuses, vous allez être déçu. La DGSE n'est pas là pour vous plaindre, Hadès. Vous féliciter, peut-être. Vous remercier aussi. Mais vous plaindre, non. Vous connaissiez les règles du jeu depuis le début.

— Certes. Mais le protocole n'exclut pas un soupçon de tact, d'élégance, rétorqua Marc, agacé.

— De l'élégance ? Ce ne sont pas des hommes que vous avez devant vous, Hadès, c'est une institution. Et une institution comme la nôtre n'a pas vocation à faire dans l'élégance.

— Où est Olivier ? demanda Marc, comme si tout cela ne l'intéressait pas vraiment.

C'était, au fond, la seule véritable réponse qu'il espérait pouvoir trouver aujourd'hui.

— Il ne travaille plus à la DGSE.

— Vous l'avez viré ?

— Il a démissionné.

— À cause de moi ?

— Pas du tout, rétorqua l'inconnu.

— Pourquoi alors ?

— Cela ne vous regarde pas.

Marc secoua la tête, désabusé.

— Vous nous avez dit à Paris que vous étiez disposé à faire un débriefing, et c'est pour ça que vous êtes là aujourd'hui. L'objet de cette rencontre est de nous permettre de savoir précisément ce qui s'est passé, et si vous êtes encore quelqu'un… de fiable.

— Quelqu'un de fiable ? s'emporta le jeune homme en s'avançant sur son fauteuil. Je viens de passer plus d'un an en prison ! Plus d'un an à croupir dans une cellule minuscule ! Pour vous ! Et vous vous demandez si je suis quelqu'un de fiable ?

— Justement. Après de telles épreuves, la Centrale est en droit de mettre en doute la persistance de votre… vocation.

Marc se prit la tête dans les mains. Il avait l'impression de vivre un second cauchemar, et la seule chose qui l'empêchait de partir, c'était... Eh bien c'était cet amour inconditionnel qu'il avait eu pour son métier, pour son engagement, un amour si inconditionnel, même, qu'il ne s'était toujours pas éteint et que, malgré ce nouvel affront, il n'avait d'autre envie que de reprendre sa carrière là où il l'avait laissée.

L'homme s'avança un peu sur le canapé, comme pour installer un climat de confiance.

— Hadès. Nous pouvons très bien comprendre les émotions qui doivent vous habiter. Colère, ressentiment, frustration, sentiment d'injustice... Et rien ne vous oblige à rester ici. Vous n'avez, envers nous, aucune obligation. Sur ce sujet en tout cas. Si vous voulez partir et oublier tout ça, vous l'avez vu, la porte est ouverte. Mais si vous nourrissez quelque espoir de retravailler un jour avec nous, je ne peux que vous conseiller de rester sur ce fauteuil, de vous détendre un peu et de me répondre avec calme et franchise.

— OK, répondit Marc d'une voix plus posée, en se calant bien sur sa chaise.

— Parfait.

— C'est bon ? Ça tourne ? ajouta le jeune homme ironiquement en pointant du doigt vers le casque de moto posé sur la table de nuit.

La logique avait fini par s'imposer : Marc était persuadé qu'il y avait une caméra cachée derrière cette visière. Le technicien qui était venu la mettre en place avait dû avoir un peu de retard, et l'avait malencontreusement croisé dans le lobby de l'hôtel... La chose ne manquait pas de drôlerie, mais elle lui rappelait aussi que c'était une petite erreur aussi stupide, de la part de la cellule de Munich, qui avait causé son arrestation et tout ce qui s'en était suivi.

— Premier bon point, dit l'homme d'un air amusé, vous n'avez rien perdu de votre sens de l'observation.

— Allez ! Posez vos questions ! Je n'ai rien à cacher, moi.

— Comment vous êtes-vous fait arrêter ?

— Bêtement. À cause de la vraie-fausse carte grise. L'un de vos collègues à Munich s'est trompé dans la couleur de la voiture. Ça a intrigué les douaniers, du coup ils ont approfondi leur contrôle. Ils étaient à deux doigts de trouver la Remington planquée dans mon coffre, j'ai suivi le protocole, je me suis enfui.

— Et après, qu'est-ce qui s'est passé ?

— J'ai couru à travers la forêt, pendant des heures. Je pensais les avoir semés, mais ils ont envoyé des chiens à mes trousses et j'ai fini par me faire prendre.

— Côté autrichien ?

— Oui. Ils m'ont ramené au poste-frontière, où un flic m'a interrogé…

— Vous lui avez dit quoi ?

— Rien. Là aussi, j'ai suivi le protocole. J'ai assumé mon IF. Je lui ai dit que j'étais un touriste venu faire de la randonnée et que je m'appelais Matthieu Malvaux.

— Vous êtes sûr ?

Les poings de Marc se crispèrent sur les accoudoirs du fauteuil. À cet instant précis, il aurait volontiers attrapé la cagoule de son interlocuteur pour lui frapper la tête trois ou quatre fois contre le mur.

— Comment ça, je suis sûr ? s'énerva-t-il.

— Vous êtes sûr de ne rien lui avoir dit d'autre ?

— Sûr. Ah si : je lui ai dit d'aller se faire foutre.

— Et ensuite ?

— Ensuite j'ai passé la nuit au trou, et puis le lendemain on m'a bandé les yeux et on m'a emmené, pieds et poings liés, dans une cellule où des types charmants m'ont interrogé pendant dix jours.

Marc, assailli par les souvenirs, sentit les battements de son cœur s'accélérer.

— Des flics ?

— Non. Je ne sais pas où était située cette cellule, ni qui étaient ces types, mais tout laisse penser que c'était les services secrets autrichiens. Des gens adorables.

— Et vous leur avez dit quoi ?

— Rien.

— Rien du tout ?

Marc fit non de la tête.

— Et ils ne vous ont pas tabassé pour vous faire parler ?

— Si. Un peu.

Le jeune homme, le dos collé au dossier, se demanda pourquoi il venait de masquer une partie de la vérité. Pourquoi il ne disait pas franchement qu'il avait été torturé de la manière la plus abjecte qui fût pendant dix jours, jusqu'à en sombrer dans le coma. Avait-il peur que la DGSE le soupçonne alors d'avoir craqué ? Ou bien tout simplement parce qu'un *Masson ne se plaignait jamais* ?

En réalité, c'était probablement parce que le simple fait d'évoquer plus en détail ces heures pénibles aurait ramené à son souvenir des images auxquelles il ne voulait plus jamais penser.

— Mais j'ai fermé ma gueule, et j'ai fini par perdre connaissance, admit-il simplement. Alors ils m'ont transféré à la prison de Graz. Pendant cinq mois, j'ai refusé de donner mon identité. Et puis j'ai fini par me dire que vous deviez avoir fait le ménage, alors j'ai donné mon vrai nom.

— Pourquoi ?

— Parce que sans ça, ils refusaient de me juger. J'y serais encore aujourd'hui, si je n'avais rien dit.

— Vous oubliez un petit détail.

— Lequel ? demanda Marc qui, en réalité, savait parfaitement à quoi son interlocuteur faisait référence.

— Ce qui vous a *vraiment* décidé à donner votre nom.

— Je vous l'ai dit. Je me suis dit qu'au bout de cinq mois, vous deviez avoir fait le ménage.

— Non. Vous ne vous l'êtes pas dit, Hadès. Vous l'avez appris. Parce que votre compagne vous a envoyé un avocat, et que celui-ci vous a fait passer un message qui allait dans ce sens.

Marc se mordit les lèvres.

— Et si vous prenez la peine de passer ce petit détail sous silence, continua l'officier de la DGSE, c'est que vous savez que ce message venait d'Olivier, et que vous voulez le protéger.

Marc, la mine sombre, comprit qu'il ne servait à rien de mentir.

— C'est un tort que de vouloir protéger son officier traitant ?

L'homme haussa les épaules.

— Non. C'est même plutôt tout à votre honneur. Et si ça peut vous rassurer, cela ne trahit en rien Olivier. Il l'a fait sur ordre de notre direction. Direction qui a aussi décidé de verser tous les mois 8 000 francs en liquide à votre compagne, afin qu'elle puisse payer votre défense et subvenir à ses propres besoins dans un moment difficile. Comme quoi, vous voyez, la Boîte sait parfois se montrer un tout petit peu élégante…

Marc se contenta de hocher la tête. Au fond de lui, il avait toujours pensé que l'initiative était venue d'Olivier. Il s'était peut-être trompé…

— Bien. Et ensuite, que s'est-il passé ? reprit l'homme cagoulé.

— Je suppose que vous le savez, non ?

— Racontez quand même.

— L'avocat a pu assurer ma défense. Le procès a eu lieu très vite, parce que au fond, c'était un dossier sans valeur. Faux et usage de faux, transport d'arme sans motif légitime... Je risquais sept ans ferme, j'en ai pris un. Mais comme ils n'ont déduit qu'un mois sur les six que j'avais déjà faits, sous prétexte que je n'avais pas donné mon identité avant, j'ai fait appel. J'ai gagné deux mois, et je suis sorti le 9 novembre.

— Le 9 novembre, oui, confirma l'homme en hochant la tête. Et, pourtant, vous ne nous avez contactés que le 15. Pourquoi ?

— Parce que je suis rentré à pied jusqu'en France.

— À pied ? Depuis l'Autriche ? s'exclama son interlocuteur, incrédule.

— Oui. À pied depuis l'Autriche. Six jours de marche.

— Pourquoi ?

— Parce que j'avais besoin de prendre l'air, figurez-vous.

— Vous plaisantez ?

— Non. Allez passer un an et demi dans une taule autrichienne, vous verrez, ça donne envie de grands espaces.

L'homme le regarda longuement. Il devait se demander si Masson se moquait de lui.

— En voulez-vous à la DGSE ou au gouvernement ?

— Non. En dehors de l'épisode ridicule sur la butte de tir de Cercottes, je n'ai aucune raison de vous en vouloir. Ni à vous, ni au gouvernement. J'en veux simplement au crétin qui s'est trompé sur la carte grise. C'est tout.

— Il a été renvoyé depuis.

Marc haussa les épaules. Cela ne l'intéressait pas.

— Que comptez-vous faire, maintenant ?

— Comment ça ?

— Comment voyez-vous l'avenir, Hadès ?

— Eh bien, je ne sais pas… Je vais avoir besoin d'un peu de repos, d'abord. De sexe aussi. Un an et demi à se branler, c'est pas très épanouissant.

— Bien sûr. Et ensuite ?

— Vous voulez savoir si je suis prêt à reprendre du service ?

— C'est le cas ?

Marc s'avança de nouveau sur sa chaise et, à travers la pénombre, regarda l'homme droit dans les yeux, à l'endroit précis où l'ouverture dans la cagoule les laissait apparaître.

— Oui. Sans hésiter. Et je pense que vous le savez aussi bien que moi. Olivier a dû vous le dire. Je ne sais faire que ça. Ce boulot, c'est tout pour moi. C'est pas un boulot, c'est ma vie.

L'inconnu hocha encore la tête, et se mit à griffonner sur son petit carnet.

— Bien. Je crois que nous avons fait le tour. Vous allez pouvoir rentrer chez vous. Les Services vous recontacteront sans doute d'ici quelques jours.

— C'est tout ?

— Oui.

Marc resta un moment immobile sur sa chaise. La situation lui semblait tellement improbable ! Sans doute avait-il perdu l'habitude de ce cinéma inhérent aux services secrets. Cette ambiance, cette gravité théâtrale.

Il écarta les mains d'un air halluciné et se leva.

— Bon, ben, au revoir alors…

— Au revoir.

Marc, hébété, sortit de la chambre d'hôtel, traversa le couloir et monta dans l'ascenseur. Pendant que la cabine descendait, il ne put s'empêcher de se demander si, au fond, ces types n'étaient pas complètement fous. Si ce métier ne finissait pas, à la longue, par leur faire perdre totalement le sens des réalités.

Il allait sortir du lobby quand une main l'attrapa par l'épaule. Il se retourna et, stupéfait, reconnut le fameux motard en blouson de cuir.

— Ça s'est bien passé ? lui demanda celui-ci avec un aplomb incroyable, comme s'ils étaient deux étudiants au sortir des épreuves du baccalauréat.

— T'auras qu'à regarder les images !

Le type lui retourna un sourire.

— Bah, ça fait partie du jeu, hein ? Allez, tiens, fit-il en lui tendant une enveloppe, avant de retourner vers les ascenseurs, sans rien ajouter.

Marc, perplexe, debout devant les grandes portes vitrées de l'hôtel, regarda l'enveloppe dans ses mains, hésita, puis sortit sur le trottoir, remonta la rue Servient et grimpa dans sa voiture.

Sur le siège conducteur, il prit une profonde inspiration, soupesa la mystérieuse enveloppe, puis se décida enfin à l'ouvrir.

Il y trouva 50 000 francs en liquide.

Il regarda les billets, étalés sur ses genoux, puis, tout seul derrière son volant, il se mit à éclater de rire. Un rire nerveux ; 50 000 francs.

Le prix estimé de son calvaire.

Pas même de quoi rembourser l'amende qui avait accompagné sa peine de prison. Il jeta les billets sur le siège passager et fila vers la place Bellecour.

# 198

## 2 août 2008, Lorient.

Il était un peu plus de minuit quand Marc, épuisé, se dirigea vers la sortie de l'Espace Marine, au cœur du Festival interceltique de Lorient. Loreena

McKennitt, l'artiste canadienne d'origine irlandaise, venait de terminer son magnifique concert. Cela faisait longtemps qu'il n'avait pas passé un aussi bon moment.

Vingt ans avaient passé. Vingt longues années. Dans six mois, Marc allait fêter son cinquantième anniversaire. Luciana, elle, aurait bientôt vingt et un ans. Papi José, lui, était mort depuis près de quinze ans. Et le monde avait tellement changé.

Lui, non.

Après sa libération, pendant un an, deux ans peut-être, Marc avait continué de croire que la Boîte allait finir par le rappeler, comme son mystérieux interlocuteur de l'hôtel Méridien le lui avait promis. Qu'un nouvel officier traitant, un jour, allait le contacter, le recruter de nouveau, et lui confier enfin une nouvelle mission. Quelque chose de facile, d'abord, sans doute, pour le tester… Et puis, petit à petit, il aurait pu reprendre du service. Retourner sur le terrain. Servir la France. Faire, en somme, la seule chose qui donnait un sens à sa vie. Mais rien ne s'était passé.

De guerre lasse, au bout de deux ans, il avait fini par essayer de les joindre de nouveau au fameux numéro qu'il n'avait jamais oublié. Mais la ligne, visiblement, avait été coupée. Il avait même laissé plusieurs fois cette petite annonce ridicule dans le journal *Alpirando*, cette phrase clef qu'il avait apprise par cœur et qu'il devait utiliser en cas d'urgence pour se faire rappeler par la Centrale. « *JH vingt-neuf ans, solide marcheur, cherche compagnons de voyage pour trek en Bolivie.* » En vain.

Pendant dix ans, peut-être, Marc avait dormi chaque nuit avec une arme chargée, cachée sous son oreiller. Tous les jours, il s'était attendu à ce que quelqu'un – un homme comme lui – vienne l'abattre et fasse disparaître son corps. Était-il si fou de penser que la Boîte était tout à fait capable de préférer éliminer un témoin gênant ? Dans la rue, il avait pris l'habitude de se méfier du moindre passant qui lui semblait un peu louche. Chaque craquement dans son téléphone le faisait raccrocher. Chaque bruit suspect dans son appartement le faisait se lever. Chaque retard de Pauline le remplissait d'angoisse. Et puis, lentement, la paranoïa avait fini par le quitter. Un peu.

Pendant des années, profitant du CV de sa couverture, il avait gardé un emploi de chauffeur poids-lourd à Lyon. Un salaire correct, mais qui rendait difficile le remboursement de l'emprunt qu'il avait dû faire pour payer son amende autrichienne. Au fond, la solitude et le silence que lui offraient ses longs trajets au volant d'un camion n'étaient pas pour lui déplaire, mais rien ne lui enlevait le sentiment de ne plus vraiment exister, de ne plus être que l'ombre de lui-même, de ne plus retrouver dans sa vie le sens qu'un jour, un miracle lui avait permis de lui donner.

Pourtant, malgré l'immense déception, la frustration, il n'avait jamais éprouvé de véritable rancœur. Au fond, réaliste et rationnel, il arrivait même à comprendre. À leur place, il aurait probablement fait la même chose : Marc était grillé, son visage, son identité fictive et son identité réelle étaient probablement tous les trois fichés par les services secrets autrichiens, et peut-être même ceux d'autres pays. En somme, il était devenu trop dangereux. Et il n'y avait pas de prescription dans les services secrets. Quand on perdait, c'était pour toujours.

Marc n'avait jamais eu besoin de reconnaissance. Contrairement à de nombreux groupes d'intervention de la police ou de la gendarmerie, les types comme lui n'attendaient pas de médailles, ils ne cherchaient pas le flash des photos sur leurs visages encagoulés à la une des journaux. Ils n'attendaient aucune forme de reconnaissance, ni de la part du peuple, ni de celle de la République. Les bons citoyens, d'ailleurs, préféraient ne pas savoir. Les basses besognes se faisaient toujours dans le noir. Les clandestins étaient les soutiers de la gloire, volontaires, qui attendaient dans l'ombre que le doigt de leur maître se dresse, et leur seule récompense, alors, était le seul fait de pouvoir partir en mission.

Pauline et lui avaient eu une seconde fille, en 1990, puis un fils, cinq ans plus tard.

Et puis, en 2005, le couple avait fini par se séparer. Eux qui s'étaient aimés si fort, eux que les épreuves avaient si solidement rapprochés, ils avaient laissé les années user peu à peu ce lien qu'ils avaient longtemps cru indestructible. Pauline avait fini par ne plus supporter les humeurs de Marc, son stress, sa dépression, la violence qu'il continuait de garder en lui, et puis l'alcool et la coke, aussi, qui avaient fini par devenir pour lui une seconde compagne. Avec le temps, le renfermement et les cicatrices de Marc avaient progressivement poussé Pauline dans les bras d'un autre homme. Marc s'efforçait de croire que c'était mieux pour l'un et l'autre, même si, au fond de lui, il continuait d'aimer sa petite libraire éperdument.

L'année suivante, la mère de Marc s'était éteinte, et ce fut l'occasion pour lui de revenir sur les traces de son enfance : il avait repris l'appartement familial, dans la vieille ville de Lorient. Tout seul dans ce trois pièces empli de fantômes, il avait le sentiment de devenir petit à petit un mort-vivant. Un corps sans âme. Une marionnette abandonnée, qui avait trop longtemps rêvé de retrouver la main maternelle de son marionnettiste.

Car de toutes les frustrations que l'interruption soudaine de sa carrière lui faisait encore subir, la pire, sans doute, était de n'avoir jamais revu Olivier. Cette absence, ce silence, les innombrables non-dits qui subsistaient lui pesaient plus que tout au monde, il se sentait comme un enfant abandonné, s'enfonçant lentement dans les regrets et le goût amer de l'inachevé.

Aussi, ce soir-là, au cœur de l'été 2008, dans le vacarme et la cohue de la sortie de concert, quand Marc Masson aperçut de loin le visage d'un homme qui ressemblait étrangement à Olivier, il sentit un frisson lui traverser l'échine et, dans un état presque second, il se mit à traverser la foule, bousculant les gens sur son passage en criant :

— Olivier ! Olivier !

La silhouette ne cessait de disparaître et de réapparaître au milieu des festivaliers, et l'idée de ne pouvoir le rattraper était tout simplement insupportable.

— Olivier ! hurla-t-il encore, jouant des bras et des coudes, se jetant en avant dans un accès de folie ridicule.

L'homme était maintenant à peine à deux mètres de lui, et pourtant, malgré les cris que Marc continuait de pousser, il ne se retournait pas.

Masson, comprenant lentement qu'il cherchait une chimère, abandonna, laissant ses bras retomber le long de son corps, accablé. Il avait dû se tromper. Évidemment ! Ce n'était pas la première fois, d'ailleurs. À une époque, obsédé par cette terrible frustration, il s'était mis à voir Olivier un peu partout, à chaque coin de rue, dans chaque reflet de vitrine…

Marc allait rebrousser chemin pour se diriger vers la buvette quand, soudain, l'homme se retourna et, dans l'éclair d'une courte seconde, croisa son regard.

Les visages changent parfois, avec le temps. Mais les regards, eux, restent les mêmes. C'est dans les yeux que se niche le véritable cœur des hommes.

Marc sut aussitôt qu'il ne s'était pas trompé. L'homme qui le regardait à présent fixement, d'un air embarrassé, était bien l'officier traitant qui l'avait recruté près de vingt-deux ans plus tôt ! Ayant sans doute largement dépassé la soixantaine, il avait les cheveux gris et le visage bien plus ridé que quand ils s'étaient connus. Mais c'était bien lui, et il était là, devant lui, aussi improbable et inespéré qu'une goutte d'eau au milieu du désert.

— Olivier ? répéta Marc, les lèvres tremblantes, d'une voix beaucoup plus calme cette fois.

L'homme grimaça, une sorte de sourire forcé se dessina sur son visage, puis il se tourna vers la femme qui lui tenait le bras et lui chuchota quelque chose à l'oreille. La Marocaine hocha lentement la tête et s'éloigna.

Marc, comme paralysé, vit alors Olivier lui faire signe de le rejoindre.

Il s'approcha de lui et, d'un geste un peu malhabile, serra bêtement la main qu'on lui tendait.

— Allez, venez, imbécile, on va se mettre à l'écart !

Marc le suivit vers le côté, et il avait tellement rêvé de ce moment, pendant de si longues années, qu'il se demandait même s'il était bien éveillé.

Ils finirent par s'asseoir sur un banc, à une centaine de mètres de la foule qui continuait de sortir de l'Espace Marine.

— Eh bien ! lâcha enfin Olivier en tapant sur l'épaule de son ancien agent. Si ça c'est pas une surprise ! Hadès !

— Putain ! lâcha Marc en secouant la tête. Putain, j'arrive pas à y croire...

Il s'en voulait presque d'offrir à son interlocuteur l'image d'un homme si ému. Comme un aveu de faiblesse auquel il ne se serait jamais laissé aller par le passé. Mais à quoi bon tricher, maintenant ? Il était ému, et c'était la seule vérité.

— Vingt ans ! s'exclama Dartan. T'as pas beaucoup changé, finalement. Un peu moins de cheveux, peut-être.

— On se tutoie, maintenant ?

Le sexagénaire haussa les épaules.

— Bah... Il y a prescription.

Oui. Il y avait prescription, sans doute. Mais Olivier s'y était toujours refusé, alors ce tutoiement soudain n'était pas anodin. Dans le cœur de Marc, en tout cas, il voulait dire beaucoup.

Il se frotta les joues, l'air de ne toujours pas y croire.

— Putain, répéta-t-il, j'ai tellement, tellement de questions à vous... à *te* poser... Pendant toutes ces années...

— Ou là ! Doucement, mon garçon ! Ma femme est patiente, certes, mais il est quand même un peu tard, là. Allez ! Tu as le droit à trois questions, et après, je décolle ! lança l'ancien officier dans un sourire.

Marc grimaça gentiment. Il connaissait Olivier. Quand il disait *trois*, cela voulait vraiment dire *trois*. Il réfléchit un peu, puis se lança :

— Pourquoi t'as arrêté ?

— Tu veux savoir si c'est à cause de ce qui t'est arrivé ?

— Oui.

— Eh bien, en fait, pas directement... Quand j'ai appris où t'étais, que t'étais vivant, je me suis battu pour qu'on fasse quelque chose. Ils étaient pas censés accepter, mais ils ont fini par le faire. Ils ont fait ce qu'ils ont pu... Enfin, je devrais dire, ils ont fait ce qu'il fallait. Donc non, c'est pas vraiment pour ça que j'ai arrêté, même si, allez, je vais pas te mentir, j'avoue que ça a été un sacré coup dur. Mais c'était plutôt une lassitude générale... Avec le temps, à regarder le monde comme il allait, j'ai fini par me dire que tout ce que je faisais, tout ce qu'*on* faisait n'était qu'une goutte d'eau de colibris dans un immense incendie. On n'éradique pas le mal, on le repousse seulement. C'est une lutte quotidienne, et sans doute éternelle. Je ne dis pas qu'il ne faut pas continuer. Les gens comme nous se battent simplement pour préserver la liberté des gens comme eux, dit-il en montrant la foule qui sortait de la salle de concert. Le combat ne doit jamais s'arrêter, on ne doit jamais baisser les bras. Mais les combattants, eux, ont le droit, un jour, de laisser leur place aux suivants. C'est ce que j'ai fait. Avant qu'il soit trop tard. J'aurais pu finir plus mal... Tu sais que le juge Boulouque s'est suicidé, deux ans après l'affaire Gordji ?

— Oui, je sais.

— Ces enfoirés de Pasqua, de Mitterrand, de Chirac, toute cette clique de politicards de merde... Ils lui ont laissé porter le chapeau pour la libération de Gordji, et ils ont laissé cette raclure de Fouad Ali Saleh porter plainte contre lui pour « violation du secret de l'instruction » pendant le procès des attentats. Ils ont foutu le juge en garde à vue ! T'imagines ? Il a fini par se tirer une balle dans la bouche, avec son arme de service.

— Je peux le comprendre, glissa Marc.

Dartan fronça les sourcils.

— J'ai entendu dire que tu étais rentré d'Autriche à pied, quand tu as été libéré. C'est une légende, ou c'est vrai ?

— Non. C'est vrai, répondit Marc en riant.

— T'es vraiment un grand malade. Bref... Deuxième question ?

Marc sourit à l'avance. Sa deuxième question était évidente. Il l'avait posée plus de vingt ans plus tôt, et il n'avait jamais obtenu la réponse.

— C'est quoi, ton nom de famille ?

L'ancien OT sourit à son tour en secouant la tête.

— Tu sais très bien que je ne suis pas censé te le dire, même maintenant... Et au fond, qu'est-ce que ça peut te foutre ?

— Fais pas chier, Olivier. C'est quoi, ton putain de nom de famille ?

— Dartan.

Marc sourit.

— Olivier Dartan ?

— Ouais. Si tu avais vraiment cherché, t'aurais facilement pu le trouver, hein, tu sais ? J'avais un poste officiel à l'ambassade du Liban, à l'époque...

— J'ai jamais cherché, Olivier. Tu ne voulais pas me dire ton nom, j'ai toujours respecté ton choix.

— Ça m'étonne pas de toi. Tes qualités font de toi l'homme le plus ridicule et le plus admirable que j'aie rencontré dans ma vie. T'es une sacrée tête de con, et un putain de chic type. Allez ! Troisième et dernière question ?

— Tu fais chier, j'en ai tellement à te poser... Bon, OK, une dernière question, mais tu me jures sur... tu me jures sur Brassens que tu y réponds sans mentir !

Olivier éclata de rire.

— Sur *Brassens* ? Tu te souviens de ça ? Mon amour pour Brassens !

— Je me souviens de tout, Olivier.

— Merde alors. Jurer sur Brassens ! Tu y vas fort, quand même ! Bon. OK. Vendu. Je te jure sur Brassens que je te répondrai la vérité, quelle que soit la question.

Marc, fier de son coup, posa une main sur l'épaule de l'homme qui lui avait offert les deux plus belles et les deux plus terribles années de sa vie, et, avec un sourire malicieux, il demanda :

— C'est quoi, ton numéro de téléphone ?

## 199

## Carnet de Marc Masson, extrait n° 23

*14 novembre 2015.*
*Il est 2 h 30 du matin.*
*Depuis minuit, je suis assis, effondré, sur le petit canapé de cuir dans mon salon de Lorient. Onze mois après Charlie Hebdo, les chaînes de télévision diffusent en boucle les images insupportables du Bataclan. On parle de cent morts au moins, tombés sous les balles de la folie meurtrière de Daech.*

*La barbarie tombe de nouveau sur la France. Je l'ai si souvent tutoyée.*

*Je repense à mes séances de torture en Autriche, je repense au Vautour, je repense au Drakkar, je repense à la rue de Rennes, je repense aux otages du Liban… Dartan avait raison. On n'éradique pas le mal, on le repousse seulement. Le Mal, sans cesse, se réincarne sous de nouvelles figures. Il est en nous, en chacun de nous. Il est notre maladie, et ne pas le combattre, c'est refuser de se soigner. Aujourd'hui, c'est l'islam qui est malade. Il se laisse bouffer par l'intérieur, par des cellules malignes qui, s'il ne les combat pas, si nous ne les combattons pas, finiront par le détruire. Par détruire tout ce qu'il reste de beau en lui, et dont plus personne ne parle, tellement la maladie nous fait peur.*

*Bientôt, comme en janvier dernier, les chaînes télévisées et les journaux nous montreront les photos des terroristes, leurs visages, terriblement abjects, car terriblement humains, et je sens déjà une boule immense qui me déchire la gorge.*

*Je me souviens de qui j'étais. De ce à quoi je croyais. Quand j'attendais, dans l'ombre, et qu'on m'appelait enfin pour me donner ma mission. La foi qui m'habitait.*

*Le sang coule sur nos trottoirs, et la vie, elle, me colle à mon canapé. J'ai cinquante-six ans. Je regarde, en pleurs, le petit écran de mon téléphone. Je voudrais tellement qu'il se mette à sonner.*

*Dites seulement une parole, j'irai tuer pour vous.*

# Épilogue

Sept mois après les attentats du Bataclan, Marc Masson, qui travaillait encore comme chauffeur routier dans la région de Lorient et luttait chaque jour pour rembourser ses interminables dettes, fut frappé par la maladie. Ressentant depuis des mois une terrible douleur aux jambes, ce dur au mal finit par se résoudre à entrer à l'hôpital, où on lui diagnostiqua une leucémie, un cancer qui lui rongeait, une à une, les cellules de sa moelle osseuse.

Immédiatement admis au service oncologie du centre hospitalier de Bretagne Sud, malgré une tentative de greffe, il n'en ressortit jamais. Après neuf mois d'hospitalisation, Marc Masson, qui avait si souvent nargué la mort, s'éteignit dans les premiers jours de mars 2017, paisiblement, entouré de Pauline et de leurs enfants. Il avait cinquante-huit ans.

Lors de la cérémonie funèbre, plutôt que de prononcer un discours qu'elle n'avait pas la force d'écrire, Pauline, les yeux rougis de larmes, décida de lire à haute voix, devant ses enfants et les rares amis qui étaient venus, un extrait du carnet de notes de ce grand petit homme qu'elle avait tant aimé.

Au fond de la salle, un septuagénaire discret, en complet noir – qu'aucun membre de la famille n'avait jamais vu – écouta religieusement ces paroles surgies du passé, celles du jeune homme fougueux et généreux qu'il avait recruté trente et un ans plus tôt.

En dehors de ce retraité tapi dans l'ombre, la gorge nouée, il n'y avait dans cette salle funèbre aucun représentant de l'État.

*Strasbourg est à deux cent douze kilomètres.*

*Müller m'a laissé assez d'argent pour prendre le train jusqu'à Paris, mais quelque chose au fond de moi me dicte de rejoindre la France à pied. Comme un instinct inexplicable, un besoin insensé mais salvateur : il n'y a que la nature qui puisse laver mon esprit souillé.*

*Deux cent douze kilomètres. Six jours de marche. Comme un chemin de rédemption. Dans cette quête purificatrice, je m'entête à ne jamais parler à personne, à ne jamais approcher âme qui vive et à ne jamais dépenser un seul centime pour acheter quoi que ce soit. Pas même de quoi me nourrir. La liberté ne s'achète pas. Elle se vole. Et je ne laisserai personne d'autre subvenir à mes besoins que la terre elle-même.*

*Je traverse le fleuve des Enfers, à contre-courant.*

*Je marche sans souffrir. Quand on a si longtemps tourné en rond, il n'est rien de plus beau au monde qu'une longue ligne droite dont on ne voit pas même la fin. Je ne sens plus la fatigue. Mon corps n'est plus qu'un exosquelette de titane. Plus rien ne pourra m'arrêter, plus rien ne pourra me retenir.*

*Je suis libre. Je suis libre et je veux boire ma liberté jusqu'à la dernière goutte, à présent que j'en connais le prix et la fragilité. Nul ne devrait jamais ignorer le prix de sa précieuse liberté, ni les combats qu'elle nécessite pour être préservée.*

*Sous le soleil ou le ciel étoilé, je suis un nomade invisible, un gitan hors du temps, chaque pas que je pose dans la terre soigne un peu plus la haine, la douleur et la colère que mon ventre a nourries depuis* plus d'un an. Je me nettoie, je me lave, je me purifie. Je goûte tout ce que la nature m'offre, je respire l'air qu'elle me souffle et je dors là où personne ne pourra venir me réveiller. Chaque nouvelle odeur qui vient chatouiller mes narines est comme un cadeau précieux. Mes seuls compagnons de route marchent à quatre pattes ou voltigent dans les airs. Les animaux ne vous déçoivent jamais. Ils ne parlent pas, ils chantent.

L'âme de plus en plus légère, je traverse mille paysages, je prends mille chemins, laissant passer le monde des hommes comme une terre dangereuse, fuyant les villes, les panneaux publicitaires, les patrouilles de flics, les cheminées grasses des vieilles usines qui vomissent leurs nuages noirs, les centres commerciaux qui envahissent un à un les carrés de campagne, les autoroutes qui déchirent la terre... Je ne veux rien voir du monde qui soit sali des mains de l'homme. Après tant d'isolement et de promiscuité forcée, je veux goûter aux espaces infinis dans la plus totale solitude. À celui qui a perdu son humanité, il faut être loin des hommes pour en redevenir un. Et pour les aimer de nouveau.

Je mentirais si je disais que je ne pense pas à Pauline et Luciana. Je pense à elles à chaque seconde, à chaque pas, elles sont sans doute ce que j'ai de plus précieux, mon seul trésor, mais ce n'est pas encore là que ma route me guide, et je me refuse à obéir à ce cœur qui me hurle de les rejoindre sur l'instant. Je suis fou, peut-être, insensé, entêté ou orgueilleux, même, mais je ne serai vraiment libéré que quand j'aurai vu Olivier. J'ai presque tout perdu, jusqu'à mon corps lui-même, alors je ne peux jeter les seules choses que j'ai gardées si jalousement : mon honneur, ma parole et ma droiture.

Pendant six jours, dans les bras de l'automne, j'ai le temps de retrouver quelque chose qui ressemble un peu au goût de vivre. Je m'abreuve des couleurs de

*la saison, des teintes infinies que les feuilles prennent
en s'éteignant lentement, des bruits de l'eau qui court
dans les pentes comme le sang de la terre, de la tendresse des pierres. Je gonfle la poitrine en longeant
l'immensité des lacs et des vertes montagnes de la
Forêt-Noire et, parmi les arbres, je suis un arbre qui
marche.*

*Au milieu de tout ce doux silence, mes souvenirs
sont là pour me divertir de la longueur du pèlerinage : le Padre, Papi José, Richard, les images de mon
Amérique latine, l'aventure, la boxe, le petit banc de
Lorient où je lisais mes livres, toutes ces choses qui
ne prennent un sens que lorsqu'on se les remémore,
car l'essentiel ne tombe jamais dans l'oubli. Je me
surprends à rire devant la simplicité d'un paysage, à
pleurer devant l'oisillon qui prend son premier envol,
et quand, sournoise et profonde, la colère revient, les
arbres centenaires sont là pour accepter mes coups de
poing.*

*Six jours sur Terre, à redonner à mes pensées
l'ordre et la cohérence, à réapprendre à connaître mon
corps et à l'aimer un peu, à perdre mon regard dans
cet horizon lointain dont les murs de béton m'ont
trop longtemps privé. Six jours à me soustraire de
l'ignominie.*

*Je revis. Et puis, enfin, la France apparaît au bout
de mon chemin.*

*Cette France pour laquelle j'aurais donné ma vie, et
la donnerais encore.*

**FIN**

# Remerciements

J'ai écrit *J'irai tuer pour vous* de janvier 2015 à août 2018 – trois ans et demi, diantre, que ce fut long ! – entre Paris et l'océan, et je le dois tout entier à cet homme peu ordinaire que j'ai ici baptisé « Hadès ».

Ce livre est inspiré, en grande partie, de son histoire. Hadès m'a permis de transformer sa vie en roman, avec une confiance comme seule peut l'offrir une amitié profonde. En mars 2017, alors que je n'avais pas fini de l'écrire, Hadès nous a donc quittés. Lui qui avait flirté toute sa vie avec la faucheuse, la garce a fini par l'emporter. Pour me rassurer, je me dis qu'il a bien vécu. Qu'il a vécu, même, bien plus que certains centenaires, et qu'il laisse derrière lui de magnifiques enfants. Alors merci à toi, mon frère, le Sagouin, Lorenzaccio. Si nous ne sommes bien tous que des *passants*, il est certains passages qui laissent de fort belles traces. La tienne ne s'effacera jamais.

Je veux ici dire merci à tous ceux qui m'ont aidé à réunir une solide base documentaire sur les attentats parisiens, les otages du Liban et l'univers complexe des services secrets. Vous m'avez demandé de ne pas vous citer, mais cela ne m'empêche pas de vous remercier... Merci aussi à Jean-Christophe Notin, brillant écrivain et historien, qui a eu la générosité de corriger bien des erreurs dans ce livre, à Olivier Girardot, pour les questions juridiques, à Philippe Pichon, pour les questions médicales, et à « Colas » pour les infos sur les télécommunications...

Merci enfin à tous ces amis qui me portent chaque jour sur leurs épaules de géants, la bande à Mazza, la bande à Ragazzoli, la bande à Renaud et, bien sûr, les Spitfires, qui savent pourquoi. À mes parents, toujours, qui sont un exemple de générosité.

Un grand merci à Alix Penent chez Flammarion, salvatrice maîtresse ès maïeutiques, dont l'exigence est un cadeau tombé du ciel, et à Simon Labrosse, pour sa remarquable et discrète patience, jusqu'au dernier jour.

Un immense merci, enfin, à Tiphaine, mon adorable typhon, tout comme à mes deux incroyables enfants, Zoé et Elliott, qui rendent chaque jour la vie beaucoup plus belle.

# Bibliographie

En dehors des nombreux articles de presse concernant la période couverte, principalement de *L'Événement du jeudi*, *Libération*, *Le Monde* et *Le Parisien*, je tiens à donner ici une liste des principaux ouvrages qui m'ont permis d'établir la base documentaire nécessaire à la rédaction de *J'irai tuer pour vous*. Que leurs auteurs soient ici humblement remerciés.

J'ai également consulté les archives déclassifiées de la présidence de Ronald Reagan (*Reagan Presidential Library*) et de la CIA (*CIA Electronic Reading Room*), une précieuse mine d'informations accessible en ligne, service dont la France devrait s'inspirer, la consultation des archives de nos institutions relevant ici d'un véritable casse-tête...

AUQUE, Roger, *Un Otage à Beyrouth*. Filipacchi, 1987.

BIGO, Didier, « Les Attentats de 1986 en France : un cas de violence transnationale et ses implications » (Parties 1 & 2), *Cultures & Conflits 04* [en ligne], hiver 1991.

BONNET, Yves, *Liban, les otages du mensonge*. Michel Lafon, 2008.

BONNIVARD, Colette, *La Vie explosée*. Filipacchi, 1987.

BURDAN, Daniel, *Neuf ans à la division antiterroriste*. Robert Laffont, 1990.

FALIGOT, Roger, GUISNEL, Jean & KAUFFER, Rémi, *Histoire politique des services secrets français*. La Découverte, 2012.

FAURE, Claude, *Aux services de la République, du BCRA à la DGSE*. Fayard, 2004.

GUISNEL, Jean & KORN-BRZOZA, David, *Au Service secret de la France*. La Martinière, 2014.

LAURENT, Sébastien (sous la direction de), *Les Espions français parlent*. Nouveau Monde, 2013.

NOTIN, Jean-Christophe, *Les Guerriers de l'ombre*. Tallandier, 2017.

NOUZILLE, Vincent, *Erreurs fatales*. Fayard, 2017.

PASQUA, Charles & ACHILLI, Jean-François, *Le Serment de Bastia, mémoires*. Fayard, 2016.

PÉAN, Pierre, *La Menace*. Fayard, 1987.

RAZOUX, Pierre, *La Guerre Iran-Irak*. Perrin, 2013.

TRAPIER, Patrice, *La Taupe d'Allah*. Plon, 2000.

VILLENEUVE, Charles & PÉRET, Jean-Pierre, *Histoire secrète du terrorisme*. Plon, 1987.

WAROUX, François, *James Bond n'existe pas, mémoires d'un officier traitant*. Mareuil Éditions, 2016.

12406

Composition
PCA

*Achevé d'imprimer en Italie
par*  GRAFICA VENETA
*le 9 mars 2021.*

Dépôt légal : octobre 2019.
EAN 9782290204481
L21EPNN000405A007

ÉDITIONS J'AI LU
87, quai Panhard-et-Levassor, 75013 Paris

Diffusion France et étranger : Flammarion